JN436313

지장

지장 | 경전과 문헌자료 연구

2009년 8월 25일 초판 1쇄 인쇄
2009년 9월 5일 초판 1쇄 발행

지은이 | 장 총
옮긴이 | 김진무
펴낸이 | 오영교

펴낸 곳 | 동국대학교출판부
출판등록 | 제2-163(1973. 6. 28)
주소 | 서울시 중구 필동 3가 26
문의 전화 | 02 · 2260 · 3482~3
홈페이지 | http://www.dgpress.co.kr
이메일 | book@dongguk.edu

ISBN 978-89-7801-250-8
ISBN 978-89-7801-249-2(set)

값 22,000원

지장

장 총 지음 | 김진무 옮김

I 경전과 문헌자료 연구

동국대학교출판부

한국어판 서문

이번에 한중불교문화교류협회 회장인 영담 스님과 중국종교사무국 엽소문(葉小文) 국장님의 호의를 입어 나의 지장신앙에 대한 연구를 담은 『지장신앙연구』가 김진무 교수님에 의해 번역되고, 한국의 독자들에게 보일 수 있게 되어 감격스러운 마음으로 이 서문을 쓴다.

한국과 중국은 예로부터 문화, 경제 및 정치 방면의 교류가 끊임없이 지속되어 왔으며, 특히 불교의 교류는 더욱 두드러졌다. 고대로부터 한국과 중국의 불교 교류는 거의 모든 방면에서 여러 왕조를 거치면서 천년이 넘게 이루어져 왔다. 한국의 승려들은 중국에 들어와 서로의 한문 불교 전적들을 유통시켰는데, 이는 바로 불교 교류에 있어서 가장 중요한 일이었으며, 한국과 중국불교에 서로 이익을 가져다주었다고 하겠다. 역사적으로 중국에 구법한 한국 승려들은 매우 많았는데, 그 가운데 일부 승려들은 다시 천축으로 구법하였고, 일부 승려들은 한국으로 귀국하여 가르침을 폈으며, 일부 승려들은 끝내 귀국하지 않고 중국에서 역경과 저술을 남기거나 가르침을 펼쳤다.

구법 승려들의 노력으로 말미암아 역사적으로 한문 불전들이 여러 차례 전입되었으며, 일찍이 한국에 널리 유통되었다. 그러나 중국 당(唐)·송(宋) 기간에 왕조가 바뀌고 전란과 폐불 등으로 상당한 불교 전적이 소실되었다. 이때 조정과 민간 불교계에서는 다시 한국에서 불전을 구했는데, 오대(五代) 시기에 천태종의 전적을 수입하고, 오대와 원(元) 시기에 고려의 승려들과 관리들이 중국에서 경론과 소초(疏鈔)를 인쇄하여 각 사찰에 나누어 준 일과 같은 것이다. 이외에 한국의 승려가 찬술한 저작이 중국에 전입되는 등의 일들은 중국불교에 적지 않은 공헌을 하였다.

지장보살에 대한 신앙은 아시아 지역에서 유구한 전통을 갖고 있으며, 동아시아의 한국과 중국, 일본에 더욱 특별하다. 지장보살은 고대 중국과 한국인들이 신봉했을 뿐만 아니라 그 가운데 한국과 중국의 교류가 포함되어 있다. 지장삼부경의 하나인 『점찰선악업보경(占察善惡業報經)』은 바로 신라 승려인 원광

(圓光)대사와 밀접한 관계를 가진다. 원광대사는 중국으로부터 귀국 후 '점찰보(占察寶)' 를 설치하여 유행시켰다.

구화산(九華山)은 지장보살의 화현(化現) 도량이 되었는데, 바로 신라 승려인 '김교각(金喬覺)' 으로부터 조성된 것으로, 매우 독특한 사례이자 한국과 중국의 불교 교류가 이루어낸 위대한 성과라고 하겠다.

한국의 지장보살 신앙은 매우 성행하였고, 이에 따른 충분한 연구가 이루어져 있다. 설명을 덧붙이자면, 졸저 『지장신앙연구』는 주로 중국 지장신앙의 연구이다. 필자는 미국에 있을 때, 미네소타폴리스미술관에 소장된 한국 지장시왕도를 본 적이 있으며, 독일 프랑크푸르트 시에서는 '한국 고대 사찰의 지장시왕도' 전시를 보고 깊은 감명을 받았다. 아직 힘이 미치지 못하여 심도 있는 연구를 진행하지 못했지만, 향후 여건이 허락되면 심층적 연구를 하고자 하며, 한국 학자들의 뛰어난 논저들을 앙견(仰見)하고자 한다.

지장보살 연구는 중국과 미국 등에서 새로운 학자들에 의해 전문적인 논문들이 나타나고 있다. 사천(四川) 대학의 석견휘(釋見徽), 윤부(尹富)와 미국 애리조나 대학의 지여법사(智如法師), 중국 돈황연구원의 왕혜민(王惠民) 등의 뛰어난 학자들이 그들이다.

이번에 동국대학교출판부에서 졸저를 번역 출판하는 것을 계기로 필자는 이를 수정 보완했지만, 시간 등을 이유로 크게 바꾸지는 못했다. 그러나 이미 중국 원본 가운데 몇몇 잘못된 점은 바로잡았다. 또한 경전 중 다라니 부분을 어느 정도 수정하였고, 필자가 조사한 몇몇 석굴사(石窟寺)의 중요한 새로운 자료도 보충하였다. 또한 특별히 강조할 것은, 동국대학교출판부의 요청에 의해 본 한국어판의 지장 도상(圖像) 부분에 많은 도판(圖版)을 추가하여 출판하게 되었다는 것이다. 중국 원본과 비교하면 참으로 새로운 저술이라고 할 수 있을 것이다. 풍부한 지장보살 관련 도상이 담겨져 있는 본서는 독자들에게 매우 유익할 것이라고 생각한다. 비록 수정을 하였지만, 여전히 착오와 놓친 부분들이 있을 것이니, 한국 독자들이 바르게 지적해 주기를 바란다.

이 기회를 빌려 한국어판 번역을 성사시켜 준 한중불교문화교류협회 회장인 영담 스님과 중국종교사무국 엽소문(葉小文) 국장님에게 경의와 사의(謝意)를 헌상한다. 또한 번역을 맡은 김진무 교수님과 동국대학교출판부의 김윤길 부장님, 중국사회과학원 세계종교연구소 황규(黃奎) 선생님, 애석하게도 이미 타계하신 주소량(周紹良) 스승님께 역시 깊은 감사의 뜻을 표한다.

2009년 6월

중국사회과학원 세계종교연구소

장총(張總)

중국어판 서문

지장보살(地藏菩薩)은 불교에서 가장 중요하면서도 영향이 심원한 보살이다. 중국불교에는 4대보살 설이 있고, 또한 4대보살의 명산도량이 있다. 바로 문수(文殊)보살의 오대산(五臺山), 관음(觀音)보살의 보타산(普陀山), 보현(普賢)보살의 아미산(峨嵋山), 지장보살의 구화산(九華山)이 그것이다.

구화산 지장도량은 그 영향이 매우 크며, 사적(事迹)이 기이하다. 그러나 그 형성 연대는 이미 중국의 중고(中古)사회의 중후기(中後期)라고 하겠다. 지장보살은 아시아의 절반이 넘는 지역에 오랜 전통을 갖고 있다. 지장보살과 관련된 경전은 대략 북량(北凉) 시기에 이미 번역되었다. 당대(唐代)에는 역경가인 현장법사의 역본이 있다. 4대보살의 하나인 지장보살의 불교적 위치는 매우 독특하다. 바다와 같이 넓은 불교의 전적 가운데 지장보살과 관련된 경전 수가 매우 많다고는 할 수 없지만, 그 영향은 오히려 매우 크다고 하겠다. 아주 깊게 중국의 민속에 스며들어 심지어 민족심리 문화의 독특한 조성 성분으로 형성되었다고 할 수 있다.

지장보살의 조형입상(造形立像)은 당대(唐代)로부터 일어나 중요 석굴(石窟)에 출현하였으며, 또한 부처와 보살, 사문(沙門) 등의 다양한 모습으로 나타나고 있어서 여러 보살들 가운데 가장 풍부한 형상을 보이고 있다. 지장보살의 두루마리 회화 또한 매우 다양하고 정치(精緻)한 작품들이다. 돈황(敦煌) 막고굴(莫高窟) 장경석실(藏經石室)에서 출토된 두루마리로 된 견본(絹本) 불화, 그림과 경문이 함께 있는 시왕경도(十王經圖) 두루마리, 금동(金銅)·옥석(玉石)·칠목(漆木) 등의 재질로 깎거나 빚은 조상(造像) 등, 이러한 모든 것들은 지장보살이 역사상에 널리 전해져 있었음을 말해 준다. 지장보살 신앙은 또한 민간에 깊숙이 파고들어 중국인들의 장례 습속에서 '칠칠재일(七七齋日)'로 나타나고 있고, 성황당(城隍堂) 및 수륙재(水陸齋) 의식 등에도 깊이 스며들었다.

따라서 지장보살의 여러 가지 상황에 대하여 깊게 들어가 파악하고자 한다면, 지장보살의 대원력(大願力)과 대비행(大悲行)을 이해하여야 할 것이고, 또한 반드시 역사에 나타나는 다양한 자취를 찾아야 할 것이며, 심지어 눈을 해외로 돌려 다양한 지역에 소장되어 있는 지장경전과 도상(圖像)들을 열람하여야 비로소 지장보살의 위대함과 수천 년 동안 민중이 지장보살에 대해 지녔던 두텁고 깊은 믿음, 민속에 반영된 지장 형상을 이해하는 바가 있을 것이다.

이 책은 이 영역에 대하여 기본적인 연구를 진행한 것이다. 먼저 지장경전과 문헌에 대하여 계통적으로 정리하고, 또한 석굴 조각과 조소(彫塑), 두루마리 회화, 견본 회화 등을 정합(整合)하였으며, 아울러 경전의 내용과 조형 · 도상 등을 결합시키고자 하였다. 이로써 가능한 한 전반적으로, 지장보살 신앙과 관련된 면모들을 독자들에게 충실히 보이고자 하였다. 필자의 견해와 학식에 구애받아 필시 부족하거나 합당하지 않은 부분이 있을 것이다. 눈 밝은 이들의 가르침을 청하는 바이다.

제1장 지장보살 경전(經典)과 전적(典籍)

제2장 지장보권(地藏寶卷) 및 관련 문헌

제3장 민간신앙과 습합된 지장신앙

제4장 지장신앙의 다양한 측면

제1장 지장보살 경전(經典)과 전적(典籍)

지장보살을 주제로 한 경전 중에 가장 중요한 것은 '지장보살 삼부경(三部經)' 이라 불리는 경전들로 『지장보살본원경(地藏菩薩本願經)』·『지장보살십륜경(地藏菩薩十輪經)』·『점찰선악업보경(占察善惡業報經)』이 이에 속한다. 이 삼부경에 대한 주소(注疏)도 여러 편이 전하고 있다. 또한 지장보살의 명호(名號)를 들며 다른 관점에서 지장보살을 조망하고 있는 것으로는 잡장류(雜藏類)의 참의(懺儀), 행법(行法)과 영감기(靈感記) 등이 있다.

지장보살의 대서원(大誓願)과 유명교주(幽冥教主)라는 그의 위치로 볼 때, 지장보살은 지옥이나 지옥시왕 관련 경전, 우란분회(盂蘭盆會) 그리고 목련(目連)존자 관련 경전 등과도 밀접한 관계가 있음을 알 수 있다. 지장보살을 내용으로 하는 경전은 비단 역대의 대장경에 수록되어 있는 것뿐만이 아니라, 돈황 출토의 유서(遺書)들에서도 살펴볼 수 있다. 심지어는 민간신앙의 보권(寶卷) 형식으로도 대단히 많이 남아서 전해지고 있다. 그러므로 먼저 지장보살 관련 경전의 범위를 가능한 한 넓게 잡아서 분류하면, 한역(漢譯) 대장경에 수록된 경전, 지장보살과 관련이 있는 경전 가운데 지옥이나 목련존자를 내용으로 하는 경전 그리고 돈황 출토 유서의 지장경전이라는 세 부분으로 나눌 수 있다. 이를 살펴보면 다음과 같다.

1. 대장경에 수록된 경전

『대정신수대장경(大正新修大藏經)』(이하 『대정장』)에서 지장경전을 살펴보면, 실명인(失名人)의 『대방광십륜경(大方廣十輪經)』, 현장(玄奘)법사의 『대승대집지장십륜경(大乘大集地藏十輪經)』, 실차난타(實叉難陀)의 『지장보살본원경(地藏菩薩本願經)』, 불공(不空)대사의 『백천송대집경지장보살청문법신찬(百千頌大集經地藏菩薩請問法身贊)』이 제13책에 집중되어 있다. 제17책에는 보리등(菩提燈)의 『점찰선악업보경(占察善惡業報經)』이 있으며, 제20책에 수바타라(輸婆陀羅), 즉 선무외(善無畏)의 『지장보살의궤(地藏菩薩儀軌)』, 실명인(失

名人)의 『지고대도심구책법(峚告大道心驅策法)』, 『지장보살다라니(地藏菩薩陀羅尼)』가 있고, 제85책에는 『지장보살십재일(地藏菩薩十齋日)』, 『지장보살경(地藏菩薩經)』이 있다. 『대정장(大正藏)』「도상부(圖像部)」 제6책에 『금색지장만다라도(金色地藏曼荼羅圖)』, 『육지장도(六地藏圖)』가 있으며, 제7책에는 『염라왕수기경(閻羅王授記經)』 등이 있다. 이외에도 불공이 번역한 『불설연명지장경(佛說延命地藏經)』이 있다.

『만속장(卍續藏)』 제35책에는 명대(明代) 우익지욱(藕益智旭)대사의 『점찰선악업보경현의소(占察善惡業報經玄義疏)』,[1] 영요(靈耀)의 『지장보살본원경과주(地藏菩薩本願經科注)』, 『지장본원경과주론관(地藏本願經科注論貫)』과 지성(知性)의 『지장보살본원경연효소(地藏菩薩本願經演孝疏)』가 있고, 제129책에는 지욱(智旭)의 『점찰선악업보경행법(占察善惡業報經行法)』과 『찬례지장보살참원의(贊禮地藏菩薩懺願儀)』,[2] 실명인(失名人)의 『자비지장참법(慈悲地藏懺法)』이 있으며, 제149책에는 『상근지장보살영험기(常謹地藏菩薩靈驗記)』가 있다. 제150책에는 장천(藏川)의 『불설지장보살발심시왕인연경(佛說地藏菩薩發心十王因緣經)』, 『불설지장보살예수생칠경(佛說地藏菩薩預修生七經)』이 수록되어 있다.

앞서 살펴본, 『대정장』 제85권에 있는 경전은 원래 돈황 유서(遺書)로부터 나온 것이다. 예를 들면, 『지장보살십재일(地藏菩薩十齋日)』은 대영박물관에 소장되어 있는 S.2568호를 기초로 하고 있고, 『불설지장보살경(佛說地藏菩薩經)』은 대영박물관에 소장되어 있는 S.197호를 원본으로 하고 있다. 『대정장』(도상부)의 각 권에는 비록 단독으로 된 지장경전은 없지만, 각종 만다라(曼荼羅)와 만다라도(曼荼羅圖)의 토대가 된 경전에 적지 않은 지장보살 도상과 의칙궤범(儀則軌范) 등이 있다. 도상부 제7권에 있는 『염라왕수기경』[『예수시왕생칠경(預修十王生七經)』]은 일본의 고야산(高野山) 보수원사(寶壽院寺)에 소장

1 『卍續藏』 가운데 의소실분(義疏實分)을 3권으로 하고 있다. 제1권은 현의(玄義), 제2 · 제3권은 경소(經疏)로 되어 있다.

2 智旭, 『占察善惡業報經行法』(原刊 : 明 『嘉興大藏經』 第62卷) ; 智旭, 『贊禮地藏菩薩懺願儀』(原刊 : 明 『嘉興大藏經』 第63卷).

되어 있는 것을 토대로 하고 있다. 『만속장(卍續藏)』 제150책에 있는 『지장보살발심인연시왕경』과 『예수생칠경』은 비록 그 출처를 밝히고 있지 않지만, 이 두 권의 경전은 돈황의 유서와 상당히 밀접한 관계가 있다. 돈황의 유서 중에는 이러한 종류의 경전 사본(寫本)이 약 30개 편호에 달한다. 몇 개의 사본은 돈황의 유서가 아니라 기타로 전해지고 있는 사본이지만, 이러한 사본도 역시 대조하여 검토할 필요가 있다. 『대정장』의 기타 각종 경전과 한역 대장경의 관계에 대해서는 『이십오종장경목록(二十五種藏經目錄)』과 『이십이종대장경통검(二十二種大藏經通檢)』[3]을 참고로 하겠다.

지장보살과 관련된 중요 경전들에 대해 살펴보면 다음과 같다.

1) 『지장보살본원경(地藏菩薩本願經)』

『지장보살본원경』은 지장보살에 관한 가장 중요한 경전으로, 지장보살의 본원공덕(本願功德)과 본생서원(本生誓願)에 대해 설하고 있다. 경전에는 지장보살의 여러 행적이 포함되어 있으며, 지장보살을 염송하는 것만으로도 셀 수 없는 죄업을 소멸시킬 수 있고, 헤아릴 수 없는 공덕을 얻을 수 있다고 강조하고 있다. 『지장보살본원경』의 범문(梵文) 명칭은 'Ksitigarbha-pranidhana-sutra'이다. 당대(唐代)에 전국(闐國)의 고승인 실차난타(實叉難陀)가 번역하고 서명하였다. 본 경전은 13품(品)으로 나뉘어 있다. 그 내용을 간략하게 살펴보면 다음과 같다.

(1) 「도리천궁신통품(忉利天宮神通品)」: 부처님께서 도리천에 올라 어머니를 위하여 설법하실 때, 시방의 모든 불보살이 모여서 찬탄하였으며, 여래가 미소를 머금고 보았다. 광명이 비추어

3 蔡運辰(編著), 『二十五種藏經目錄對照』, 臺北 新文豊出版公司, 1983 ; 童瑋, 『二十二種大藏經通檢』(北京 中華書局, 1987) 참조.

구름을 밝히고, 오묘한 음악이 울려 퍼지며, 시방의 천룡(天龍)과 귀신도 또한 큰 모임에 와 있었다. 부처님께서 문수보살을 위하여 지장보살의 왕인(往因)을 설하셨다.

(2) 「분신집회품(分身集會品)」 : 지장보살의 분신(分身)이 시방(十方)지옥에 들어 모든 중생을 교화하고 돌아와서 세존을 뵈었으며, 세존께서 머리를 쓰다듬으며 부촉(付囑)하셨다.

(3) 「관중생업연품(觀衆生業緣品)」 : 마야 부인이 악취(惡趣)에서 느끼는 업보를 묻고, 지장보살이 간략하게 오무간사(五無間事)에 대하여 대답하였다.

(4) 「염부중생업감품(閻浮衆生業感品)」 : 정자재왕보살(定自在王菩薩)이 거듭 왕인(往因)에 대해 부처님께 여쭙자, 부처님께서 다시 간략하게 두 가지 일을 말씀하셨다. 사천왕이 부처님께 지장보살이 세운 대서원의 방편을 여쭙자, 부처님께서 응보(應報)의 법에 대해 설하셨다.

(5) 「지옥명호품(地獄名號品)」 : 보현보살이 묻자, 지장보살이 그를 위하여 철위산(鐵圍山) 안에 있는 무간(無間)지옥, 아비(阿鼻)지옥, 사각(四角)지옥, 비도(飛刀)지옥, 그리고 규환(叫喚)지옥, 발설(拔舌)지옥, 화상(火象)지옥, 화석(火石)지옥, 박피(剝皮)지옥과 음혈(飮血)지옥 등의 각종 지옥과 죄보(罪報)의 일에 관하여 간략하게 설하였다.

(6) 「여래찬탄품(如來贊嘆品)」 : 부처님의 몸에서 빛이 퍼져 나오고, 큰 음악소리가 들리면서 지장보살을 찬탄하였다. 보광보살(普廣菩薩)이 그 연유를 부처님께 여쭙자, 부처님께서는 지장보살을 받드는 이익을 널리 말씀하셨다.

(7) 「이익존망품(利益存亡品)」 : 지장보살이 부처님께 널리 중생에게 악을 끊고 선을 닦을 것을 권장함을 아뢰었다. 대변장자(大辨長者)가 존망(存亡)의 공덕을 묻자, 지장보살이 7분(分) 공덕을 설하며 망자(亡者)는 하나를 얻는다고 하였다.

(8)「염라왕중찬탄품(閻羅王衆贊嘆品)」: 귀왕(鬼王)과 염라천자가 불보살의 신력을 계승하여 도리천에 나아가 중생들이 선도(善道)를 닦지 않는 연유를 여쭙자, 부처님께서는 미로를 헤매는 사람의 비유로 그것을 설하시며, 다음에 악독(惡毒)과 주명(主命)이 있다고 말씀하셨다. 각각 선원(善願)을 발하니, 부처님께서 그것을 찬탄하셨다. 또한 주명도(主命道)를 받아 기록하였다.

(9)「칭불명호품(稱佛名號品)」: 지장보살이 중생을 이롭게 하기 위하여 과거 모든 부처님의 명호와 공덕을 설하였다.

(10)「교량보시공덕연품(校量布施功德緣品)」: 지장보살이 청하여 여쭙고, 부처님께서 따로 나누어 설하셨다.

(11)「지신호법품(地神護法品)」: 견뢰지신(堅牢地神)이 지장보살을 공양(供養)할 때의 열 가지 이익을 밝혔다.

(12)「견문이익품(見聞利益品)」: 부처님의 머리에서 빛이 나오고, 묘음(妙音)이 지장보살을 찬탄하였다. 관세음보살이 부사의(不思議)한 일을 묻고, 부처님께서 분별하여 설하셨다.

(13)「촉루인천품(囑累人天品)」: 부처님께서 다시 지장보살의 머리를 쓰다듬으며 모든 중생을 제도할 것을 부촉(付囑)하셨다. 다음에 허공장(虛空藏)보살이 지장상(地藏像)을 보고 지장경전을 들을 때 얻을 수 있는 스물여덟 가지의 이익을 설하였다. 다시 일곱 종류의 이익을 말하였고, 모든 부처와 대보살이 지장보살을 찬탄하였다.

수 · 당 시기 이후로 중국에서는 지장보살 신앙이 대단히 널리 보급되었다. 지장보살이 유명교주(幽冥教主)가 된 내용이나 지장보살의 각종 본생사적(本生事迹)과 지옥에 들어간 내용, 그리고 효심을 드러내 보인 내용 등이 모두 민간신앙에 깊이 뿌리 내리게 되었는데, 이러한 내용들은 모두 『본원경』으로부터 비롯된 것이다.

『본원경』의 두 품에 설하고 있는 지장보살의 네 가지 본생사적을 살펴보자.

첫 번째는 「도리천궁신통품」에서 지장보살은 과거의 무량한 겁(劫) 전에 대장자의 아들이었다. 그가 사자와 같은 위엄을 구족하고 천 가지 복을 가진 장엄한 상호를 갖춘 만행여래불(萬行如來佛)을 친견하자, 이로부터 한없는 공경심과 환희심이 절로 일어났다. 미래의 헤아릴 수 없는 겁이 다하도록 육도(六道)에서 죄업으로 고통받고 있는 중생들을 해탈시킬 것을 발원하여, 널리 방편을 시설하고 남김없이 해탈시키고자 하였다.

두 번째는 「도리천궁신통품」에서, 지장보살은 원래 과거 부사의한 아승지(阿僧祇) 겁 전에 바라문 여인이었다. 그 어머니 열제리(悅帝利)가 생전에 삼보를 불신하여 무간지옥(無間地獄)에 떨어지자, 성녀(聖女)가 그 어머니를 지옥에서 벗어나게 하고자 각화정자재왕여래(覺華定自在王如來)께 삼가 예를 올렸다. 사탑(寺塔)을 보시하고, 어머니를 위하여 공양을 베풀며 복을 닦았다. 또한 미래의 겁이 다하도록 죄로 고통받고 있는 중생들을 제도할 것을 크게 발원하였다.

세 번째는 「염부중생업감품(閻浮衆生業感品)」에서, 지상보살은 과거의 오랜 겁 전에 한 나라의 왕이었다. 나라 안의 백성 대부분이 악업을 지어 죄로 고통받자, 이들이 모두 보리(菩提)를 얻을 때까지 성불하기를 원하지 않는다고 발원하였다.

네 번째는 「염부중생업감품」에서, 지장보살은 과거의 오랜 겁 전에 여인이었으며 이름을 광목(光目)이라 하였다. 그 어머니가 지옥에 떨어져 고통을 받게 되자, 광목은 어머니를 구하기 위하여 지옥을 건넜고, 죄업으로 고통받고 있는 일체 중생이 남김없이 성불한 후에 정각(正覺)을 이루겠다고 발원하였다.

이러한 지장보살의 본생사적은 지장보살의 비민대원(悲憫大願)을 잘 보여주고 있다. "내가 지옥에 가지 않으면 누가 지옥에 갈 것인가![我不入地獄, 誰入地獄]", "중생이 모두 구원받아 지옥이 텅 비지 않는다면, 결코 성불하지 않겠다![地獄不空, 誓不成佛]", "중생이 모두 제도된 후에 보리를 증득하겠다![衆生度盡, 方證菩提]"라는 정련된 문장은 바로 지장보살의 정신을 함축적으로 보여주고 있으며, 지장신앙과 함께 널리 퍼지게 되었다. 더욱이 지장보살의 본생 중 두 가지는 어머니를 구하기 위해 지장보살이 친히 지옥의 여러 곳을 찾아다니며, 온갖 험난함과 어려움을 불사하고 어머니를 구해 지옥을 떠나는 내용이다. 이러한 종류의 행적은 중국인의 사상적 전통 속에 깊이 자리하고 있는 효 사상과 대단히 잘 부합하고 있다. 이것은 지장신앙의 보급과 전파를 더욱 촉진시켰으며, 『지장보살본원경』 역시 이러한 점 때문에 더욱 높은 평가를 받고 있다. "가히 험난한 길을 이끄는 스승이요, 어두운 거리를 비추는 지혜의 등불[慧炬]이며, 빈궁한 자의 보장(寶藏)이며, 흉년을 넘길 수 있는 곡식과 같다고 말할 수 있다. 일체의 미혹한 중생들로 하여금 속히 깨달음을 얻을 수 있게 한다."[4]

이 경전의 성격에 관하여, 현대 학계에서는 중국에서 찬술된 경전으로 인식하고 있다. 그 이유 중 하나는 경전이 번역된 과정과 내력이 명료하지 않다는 것이다. 비록 당대(唐代) 전국(闐國)의 승려 실차난타(實叉難陀) 삼장(三藏)[5]이 번역하였다는 기록이 있지만, 당대의 경전 목록에는 기재되어 있지 않다. 예를 들면, 『개원석교록(開元釋教錄)』이나 『정원신정석교목록(貞元新定釋教目錄)』 등의 목록에도 기재되어 있지 않다. 또한 역대에 간행된 송, 원, 고려(高麗) 등의 여러 대장경에도 역시 수록되어 있지 않고, 비교적 늦은 시기인 명대(明代)의 대장경에만 유일하게 이 경전이 수록되어 있다. 이러한 이유로 여징(呂徵) 선생은 이 경전이 명대 초기에 만들어진 것이라고 강력하게 주장하고 있다.[6] 송대 단공(端拱) 연간(988~989)에 간행된 『지장보살영험기(地藏菩薩靈驗記)』의 「청태사 사문지우감응기(清泰寺沙門知祐感應記)」에는 오대(五代) 시기 후진(後晋)의 고조(高祖) 천복(天福) 연간(936~948)에 서인도(西印度)의 승려 지우(知祐)가 청태사(清泰寺)에 머물렀는데, 그가 범어(梵語)로 된 『지장본원공덕경(地藏本願功德經)』과 불상 그리고 지옥과 시왕변상(十王變相)을 소지하고 있었다고 설명하고 있다. 그렇다면 이 경전이 최소한 오대 시기에 이미 중국에 존재하고 있었을 뿐만 아니라 전파되어 있었다는 뜻이다.[7] 다만 지장시왕 도상은 중국에서 만들어진 것으로, 현재까지 알려진 것을 검토해 보면, 인도에서 전래되었다는 어

4 印光大師, 『地藏菩薩本願經』 序文, 民國17(1928). 福建省 蒲田廣化寺 1982년 印本.

5 實叉難陀는 則武天后 시기에 『八十華嚴』을 역출한 저명한 역경승이다. 贊寧, 『宋高僧傳』 卷2에 〈唐洛京大遍空寺實叉難陀傳〉이 수록되어 있다.

6 呂徵, 『新修漢文大藏經目錄』, 齊魯書社, 1980, p.92.

7 『佛光大辭典』 地藏菩薩本願經(條), 臺北, 1989, p.2321.

떠한 실제적 증거가 없다. 『본원경』 또한 인도로부터 전해졌다는 증거 역시 아직까지 없다. 명대의 고승 주굉(袾宏)은 이 경전의 서문에서, 시중에 유통되고 있는 『본원경』의 번역자가 법등(法燈)과 법거(法炬)임을 명백하게 밝히고 있다. 하지만 이들의 출신과 시대 그리고 행적 등이 모두 불분명하다. 이 점은 실차난타가 이 경전을 번역했다는 사실과 맞지 않는다. 또한 이 『본원경』은 하나의 큰 특징을 가지고 있는데, 일반적인 장경본(藏經本)이 두 권으로 이루어져 있는 반면, 실제 각 사찰과 신도들 사이에 유통되고 있는 경전은 세 권으로 나뉘어 있다. 이외에도 당대(唐代) 지장신앙의 전파와 발전 과정을 고려해 보면, 당대에 이미 번역본이 있었을 가능성을 부인할 수는 없으나, 중국에서 자체적으로 형성되었을 가능성이 더 크다고 할 수 있다.

이 경전의 성립에 대하여, 일본의 학자 하타니 사토루(羽溪了)는 전국(闐國)에서 만들어졌다고 주장하고 있다. 마츠모토 분자로우(松本文三郎)는 이 경전이 정토종(淨土宗)의 『아미타불본원경(阿彌陀佛本願經)』을 모방하여 참조하고, 『지장십륜경』을 대체적인 골격으로 하여 내용을 증보한 것으로, 확실히 의위경(疑僞經)에 속한다고 주장하고 있다. 오노 겐묘우(小野玄妙)는 『불전비평론(佛典批評論)』에서, 이 경전의 성립 과정의 각종 의문점들을 구체적으로 분석하고 있다. 그러므로 이 경전이 중국에서 자체로 형성되었다는 것은 이미 학계의 정설이라고 말할 수 있다. 한 가지 지적하고 싶은 것은, 위경(僞經)은 원본이 되는 범본 혹은 호본(胡本)이 없는 경전으로 중국에서 자체적으로 형성된 경전을 뜻하지만, 이러한 위경이 모두 낮은 수준의 것은 아니라는 점이다. 이 경전은 이러한 경전들 중에서도 수준이 매우 높은 경전이며, 불교의 발전사에 있어서 대단히 중요한 전적임에 틀림없다.

2) 『지장보살본원경(地藏菩薩本願經)』의 주소(注疏)

『본원경』에 대한 주소(注疏)로는 먼저 대장경에 진계청련대사(秦谿青蓮大師)와 진계대사(秦溪大師) 영요(靈耀)와 문인(門人) 악현(岳玄)의 『지장보살본원경과주(地藏菩薩本願經科注)』가 있고, 고전(高泉) · 영요(靈耀)의 『지장보살본원경과주』, 고전 · 영요의 『지장본원경과주론관(地藏本願經科注論貫)』이 있다. 이 세 권의 장소(章疏)는 모두 『만속장(卍續藏)』 제35책에 수록되어 있으며, 사실상 모두 청대(淸代)의 승려 영요가 지은 『지장보살본원경과주』라고 할 수 있다.

『지장보살본원경연효소(地藏菩薩本願經演孝疏)』는 청대(淸代)의 승려 지성(知性)이 저술한 것이다.[8] 현대의 백화체로 된 소해(疏解)로는 『지장보살본원경백화해석(地藏菩薩本願經白話解釋)』이 있는데, 중화민국 시기에 호유전(胡惟銓)이 저술하고, 홍일(弘一)법사가 감정(鑑定)하였다. 홍일법사가 지은 서문에 의하면, 이 백화체의 책은 중화민국 기사년(己巳年 ; 1929) 9월에, 홍일법사가 치산(峙山) 금선사(金仙寺)에서 택범(宅梵)거사 호유전과 시문을 토론하고 교류하면서 비롯되었다. 10월 천태산(天台山) 정권(靜權)법사가 와서 『지장보살본원경』을 강의하였다. 홍일(弘一)법사는 『본원경』 장소(章疏)에 오직 과주 일부만이 남아 있었기 때문에, 택범거사에게 백화체로 저술할 것을 청하였다. 계유년(癸酉年 ; 1933)에 완성하고, 다시 범고농(范古農) 선생이 교정을 맡았으며, 나중에 상해(上海)의 불학서국(佛學書局)에서 발간되었다. 저술자는 이 경전이 인과응보를 가르쳐 사람의 마음을 바르게 한다고 강조하고 있다. 첫 번째는 독자에게 경문의 의미에 대해 충분히 이해할 수 있도록 설명하고, 두 번째는 권선징악의 사상을 강조하고, 괴로움을 벗어나 즐거움을 얻는 것을 원칙으로 하고 있다. 세 번째는 계도(啓導) 방법을 사용하여, 독자에게 신심(信心)을 불러일으키고 있다. 문장을 살펴보면, 매 단락의 경문 뒤는 해(解)와 석(釋)의 두 단락으로 구성되어 있다. '해'는 구절을 따라 경문을 해설하고 있고, '석'은 경전의 의의를 드러내고 있다. 이 백화본의 해석은 현대인이 이해하기가 쉽기 때문에 지금까지도 여전히 유행하고 있다. 가장 최근의 저작으로 고정연(顧淨緣) · 오신여(吳信如)의 『지장경법연구(地藏經法研究)』가 있고, 이 저작에 『지장보살본원경』에 대한 간략한 해석과 강의가 있으며, 또한 『우란분공강의(盂蘭盆供講義)』

8 이 版本의 출처는 자세하지 않다. 『大藏會閱』(제2책), 臺北 天華出版公司, 1979, p.590 참조.

등이 첨부되어 있어, 내용이 풍부하고 상세하다.[9]

3) 『대방광십륜경(大方廣十輪經)』

『대방광십륜경』은 2개의 역본(譯本)이 차례로 유통되었다. 즉, 번역자가 실명인(失名人)인 북량(北凉) 시기의 『대방광십륜경』과 당대 현장법사가 영미(永微) 2년(651)에 번역한 『불설대집대승지장십륜경(佛說大集大乘地藏十輪經)』이다.

『대방광십륜경』은 모두 8권, 15품, 4만 7천여 자로 이루어져 있다. 이 경전은 현장법사의 역본이 나오기 이전에 대단히 이른 시기에 번역되어 있었으나, 번역자의 이름은 알 수가 없다. 일반적으로는 이 역본은 북량 시기에 번역되었다고 알려져 있지만, 또한 북제(北齊) 사람에 의해서 번역되었다는 주장도 있다.[10]

『대정신수대장경』 제13책에 이 경전이 수록되어 있다. 이 경전의 내용은 지장보살의 공덕을 찬탄하고, 부처님께서 지장보살의 청문에 근거하여 원력(願力)으로 십불륜(十佛輪)을 성취하고, 십불륜과 삼승(三乘)의 십의지륜(十依止輪)으로, 말세를 타파하는 십륜으로 십악(十惡) 세계의 수레를 이끌어 갈 것을 강술하고 있다. 사실, 이 경전의 종지(宗旨)는 대승(大乘)으로 돌아가 삼승(三乘)을 융합하는 것으로, "오직 일승만이 있다[唯有一乘說]."는 사상에 대하여 일갈하고 반박하고 있다. 그러나 『법화경』의 회삼귀일(會三歸一)의 사상과는 차이가 있다. 이 경전은 대단히 많은 내용을 파계(破戒)한 승려에 대해 다루고 있다. 또한 '승상(勝想)' 의 공덕에 관하여 설하고 있으며, 파계 승려에 대한 징벌을 강조하고 있다. 파계 승려는 청정상(淸淨相)과 잔여의 위력이 있기 때문에, 마치 소[牛]에 황(黃)이 있고 사향노루에 향(香)이 있는 것과 같다고 설하고 있

---

9 顧淨緣 · 吳信如, 『地藏經法研究』, 北京 中醫古籍出版社, 1998.

10 聶士全, 「地藏信仰與金地藏研究述評」, 『法音』(第7期), 1996.

다. 이 경전에서 설하고 있는 지장보살은 사문 형상의 지장이며, 말법(末法) 시대의 혼탁한 세상의 중생을 제도한다. 수대(隋代) 삼계교(三階敎)의 창시자인 신행(信行)선사는 바로 이 경전에 의거하여 '불보법(佛普法)' 의 주장을 펼쳤는데, 삼승(三乘)을 하나로 융합하여 마땅히 '보경(普敬)' 해야 하며, 일불(一佛)을 섬기는 것을 당연한 것이 아니라 여겼고, 일경(一經)을 존숭해야 한다고 하였다. 신행이 저술한 『삼계교법(三階佛法)』을 살펴보면, 이 경전에서 인용하고 있는 부분이 모두 100여 곳이 넘을 정도로 대단히 많다. 그러므로 이 경전은 삼계교의 이론적 토대의 하나라고 할 수 있다. 또한 관점에 따라서 이 경전의 권3에서 설하고 있는 '십종왕륜(十種王輪)' 의 내용은 역시 후대의 지장시왕 신앙의 태동과 관련이 있다고 볼 수 있다.[11] 이 경전은 모두 8권 15품으로 구성되어 있으며, 그 품목(品目)은 아래와 같다.

1. 서품(序品) 2. 제천녀문사대품(諸天女問四大品) 3. 발문본업단결품(發問本業斷結品) 4. 관정유품(灌頂喩品) 5. 상륜품(相輪品) 6. 살리전다라현지상품(刹利旃陀羅現智相品) 7. 중선상품(衆善相品) 8. 찰리의지륜상품(刹利依止輪相品) 9. 원리기혐품(遠離譏嫌品) 10. 보시품(布施品) 11. 지계상품(持戒相品) 12. 인욕품(忍辱品) 13. 정진품(精進品) 14. 선상품(禪相品) 15. 지상품(智相品)

4)『대승대집대방광십륜경(大乘大集大方廣十輪經)』

현장법사 역본(譯本)의 전체 명칭은『대승대집지장십륜경』이며,『대정장』의 제13권에 역시 수록되어 있다. 이 경전은 모두 10권 8품, 7만 3천여 자로 구성되어 있다. 이 역본의 장(章)과 품(品)은 앞서 번역됐던『대방광십륜경』의 역본보다 적으며, 그 품목은 다음과 같다.

11『佛學大辭典』大方廣十輪經(條) 참조.

> 1. 서품(序品) 2. 십륜품(十輪品) 3. 무의행품(無依行品) 4. 유의행품(有依行品) 5. 참회품(懺悔品) 6. 선업도품(善業道品) 7. 복전상품(福田相品) 8. 획익촉루품(獲益囑累品)

그 가운데 「무의행품」과 「유위행품」은 다시 세 부분으로 나뉘어 있다. 「선업도품」과 「복전상품」도 역시 다시 두 부분으로 나뉘어 있다. 현장법사의 역본은 비록 그 품목 수가 적지만, 오히려 대단히 명료하고 내용도 더욱 완비되어 있다. 현장법사의 제자인 신방(神昉)대사는 이 경전의 서문을 짓고, "구경(舊經)이 들어온 이래로 그 연대가 너무 오래되어 차례로 유실되어 왔고, 전인(傳人)이 기록을 망실하기도 하였다 ……."라고 언명하고 있다. 현장의 번역본이 이전의 여러 구본(舊本)에 비하여, "구본에 기재되어 있는 것은 이제 더욱 상세히 설명하였고, 구본에 없는 것은 새롭게 기재하였다."[12]라고 말하고 있다. 이 역본은 영미(永徽) 2년(651년) 정월에 번역하기 시작하여 12월에 완성되었으며, 현장대사가 1년의 기간 동안 교정을 보았다. 현장대사의 제자인 대승광(大乘光)과 신방이 번역 사업에 함께 참여하였다.

이 경전의 사상은 각 품에 나뉘어 있다. 「서품(序品)」은 대집회(大集會)에서 설법한 것에 따른 것이다. 그래서 '대집(大集)' 이 경전의 명칭에 드러나 있다. 대집회란, 부처님께서 설법하실 때에 시방(十方)의 대중이 운집한 법회를 말한다. 박가범(薄伽梵)이 거라제야산(佉羅帝耶山)에 있을 때, 모든 모니선(牟尼仙)과 많은 대성문승(大聲聞僧), 보살마하살(菩薩摩訶薩) 무리가 모두 집회에 참석했다. 이때에 무구생천제석(無垢生天帝釋 ; 천제석의 이름이 무구생임)이 부처님께 청문하자, 부처님께서 널리 지장보살의 공덕을 찬탄하셨다. 부처님께서 다음과 같이 설하셨다.

> 지장보살은 이미 헤아릴 수 없는 대겁(大劫)의 오탁악세(五濁惡世) 시기에 부처님이 없는 세계에서 유정(有情)들을 성숙시켰다.

---

12 舊本所有, 今更詳明, 舊本所無, 斯文具載.

…… 지장보살은 헤아릴 수 없는 뛰어난 공덕으로 장엄하였다. …… 늘 혜시(惠施)를 행하니, 마치 바퀴가 끊임없이 굴러가는 듯하다. 지계(持戒)에 있어서는 굳고 흔들림이 없으니, 마치 묘고산(妙高山)과 같다. 정진하고 또 정진하여 무너뜨릴 수가 없으니, 마치 금강보(金剛寶)와 같다. 안인(安忍)이 흔들리지 않으니 마치 대지(大地)와 같다. 정려(靜慮)가 깊고 은밀하니 마치 비장(秘藏)과 같다.[13]

이 문장의 끝에서 표현하고 있는, "안인이 흔들리지 않으니 마치 대지와 같고, 정려가 깊고 은밀하니 마치 비장(秘藏)과 같다."는 문장은 지장보살 명호의 유래를 보여주고 있다.

집회에서 보살이 다시 부처님께 청문하고, 부처님께서는 지장보살의 한량없는 공덕에 대해 설하고 있다. "지장보살은 능히 깨달아 여래의 경계에 들었으며, 모든 불법에 있어서 이미 자재(自在)를 얻었다. 지장보살은 과거로부터 앞으로 올 헤아릴 수 없는 대겁(大劫)의 오탁악세 시기에 부처님이 없는 세계에서 일체 유정(有情)을 성숙시키고, 일체 유정을 안락하게 하였으며, 모든 유정이 원하는 바를 만족시켜 주었다. 지장보살이 모든 유정을 성숙시킨 연유로 오랫동안 굳은 의지를 가지고 대원(大願)과 대비(大悲)를 수행하고, 용맹 정진하여 모든 보살을 넘어서게 되었다. 그러므로 중생들이 마음 깊이 모시고 그 명호를 부르며 염송하고 예배드리며 지장보살을 공양하는 것이다. 법다운 모든 원(願)들을 속히 원만하게 구족할 수 있다. 그러므로 마땅히 지장보살을 공양하는 것이다."[14] 지장보살은 시방세계에 각종의 화신으로 나타나, 각종의 불법을 설하여, 각종의 고통으로부터 중생을 해탈시키고자 한다. 이러한 지장보살과 대자 대비하여 중

13 地藏菩薩已於無量無數大劫五濁惡世時, 無佛世界, 成熟有情. …… 地藏菩薩有無量無數不可思議殊勝功德之所莊嚴. …… 常行惠施, 如輪恒轉. 持戒固堅, 如妙高山. 精進難壞, 如金剛寶. 安忍不動, 猶如大地. 靜慮深密, 猶如秘藏.

14 地藏菩薩, 善能悟入如來境界, 於諸佛法已得自在. 地藏菩薩於過去, 當來之無量無數大劫五濁惡世, 無佛世界, 成熟一切有情, 利益安樂一切有情, 令諸有情所願滿足. 地藏爲欲成熟諸有情故, 久修堅固大願大悲, 勇猛精進過諸菩薩. 是故衆人至心歸依稱名念誦禮拜供養地藏菩薩, 可使如法諸願, 速得滿足. 故應供養地藏菩薩.

생의 고난을 구하고자 하는 관세음보살은 그 성격이 일치한다고 할 수 있다.

「십륜품」에서는 부처님께서 지장보살의 청문에 답하시고, 오탁악세에 불륜(佛輪)을 굴리고, 여래의 본원력(本願力)으로 열 가지의 불륜을 성취하리라고 하셨다. 또한 관정대왕(灌頂大王), 즉 전륜성왕(轉輪聖王), 입국(立國), 호국(護國), 치국(治國) 등등을 열 가지 종류의 왕륜(王輪)으로 비유하시며, 열 가지 불륜의 각종 정형에 대하여 말씀하셨다. '륜(輪)' 은 본래 고대 인도의 일종의 병기였다. 전투의 선봉에 서서 능히 강적을 상대하고 굴복시켰다. 불경에서는 '륜' 을 불법(佛法) 등의 여러 가지 상(相)으로 표현하고 있다.

「무의행품(無依行品)」에서는 부처님께서 천장대범(天藏大梵)의 청문에 답하시고, 두 가지 종류의 십무의행(十無依行)을 설하셨다. 선정(禪定)을 닦는 자가 한 종류의 무의행만 한다면 성취를 이루지 못하며, 이미 쌓은 공덕도 역시 훼손됨을 밝히고 있다. 경전에서는 또한 비구에 대한 존경을 강조하며, 그들을 손상시키지 않는 원칙을 강조하고 있다. 재가(在家)의 신도들은 법에 의지하여 출가한 이들과 삭발하고 가사를 입은 이들에 대하여, 그들이 엄격히 계를 지키는 자든, 파계(破戒)한 자 혹은 무계자(無戒者)라 하여도 모두 존중해야 마땅하며 마음대로 책망하여 벌할 수 없다는 것이다. 때문에 비구, 이미 파계한 비구라 하여도, 역시 청정당상(淸淨幢相)을 가지고 있으며, 중생들로 하여금 십종(十種)의 수승(殊勝)한 사유를 하게 하기 때문에 상해로 다스려서는 안 되는 것이다. 파계자 혹은 무계자는 오직 청정한 승려들이나 승단의 계율에 의하여 조치된다. 경전에서는 또한 비유하여 말하기를, 파계 악행을 행하는 비구는 비록 불법의 비나야(毘奈耶 ; 律)에서 사시(死尸)라 부르지만[계행(戒行)이 이미 무너졌기 때문에 성취가 불가능함], 출가계(出家戒)의 공덕은 남아 있다. 마치 소에 황(黃)이 있고 사향노루에 향(香)이 있는 것과 같아서, 비록 몸은 죽었지만, 여전히 중생을 이롭게 할 수 있다. 출가의 위의(威儀)와 형상(形相)을 유정 중생이 잠시 보는 것만으로도 청정한 지혜의 법안(法眼)을 얻을 수 있기 때문이다.

지장보살과 모든 대보살은 서로 다른 모습의 출가상(出家相)으로 나타난다. 경전의 「서품」에서 지장보살은 신통력으로써 성문의 형상으로 나타난다. 출가상(出家相)으로 나타나는 것은 이 예토(穢土)에서 성불하겠다는 뜻이다. 예토

세계에 있는 출가인은 청정하고 장엄한 해탈상(解脫相)이다. 중생이 보고 들음으로써 감화되어 신심이 청정하게 되는 것이다. 석가모니불과 지장보살 모두 이 혼탁한 세계에 출가상으로 나타나서, 중생을 제도한다.

경전에서는 또한 살부(殺父), 살모(殺母), 살아라한(殺阿羅漢), 파성문승(破聲聞僧), 부처의 몸에서 피를 내는 것, 이 다섯 종류의 무간(無間) 대죄(大罪)는 마땅히 무간지옥(無間地獄)에 떨어진다고 명확하게 밝히고 있다. 그리고 독각(獨覺)을 살해하는 일, 비구니를 탐하는 일, 삼보(三寶)의 보물을 침탈하는 일, 승려들의 단결을 훼손하는 일을 네 가지 근본적인 죄라고 하였다. 여기에 삼보를 비방하고, 정법을 의심하는 죄도 있다. 이상의 무의행의 여러 죄목 가운데 하나라도 범하는 자는 부처님의 제자가 아닌 것이다. 부처님께서는 또한 우파리(優婆離)의 질문에 응하시며, 파계한 비구에 대하여 상세히 설하시고 마땅히 법에 따라 조치해야 한다고 말씀하셨다. 열 종류의 비법(非法)과 열 종류의 비인(非人)을 꾸짖으시며 모두 취할 바가 없다고 하셨다. 파계한 비구에 대하여 오법(五法)에 의지해 상응하게 그것을 열거하시고, 또한 파계의 죄를 중(重), 중(中), 경(輕)으로 구별하여 다루셨다. 중죄를 범한 비구는 법에 의거하여 그에 맞게 처벌해야 한다고 설하셨다.[15]

지장보살의 서원은 말세(末世)의 중생을 구제하는 것이기에, 부처님께서 말세의 10악륜(惡輪)에 대하여 말씀하셨다. 즉, 말세에는 국왕, 재상 등의 신하와 악을 비호하는 비구가 중생들을 고통에 빠뜨리고, 사찰의 재물을 침탈하는 등의 열 가지 죄업을 저지른다는 것이다. 부처님께서는 이 가운데 파계(破戒), 무계(無戒)의 승려에 대해서 엄하게 말씀하셨다. 또한 청련목육아상왕(靑蓮目六牙象王)이 평온한 마음으로 자기를 희생하여 상아(象牙)를 바치고, 사냥꾼에게 해를 입지 않은 것 등에 대해서도 말씀하셨다. 만약에 진선국왕(眞善國王), 바라문(婆羅門)이 십악륜을 멀리하고 정법을 지키면, 능히 열 종류의 선법(善法)이 크게 신장되고 20종의 과오로부터 멀어질 수 있다. 여기에서 천장대범(天藏大梵)

15 이에 대해, 印順법사는 이 점을 강설하면서, 일찍이 불교국인 泰國을 그 실례로 들었다. 태국에서는 비구 승려가 죄를 범하였을 때, 경찰이 먼저 구속하거나 체포하지 않는다고 한다. 바로, 寺廟에 인도하여, 승단이 법에 의거하여 처벌하고 승복을 벗게 한 후에, 비로소 國法에 근거하여 조치를 취한다는 것이다.

이 호국(護國)의 불퇴전심(不退轉心)의 다라니명주(陀羅尼明呪)를 설하고 있다.

「유의행품(有依行品)」에서 승려들은 네 종류로 분류되고 있다. 즉, 승의승(勝義僧), 세속승(世俗僧), 아양승(啞羊僧), 무참괴승(無慙愧僧)이다. 또한 네 종류의 사문(沙門)이 있는데, 승도(勝道), 시도(示道), 명도(命道)와 오도(汚道)가 그것이다. 승의승은 보살과 같고, 독승각(獨勝覺)과 같고 아라한(阿羅漢)과 같다. 즉, 출가상이 나타나지 않고, 성법(聖法)이 있으며, 승과(勝果)를 얻은 자들이다. 세속승은 삭발하고 가사를 입어 출가상을 드러낸 자들이다. 아양승은 말 못하는 양과 같아서 불법을 해석할 수 없고 경중(輕重)을 알지 못하며, 가벼운 죄를 지은 자들이다. 무참승은 목숨을 구하기 위하여 출가하였으나 죄를 범하고 참회하지 않은 자들이다.

결론적으로, 출가 승려는 이러한 네 종류로 나뉜다. 수행하여 증득한 자는 성자(聖者)이며, 비록 증성(證聖)을 얻지 못하였지만 계를 청정히 지켰다면 정견자(正見者)가 될 수 있다. 아양승과 무참승은 좋을 수 없다. 또한 금계(禁戒)를 훼손하고 사견(邪見)을 굳게 믿으며 별승(別乘)을 비방하고 별도(別度)를 비방하는 자는 마땅히 물리치고 가까이 해서는 안 된다.

한편으로, 비록 법기(法器)는 아니지만 여전히 부처를 존숭하고 불법을 공경하는 이도 있다. 부처를 스승이라 칭하고, 부처의 형상(形象)과 사리(舍利)를 깊게 공경하고 믿으며, 부처의 법과 승단을 성스럽게 보고 계를 지키며 깊이 공경하고 믿는 승려들은 번뇌의 충동으로 한 순간 파계하여, 비록 법기(法紀)를 이루지 못하고, 증성이 현신하지 않더라도, 여전히 계덕(戒德)의 나머지 위세가 있어서 사람들로 하여금 정견(正見)으로 이끈다. 그러므로 이들을 가까이 해도 좋으며, 가벼이 질책해서는 안 된다.

이 품에서는 또한 삼승(三乘)이 모두 마땅히 배워야 할 도리를 강조하고 있다. 성문승(聲聞乘), 독각승(獨覺乘), 대승(大乘)이 모두 불법(佛法)이다. 하나를 훼손하고 하나를 섬기는 것은 옳지 않다. 어떤 이들 중에는 거짓되게 대승을 칭하며 스스로 자랑하기를, "나는 대승이고, 대승당(大乘黨)이다. 대승을 듣고 공부하며 지키는 것만을 좋아하고, 성문(聲聞)과 독각승(獨覺乘)의 법을 좋아하지 않는다."[16]라고 말하는 이가 있다. 이처럼, 대(大)를 들어서 소(小)를 비방하는 말은 말하는 자든, 듣는 자든 모두 대죄(大罪)를 얻는다. 이러한 종류의 편견은 먼저 소승을 배우지 않고, 성문을 타파하지 않았기 때문이다. 그러므로 견(見)을 단멸(斷滅)하고 광상(狂想)을 뒤집으며 무인론(無因論)에 집착하는 것이다. 소승의 근본 바탕이 있어야 미묘한 대승정법을 직접적으로 듣고 배울 수 있기 때문이다.[17]

부처님께서 널리 일승(一乘)의 법을 설하실 때에, 모두 중생의 성품을 겨냥한 것이요, 대승의 근성(根性)에 맞추어 가르침을 시설한 것이다. 오탁악세(五濁惡世)에 불법을 세우고, 소승의 법을 행하는 출가인의 위치는 대단히 중요한 것이다. 지장보살은 오탁악세의 시기에 성문의 몸으로 나타나 유정 중생들을 구도하여 지옥에 떨어지지 않게 한다. 그러므로 이 품에서 어떻게 청정한 승단을 보호하고 지킬 것인지, 어떻게 파계 비구를 처리할 것인지의 문제는 대단히 중요한 것이다.

「참회품(懺悔品)」에서는 큰 모임에 참석한 모든 보살들이 부처님께서 설하는 삼승의 법을 듣고, 각각 먼저 세상에서 지은 죄업을 참회하였다. 부처님께서는 오음(五陰 ; 五蘊)에 집착하지 않도록 이 세상과 다른 세상의 삼계(三界) 십종법(十種法)을 설하시어, 보살들로 하여금 능히 죄 없는 바른 길의 법인(法忍)을 얻게 하셨다.

재가 신자들 중 불법의 영향력이 큰 자들은 권세를 가진 자들로, 국왕이나 대신과 같은 자들이다. 여기에서는 네 종류의 사람을 상세하게 분석하고 있다. 첫째는 부처의 존위(尊位)를 발원하여 중죄를 면하는 자이다. 둘째는 이미 진리를 보고 깨달아 무생법인(無生法忍)을 얻은 자이다. 가히, 각종의 뛰어난 대재업(大財業)을 수용할 수 있는 부귀존위(富貴尊位)이다. 즉, 지혜가 있어 체오(體悟)한 자로서 가히 권세의 중임을 맡을 수 있고 삼보를 손상시키지 않는다. 세

---

16 我是大乘 是大乘黨 惟樂聽習受持大乘 不樂聲聞獨覺乘法

17 이에 대해 印順대사는 이 점을 분명하게 밝히면서, "出世間의 성문정신이 없다면, 대승의 入世妙法도 있을 수 없다. 대승은 반드시 일반적인 戀世의 世間法을 이루는 것이다[沒有出世的聲聞精神, 就不能有大乘的入世妙法. 大乘必成爲一般戀世的世間法]."라 하고 있다.

번째는 비록 깨닫지 못했지만, 능히 십선업도(十善業道)를 받들어 행할 수 있으며, 타인에게 수행을 권하는 자이다. 가히 재부권위(財富權位)를 받을 수 있으며 삼보를 무너뜨리지 않는다. 네 번째는 법인(法忍)과 십선업도를 얻지 못한 자로, 근근이 삼보를 존경하는 자이다. 역시 이 공덕의 힘으로 말미암아 중죄를 지어도 지옥에 떨어지지 않는다.

「선업도품(善業道品)」에서는 부처님께서 십선업도를 상세히 설하셨다. 십선업은 신(身)의 세 가지 선업(善業)으로 불살(不殺), 부도(不盜), 불음(不淫)을 하는 것이고, 구(口)의 네 가지 선업으로 헛된 말로 기만하지 않는 것[不妄語欺騙], 도발하여 이간시키지 않는 것[不挑撥離間], 험담하거나 욕하지 않는 것[不惡口呪罵], 교묘한 말로 음란함과 도적질을 가르치지 않는 것[不綺語誨淫誨盜]이며, 의(意)의 세 가지 선업으로 오욕(五欲)을 탐하지 않으며, 성냄을 일으키지 않으며, 삿된 견해로 말미암아 어리석지 않은 것이다. 즉, 보살십륜(菩薩十輪)이다. 이 십륜에 의지하면, 삼승인법(三乘人法)에 있어서 그릇되게 잃는 것이 없으며, 인과(因果)의 이익을 얻을 수 있다.

「복전상품(福田相品)」에서는 부처님께서 보살의 십재시(十財施) 대갑주륜법문(大甲冑輪法門)을 설하셨다. 이 보시는 세간의 오욕(五欲)을 끊고, 몸이 아니라 대자대비한 마음을 갖추어 보시를 행하는 것이다. 또한 십법시대갑주륜(十法施大甲冑輪)이 있으며, 정계(淨戒), 안인(安忍), 정진(精進), 정려(靜慮), 반야(般若)와 선교방편(善巧方便), 대자, 대비, 견고대인대갑주륜(堅固大忍大甲冑輪)이 있다. 이러한 종류들은 세간(世間)·출세간(出世間) 법이 모두 보살행이다. 그래서 일체의 성문·독각을 초승(超勝)하며, 널리 일체의 성문·독각을 위하여 대복전(大福田)을 짓는다.

「획익촉품(獲益囑品)」에서는 이 대법회에 참석한 대중들이 각각 무량한 이익을 얻음을 밝히고 있다. 부처님께서는 이 법을 허공장보살에게 부촉하셨다.

『지장십륜경』은, 말법시대의 우환과 오탁으로 어지러운 시대에 있어서 올바른 믿음의 어려움과 승단 내부에서 일어나는 정법에 대한 비방과 명리에 대한 욕심, 어리석음과 무명(無明)에 대하여 비판하고, 출가인의 존엄을 유지하고 보호할 것을 강조하며 정법이 사라지는 것을 막는 것을 그 내용으로 하고 있다. 지장신앙에 나타나는 우환 의식과 호법 · 호교의 사상은 역대 왕조에 있어서 의식 있는 고승에게 대단히 큰 영향을 미쳤다. 수대에 삼계교를 창립한 신행선사의 자비와 고뇌 그리고 말법시대에 불법을 수호하고자 하는 서원이 모두 지장법문으로부터 비롯된 것이다. 말법에 처하여 구세(救世)를 생각하고 홍원(弘願)을 발하여서 방산석(房山石)에 석경(石經)을 새긴 정완(靜琬) 등의 고승들에게는 모두 지장보살의 자비심과 고뇌에 찬 서원의 정신이 나타나 있다.[18]

5) 『점찰선악업보경(占察善惡業報經)』

『점찰선악업보경』은 중요 지장보살 경전으로, '지장보살 삼부경(三部經)'의 하나이다. 경전의 제목은 수대(隋代)의 서역승 보리등(菩提燈)이 번역한 것이며, 『대정장』 제17책에 수록되어 있다. 경문은 두 권으로 나뉘어 있고, 1만 3천여 자에 달한다. 이 경전은 또한 『점찰경(占察經)』, 『지장보살업보경(地藏菩薩業報經)』, 『지장보살경(地藏菩薩經)』, 『대승실의경(大乘實義經)』, 『점찰경(漸刹經)』 등으로 불리기도 한다. 이 경전은 목륜상(木輪相)으로 길흉화복과 선악을 점찰하는 법을 밝히고 있다. 또한 어떻게 장애를 제거하고, 청정한 믿음을 지켜야 하는 것인지 등의 내용으로 이루어져 있다.

『점찰경(占察經)』은 경전의 출처가 대단히 불분명하여서 위경(僞經)이라는 설이 끊임없이 제기되어 왔다. 점찰경법(占察經法)의 유행은 혼란스러운 당시의 사회상을 잘 반영하고 있으며, 수대에는 금지되기도 하였다. 불경목록(佛經目錄) 중에서 이 경전이 전해진 상황이 기록되어 있는 것을 찾아볼 수 있다. 비장방(費長房)의 『역대삼보기(歷代三寶記)』에는 광주(廣州) 지역의 사람들이 이 경전의 행탑참법(行塔懺法)을 인용하여, '선(善)' 과 '악(惡)' 의 두 글자로 사람

18 근대의 弘一대사는 계율의 어지러워짐을 통감하면서, 대단히 엄중하게 계를 지켰다. 그는 지장보살의 聖德에 크게 감복하여, 일찍이 '지장보살의 靈感' 과 '普勸淨宗道侶兼持誦地藏經要旨' 를 강설하였다. 그는 출가일도 역시 김지장의 成道日인 7월 30일로 택하였다. 결론적으로, 지장경전이 전승되고 지장보살의 悲愍정신이 광범위하게 전파되면서, 구화산의 지장도량이 형성되었고, 민간의 심리 속에 깊게 뿌리 내리면서 심대한 영향을 미쳤다고 할 수 있다.

에게 점을 치는데, 청주(青州) 지역에서도 역시 널리 유행하였다고 기록하고 있다. 또한 관리들로 하여금 이 경전에 대해 탐문하게 하고, 관리들이 경사(京寺)의 여러 고승 대덕들에게 가르침을 청하였으나, 경전의 출처가 분명하지 않자, 칙령으로 경전의 유포를 금하였다. 일반적으로, 수 · 당 시기의 관부와 조정에서는 경전 등의 유포에 대해서 간섭하지 않았지만, 이 경전만은 이러한 분쟁이 있었으며, 이것은 비교적 특이한 경우라고 할 수 있다.[19] 초당(初唐) 시기의 불경목록에는 여전히 의위경(疑僞經)으로 수록되어 있다. 당대 무주(武周) 시기의 『대주간정중경목록(大周刊定衆經目錄)』과 『개원석교록(開元釋敎錄)』에 이르러, 비로소 진경(眞經)으로 인식되어 장경목록(藏經目錄)에 수록되었다. 그리고 이후의 영향은 대단히 컸다. 만당(晩唐) 시기, 신라(新羅)의 승려 진숭(珍嵩)에 따르면, 『대승기신론(大乘起信論)』도 역시 『점찰경』에 의거하여 만들어진 것이라고 한다. 현재까지 알려진 자료에 의하면, 당시의 유명한 승려 가운데 『점찰경』과 밀접한 관계를 가진 승려는 신라의 원광(圓光)이다.[20]

원광은 유명한 섭론종(攝論宗)의 승려이다. 학문이 대단히 높았다. 그는 25세에 중국으로 건너가 금릉(金陵)에 이르러, 먼저 『열반경(涅槃經)』·『성실론(成實論)』을 공부하여 모두 밝게 통달하였다. 그리고 다시 소주(蘇州)의 호악(虎丘)에서 선관(禪觀)을 수학하였다. 수(隋) 개황(開皇) 9년(589)에 장안으로 들어와 뒤에 섭론(攝論)의 학문을 크게 떨쳤으며, 명성이 대단히 높았다. 신라왕이 멀리서 그 명성을 듣고 귀국하기를 청하여, 귀국 이후 '점찰보(占察寶)'를 설치하였는데, 이것은 신라에 큰 영향을 미쳤다. 『점찰경』은 불교사(佛敎史) 측면, 신라의 승려와 한국불교와의 관계 등에 있어서 대단히 의미 있는 경전으로, 앞으로 비중 있는 연구가 이루어져야 할 것이다.

『점찰선악업보경』은 부처님[婆伽婆]께서 기자굴산(耆者崛山)에 머무시며, 넓고 엄정(嚴淨)한 무애도량(無碍道場)을 보이시고 깊은 근취법문(根聚法門)을 설하신 내용을 담은 경전이다. 그때에 견정신보살(堅淨信菩薩)이 말세의 중생을 위하여 부처님께 방편을 여쭙자, 부처님께서는 반드시 지장보살에게 다시 물

19 方廣錩, 『佛教典籍概論』, 中國邏輯與語言函授大學宗教系教材, p.121 참조.

20 杜繼文 선생이 何勤松의 『韓國佛教史』(宗教文化出版社, 1997)를 위해 쓴 序言 참조.

어보라고 말씀하셨다. 지장보살은 삼종륜상(三種輪相)으로 나타나, 삼세(三世) 선악의 과보를 점찰할 뿐만 아니라 참회법도 함께 밝히고 있다. 또한 하나의 참된 경계[一實境界]와 두 종류의 관도(觀道) 및 뛰어난 설법(說法)을 보여서 두려움을 멎게 하고 '상(相)' 을 여의게 한다.

두 권으로 나뉘어 있는 이 경전은 각각 특성이 있다. 상권(上卷)은 지장보살이 부처님의 수기를 받아 미래의 혼탁한 세계의 중생을 위하여 태어나고, 선법(善法)에 대하여 상세히 설하도록 하고 있다. 즉, 지장보살은 부처님의 명으로, 부처님을 대신하여 가르침을 편다는 것이다. 경전에서는 목륜상법(木輪相法)을 사용하여 사람들의 숙세(宿世) 선악의 업과 현세의 고락과 길흉 등의 일을 점찰하는 것에 대해 상세히 밝히고 있다. 그 작법(作法)은 작은 나무조각에 10선·10악을 새겨 넣는 것이 있고, 신(身)·구(口)·의(意)의 명칭을 적어 넣는 것도 있으며, 또한 1에서 18까지의 숫자를 길고 짧게, 혹은 조악하게 혹은 자세히, 혹은 깊고 얇게 하는 등 서로 다르게 새겨 넣는 것도 있다. 이것을 정물(淨物)을 향해 던져서, 나타나는 숫자로 길흉과 선악을 점치는 데 이용한다. 최종적으로는 능히 189종의 업보를 구별하여 점칠 수 있다.

경전에 나타난 상륜상법(相輪相法)은 세 가지 종류가 있다. 첫 번째는 능히 숙세(宿世) 선악의 업종(業種)을 구별할 수 있는 것이고, 두 번째는 능히 숙세에 쌓인 업의 원근과 강약을 나타낼 수 있는 것이며, 세 번째는 삼세에 받는 업보의 차별을 드러낼 수 있는 것이다. 나타난 상법(相法)은 동시에 참회의 법을 표시한다. 중생은 죄업의 두터움과 얇음, 근성(根性)의 예리함과 우둔함에 따라서 조용한 방에서 마음을 지극히 하여, 7일 혹은 삼칠일(三七日) 혹은 칠칠일(七七日)에서 100일, 200일 혹은 1천 일에 달할 때까지 참회하면, 반드시 청정함을 얻는다. 점찰경은 점복수상(占卜數相)의 방법을 넘어서 불교의 교의(敎義)를 드러내고 있으며, 불교의 인과응보를 점복의 방법으로 설명하고 있다.

하권(下卷)의 내용은 비교적 이론적인 성격이 강하다. 대승의 실의(實義)에 대한 관법(觀法)을 넓게 설하고 있다. 대승을 향하여 나아가고자 하는 자는, 마땅히 우선 행하는 바의 근본적인 일실경계(一實境界)를 밝혀야 한다. 일실경계의 핵심은 마음에 있고, 마음의 뜻은 내상(內相)과 외상(外相)에 있다. 내상은 다시 진(眞)과 망(妄)으로 나뉜다. 일체의 제법(諸法)이 남김없이 마음 아닌 것이 없다. 마음이 생하니 법이 생하고, 마음이 멸하니 법이 멸한다. 마음은 경계에 있지 아니하고, 경계 역시 마음에서 오지 않으며, 마치 거울에 비친 모습처럼 오지도 않고 가지도 않는다. 그래서 일체의 법을 생멸정상(生滅定相)에서 찾아서는 결코 이해할 수가 없는 것이다. 이른바 일체의 법은 필경 형체가 없고, 본래 항상 비어 있는 것이다. 실(實)은 생멸(生滅)하지 않는 까닭이다. 이와 같이 일체 법의 '실'은 생멸하지 않는 것이며, 일체의 경계와 차별의 상(相)도 없다. 적정일미(寂靜一味)이다. 이것을 진여(眞如), 제일의제(第一義諦)라고 한다. 자심(自心)이 청정심(清淨心)이며, 담연(湛然) 원만(圓滿)하여 여래장이라 한다.

다시 경전에서는 바르게 닦는 두 가지 방법을 설하고 있다. 바로 유심식관(唯心識觀)과 진여실관(眞如實觀)이다. 유심식관을 닦는 것은 마땅히 어떤 때, 어떤 곳에서도 신(身)·구(口)·의(意)에 따라 행해지는 업을 남김없이 모두 관찰하는 것이다. 오직 마음을 알아 일체 경계에 이르는 것이다. 진여실관을 닦는 것은 심성(心性)이 생하지도 멸하지도 않는 것을 사유하는 것이다. 보고 들어서 깨달아 안 것에 머물지 않고, 영원히 일체 분별(分別)의 상(相)에서 벗어나는 것이다. 예리한 근기를 갖춘 사람은 진여실관을 닦을 수 있으며, 둔한 근기를 가진 사람은 마땅히 먼저 유심식관을 닦아야 한다. 이 법을 능히 믿고 이해할 수 있는 사람은 마땅히 정토에 왕생하는 불국(佛國)의 법을 닦을 수 있다.

경전의 끝부분에서 부처님께서는 견정신보살에게 다시 설하시고 있다. 이 법문은 '점찰선악업보(占察善惡業報)'로, '소제제장증장정신(消除諸障增長淨信)'이라 하기도 하고, '개시구향대승자진취방편현출심심구경실의(開示求向大乘者進趣方便顯出甚深究竟實義)'라 하기도 하며, '선안위설(善安慰說)'이라 하기도 한다. 두려움에서 벗어나게 하여 속히 굳은 믿음을 얻을 수 있는 결정법문(決定法門)이다.

『점찰경』과 『대승기신론』은 서로 비슷한 점이 많다. 『점찰경』은 비록 점법(占法)을 사용하고 수상(數相)이 대단히 많지만, 많은 수상이 하나이며 일실경계(一實境界)를 이루고 있다. 마땅히 이와 같은 여러 숫자는 모두 하나의 숫자에서 나온 것이며, 일(一)이 본(本)이 된다. 모두 여래장, 자성청정심(自性淸淨心),

일실경계로부터 일어나며, 일실경계에 의지하여 근본이 된다. 이른바 일실경계에 의지하는 까닭에 저 무명(無明)이 있고, 일법계(一法界)를 이해할 수 없으며, 잘못된 사유로 망령된 경계를 나타내는 것이다.

이러한 사상과 『대승기신론』의 "일심(一心)에 의지하여 근본이 되니, 무명(無明)이 염(念)을 만들고, 모든 경계를 만든다."[21]라는 설법은 하나라고 할 수 있다. 『점찰경』의 '일심이상(一心二相)' 과 『기신론』의 '일심이문(一心二門)' 역시 명백히 서로 유사하다. '일심이상' 은 마음의 뜻[心義]을 '마음의 내상[心內相]' 과 '마음의 외상[心外相]' 으로 나눈 것이다. '마음의 내상' 은 다시 '진(眞)' 과 '망(妄)' 의 두 종류로 나뉜다. '진' 은 자아의 청정하고 원만한 주체이고, '망' 은 마음에서 분별이 일어나, 일체의 여러 가지 경계가 생기는 것이다. 더욱이 '진여(眞如)' 와 '무명(無明)' 이 서로 훈습한다는 관점은, 이 경전을 제외하면 오직 『기신론』에서만 볼 수 있다. 두 경전의 유사한 점은 위에서 언급한 것이 전부가 아니다. 『중국불교사』 관련 논문에서 상세하게 살펴볼 수 있다.[22]

원광법사의 행적을 찾아볼 수 있는 문헌으로 중국 승려가 저술한 『속고승전』과 한국의 고승이 저술한 『해동고승전』, 『고본수이전(古本殊異傳)』 그리고 『삼국사열전』, 『삼국유사』가 있다. 원광은 귀국 후에 대단히 극진한 예우를 받았다. 신라 왕실과 조정의 대소 신료들이 지극히 정성을 다해 그를 모시고 설법을 들었으며, 모든 백성이 기쁘게 그를 환영하였다. 원광은 조정에서 성인처럼 숭앙되었을 뿐만 아니라, 나라의 정치 분야에서도 역시 그의 의견이 존중되었다. 그 명성이 나날이 높아져서, 만년에 이르러 가마를 타고 입궁하였으며, 의복과 음식 등이 모두 임금의 친인처럼 예우를 받았다. 원광법사는 『여래장사기(如來藏私記)』, 『대방등여래장경소(大方等如來藏經疏)』 등을 저술하였고, 항상 대승경전에 대하여 강의하였다. 특히 주목할 것은 '세속오계(世俗五戒)' 를 제정하고 '점찰보(占察寶)' 를 설치한 것이다.[23]

21 依一心爲本, 無明生念而生諸境界.

22 任繼愈(主編), 『中國佛教史』(中國社會科學出版社, 1988). 第3卷, 第2章 第8節의 『起信論』과 『占察經』 참조.

23 占察寶의 創立背景 및 傳承과정은 黃有福 · 陳景富의 『中朝佛教文化交流史』(中國社會科學出版社, 1993). 第6章 第3節 참조.

세속오계의 내용은 첫째가 사군이충(事君以忠), 둘째가 사친이효(事親以孝), 셋째가 교우이신(交友以信), 넷째가 임전무퇴(臨戰不退), 다섯째가 살생유택(殺生有擇)이다. 세속오계는 유가(儒家)의 사상을 담고 있는데, 이는 당시 신라를 둘러싼 국제적 상황과 관계가 있다.

점찰보는 대략 진평왕(眞平王) 35년(613)에 설치되었다. 당시 수나라에서 파견한 사절 왕세의(王世儀)가 신라에 오고, 이로 인해 황룡사(皇龍寺)에 백좌도량(百座道場)이 설치되었다. 여기에서 원광법사는 많은 고승들의 우두머리로 자리를 하였고, 귀계멸참(歸戒滅懺)의 제도를 건립하였다. 원광은 자신이 머물던 가슬갑사(嘉瑟岬寺)에 점찰보를 설치하였는데, 점찰보는 『점찰선악업보경』에 의거한 것이다. 점찰보는 '점찰법회(占察法會)' 라고 칭하기도 하는데, 오로지 경전에서 설한 바에 따라 선악과 길흉을 점찰하고, 참법을 거행하는 법회로, 정기적으로 거행되었다. 점찰법회는 널리 계율을 전파하는 데 있어서 중요한 역할을 하였다. 선악과 업보를 점찰하는 것은 지계(持戒)와 밀접한 관련이 있다. 원광이 세상에 있을 때, 점찰보는 단월니(檀越尼)가 시주한 전(田) 100결(結)을 얻었다고 하니 그 법회가 순조롭게 진행되었음을 알 수 있다. 원광 이후에 점찰법회는 진표(眞表)율사에 의해 계승되었고, 진표 이후에는 영심(永深) 등에게 전승되어 신라 말기까지 지속되었다.

6) 『점찰경소(占察經疏)』와 『점찰참법(占察懺法)』

수대(隋代) 이래로, 중국과 한국의 사찰과 민간 등지에서는 『점찰경』에 의거하여 멸죄참법(滅罪懺法)을 수행하는 이들이 많았다. 이것은 중국의 민속과 지장신앙 그리고 불교사상의 융합을 잘 보여주고 있다.

명대의 우익지욱(藕益智旭)대사는 이 경전에 대하여 대단히 높은 평가를 내리고 있다. 지욱은 이것이 혼란스러운 세상의 병을 치료하는 신단(神丹)과 같아서 유행할 수밖에 없다고 하고 있다. 지욱은 이 경을 대단히 중요시했을 뿐만 아니라, 이 경에 대한 장소(章疏)와 참의(懺儀), 행법(行法)을 찬술하였다. 그는 일찍이『점찰선악업보경의소(占察善惡業報經義疏)』 3권을 지었고, 다시『점찰경행법(占察經行法)』 한 권을 저술하였다. 이러한 저술 가운데 특히『점찰경행법』과『참의(懺儀)』는 민간에 깊은 영향을 미쳤다.

지욱의『점찰선악업보경의소』 3권은 모두『만속장(卍續藏)』 제35책에 게재되어 있다. 제1권은 현의(玄義)이며, 제2권과 제3권은 소(疏)이다. 그 구성은 먼저 현의를 밝히고, 경문에 소(疏)를 달고 있다. 제목의 순서는 제1 석명(釋名), 제2 현체(顯體), 제3 명종(明宗), 제4 변용(辨用), 제5 교상(敎相)이다.

지욱대사가 지은『점찰경행법』은 원래 명대(明代)『가흥장(嘉興藏)』의 제62책에,『찬례지장보살참원의(贊禮地藏菩薩懺願儀)』는 제63책에 수록되어 있다.[24]『만속장』 제129책에는 앞서 살펴본, 2개의 저술 외에도 실명(失名)의『자비지장참법(慈悲地藏懺法)』이 수록되어 있다.

행법의 1권은 연기(緣起), 근수(勸修), 간택동행(簡擇同行), 점찰륜상(占察輪相), 정수참법(正修懺法)의 다섯 부분으로 나뉘어 있다. 제참십과(諸懺十科)의 참회법을 수행하는 방법과 과정을 상세히 해설하고 있다. 그 과정에서 제1은 엄정도량(嚴淨道場)이며, 제2는 청정삼업(淸淨三業), 제3이 향화공양(香華供養), 제4가 계청삼보제천(啓請三寶諸天)이고, 제5가 예찬삼보(禮贊三寶)이다. 이 경전에 법이 찬해지지 않았기 때문에『십륜경』의 지장보살 찬불이게(贊佛二偈)를 취하고 제5와 제6을 1과(科)로 합쳤다. 제7이 발근청원(發勸請願)이며, 제8이 요수희원(了隨喜願), 제9가 발회향원(發回向願), 제10이 발원을 보충하여 조용한 방에서 단좌(端坐)하고 칭념명호(稱念名號)하는 것으로 되어 있다. 경문의 후면에 유심식관(唯心識觀)과 진여실관(眞如實觀) 두 종류의 관도법(觀道法)을 거듭 밝히고, 점륜상법(占輪相法)과 참단중재불의(懺壇中齋佛儀)를 나란히 첨부하였다.

『찬례참법(贊禮懺法)』은 부처의 명호와 찬불예법(贊佛禮法)에 대하여 상세히 설하고 있다. 경문의 끝부분은 지욱이 명대(明代)의 고경(古經)에서 문장을

24 上海 古籍出版社의『地藏三經集刊』(1995)에 또한『贊禮地藏菩薩懺願儀』을 수록하고 있다. 그러나『地藏菩薩本願經』의 뒤에 부가하고 있다.

발췌하였음을 밝히고 있다.

사실, 『점찰행법』과 『찬례참법』은 모두 참회법을 이끄는 데 이용되는 문체이며, 실천성을 대단히 강조하는 문체로서 불법의 교리를 밝히는 경전과는 차이가 있다. 이러한 종류의 텍스트는 법의 수행과 실천의 중요성에 대해서는 직접적으로 말하지 않고 비유적으로 표현하고 있다. 참법(懺法)은 본래 여러 경전에 나타난 설법을 밝혀서, 죄를 뉘우치고 과오를 참회하는 절차에 대한 의칙(儀則)이다. 불보살 앞에서 참의(懺儀)를 거행하기에 앞서, 예불(禮佛)이 필요한데, 이것이 바로 예찬의(禮贊儀)이다. 참회 후에는 다시 발원회향(發願回向)이 요구되는데, 이것이 참원의(懺願儀)이다. 앞서 살펴본, 『찬례참법(贊禮懺法)』은 지장보살참법(地藏菩薩懺法) 의식을 거행하기 전에 사용하는 것이다. 『점찰행법』은 『점찰경』에 의거하여 참회멸죄의 법을 행하는 규범임을 매우 명확하게 드러내고 있다. 『자비지장참법(慈悲地藏懺法)』은 지장참법(地藏懺法)의 의궤이다.

참법은 중국에서 대단히 빠른 시기에 형성되었다. 남북조시대에 진(陳)·양(梁) 등의 제왕의 지지를 얻었고, 큰 발전을 이루었다. 점찰참법(占察懺法), 탑참법(塔懺法) 등도 점점 융성하였다. 수·당 시대에 참법은 이미 크게 유행하였으며, 송대(宋代)에 전성기를 이루었다. 명대(明代) 초기에 태조(太祖)가 남경(南京)에서 여러 차례 법회를 거행하자, 참법은 다시 유행하였다. 당시 지욱이 찬술한 『지장참법』 등이 참법에 있어서 중요한 위치를 차지하였다. 『자비지장참법』은 비록 비교적 늦게 나타났지만, 지금까지 유행하면서 전해 내려오고 있다. 부모의 은혜를 갚거나 명복을 비는 제사 등에 이 참법이 많이 이용되고 있다.

『자비지장참법』에 제정되어 있는 참법은 세 권으로 구성되어 있다. 경전의 체제에 열 종류의 참사(懺詞)가 있는데, 참회음습(懺悔淫習), 참회탐습(懺悔貪習), 참회만습(懺悔慢習), 참회진습(懺悔瞋習), 참회사습(懺悔詐習), 참회광습(懺悔誑習), 참회원습(懺悔怨習), 참회견습(懺悔見習), 참회왕습(懺悔枉習)과 참회송습(懺悔訟習)이다. 여섯 종류의 회사(悔詞)는 참회안근견보(懺悔眼根見報), 참회문보(懺悔聞報), 참회후보(懺悔嗅報), 참회기보(懺悔嗜報), 참회촉보(懺悔觸報), 참회의보(懺悔意報)인데, 모두 참십습(懺十習) 육근(六根)으로 쌓은 허물과 죄를 참회하는 것이다. 또한 아귀 · 축생 · 인의 삼도(三道)의 나머지 죄를 참회하는 것이다. 지장보살을 공양하고 예배하며, 참회하는 자는 전생의 죄업을 씻을 수 있을 뿐만 아니라, 스무 종류의 뛰어나고 오묘한 이익[勝妙善利]을 얻을 수 있음을 밝히고 있다.[25]

지장참법은 중국에서 대단히 유행하였을 뿐만 아니라, 수대(隋代)에 신라의 고승 원광법사가 귀국하여 '점찰보'를 설치하고 상당한 영향을 미쳤다. 율종(律宗)의 승려 진표(眞表) 역시 '점찰법회(占察法會)'를 세웠다. 신라의 기록에 의하면, 영심(永深), 보종(寶宗), 신방(信芳), 체진(體珍), 진해(珍海), 진선(眞善), 석충(釋忠) 등이 이 법을 전승하였다.[26] 근대의 중국에서도 점찰법이 여전히 존재하고 있다.[27]

7) 『지장보살청문법신찬(地藏菩薩請問法身贊)』 등의 경전

앞서 살펴본, '지장보살 삼부경' 외에도 대장경에는 지장보살 관련 경전들이 역시 적지 않게 수록되어 있다. 그 대다수가 중요한 경전이지만, 분량은 매우 적은 편이다. 아래에서 이들 경전에 대해 살펴보겠다.

『백천송대집경지장보살청문법신찬(百千頌大集經地藏菩薩請問法身贊)』

『백천송대집경지장보살청문법신찬』은 대흥선사(大興善寺)의 불공삼장(不空三藏)이 황제의 명을 받들어 번역한 것이다. 불공은 밀종(密宗)의 유명한 고

25 慈悲地藏懺法中所据本願經可得二十種勝妙善利. 但每條之下常敍兩條. 因而與本願經囑累人天品中敍及的二十八種利益基本一致.

26 一然의 『三國遺事』(「眞表傳簡」).

27 弘一법사는 占察法入行法을 전문적으로 강설하였다.(弘一大師의 『占祭法』은 1931년의 慈溪五磊寺에서의 강연 원고로 찬술되었는데, 1957년에 上海大藏經行會에서 발행한 『普惠藏』에도 수록되었다.) 홍일법사는 이를 '地藏盆'이라 불렀다. 그는 또한 地藏講, 地藏會를 만들기도 하였다. 地藏祭의 地藏法會는 일본에서도 역시 크게 성행하였는데, 특히 일본의 關西 지역에서 대단히 유행하였다. 소아의 축복을 기원하는 데 집중되어 있다. 이것은 지장참법이라는 한 법회의 영향이 아시아 문화권 전체에 미치고 있음을 잘 보여준다.

승으로, 당대(唐代) 개원(開元) 연간에 중국에 들어와 순정밀교(純正密敎)를 전한 개원(開元) 삼대사(三大士) 가운데 한 명이다. 불공은 안사의 난 이후에 왕실의 중흥에 중요한 역할을 하였으며, 이로 인해 황실의 극진한 예우를 받았다. 이 경전 외에도 불공이 황제의 명을 받들어 번역하였다는 제기(題記)가 있는 『불설연명지장경(佛說延命地藏經)』이 있지만, 이것은 불공의 이름을 빌린 것이 너무나 명백하다. 그 시대가 불공이 번역한 경에 비해서 너무 늦고, 풍격(風格)도 역시 불공의 역경과는 차이가 있어서, 의심할 바 없이 위경의 범주에 속한다고 말할 수 있다.

불공이 번역한 『백천송대집경지장보살청문법신찬』의 형식을 살펴보면, 경전의 전형적인 삼분(三分) 형식을 취하지 않고 있으며, 『대집경(大集經)』에 있는 찬송(贊頌)을 적출하여 번역하였다. 이 경전의 문장은 전체가 운문의 게송 형식을 취하고 있다. 『대집경』에서는 두 가지를 설하고 있는데, 하나는 부처가 욕계(欲界)와 색계(色界) 사이에 있으면서 운집한 불보살에게 설법한 대승법(大乘法)이고, 다른 하나는 처(處)에 따라 운집한 대중에게 설법한 것이다. 전자가 나타난 것이 『대방등대집경(大方等大集經)』이며, 후자가 나타난 것이 『대집경현호분(大集經賢護分)』, 『대집경염불삼매분(大集經念佛三昧分)』 등이다. 『백천송대집경(百千頌大集經)』은 그 명칭을 살펴보면, 마치 전자의 경전에서 적출하여 저술한 것으로 보이지만, 『대방등대집경』과의 구체적인 관련성은 보이지 않는다. 비록 그 수미장분(須彌藏分) 등에 있는 것이 모두 지장보살에 관한 내용이지만, 기타 각종의 지장경전과는 상당한 차이가 있으며, 전체 경전의 내용이 지장보살의 사적(事迹)이나 행원(行願) 등으로만 전개되어 있는 것은 아니다. 그래서 혹자는 근본적으로 지장보살에 대하여 설한 것이 아니며, 지장보살이 질문하고 회답한 법신(法身)에 대해 설한 것이라고 하기도 한다. 명대의 지욱(智旭)은 『열장지율(閱藏知津)』에서 이것을 법신찬[贊法身], 법계(法界), 보리(菩提), 열반(涅槃), 십지(十地), 등(等), 묘(妙), 공덕(功德)이라고 해석하고 있다.

확실히 이 찬은 대단히 뛰어난 이론적 체계를 가지고 있으며, 개괄적으로 대승불교의 기본 원리들을 찬하고 있고, 밀종(密宗)의 원리도 함축되어 있다고 할 수 있다. 이 경은 여러 곳에서 비유 등의 수법을 운용하여, 법신과 불법의 도리를 설명하고 있다. 그 가운데는 대승의 공(空)과 유(有)의 양종(兩宗), 반야(般若)와 유가사상이 겸비되어 있으며, 또한 보살수행십지(菩薩修行十地), 즉 화엄사상과 밀종 관정(灌頂)의 내의(內意)가 들어 있다. 법신은, 즉 불성(佛性), 불신(佛身)이며, 보살을 가까이 하여 무명(無明)을 제거하면, 밝은 불성을 얻고 법신(法身)을 깨닫게 되며 법계를 이해하게 된다고 논하고 있다. 송(頌)은 법신을 밝히는 것에 대해 논하는 것으로 시작된다.

경찬(經贊)에서는 안(眼)·이(耳)·비(鼻)·설(舌)·신(身)·의(意)와 말나식(末那識)에 대하여 분석하고 있으며, 비록 아뢰야식(阿賴耶識)을 강조하고 있지 않지만, 실제로는 유식종(唯識宗)의 논조를 대변하고 있다. 예를 들면, "……안·이·비·설·신과 말나의 육처(六處)가 모두 청정하고, 이와 같이 그것의 상(相)을 마음으로 보면 세간·출세간의 두 종류가 있으며, 아집을 돌리면 자각(自覺)이 진여이다."라고 한 것이 그것이다.

법신의 화현(化現)은 경문에 역시 반영되어 있는데, 불일수(佛日手), 금강수(金剛手), 자비수(慈悲手)와 대유가자재(大瑜伽自在), 부처의 그림자가 모두 변화[佛影皆變化]라는 구절이 그것이다. 경문은 또한 지장보살에 대한 공경을 강조하고 있다.

> 보살에 대하여 예배하지 않는 것은 중대한 악(惡)이라 말할 수 있고, 보살을 가까이 하지 않으면 그 법신(法身)이 생하지 않는다.[28]

『백천송대집경지장보살청문법신찬』의 전체 경문은 5언의 운문체로 이루어져 있고, 4구 7언의 송(頌)으로 문장을 끝맺고 있다.

> 만약 상응하여 이 이치를 나타내면,
> 오직 몸은 지혜로써 분석한다.
> 그는 정연화(淨蓮華)에서 왕생하여,

28 不應禮菩薩 此爲甚惡說 不親於菩薩 不生其法身

법을 듣고 무량수를 설하게 된다.[29]

끝부분의 게송을 살펴보면, 지장보살이 묻는 바에 대하여 답하며, 불법의 도리의 마땅함과 무량수의 관계에 대하여 밝히고 있다. 전체의 찬을 살펴보면, 그 실상은 상당히 농후하게 밀종의 토대 위에서 대승 공(空)・유종(唯宗)과 수행의 여러 설을 강조하고 있으며, 또한 밀종 관정법문(灌頂法門)의 묘용(妙用)을 조금 드러내고 있다. 결론적으로, 『백천송대집경지장보살청문법신찬』은 지장보살 경전의 하나이지만, 비교적 특수한 전적이라고 할 수 있으며, 기복신앙의 성격이 강한 전적들과는 큰 차이가 있다. 그 문체는 게송으로 간단하지만, 성불(成佛) 수성(修性)의 이론적인 성격이 오히려 매우 강하다.

이외에, 삼계교의 승려 사리(師利)가 찬한, 『시소범자유가법경경(示所犯者瑜伽法鏡經)』의 제2「지장보살소문품(地藏菩薩所問品)」은 이 경전에 의거하여 개변(改變)된 것이다. 여기서 주의해야 하는 것은 지고대도심구책법(埊告大道心驅策法)의 일단이 완전히 삭제되어 있다는 것이다.

『지장보살십재일(地藏菩薩十齋日)』은 『대정장(大正藏)』 제85권(T.2850)에 수록되어 있다. 이 경전은 돈황본의 경권을 영인한 것으로, 원본은 대영박물관에 소장되어 있는 S.258호이다. 이것은 또한 Herbert Giles에 의하여 G.6608호로 편호(編號)되어 있다. 이 경전의 내용은 뒤의 돈황 유서 부분에서 살펴보겠다. 『불설지장보살경』도 역시 함께 살펴보겠다.

8) 『지장시왕경(地藏十王經)』

『지장보살발심인연시왕경(地藏菩薩發心因緣十王經)』은 간략히 『지장시왕경』이라 불린다. 성도부(成都府) 대성자사(大聖慈寺)의 승려 장천(藏川)이 찬술

29 若有相應顯此理 唯身以慧作分析 彼人生於淨蓮華 聞法所說無量壽

하였다는 제기(題記)가 있다. 『만속장(卍續藏)』 제150책에 수록되어 있다. 『불설예수시왕생칠경(佛說預修十王生七經)』(『만속장』 註에서는 朝鮮의 刻本에 전거하였다고 함)은 원래의 제목이 『불설염라왕수기사중예수생칠왕생정토경(佛說閻羅王授記四衆預修生七往生淨土經)』이며, 역시 장천이 찬술하였다는 제기가 있다. 이 경전에 첨부된 하나의 도사본(圖寫本)이 『대정장』 도상부 제7권에 수록되어 있는데, 문자 부분의 내용이 판본과 완전히 일치하고 있다. 간략히 『예수시왕경(預修十王經)』, 『시왕생칠경(十王生七經)』 등으로 불리기도 한다. 이 2개의 경전은 서로 밀접한 관계가 있으며, 내용도 상당히 유사하다.

『지장발심인연시왕경』의 경전 끝부분에는 북송(北宋) 천성(天聖) 10년(1032) 11월에 간행되었다는 기록이 있는데, 원본은 이보다 상당히 오래전에 유통되었을 것이다. 또한 여기에서는 엄불조(嚴佛調)가 이 경전의 범본(梵本)을 진불(眞佛)로부터 받았음을 밝히고 있다. 『예수시왕생칠경』의 경전 끝부분에는 명대(明代) 성화(成化) 5년(1469) 6월에 간행된 판본이라는 기록이 있다. 『대정장』 도상부의 판본에는 일본 관영(寬永) 4년(1627)에 보수하였다는 기록이 있는데, 이 시기는 중국의 명대(明代) 천계(天啓) 7년에 해당된다. 대장경에 수록되어 있는, 변상도가 있는 이들 두 경전의 제사(題寫) 연대는 비교적 늦지만, 돈황의 유서 중에는 이 경전의 사본이 대단히 많이 발견된다. 최소한 30여 권이 넘고, 시대도 또한 비교적 빠른 편으로, 대략 오대(五代)에서 송대(宋代) 초기에 해당하는데, 귀의군(歸義軍) 조씨(曹氏) 일가가 돈황을 통치하던 시기이다. 돈황본 중에는 연대가 기록된 제기를 갖추고 있는 것이 있다. S.6230호는 오대(五代) 후당(後唐) 동광(同光) 4년(926)이며, 산(散) 799는 오대(五代) 후당(後唐) 청태(淸泰) 3년(936)이다. 두두성(杜斗城) 선생은 돈황본의 이러한 경전에 대해 상당히 오랫동안 귀납적 연구를 하여 왔는데,[30] 회골문(回鶻文)으로 된 사본도 있어서, 조사해 보면 실제로 더 많이 남아 있을 것으로 생각된다.

'장천(藏川) 술(述)' 이라는 것으로 살펴볼 때, 대체적으로 이러한 경전은 사천(四川) 지역에서 먼저 발생한 것으로 보이며, 최소한 변상도를 갖추고 있는 사

30 杜斗城, 「關於敦煌本佛說十王經的幾个問題」, 『世界宗教硏究』(第2期), 1987.

본의 경우는 틀림없을 것으로 추정된다. 돈황으로 전파되기까지는 어느 정도의 시간이 필요했을 것이다. 성도부(成都府)는 천보(天寶) 15년(756)에 성립되었으며, 이전에는 촉군(蜀郡) 익주(益州), 익주로(益州路)라 하였는데, 대도독부가 설치되어 있었다.[31] 대성자사(大聖慈寺)는 일반적으로 당(唐)의 지덕(至德) 연간(756~767)에 건립되었다고 알려져 있다. 그러므로 이 경전이 가장 일찍 나타난 때는 대략 만당(晩唐) 시기라고 판단된다. 돈황본도 이 경전의 수제(首題)와 미제(尾題)가 서로 다르고, 또한 복잡하여 여러 종류가 있다. 여러 지역으로 전파되어 변화를 거친 종류들까지 추가한다면, 더욱 더 복잡해진다. 앞서 살펴본 것들을 제외하고도 『불설염라왕수기경(佛說閻羅王授記經)』, 『불설염라왕수기사중예수경(佛說閻羅王授記四衆預修經)』, 『수기경(授記經)』, 『불설시왕경(佛說十王經)』, 『시왕경(十王經)』 등이 있다. 학자들도 역시 다양한 견해를 피력하고 있어서, 어느 정도 혼란이 있는 것이 사실이다.

여기서 한 가지 주목해야 할 점은, 『지장보살발심인연시왕경』은 실제적으로 일본에서 만들어진 것으로, 일본의 위경(僞經)이라는 점이다. 이 경전의 기원은 돈황본인 『불설시왕경』이나 『염라왕수기경』이지만, 내용은 상당한 변화를 거치며 형성된 것이다. 이 점은 일본의 학자가 이미 엄밀한 고증을 통하여 명확하게 밝히고 있다. 일본의 승려 경요(景耀) 현지(玄智)의 『고신록(考信錄)』 권4는 경전에 일본 문자가 나타나는 것 등의 여러 가지 요소를 분석하여 『지장보살발심시왕인연경』이 헤이안(平安) 시대 말기나 혹은 가마쿠라(鎌倉) 시대 초기에 만들어진 것으로, 일본인이 『예수생칠경』에 의거하여 찬술한 위경으로 인식하고 있다.[32] 즉, 돈황의 이 경전은 중국에서 만들어진 경전이고, 일본의 이 경전은 일본에서 찬술된 경전으로서 첨삭의 변화를 준 위경이라고 볼 수 있다.

내용을 살펴보면 확실히 차이가 있다. 본문에 나타나고 있는 게(偈)나 찬(贊) 외에도, 경문의 내용 역시 돈황의 여러 경전과 구별된다. 모두 예수생칠재의 내용을 가지고 있지만, 『지장보살발심시왕인연경』은 예수(預修)의 내용은

31 『一志』〈一道〉
32 『佛光大辭典』의 地藏菩薩發心因緣十王經(條), p.2332 참조.

보이지 않고, 오로지 십전명왕(十殿冥王)에 대한 내용만 있고, 특히 지장보살을 강조하고 있다. 그리고 변상도가 없다. 비록 이들 경전은 하나의 경전 유형으로 귀결하여 볼 수 있지만, 엄밀하게 말한다면, 일본에서 찬술된 것과 중국에서 찬술된 것은 서로 다른 유형에 속한다. 앞의 일본 찬술과 달리, 중국에서 찬술된 것은 예수생칠재와 시왕에 관한 내용이 주를 이루고 있다. 또한 변상도가 있는 것이 있다.

어떤 학자들은 이러한 종류의 경전을 총괄하여 『불설시왕경』으로 보기도 하지만 엄밀한 접근은 아니다. 이것은 돈황본 중에서도 변상도가 있고 찬문을 포함하고 있으며, 미제(尾題)에 『불설시왕경』이라는 명칭을 사용하고 있거나, 수제(首題)에 『염라왕수기경』이라고 되어 있는 것이 해당된다고 할 수 있다. 그러므로 돈황본은 최소한 두 종류의 유형으로 구분할 수 있다. 예를 들면, 두두성(杜斗城) 선생은 이것을 갑본(甲本 ; 圖贊文)과 을본(乙本 ; 經文)의 두 종류로 나누었다. 일본학자 토쿠시 유소우(禿氏佑祥)와 오가와 칸이치(小川貫一)도 역시 같은 형태로 구분하고 있다. 다만 두두성 선생의 글에서 분류된 갑본에 변상도는 있으나 경문이 없는 것과 찬과 경문이 있는 것, 이 두 종류는 그 수가 얼마 되지 않는다. 돈황본은 복잡한 세부 구성을 가지고 있기에 간략하게 『불설시왕경』이라는 명칭으로 포괄하기 어렵다. 한편 이밖에도 돈황본 외의 전세본(傳世本)이 있는데, 여산(廬山) 개선사(開先寺)의 증장본(曾藏本)이나 회골문, 서하문(西夏文)으로 된 판본이 그것이다. 따라서 앞으로는 이러한 종류의 경전 유형까지도 포함한 전반적으로 상세한 연구가 요구되고 있다.[33] 돈황본에 대해서는 뒤에서 다시 자세히 살펴보되, 여기에서는 그 기본적 내용을 비교하여 살펴보겠다.

돈황본의 이 경전들에는 사람이 죽은 후에 지옥 명부에 들어가 시왕전을 거치면서 선악의 심판을 받는 과정이 자세히 드러나 있다. 경전의 앞부분에는 부처가 열반에 임할 때에, 대광명을 발하여 염라국을 비추니 염라왕 및 십대왕들이 모두 모였다고 한다. 이어서 목숨이 다한 망자는 진광왕(秦廣王), 초강왕(初

33 拙稿, 「閻羅王授記經綴補研考」, 『敦煌吐魯番研究』(第5期), 2000.

江王), 송제왕(宋帝王), 오관왕(五官王), 염라왕(閻魔王), 변성왕(變成王), 태산왕(太山王), 평등왕(平等王), 도시왕(都市王), 오도전륜왕(五道轉輪王)의 시왕의 전당을 차례로 지나야 하며, 망자는 생전에 지은 선악의 업에 따라 제각기 심판을 받는다고 설하고 있다. 변상도가 있는 경전에는 이 전당에서의 심판 장면이 그려져 있고, 또한 게찬(偈贊)이 수록되어 있다. 경전은 특별히 살아 있을 때 자신을 위하여 칠칠재(七七齋)를 수행하는 것, 즉 예수(預修)를 통하여 살아 있는 자가 그 공덕을 얻는다는 것을 강조하고 있는데, 이 점은 확실히 이 경전의 근본적인 특징이라고 할 수 있다.

『지장보살발심인연시왕경』도 역시 부처가 열반 시에 설법한 것이지만, 경문의 내용은 『염라왕수기경』과 차이가 있으며, 삼혼칠매(三魂七魄)의 내용이 강술되어 있다. 망인이 시왕을 거칠 때에, 천존(天尊)이 말하는 게언(偈言)과 『염라왕수기경』 도찬본(圖贊本)의 시왕 찬은 서로 같다. 다만 『지장보살발심인연시왕경』의 게언은 8구로 조금 더 많다. 경문은 십재일에 염송하는 본지불보살(本地佛菩薩)의 명호를 들고 있는데, 예를 들면, "18일에는 마음을 지극히 하여 지장보살을 염송한다."라는 것 등이다. 그런데 여기서 『염라왕수기경』과 비교해 보면, 매우 중요한 차이점이 있다. 이 경전의 명부 시왕의 아래에는 궁전 혹은 국명(國名)과 본지불 혹은 본지불보살의 명호가 나란히 쓰여 있다는 점이다. 예를 들면, 진광왕의 명칭 아래에 부동명왕(不動明王)이 쓰여 있으며, 초강왕궁(初江王宮)은 석가여래가, 송제왕궁(宋帝王宮) 아래에는 문수보살이, 오관왕궁(五官王宮) 아래에는 보현보살이, 염라왕국(閻魔王國)에는 지장보살이 쓰여 있다. 염라왕국에는 또한 지광명왕원(地光明王院)과 선명칭원(善名稱院)이 있다. 뿐만 아니라 염라왕의 본지보살이 바로 지장보살임을 명확하게 나타내고 있다. 염라왕국도 가장 중점적으로 설해져 있음을 볼 수 있다.

지장보살이라는 아름다운 이름은 그 대원(大願)에서 연유를 찾아볼 수 있다. 이 대원은 바로 『지장보살본원경』의 한 단락으로, 즉 바라문녀(婆羅門女)가 각화정자재여래(覺華定自在如來)께 예를 올리고 공경하며 그 어머니를 구하여 지옥에서 나온 후에, 맹세한 게송이다.

내가 만약 진리를 증득한 후에 지옥에서 고통을 대신하되, 대신할 자가 없을 때까지 하여 정각을 이루지 않을 것을 서원합니다.[34]

이것은 『본원경』 내용의 일부를 흡수하여 반영하였지만, 나중에 변형되어 일본의 지장신앙의 특징인 육지장(六地藏)의 내함(內涵)이 되었다. 여섯 종류의 명칭으로 당신(當身)에 응하는 것이다. 세존은 지장보살에게 여섯 종류의 이름과 법상(法相)을 주었다. 명칭은 다음과 같다.

예천하지장(預天賀地藏), 방광왕지장(放光王地藏), 금강당지장(金剛幢地藏), 금강비지장(金剛悲地藏), 금강보지장(金剛寶地藏), 금강원지장(金剛願地藏)

『지장보살발심인연시왕경』이 그 명칭을 얻은 연유는 바로 이 일단락에서 지장보살의 본원(本願), 대원(大願), 발심인연(發心因緣)을 강조한 까닭이다. 한편으로, 시왕 부분은 비록 『예수시왕경』의 시왕보다 더 많지만, 염라왕과 지장보살 부분은 오히려 간단하다. 지장보살이 염라왕의 본지보살(本地菩薩)이 되는 것은 돈황 유서(遺書)에 있는 『불설지장보살경(佛說地藏菩薩經)』에서 그 관련 근거를 찾을 수 있다.[35] 또한 지장보살십재일(地藏菩薩十齋日), 대승사재일(大乘四齋日)과 명왕보권(冥王寶卷)에도 역시 관련 기록이 있다. 재일(齋日)의 기원이나 팔관계재(八關戒齋) 등은 이후에 별도로 살펴보도록 하겠다.

이 경전의 주소(注疏)로는 선진(禪珍)의 『선주시왕경(選注十王經)』 5권, 요의(了意)의 『시왕경직독(十王經直讀)』 13권이 있다. 과주(科注)로는 엽아(葉阿)의 『지장시왕경(地藏十王經)』 10권, 실장(實藏)의 『지장시왕경강의(地藏十王經講義)』 3권 등이 있다.

34 我若證眞後, 於地獄代苦, 可代不代者, 誓不成正覺.

35 『地藏菩薩經』 1卷이 『大正藏』(第85卷, 서문이 제외된 T.2909)에 수록되어 있다. 원본은 돈황의 두루마리 경전으로 대영박물관에 소장되어 있다(S.197호).

9) 『지장보살상영험기(地藏菩薩像靈驗記)』

『지장보살상영험기』 전(全) 1권. 북송 단공(端拱) 2년(989)에 전교(傳敎) 승려 상근(常謹)이 모아 엮었다. 『만속장』 제149책에 수록되어 있고, 경전의 앞에는 스스로 쓴 서문이, 경전의 뒤에는 발어(跋語)가 있다. 이 영험기에는 남조(南朝) 양(梁)으로부터 북송 시대에 이르기까지의 영감고사(靈感故事) 32칙(則)이 수집되어 있다. 이 중에 양조(梁朝)의 것이 1칙, 진(陳)의 것이 1칙, 당대(唐代)의 것이 15칙, 오대(五代)의 것이 5칙, 송대(宋代)의 것 1칙이 있다. 상근은 스스로 밝히기를, 그가 지장존(地藏尊)에게 지극한 마음으로 귀의하여 지장보살의 옛 흔적을 찾고, 혹은 세상에 구전되는 고사들을 모아 기록하니, 그 감응기가 모두 100여 조(條)에 달하였다고 한다. 영험기는 일반적으로 지장보살의 조상(造像)이나 화상(畵像)을 받들어 복덕을 얻은 이야기들이 대부분이다. 영험기의 목차는 다음과 같다.

제1칙. 양조선적사화지장방광지기(梁朝善寂寺畵地藏放光之記)
제2칙. 당법취사화지장방광기(唐法聚寺畵地藏放光記)
제3칙. 당호현이씨가지장구고기(唐戶縣李氏家地藏救苦記)
제4칙. 당무주조씨가금색지장구친기(唐撫州祖氏家金色地藏救親記)
제5칙. 경사인승준지장감응기(京師人僧俊地藏感應記)
제6칙. 공관사승정법모사지장기(空觀寺僧定法模寫地藏記)
제7칙. 거사이신사봉지장면귀난기(居士李信思奉地藏免鬼難記)
제8칙. 개선사지장구지옥중생감응기(開善寺地藏救地獄衆生感應記)
제9칙. 맹주과부화지장보살감응기(孟州寡婦畵地藏菩薩感應記)
제10칙. 당간주등시랑장두지장감응기(唐簡州鄧侍郎杖頭地藏感應記)
제11칙. 당화주혜일사석법상몽지장감통기(唐華州慧日寺釋法尙蒙地藏感通記)
제12칙. 양주녀장씨의모조지장보살감통기(楊州女張氏依母造地

藏菩薩感通記)

제13칙. 진도진씨녀위구모조지장상감통기(陳都陳氏女爲救母造地藏像感通記)

제14칙. 노주자사거통화지장감응기(路州刺史居通畵地藏感應記)

제15칙. 옹주별가건갈조지장전단상영험기(雍州別駕健渴造地藏栴檀像靈驗記)

제16칙. 장안도독최이계지장감응기(長安都督崔李系地藏感應記)

제17칙. 익주자사곽서안발심조지장감응기(益州刺史郭徐安發心造地藏感應記)

제18칙. 대주상서백열위처조지장보살감통기(大周尙書伯悅爲妻造地藏菩薩感通記)

제19칙. 대한경사혜진송법화경감지장기(大漢京師惠進誦法華經感地藏記)

제20칙. 화주백부가소녀감지장화기(華州伯父家少女感地藏化記)

제21칙. 형주안웅의선조봉법귀의지장공덕면지옥고기(荊州雁雄依先祖奉法歸依地藏功德免地獄苦記)

제22칙. 동자이조갑화지장연명기(童子以爪甲畵地藏延命記)

제23칙. 진진류군빈녀념지장존득부귀기(陳陳留郡貧女念地藏尊得富貴記)

제24칙. 송료성지장서응지기(宋遼城地藏瑞應之記)

제25칙. 천복사지장형상감통지기(千福寺地藏形象感通之記)

제26칙. 병주태원니지장감응기(幷州太原尼地藏感應記)

제27칙. 해릉현동자희사화지장감통기(海陵縣童子戱沙畵地藏感通記)

제28칙. 금성와관사서벽화지장영화기(金城瓦官寺西壁畵地藏靈化記)

제29칙. 청태사사문지우감응지장기(淸泰寺沙門知祐感應地藏記)

제30칙. 현덕사석도진조지장상감응기(顯德寺釋道眞造地藏像感

應記)

第31칙. 명주포어인감지장기(明州捕魚人感地藏記)

第32칙. 태주진건위부모조지장상감통기(台州陳健爲父母造地藏像感通記)

위의 〈양조선적사화지장방광지기〉는 『지장보살상영험기』의 제1칙이다. 한주(漢州) 덕양현(德陽縣) 선적사(善寂寺)의 경내에는 유명한 대화사 장승요(張僧繇)의 지장보살도와 관음보살도 벽화가 있다. 지장보살은 승려의 모습으로 단정히 앉아 있으며, 사람들이 참배를 할 때 이상한 빛을 발하였다. 이 지장보살 도상은 당(唐) 인덕(麟德) 원년(元年) 경까지 절의 승려가 모사하여 널리 전하였는데, 그 이후 더 이상 빛을 뿜어내지 않았다. 수공(垂拱) 3년 측천무후(則天武后)가 이 소문을 듣고, 화사에게 명을 내려 모사하게 하니, 이전처럼 빛을 내뿜었다고 한다. 이 기록이 사실이라면, 남조 양(梁) 시기에 사천 지역에서 이미 지장보살 도상이 그려진 벽화가 나타났고, 그 형태가 사문형의 기좌형상(倚坐形像)일 가능성이 크다.[제2칙인 당(唐) 법취사(法聚寺)의 지장보살 도상은 이 본(本)에 근거한 것으로, 다리를 아래로 늘어뜨리고 승상(繩床)에 앉아 있다.] 다만 주의해야 할 것은, 북송과 당은 그 시기적인 간격이 너무 크기에, 이 영험기의 기록은 전설적인 요소가 많다고 할 수밖에 없다.

〈양주녀장씨의모조지장보살감통기〉는 『영험기』의 제13칙이다. 『영험기』에는 장씨(張氏) 여인의 꿈에 어머니가 나타나 지옥의 아귀성에서 한없는 고통에 시달리고 있지만, 매월 24일에 승려(즉, 지장보살)가 지옥성에 들어 시식을 하면, 고통에서 벗어날 수 있다고 말하며, 지장보살상을 만들어 어미의 복을 기원할 것을 청하였다. 장씨 여인의 존속이 어미를 위하여 아낌없이 재물을 내어 지장보살상을 만들자, 어미는 그 과보로 극락에 다시 태어났다.[36]

이외에 또 다른 중요한 영험담은 『영험기』의 제29칙인 〈청태사사문지우감응지장기〉이다. 여기에는 『지장보살본원공덕경(地藏菩薩本願功德經)』이 언급

36 현재, 일본에서 여전히 전승되고 있는 지장법회(地藏法會), 지장강식(地藏講式)의 재(齋)를 여는 시기는 매월 24일로 이 이야기에 나타나는 시기와 일치한다.

되어 있다. 서인도의 승려 지우(智祐)가 오대(五代) 후진(後晋) 천복(天福) 연간(936~948)에 중국으로 건너와 청태사(淸泰寺)에 머물렀는데, 범어로 된 『지장보살본원공덕경』과 지장보살의 변상회권(變相繪卷)을 지니고 있었다고 한다. 회권에는 지장보살과 시왕의 형상이 있었다. 뿐만 아니라 상근이 『영험기』의 서문에서 직접적으로 『지장보살본원공덕경』 「분신공덕품(分身功德品)」의 내용을 인용하였음을 밝히고 있는 것으로 볼 때, 최소한 송대(宋代)에 『지장보살본원공덕경』은 이미 상당히 유행하였고, 오대(五代) 시기에 역본이 유행하고 있었을 가능성이 대단히 크다. 이 경은 명대(明代)의 장경에 나타나고 있고 명대 이전에 존재하였을 가능성이 크지만, 중국에서의 지장신앙 유포와 관련하여 현재로서는 확실히 알기가 어렵다.

상근이 저술한 『영험기』의 많은 고사들이 요대(遼代)에 비탁(非濁)이 3권으로 편집한 『삼보감응요약록(三寶感應要略錄)』에 수록되어 있다.[37] 이 책의 제30칙이 〈양조한주선적사지장보살화상감응(梁朝漢州善寂寺地藏菩薩畵像感應)〉이다. 제32칙은 지장보살이 전생에 여인이었을 때, 어미를 구하는 감응기이다.[표제 아래에 『본원경』의 주해가 있다.] 제33칙은 〈당익주법취사지장보살화상감응(唐益州法聚寺地藏菩薩畵像感應)〉이다. 제34칙은 〈당간주금수현유시랑가두지장감응(唐簡州金水縣劉侍郎家頭地藏感應)〉이다.[주해는 새롭게 기록한 것이다.] 제35칙은 〈지장보살구교제장자가악귀감응록(地藏菩薩救喬提長者家惡鬼感應緣)〉이다.[제목 아래에 『지장대도심구책법(地藏大道心驅策法)』의 주해가 있다.] 제39칙은 〈다라니자재왕보살어지옥확연상설법구고감응(陀羅尼自在王菩薩於地獄鑊緣上說法救苦感應)〉이다[아래의 제목은 새롭게 기록한 것이다].

위에서 가장 끝에 있는 1칙(則)을 제외하고는 모두 상근이 모은 것과 일치함을 알 수 있다. 제32칙은 지장보살 본생(本生)의 고사를 담은 것이다. 지장보살이 전생에 여인의 몸이었을 때, 어미를 구하여 무간지옥(無間地獄)에서 벗어나는 것이 그 내용인데, 주요 문장이 『본원경』 「도리천궁신통품」의 지장보살구모

37 非濁, 『三寶感應要略錄』. 『大正藏』 第51卷(T.2084).

(地藏菩薩救母) 고사와 일치하고 있어서 이것이 『본원경』으로부터 나왔음을 알 수 있다. 이것은 앞서 살펴본, 『본원경』이 전파된 경로에 대한 추측과 관계가 있음을 거듭 증명하고 있다. 또한 제35칙은 『지고대도심구책법』에서 나왔다. 이외에도 제30칙인 〈양조한주선적사관음지장화상감응(梁朝漢州善寂寺觀音地藏畵像感應)〉과 제33칙인 〈유법취사지장보살화상감응(由法聚寺地藏菩薩畵像感應)〉을 상근의 『영험기』와 비교해 보면, 몇 개의 글자만 차이가 있을 뿐, 대단히 유사하다는 것을 알 수 있다.

『지장보살삼국영험기(地藏菩薩三國靈驗記)』

『지장보살삼국영험기』는 모두 14권이며, 일본의 승려 실예(實睿)가 처음에 편집하여 기록하고, 양관(良觀)이 이어서 편집한 것이다. 이것은 인도, 중국, 일본 3국의 지장보살의 영험에 관한 고사를 내용으로 하고 있으며, 정형(貞享) 원년(1684)에 간행되었다. 총 137칙의 영험고사가 수록되어 있다. 그 가운데 제4권의 전(全) 2칙, 제5권의 전 2칙, 제6권의 제1칙은 인도의 고사이고, 제4권의 제3칙과 제5권의 제3칙에서 제6칙까지, 제6권의 제2칙은 중국의 고사들이다. 그 나머지는 모두 일본의 고사로 구성되어 있다. 일본 지장보살 고사의 모태라고 할 수 있다.

10) 『지장보살다라니(地藏菩薩陀羅尼)』

『십륜경계다라니(十輪經系陀羅尼)』

『대정장』에 수록되어 있는, 『지장보살다라니』 전(全) 1권은 역자(譯者)가 밝혀지지 않은 경전으로, 일본 동사(東寺)의 삼밀장(三密藏) 고사본(古寫本)을 옮긴 것이다.[38] 이 경전에는 지장보살의 서원과 공덕이 설해져 있고, 긴 분량의 '지장보살다라니' 가 있다.

38 『佛說地藏菩薩陀羅尼』. 『大正藏』 第20卷(T.1159B)

경전의 앞부분에는 부처님께서 거라제야산(佉羅提耶山)에 머물며 법회를 여실 때에, 월장흘(月藏訖)에게 남방에 있는 지장보살이 큰 향기의 구름을 안고 비를 몰고 온다고 말씀하시며, 다라니 등을 말씀하셨다. 지장보살은 일찍이 "중생을 남김없이 구원하고, 보리를 증득하리라. 지옥이 비지 않는다면 결코 성불하지 않겠다."[39]라는 대비(大悲)한 서원을 세웠다. 즉, 오탁(五濁)의 세계에서 중생의 이익을 위하여, 신명(身命)을 아끼지 않으며, 그 불가사의한 공덕으로 중생을 제도한다. 그리하여 중생이 그 명호를 일심귀의자(一心歸依者)라 칭하며, 모두 속히 원하는 바를 성취하고, 각종의 죄와 번뇌를 덜고, 열반의 도에 머물며 제일락(第一樂)을 얻는 것이다.

경전에는 모두 63구의 범자로 된 다라니주가 있다. 주의해야 하는 것은, 이것을 또한 '대기별경(大記莂經)', 혹은 '지장보살서원도제중생(地藏菩薩誓願度諸衆生)', 혹은 '다라니신주(陀羅尼神呪)'라 칭하기도 하며, 모든 불토(佛土)를 비추어 참괴삼매(慙愧三昧), 사자광삼매(獅子光三昧), 대방광(大方廣)에 들어가는 것이다. 『대방광십륜경』 권1과 비교해 보면, 역시 장편의 다라니라는 것과 '대기별경(大記莂經)'[40]이라 하고 있는 것을 어렵지 않게 발견할 수 있다. 그 앞부분에 있는, 지장보살이 남방으로부터 법회에 참석하여 다라니 인연을 설하는 내용도 역시 같고, 다라니에 있는 범어의 수목(數目) 역시 완전히 일치하고 있다. 비록 한문의 자구(字句)에 서로 약간의 차이가 있지만, 『지장보살다라니』와 『대방광십륜경』의 「서품」에 있는 '대기별경'의 다라니는 거의 동일한 것이라고 추정할 수 있다. 사실상, 『지장보살다라니』는 『십륜경』 「서품」 앞부분의 다라니를 가져다 뒷부분에 두 단락의 문자를 첨가하여 구성한 것이다. 그러므로 이 『지장보살다라니』는 독립된 경전이라기보다는 『십륜경』의 아류 경전이라고 할 수 있다.

현장이 다시 음역(音譯)한 『십륜경』은 『대승대집지장보살십륜경(大乘大集地藏菩薩十輪經)』이다. 권1의 이 다라니에 대하여 현장은 동일한 문장을 사용

39 衆生度盡, 方證菩提, 地獄不空, 誓不成佛.

40 『大方廣十輪經』 卷2의 앞부분 및 卷1 끝부분에서 '大記莂經'이라고 설하고 있다.

하지 않고 음역하였으며, 이어져 있는 범어로 된 구의 수도 역시 차이가 있어서, 65구로 이루어져 있다.[41] 혜림(慧琳)이 저술한 『일체경음의(一切經音義)』는 현장이 음역한 이 다라니를 다시 음역하고 있는데, 사용된 한자가 같지 않고, 또한 범어의 자구(字句)에도 차이가 있어, 모두 71구로 이루어져 있다. 범어의 앞부분에 혜림이 전문적인 주석을 하고 있다. 이 단락의 『지장보살다리니경』본은 고역본(古譯本)이다. 『일체경음의』에서는 "음과 말이 적절하지 않고, 사용한 글자가 어긋나 있거나 어렵다."라고 하여 "스스로 범본을 수지하여 다시 음역했다."고 하고 있다. 이것으로 보면, 혜림이 사용한 범본은 아마도 동일한 텍스트이지만 시간이 흐르면서 이미 변용된 것이었고, 이를 바탕으로 다시 음역한 것으로 추정할 수 있다.[42]

다시 음역을 한 것 외에도, 동일 역본이 유통되는 과정에서 역시 판본에 따라 차이가 나타나는 경우가 있다. 알려진 바와 같이, 『고려장(高麗藏)』과 『대정장』 그리고 송 · 원 · 명대의 여러 판본에 나타나는 어구와 품의 순서의 차이가 그것이다. 상해 고적출판사(古籍出版社)에서 1995년에 출간한 『지장삼경집간(地藏三經集刊)』에 부록되어 있는 두 종류의 다라니도 이에 속한다.[43] 그 첫 번째는 『불설대방광십륜경다라니주(佛說大方廣十輪經陀羅尼呪)』이며, 매 구의 아래에 배열 순서를 나타내는 숫자를 명기하고 있는데, 총수는 역시 63구이다. 더욱 분명한 것은 이것과 앞서 살펴본 『지장보살다라니』가 한 종류라는 것인데, 바로 『대방광십륜경』에 있는 다라니이다. 다만 그 어구는 『대정장』 안에 있는 『대방광십륜경』과 적지 않은 차이가 있다. 『대정장』의 교감(校勘)으로부터 송 · 원 · 명본에 의거한 것이라는 것을 알 수 있다. 그 두 번째는 『지장보살다라니』이며, 경전의 제목 아래에는 혜림이 지은 『일체경음의』 권18에서 비롯되었다는 주해가 있다. 이 다라니는 『일체경음의』에서 적출되었다는 것이 명백하다.

결론적으로 말하면, 이 다라니는 명목상 네 종류로 음역되었다는 것을 알 수 있다. 즉, 『대방광십륜경』의 다라니가 먼저 음역되고, 이것의 아류로 나타난 것

41 『大正藏』 第13卷(T.411), p.726.
42 慧琳, 『一切經音義』 卷18. 『大正藏』 第54卷(T.2128), p.417.
43 『地藏三經集刊』, 上海 古籍出版社, 1995, pp.157~158.

이 『지장보살다라니』이다. 일본 사찰의 초본(抄本)과 송・명대의 여러 대장경에 전해지고 있는 판본은 같지 않고, 한자의 어구에 차이가 있지만, 범어의 어구는 같다. 현장이 다시 음역한 『대승대집지장십륜경』에 이르면, 이 다라니는 65구가 되고, 혜림이 티베트본과 범본에 의거하여 또 다시 음역하였을 때는 71구가 되었다.

뿐만 아니라 이 다라니는 구의 형식에서도 차이를 보이고 있다. 현재의 모든 판본을 비교해 보면, 분명한 것은 『대방광십륜경』 앞부분의 17구 끝에는 "축부(閦浮)"라는 단어가, 『지장다라니』 앞의 18구는 "염부(閻浮)"라는 단어가, 현장본의 앞의 19구는 "참포(讖蒱)"라는 단어가 쓰였다. 혜림이 현장본을 교정한 것에는 이러한 규칙이 보이지 않는다. 흥미 있는 것은, 이처럼 부분적으로 음역에 차이가 있음에도, 실제적으로는 같은 것으로 간주되어 왔다는 사실이다. 『불설대방광십륜경다라니주』(上海 古籍刊本, 宋・明本)의 제13구는 "우바사마열부우바사마열부(憂婆舍摩閱浮憂婆舍摩閱浮)" 인데, 이 구는 『대정장』의 『대방광십륜경』에서 "우바사마열부(憂婆舍摩閱浮)"로 나타나고 있다. 다만 『불설지장보살다라니』에서는 제13구 "우바사마염부(憂婆舍摩閻浮)"와 제14구 "우바사마염부(憂波舍摩閻浮)"의 2구로 이루어져 있다. 이 경전의 뒤에 있는 제19구인 "바차수지마혜리(婆遮修蹬摩醯利)"라는 하나의 구는 『대정장』의 『십륜경』에서, 제18구 "사차수지(娑遮修蹬)"와 제19구 "마혜리(摩醯梨)"의 2구로 이루어져 있으며,[44] 따라서 구의 총 수는 여전히 같다. 현장이 음역한 『대승대집십륜경』의 앞부분에 있는 3구는 "참포(讖蒱), 참포(讖蒱), 참참포(讖讖蒱)"이며, 이것은 앞서 살펴본 두 경전에 나타나 있는 "열부(閱浮), 열열부(閱閱浮)" 혹은 "염부(閻浮), 염염부(閻閻浮)"보다 하나의 구가 더 많다. 또한 이들 두 경전의 제15구 뒤에는 계속해서 3개의 "열부(閱浮), 열부(閱浮), 열부(閱浮)" 혹은 "염부(閻浮), 염부(閻浮), 염부(閻浮)"가 이어져 있지만, 현장본은 제16구 "발자야삼모저(鉢剌惹三牟底)"와 제17구 "찰나참포(刹拏讖蒱)"의 두 구로 정리되어 있다. 따라서 경전의 뒷부분에 있는 이러한 구는 19구가 되고, 그 총수는 65구가

44 上海 古籍에서 간행한 宋・元・明本에는 제18구 "娑遮修蹬"와 제19구 "摩醯梨"로 되어 있다.

된다. 또한 『십륜경』에서는 이 다라니의 뒤에 있는 8구가 모두 "사파가(私婆呵)"로 끝난다. 오직 한 글자에 약간의 차이가 있을 뿐이다.[45] 그리고 현장의 역본 제55구에서 제57구까지와 제64구는 "호로(許盧)"이며, 끝부분의 구는 "호로·로(許魯盧)"로 비교적 차이가 있다. 혜림의 『일체경음의』에 이르면, 한자에 나타나던 이러한 규칙성이 보이지 않고, 오직 그 제50구 "호로 호로 호로(戶魯戶魯戶魯)"와 현장본의 세 구에 있는 "호로(許魯)"가 미약하나마 이러한 규칙성을 보이고 있다. 이러한 비교를 통하여 알 수 있는 것은, 상당히 난해한 다라니가 다양한 형태의 개념적 혼란과 통섭 과정을 겪으면서 음역되었다는 것이다. 또한 이러한 음역은 경전 간의 비교와 증의를 통해 그 오류가 드러나기도 한다.

『대정장』은 『고려장』 혹은 『계단장(契丹藏)』에 근거한 것이라 말하는데, 연구(衍句)가 삭제되었으며, 일본 동사(東寺)의 삼밀장(三密藏) 고초본(古抄本)의 『불설지장보살다라니』는 바로 고본에 근거하여 연구에 서호(序號)를 표기하고 있다. 그러므로 이 다라니의 앞부분에 나타난 구의 형식은 17, 18, 19라는 차이점이 있다. 『십륜경』 계통에서는 천장대범(天藏大梵)과 관련된 일종의 다라니주가 있는데, 『대방광십륜경』 권4에는, '불퇴전지다라니심주장구(不退轉地陀羅尼心呪章句)' 혹은 '불퇴전지다라니신주(不退轉地陀羅尼神呪)'라는 명칭으로 되어 있다.[46] 『대승대집지장십륜경』에는 '호국불퇴륜심다라니(護國不退輪心陀羅尼)'라는 명칭으로 되어 있고, 『혜림음의(慧琳音義)』 권18에는 현장본(玄奘本)의 수정에 따라 같은 구성을 하고 있다. 그러므로 이 3개의 경전에 사용된 한자의 어휘는 모두 구별이 되지만, 범어 문구의 수에는 큰 차이가 없으며, 16구 혹은 17구로 이루어져 있다.

『지고대도심구책법(埊告大道心驅策法)』

현재, 『대정장』에 수록되어 있는 T.1159(A)는 『지장대도심구책법(地藏大道心驅策法)』으로, (B)의 『지장다라니』와는 완전히 다르다. 이 경전은 『대일본속장경(大日本續藏經)』에 있는 것을 채록한 것으로, 발문에 이르길, "전법사(傳法

45 『地藏菩薩陀羅尼』의 제61구 끝은 "私波呵"로 되어 있다.
46 『大正藏』 第13卷, p.701.

師)인 경유(慶有) 아사리(阿闍梨)가 수능엄원(首楞嚴院)에서 관치(寬治) 원년(元年) 7월 25일 미시(未時)에 기록함. 형보(亨保) 원년(元年) 가을 모미산(母尾山) 소장본이 훼손되어서 읽기가 몹시 어려웠기 때문에 선본(善本)과 대조하여 교정하였다."라고 하였다. 원래의 경전이 대단히 많이 훼손되어 있었기 때문에, 『대정장』에 있는 이 경전의 문장도 역시 대단히 많은 글자가 결실되어 있다. 다만 여기서 '지장(地藏)'이라는 서체는 무주(武周) 시기에 채용되던 것이기 때문에[비록 '地'의 사법(寫法)이 무주 시기의 글자보다 한 획(橫)이 적지만, 이것은 옮겨 쓰면서 실수했을 가능성이 대단히 크다], 이를 통해 원래의 연대를 대략이나마 추정할 수 있다. 경전에 수록되어 있는 지장대도심구책법(地藏大道心驅策法)의 다라니는 매우 짧아서, 겨우 네 구에 불과하다. 만약 경전의 앞부분과 끝부분에서 상용하고 있는 '나모(南謨)'와 '사바하(娑婆訶)'를 계산하지 않는다면, 겨우 두 구에 불과하다. 원래의 경전에는 제3구와 제4구가 표시되어 있고, 제2구와 제3구의 분별은 명확하지 않다.

나모나라삼바타야구류바마삼도만사바하(南謨那羅三婆陀耶俱留婆摩糝都滿娑婆訶)

경전에서 이르길, 이 다라니를 운용할 때는 다섯 종류의 향(香)이 필요하며 소귀법(召鬼法)을 행해야 한다고 설하고 있다. 계속해서 대단히 많은 부인(符印), 40도부(道符) 그리고 이른바 귀신을 보고 두려워하지 않는 법을 펴는 방법에 대하여 설하고 있는데, 이러한 것은 도교적 요소를 수용한 것으로 보인다. 또한 다라니와 수인(手印)이 결합되어 있는데, 이것은 지명밀교(持明密教 ; '持明'은 '眞言'의 다른 명칭으로 '진언밀교'의 다른 이름)의 특징을 반영하고 있는 것이다. 그러므로 이 경전의 주법(呪法)과 다라니잡주(陀羅尼雜呪) 등의 지명밀교는 한 종류에 속한다. 도교와의 관계 등에 대해서는 추가적인 연구와 검토가 필요하다.

『대도심구책법』에는 지장보살의 본생고사(本生故事)에 관한 한 단락의 문장이 있으며, 이것은 이 구책법의 유래이기도 하다.

설하기를, 과거의 오랜 겁(劫) 이전에 등광왕불(燈光王佛)이 멸도한 후에, 지장보살은 상법(像法) 시기에 범부의 땅에 머물며, 중생이 귀신이 되어 괴로워하는 것을 보고, 선지식에게 항복법(降伏法)을 배우기를 원하였다. 구특라산(俱特羅山)에 한 선인(仙人)이 있었는데, 각종의 도술(道術)에 뛰어났기 때문에 지장보살은 그를 찾아갔다. 이 선인은 3일 동안에 지장보살이 이 법을 체득할 수 있도록 가르쳤는데, 다라니를 염송하면 수유(須臾) 간에 지옥에서 고통받고 있는 일체의 중생이 모두 연화를 계승하여 모든 괴로움이 멎을 것이라고 하였다. 선인은 지장보살이 신력을 얻는 것을 보고 지장보살을 위하여 수기(授記)하였으며, 또한 지장보살은 무량무변의 세계에서 부처가 수기하고 이름을 지장이라고 할 것이며, 오탁(五濁)의 어지러운 세상에 인(人)·천(天)에서, 화신(化身)으로 중생을 제도하여 고난으로부터 구할 것이라고 예언하였다. 이후에 지장보살은 더욱 정진하여, 스스로 이 법을 닦아서 중생을 구제하였다.[47]

비록, 이 경전은 중국에서 저술된 것으로 볼 수 없다는 이유로 역대 대장경에 수록되지 않았지만, 민간에 유통되며 영향을 끼친 것은 확실하다. 요대(遼代) 비탁(非濁)의 『삼보감응요약록(三寶感應要略錄)』 제35칙인, 〈지장보살구교제장자가악귀난감응(地藏菩薩救喬提長者家惡鬼難感應)〉에는 다음과 같은 내용이 있다. 지장보살이 비부라산(毘富羅山) 아래 교제장자(喬提長者)의 집에 있을 때, 500여 명의 사람이 악귀로부터 정기를 빼앗겨 땅에 기절해 있는 것을 보았다. 그 중생들을 가련히 여겨서, 부처님의 지혜를 빌려 귀신을 쫓는 신주(神呪)를 염송하니, 악귀 때문에 기절해 있던 500명이 다시 살아났다는 내용이다. 이

47 說是過去久遠劫之前, 燈光王佛滅度後, 地藏在像法中住凡夫地, 見到衆生爲鬼所惱, 願從善知識學降伏之法. 俱特羅山有一仙人, 善種種道術. 地藏因而去訪此道人. 此仙人於三日內使地藏掌握此法 頌此呪可於須臾間使一切地獄受苦衆生各承蓮華, 諸苦停息. 仙人見地藏得此神力, 爲地藏授記并作預言, 說他於無量無邊世, 佛爲授記, 名曰地藏. 於五濁難世中人天, 常化身救度衆生, 令出苦難. 此後地藏更精進, 自修練此法, 以救衆生.

이야기는 바로 『대도심구책법』의 고사를 인용하여 밝힌 것이다. 이러한 형태로 구성된 고사들 가운데 빠른 시기의 것으로는 동진(東晋)의 난제(難提)거사가 번역한 『청관세음보살소복독해다라니경(請觀世音菩薩消伏毒害陀羅尼經)』이며, 늦은 시기의 것으로는 『불정심관세음대다라니(佛頂心觀世音大陀羅尼)』가 있다. 이러한 불전(佛典)의 고사들은 모두 질병 등의 고통으로부터 중생을 구하는 내용이지만, 그 다라니의 종류는 매우 다양하다.

또한 이 『대도심구책법』의 다라니가 유통되는 과정에서, '호신다라니(護身陀羅尼)' 라는 명칭을 얻게 되었다. 돈황의 사경(寫經) 가운데 하나인 S.431호는 작은 경전으로, 『지장보살경』의 수제(首題) 앞에, 『지장보살본원경』의 끝구절과 미제(尾題)가 필사되어 있다. 이 100여 글자에 불과한 『지장보살경』의 뒤에, 하나의 '지장보살호신다라니(地藏菩薩護身陀羅尼)' 가 필사되어 있다. 이것과 『대도심구책법』을 서로 비교해 보면, 비록 몇 개의 한자에 차이가 있지만, 같은 내용이라고 할 수 있다. 이 '호신다라니' 가 바로 『대도심구책법』의 '구귀다라니(驅鬼陀羅尼)' 이다. 아래의 도표는 두 다라니를 비교한 것이다.

나무 나라삼바 야절타 구계바 파발 삼도만 사바하 (南無 那羅三婆 野節駝 俱溪婆 婆鉢 糝都滿 娑婆訶)	영국 소장의 돈황사경 S.431호
나모 나라삼바타야 구류바마 삼도만 사바하 (南謨 那羅三婆陀耶 俱留婆摩 糝都滿 娑婆訶)	『대정장』·『대일본속장경록(大日本續藏經錄)』

『대도심구책법』은 실제적으로 비탁(非濁)의 『삼보감응요약록』보다 더 빠르며, 북송 단공(端拱) 2년(989)에 상근(常謹)이 집록한 『지장보살상영험기』의 제7조, 즉 〈거사이신사경봉지장면귀난기(居士李信思敬奉地藏免鬼難記)〉에 이미 당대(唐代) 이신사(李信思)가 집에 귀난(鬼難)이 있어서 지장존자에게 의지하여 난을 면하였으며, 이러한 연유로 승려가 이 고사를 알리게 된 것임을 밝히고 있다. 하지만 여기서 강조하고 있는 것은 다라니가 아니라, 지장보살의 영험한 상(像) 때문에 호수현(滬水縣)에 50년 동안 병이 퍼지는 것을 피할 수 있었다는

것이다.

결론적으로 다시 말하면, 『대도심구책법』은 지장보살이 밀언(密言) 다라니로 재난을 구한다는 내용이다. 이 경전은 대략 무주 시기나 그보다 조금 늦은 시기에 형성되어, 당 · 송 · 요 시기에 유통되면서 많은 영향을 미쳤으며, 또한 일본에도 전하여졌다. 『대도심구책법』의 다라니와 『대일경(大日經)』, 『청룡의궤(青龍儀軌)』에 나타나는 지장진언(地藏眞言)도 역시 대단히 유사하다. 차후에 상세하게 비교하여 검토하겠다.

『대집경(大集經)』 계통의 다라니

『수미장경(須彌藏經)』[『대집경』의 「수미장분(須彌藏分)」]의 지장보살 관련 내용은 실질적으로 다라니를 비중 있게 다루고 있으며, 내용 또한 대단히 풍부하다. 이 경전의 「소멸비시견풍우품(消滅非時見風雨品)」은 공덕천과 지장보살 그리고 석가모니불이 세 종류의 다라니에 대해 밝히고 있다. 즉, '세수택심다라니(世水宅心陀羅尼)', '수풍마니궁다라니(水風摩尼宮陀羅尼)', '마도대다라니(磨刀大陀羅尼)' 가 그것이다. 이 세 종류의 다라니는 차례로 인다라당상왕불(因陀羅幢相王佛)이 공덕천에게 말하고, 석가모니불이 지장보살과 공덕천에게 설하고, 지장보살이 말한 것이다. 이 다라니는 모두 독귀(毒鬼)를 제압하고, 바람과 비를 조절할 수 있는 공능(功能)이 있다.

제22구는 "다지야타(多地耶他) 도람바(闍藍婆) 마가도람바(摩訶闍藍婆)" 로 시작하여, "바라궁빈두궁(婆羅窮頻頭窮) 바비(婆比) 사바하(娑婆訶)" 로 끝을 맺는다. 공덕천녀가 지장보살에 대하여 과거세(過去世)에, 인다라당상왕불이 공덕천을 인가(印可)하며 수기한 것을 회고한다. 그 후에 공덕천녀가 지장보살에 대하여 말하기를, 세수택심다라니를 얻었지만 여전히 세간을 태평하게 하여 중생들을 즐겨 믿게 할 수가 없으며, 독룡(毒龍)이 세상에 나와서 중생들이 이 다라니를 믿지 못하게 만들고, 땅에는 독기가 가득하여 조화를 얻을 수가 없다고 하였다. 그래서 공덕천녀가 지장보살에게 법문을 해줄 것을 청원하였다. 지장마하살이 공덕천녀에게 청정지(清淨智)를 말하고, 다시 말하기를, "다라니륜(陀羅尼輪)이 있는데, 그 이름이 수풍마니궁집일체주술장구(水風摩尼宮集一切

呪術章句)이다. 너는 여래에게 이 다라니에 대해 여쭈어 볼 수 있다. 만약 부처님께서 말씀하시면 나 역시 기쁘게 따를 것이다."라고 하였다. 이에 따라 부처님께서 다라니를 말씀하셨다. 이 42구의 다라니는 능히 한 나라 안의 모든 때 아닌 바람과 더위, 추위, 가뭄, 홍수 등을 없앨 수 있는데, 특징적으로 국왕과 그 권속의 평안함과 행복을 기원하는 축문이 들어 있다. 이것은, "다지타(多地他) 소바라(蘇婆羅) 바라저(婆羅底)"로 시작하여 "제리야두바불아하지자슬치제(帝利耶頭婆佛阿訶地子瑟癡帝) 사바하(莎婆訶)"까지, 그리고 계속해서 "사차국천자급기권속실개길상(使此國天子及其眷屬悉皆吉祥) 사바하(莎婆訶)"가 이어지고, 다시 "나라연나(那羅延拏) 니라이사바가(尼羅移莎婆呵) 작가라발다라미(斫迦囉跋多羅迷) 사바하(莎婆訶)"가 이어진다.

부처님께서 수풍마니궁다라니륜(水風摩尼宮陀羅尼輪)을 설하신 후에, 지장보살이 다시 26구로 이루어진 마도대다라니(磨刀大陀羅尼)를 말하였다. "다지타(多地他) 나비(那鼻) 마하나비(摩訶那鼻)"에서 "사리라(賒梨囉) 나바가라마비사(那婆迦羅摩毘沙) 사바하(莎波訶)"로 끝난다. 지장보살이 말한 이 다라니는 대지(大地)와 밀접한 관계를 지니고 있다. 대지에서 풍부한 생산물이 생기게 하고, 그 맛을 더욱 아름답게 하며, 독도 없고 해도 없으며, 바람과 비를 조화롭게 하고, 또한 호국(護國)의 힘도 있다. 그러므로 부처님께서 지장보살을 찬탄하며 말씀하시기를, "뛰어나도다. 뛰어나도다. 선남자(善男子)여, 네가 지금 중생을 위하는 것이 대묘락(大妙樂)과 같다. (중략) 마도대다라니(磨刀大陀羅尼)에는 대단히 심오한 법력이 있다. 이것은 중생이 대지의 맛과 정기를 손상시키지 않게 하며, 능히 종자가 다섯 골짜기에 뿌려지게 하여 싹을 틔우고 줄기와 잎이 생겨나게 하여 과실을 적지 않게 맺게 하니, 중생의 먹을 것을 풍족하게 성취시킨다. 일체 중생을 남김없이 모두 즐거움을 구족시킨다."라고 하였다.

당장대다라니문(幢杖大陀羅尼門)은 13구로 이루어져 있는데, "노파(盧波)"로 시작하여, "계사로혜(鷄舍盧醯) 삼마제두파리(三摩提頭婆利) 사바가(莎波呵)"로 끝난다. 이것은 전문적인 주어품(呪語品)인 『대집경』「다라니품」에서 나온 것으로서, 특히 이근(耳根)과 관련된 것이라는 점에서 독특하다. 지장보살이 말하기를, 단지 경전을 한번 듣기를 원하는 것만으로도 능히 일체의 귓병을 없앨 수 있고, 탐 · 진 · 치(貪瞋痴) 등과 같은 번뇌의 모든 병을 없앨 수 있으며, 또한 이를 듣는 자는 탐 · 진 · 치의 일체 번뇌가 남김없이 사라지며, 청정심을 얻을 수 있고, 용맹하게 법에 따라 행하게 된다고 하고 있다. 이 「다라니품」에는 공덕천녀가 모든 용을 조복시키는 내용이 있고, 지장보살은 이와 같은 다라니가 기이한 것이 아님을 밝히고 있다.

앞서 살펴본, 『대집경』 가운데 지장보살과 관계있는 다라니는 두 가지이며, 「비시풍우품(非時風雨品)」과 「다라니품」에 각각 하나가 있다. 이것은 확실히 지장보살다라니에 대한 인식을 풍부하고 깊게 해주며, 지장보살다라니가 결코 그 표제에 『지장보살다라니』라는 명칭이 붙은 경전에만 국한되는 것이 아니라, 실질적으로는 『대방광십륜경』에서 비롯된 경전들까지도 모두 포함하는 것이라 할 수 있다. 지장보살과 대지(大地)와의 관계에 있어서, 독의 해로움을 다스리고 대지의 풍성한 생산을 촉진시키며 바람과 비를 조절하는 것은 마도대다라니이다. 이 다라니가 인용되어 있는 경전으로 『지수택심(地水宅心)』과 『수풍마니궁주륜(水風摩尼宮呪輪)』이 있다. 능히 귀의 병을 다스리고 청력을 신장시키는 것은 당장대다라니이다. 또한 역귀(疫鬼)를 물리치는 『대도심구책법』은 또한 '호신(護身)' 이라 칭해지기도 하는 간단한 다라니이다. 이러한 일련의 지장보살다라니는 대장경이라는 출처가 명백하여 오류가 없다. 돈황의 사본(寫本)에도 일종의 지장보살다라니가 있지만, 그 연원은 오히려 분명하게 알기가 쉽지 않다.

S.4543호 『지장보살다라니(地藏菩薩陀羅尼)』

돈황의 사경(寫經) S.4543호는 다라니를 모아서 엮은 경전으로, 여기에는 여섯 종류의 다라니가 있다. 즉, (A) 천수천안광대원만무애대비심대다라니(千手千眼廣大圓滿無碍大悲心大陀羅尼), (B) 마두나찰관세음다라니(馬頭羅刹觀世音陀羅尼), (C) 호제동자다라니(護諸童子陀羅尼), (D) 지장보살다라니, (E) 석가모니불심인주(釋迦牟尼佛心印呪), (F) 대집경(大集經) 월장분(月藏分) 제38 길상대만신주월당다라니(吉祥大萬神呪月幢陀羅尼)이다.

여기서 (F)는 앞에 모두 '구호소아다라니(救護小兒陀羅尼)' 라고 작게 기록되어 있으며, 끝의 제목 하나가 훼손되어 있다. 원래 이 경전에는 '대집경월장분

(大集經月藏分)' 과 '월당다라니(月幢陀羅尼)' 가 연이어 쓰여 있는데, 그 뜻은 '월당다라니' 가 '대집경 월장분 제38' 에서 비롯되었다는 것이다. 대장경의『대집경』제46권, 즉 월장분(月藏分)의「월당신주품(月幢神呪品)」에는 한 단락의 '길상장구대력신주(吉祥章句大力神呪)' 가 있어서, 이 '길상대만신주월당다라니(吉祥大萬神呪月幢陀羅尼)' 와 대응하고 있으며, '대만(大萬)' 이 '대력(大力)' 으로 되어 있다. 이 다라니의 대부분은 "전달라(旃達囉)" 로 시작되며, 모두 68구이다. 두 문장은 한 개의 글자가 다른 것을 제외하고는 같아서 동일한 다라니라고 할 수 있다.

(E) 석가모니불심인주는 다른 몇몇 경전에 모두 '석가모니불심지주(釋迦牟尼佛心地呪)' 로 잘못 표기되어 있다. '청정법신비로자나심지법문성취일체다라니삼종법지(淸淨法身毘盧遮那心地法門成就一切陀羅尼三種法地)' 와 관계가 있는 것으로 보인다.[48] 여기에서의 다라니는 대일여래(大日如來)가 무수석가모니불(無數釋迦牟尼佛)을 위하여 설한 것인데, 다라니가 단지 8자의 한자로 이루어져 있어서 돈황권의 8구와 차이가 있다. 또한 두 번째의 '제훈신주(諸勳神呪)' 는 '심지근본신주(心地根本神呪)' 라고 하는 것으로, 구가 대단히 길어서 역시 그 차이가 있다. 다른 경전들 중에는 오직『범망경(梵網經)』에만 노사나심지법문(盧舍那心地法門)이 있으며, 혹자는 이것이「석가모니심지법문설십무진좌품(釋迦牟尼心地法門說十無盡左品)」을 말하는 것이라고도 한다.

'석가모니불심인주' 의 원래 제목은 '심인주(心印呪)' 라고 되어 있고, 그 아래에 주석이 붙어 있으나 그 주석이 어떠한 것인지는 명확하지 않다. 이 심인주는 당(唐)의 아지구다(阿地瞿多)가 번역한『다라니집경(陀羅尼集經)』권2의 '우불심인주삼(又佛心印呪三)' 이다.[49] 이 다라니는 수인(手印)과 결합하며, 먼 길을 떠나는 것을 보호하고 소아병(小兒病)을 치료할 수 있다고 한다. 그러므로 이것은 (F)에 나타나는 '구호소아다라니(救護小兒陀羅尼)' 와 관계가 있다.

북위(北魏)의 보리류지(菩提流支)가 번역한, (C) 호제동자다라니는 경전에 있는 두 종류의 다라니를 모아서 기록한 것이다.[50] (B) 마두나찰관세음다라니의

48『大正藏』第18卷(T.899).

49『大正藏』第18卷(T.901), p.796.

출처는 여전히 불명확하다. 『불명경(佛名經)』에 『마두나찰경(馬頭羅刹經)』이 있지만, 여기에는 다라니가 없다. (A) 천수천안광대원만무애대비심대다라니(千手千眼廣大圓滿無碍大悲心大陀羅尼)는 가장 유행한 다라니 가운데 하나이지만, 구를 나누는 형식은 여전히 적지 않게 차이를 보이고 있다.

(D) 지장보살다라니는 모두 38구가 있는데, 그 내용은 다음과 같다.

> 나무불타야 나무달마야 나무승가야 나무아리야가슬치갈파야 보리살타야 마하살타야 마하가라야가야 단질타 옴 거참 거참 계색목거참 아가세거참 목갈거참 아로계거참 담거참 실묵거참 실미열갈거참 복야발록거참 거수바거참 미록거참 녕륵거참 바라단야소몰저거참 가사연저거참 미실이사실달거참 비차수이마혜이 모명섬명작갈실 작갈실리 작갈성비사발호참 오로발라박아미수항니사바하 거록가미수항니사바하 거오실우미수항니사바하 거오여마가보제미사바하 살박차발미속미사바하 살복야빈선절미사바하 살박항질타가소야지 슬치함지슬모가모탄의사바하

> 南無佛陀耶 南無達麼耶 南無僧伽耶 南無阿梨耶伽瑟哆羯波耶 菩提薩埵耶 摩訶薩埵耶 摩訶伽羅耶伽耶 但姪他 唵 渠參 渠參 癸色目渠參 阿伽勢渠參 目羯渠參 阿盧鷄渠參 曇渠參 悉默渠參 悉迷涅褐渠參 伏也勃祿渠參 渠藪波渠參 微祿渠參 甯勒渠參 波羅但耶蘇沒底渠參 伽沙演底渠參 微失伊沙悉嗟渠參 毘遮修伊摩醯伊 毛名閃名斫羯悉 斫羯悉哩 斫羯聖毘思勃湖參 嗚盧勃囉縛阿微戍恒你娑婆訶 居綠伽微戍恒你娑婆訶 居嗚失友微戍恒你娑婆訶 居嗚茹摩訶菩提彌娑婆訶 薩縛遮勃彌粟彌娑婆訶 薩伏也濱詵截彌娑婆訶 薩縛恒姪他伽召耶地 瑟哆艦地瑟慕訶慕坦疑娑婆訶

---

50 『大正藏』 第19卷(T.1028A, pp.741~742). 여기서 두 다라니의 범문과 명칭은 나타나 있지 않다. 善無畏(譯)의 『童子經念誦法』(T.1028B, p.743)의 경우는 전자가 '最極密印陀羅尼'이고, 후자가 '長壽延命陀羅尼'이다.

이 지장보살다라니는 여전히 그 출처가 불명확하다.

돈황 사경에 비교적 큰 다라니 사본이 있다. 예를 들면, S.5541호에는 13종의 다라니가 있고, P.4961호에는 14종의 다라니가 있으며, 또한 S.2498호에는 29종의 다라니와 부인(符印)이 수록되어 있는데, 그 출처가 분명하지 않다. 이들 다라니의 구를 살펴보면, 이 가운데 일련의 구가 '청관세음주(請觀世音呪)' 등과 유사한 것을 발견할 수 있으나 전체적으로는 여전히 불명확하다. 특히, 이들 다라니 구의 끝에는 '거참(渠參)' 등이 많이 사용되고 있는데, 이는 대장경에서도 찾아보기 쉽지 않다. 이 다라니 앞부분 몇 개의 구와 당대(唐代)에 번역자가 알려지지 않은 『다라니잡집(陀羅尼雜集)』의 '청관세음보살다라니(請觀世音菩薩陀羅尼)' 는 대단히 유사한 곳이 많지만, 그 단구(斷句)는 일치하지 않는다.

S.4543호 『지장보살다라니』 앞부분 例	『청관세음보살다라니』 앞부분 例
나무불타야 나무달마야 나무승가야 나무아리야가슬치갈바야 보리살타야 마하살타야 마하가라야가야 단질타 옴 거참 거참 南無佛陀耶 南無達麼耶 南無僧伽耶 南無阿梨耶伽瑟哆羯波耶 菩提薩埵耶 摩訶薩埵耶 摩訶伽羅耶伽耶 但姪他 唵 渠參 渠參	나무불타야 나무달마야 나무승가야 보리살타야 마하살타야 마하가류 마하가니 무하니 南無佛陀耶 南無達摩耶 南無僧伽耶 菩提薩埵耶 摩訶薩埵耶 摩訶迦留 摩訶呵尼 無呵尼

만약 위의 다라니에서 기불(祈佛)·법(法)·승(僧)의 구를 제거하면, '대불정광취다라니(大佛頂光聚陀羅尼)' 의 보광보살근본주(普光菩薩根本呪)와 매우 유사하다.[51] 이 다라니는 문장이 비교적 짧고 구의 단절이 없지만, 청마관음주(請馬觀音呪)의 전체 문장인 37구와 같지 않고, 오히려 지장보살다라니와 대체적으로 동일하다.

51 唐失(譯), 『大佛頂光聚陀羅尼』. 『大正藏』 第19卷(T.946K).

S.4543호 『지장보살다라니』 앞부분 例	보광보살근본주
나무불타야 나무달마야 나무승가야 나무아리야가슬치갈바야 보리살타야 마하살타야 마하가라야가야 단질타 옴 거참 거참 계색목거참 아가세거참 목갈거참 아로계거참 담거참 실묵거참 실미열갈거참 복야발록거참 거수파거참 ……. 南無佛陀耶 南無達麼耶 南無僧伽耶 南無阿梨耶伽瑟哆羯波耶 菩提薩埵耶 摩訶薩埵耶 摩訶伽羅耶伽耶 但姪他 唵 渠參 渠參 癸色目渠參 阿伽勢渠參 目羯渠參 阿盧鷄渠參 曇渠參 悉默渠參 悉迷涅褐渠參 伏也勃祿渠參 渠藪波渠參 …….	나모라달나달라(二合) 야야나모아리야삼만야 보리살타야 마하살타야 마하가부라물라부라등 가타라합새부 南謨羅怛那怛羅(二合) 夜耶南謨阿利耶三曼耶 菩提薩埵耶摩訶薩埵耶 摩訶迦嚩羅物羅嚩羅登 迦陀羅紟塞嚩

『지장보살의궤(地藏菩薩儀軌)』

『지장보살의궤』 전(全) 1권. 당대(唐代) 중천축(中天竺) 수바가라(輸婆迦羅), 즉 개원(開元) 연간에 중국에 온 밀종(密宗)의 3대사(大士) 가운데 한 명인 선무외(善無畏)가 어지(御旨)를 받들어 번역한 경전이다. 부처가 거라담야산(佉羅擔耶山)에 계실 때에, 지장보살이 일체중생의 이익을 위하여 신주(神呪)를 부처님께 청원하자 부처님께서 이 의궤를 말씀하였다. 이 의궤를 말씀하실 때, 먼저 세 종류의 신주를 말씀하셨다. 즉 신주(身呪), 심주(心呪), 심중심주(心中心呪)가 그것이다.

> 옴마타암마이구필구필삼만다사바하[闇摩他嚐摩爾俱苾俱苾三曼多娑婆賀]
>
> 옴염만타자사바하[唵炎曼他啫娑婆賀]
>
> 옴급희[唵礏呬(二合)]

이 의궤는 계속해서 다시 화상법(畵像法)에 대하여 설하고 있다. 즉, 지장보살상을 만들 때에 준수해야 하는 의궤의 형제(形制)이다. 이 경전의 화상 의궤에 의하면, 지장보살은 성문(聲聞)의 형상으로 몸에는 우견편단(右肩偏斷)의 가사를 입고 있다. 왼손은 연화를 들고 오른손은 무외인(無畏印)을 취하였으며, 연화대 위에 앉아 있다. 혹은 천관(天冠)을 쓰고 가사를 입고 있거나 왼손은 연화를, 오른손은 석장을 잡고, 구품(九品)의 연화대 위에 앉아 있다.

이 의궤는 화상법을 마친 후, 다시 인주(印呪)에 대해 설하고 있는데, 인주는 보공양인(普供養印), 총인(總印), 청찬인(請贊印)이 있다. 마지막으로 17종류의 호마법(護摩法)을 성취하는 것에 대하여 설하고 있다. 이것은 서로 다른 초목화제(草木火祭)를 사용하여서 각종의 서로 다른 의원(意願)을 성취하는 것이다.

2. 지장보살과 관련된 기타 경전

지장보살 관련 경전은 지장보살을 주제로 하는 경전뿐만 아니라, 지장보살을 그 내용으로 하는 경전도 포함된다. 불교 경전은 너무도 방대하며, 이 중에 지장보살과 관련된 경론 또한 적지 않지만, 여기서는 주요 경론들을 중심으로 살펴보겠다.

1) 지장보살의 명호

현재 알려진 대장경의 경전 중에는 지장보살의 명호(名號)만을 들고 있는 것도 있다. 전적으로 불·보살의 명호를 설하고 있는 『불명경(佛名經)』에도 역시 지장보살의 명호가 있으며, 지장보살의 명호와 함께 관련된 것을 간략하게 밝히고 있다. 지장보살의 명호는 경전의 구성상, 앞부분의 청법 대중들 속에서 일반적으로 드러난다. 세존이 큰 모임에서 설법하실 때에 많은 불·보살들의 명호 속에 지장보살의 명호가 있다. 16국 시대, 동진(東晋) 시기로부터 시작된 이러한 경전 구성은 송대(宋代)의 역경(譯經)까지 지속되면서, 대체적으로 같은 형태를 보이고 있다.

여러 종류의 경전이 『보적(寶積)』과 『화엄(華嚴)』의 두 계통으로부터 나왔다고 말할 수 있지만, 두 계통의 차이는 그렇게 크지 않다. 북량(北凉) 시기에 담무참(曇無讖)이 번역한 『대방광삼계경(大方廣三戒經)』에도 지장보살의 명호가 나타난다. 지장보살은 '장(藏)' 자로 끝나는 10대보살(大菩薩) 중 하나인데, 여기서의 10대보살은 지장보살, 허공장(虛空藏)보살, 연화장(蓮花藏)보살, 보장(寶藏)보살, 일장(日藏)보살, 정덕장(淨德藏)보살, 법해장(法海藏)보살, 변열장(遍悅藏)보살, 선장(船藏)보살, 연화덕장(蓮華德藏)보살이다. 지장보살의 앞에는 또한 위덕(威德)보살 열 명, 당(幢)보살 열 명, 지(智)보살 열 명이 있다. 지장보살의 뒤에는 보살 열 명과 다시 보살 열 명 등이 있다. 이 경전의 앞부분에서는, 세존이 왕사성(王舍城) 영축산에 머무실 때에, 대비구 8천 명과 보살 8천 명을 거느리고 계셨는데, 보현보살과 문수보살이 상수(上首)로서 여러 지(智)보살, 여러 당(幢)보살, 여러 위덕(威德)보살과 여러 장(藏)보살과 함께 있었으며, 그 가운데 지장이 우두머리로 자리하고 있음을 밝히고 있다. 여러 장보살의 뒤에도 여전히 많은 보살들이 있는데, 대략 열 명의 보살이 하나의 조를 이루고 있다. 예를 들면, 여러 안(眼), 관(冠), 계(髻), 광(光), 상(相), 음(音), 용(勇), 덕(德), 주왕(主王), 성(聲), 각(覺)보살이 그러하다. 『대방광삼계경』에 나오는 것은 『대보적경삼율회제일(大寶積經三律會第一)』 같은 경전의 다른 번역에 속한다. 그래서 대체적으로 유사한 여러 보살의 명호가 이후에 번역된 일련의 경전들 속에서도 나타나고 있다. 당(唐) 보리류지(菩提流支)가 번역한 『대보적경삼율회(大寶積經三律會)』와 『대방광삼계경(大方廣三戒經)』이 서로 비슷한 것은 너무도 자연스러운 일이지만, 10대보살의 '선장(船藏)' 이 '제장(齊藏)' 보살로 고쳐져 있다.

서진(西秦)의 성견(聖堅)이 번역한 『불설라마가경(佛說羅摩伽經)』은 『화엄경』 「입법계품」의 이역(異譯)이다. 원래 '라마가(羅摩伽)' 는 범문(梵文) '입법계(入法界)' 의 음역이므로, 화엄 계통의 상당수 경전들은 기본적으로 같은 청법(聽法) 대보살이 나온다. 예를 들면, 동진(東晋)의 불타발타라(佛馱跋陀羅)가 번역한 『육십화엄(六十華嚴)』의 「입법계품」 제34 가운데 하나, 당의 실차난타(實叉難陀)가 번역한 『팔십화엄(八十華嚴)』의 입법계품 제39, 즉 「입법계품」의 앞부분, 반야(般若)가 번역한 「보현행원품(普賢行願品)」 등이 그러하다. 세존이 사위성(舍衛城) 기수급고독원(祇樹給孤獨園)의 대장엄중각(大莊嚴重閣) 강당에서 설법하실 때에, 500의 보살이 모두 이 큰 모임에 왔으며, 문수보살과 보현보살이 상수(上首)로 자리 잡았다. 이 보살들은 모두 보현보살의 원행(願行)을 이루고자 출현한 것으로 경계가 무애(無碍)하다. 이러한 500보살들 중에는, 대지장(大地藏) 보살도 함께 자리하고 있다. 여러 보살들 중에는 앞에서 언급한 당(幢)보살, 지장보살 등이 보이고, '장(藏)' 자 계열의 보살들과 여러 '안(眼), '관(冠)' 등의 보살들도 보이고 있다. 이러한 것은 여러 경전이 기본적으로 일치하고 있을 뿐만 아니라, 보적(寶積) 계통의 영산(靈山) 설법 장면과도 역시 동일하다. 다만 몇 개의 명호에 아주 작은 차이가 있다. 예를 들면, 『라마가경(羅摩伽經)』의 앞부분에 나타나는 보살은 지장보살, 허공장(虛空藏), 연화장(蓮華藏), 보장(寶藏), 일장(日藏), 공덕정(功德淨), 법인장(法印藏), 세정장(世淨藏), 불교만(不憍慢), 연화승장(蓮花勝藏)보살이다. 그리고 『육십화엄(六十華嚴)』의 앞부분에서 나타나는 보살은 대지장보살이다. 계속해서 여러 보살들 가운데 '불교만(不憍慢)' 이 '제장(臍藏)' 으로 고쳐져 있고, 여러 장(藏)보살, 여러 안(眼), 관(冠), 주라(周羅)보살 등이 있다. 『팔십화엄(八十華嚴)』도 기본적으로 일치하고 있으며, 반야(般若)가 번역한 『사십화엄(四十華嚴)』, 즉 「보현행원품(普賢行願品)」에는 이러한 한 조(組)의 보살 가운데 '세정장(世淨藏)' 이 '비로자나보살(毘盧遮那菩薩)' 로 고쳐져 있다.

역자가 밝혀지지 않은 『도제불경계지광엄경(度諸佛境界智光嚴經)』은 실차난타(實叉難陀)가 번역한 『대방광입여래지덕부사의경(大方廣入如來智德不思議經)』의 이본(異本)으로, 여기에는 공덕장(功德藏), 광요(光曜), 지장보살과 보장(寶藏), 월장(月藏), 일장(日藏), 열광장(熱光藏), 연화길장(蓮華吉藏)보살 등이 나타나고 있다. 그 명호는 대체적으로 부처의 설법을 듣는 여러 대보살들과 대동소이하다. 또한 실차난타는 『대방광여래부사의경계경(大方廣如來不思議境界經)』도 번역하였다. 이 경전에서 이른 바에 의하면, 부처가 보리수 아래에서 깨달음을 얻었을 때, 시방의 여러 부처가 보살의 모습으로 나타났는데, 명호가 관자재(觀自在), 문수(文殊), 지장과 허공장(虛空藏), 금강장(金剛藏), 유마힐(維摩詰) 등 모두 21명의 보살이었다. 당대(唐代) 시라달마(尸羅達摩)가 번역한 『불설십지경(佛說十地經)』의 보살극희지(菩薩極喜地) 제1에는 여러 보살의 명호가 나타나고 있는데, 대다수에 '장(藏)' 자가 있다. 모두 38명의 보살 가운데, 36명의 명호에 '장' 자가 있다. '지장보살' 앞에는 요장(曜藏), 일장(日藏)이 있고, 뒤에는 무구월장(無垢月藏), 시일체장엄광명장(示一切莊嚴光明藏)보살 등이 있다. 이러한 일련의 '장' 자 명호는, 앞서 살펴본 보적(寶積), 화엄(華嚴) 계통에 나타나는 설법 청중 보살들의 명호와는 차이가 있어 보인다.

『금광명최승왕경(金光明最勝王經)』은 고승 의정(義淨)이 번역한 것이다. 그 권1의 「서품」에 이르길, 부처님께서 영산(靈山)에 머무실 때에 보살 백천만 명과 동자(童子), 천자(天子), 용왕(龍王) 등이 함께 와서 머리를 조아리고 부처님의 발에 예를 올리며, 금광명묘법(金光明妙法)을 듣기를 원하였다. 여기에 여러 대보살 50여 명의 명호를 들고 있는데, 지장보살과 허공장보살도 그중에 있으며, 보당(寶幢)과 보수자재(寶手自在), 금강수(金剛手)와 여러 대운(大雲)보살도 있다. 권5의 제8「금승다라니품(金勝陀羅尼品)」에서는 세존(世尊)이 선주(善住)보살을 위하여 이 다라니 지주법(持呪法)을 주었는데, 반드시 먼저 불 · 보살의 명호를 염송하고 마음을 다해 예배한 후에 다라니를 염송하여야 함을 강조하고 있다. 여기서 보살의 명호는 한 조(組)가 모두 아홉 명이며, 그 가운데 지장을 포함해 관자재(觀自在), 허공장(虛空藏), 묘길상(妙吉祥), 금강수(金剛手), 보현(普賢), 무진의(無盡意), 대세지(大勢至), 자씨(慈氏), 선혜(善慧)보살이 있다. 당대(唐代) 혜소(慧沼)는 이 경전의 소(疏)를 지었다.

『불명경(佛名經)』 계통의 지장보살의 명호에도 차이가 있다. 북위의 보리류지(菩提流支)가 번역한 『불명경』 권6 중에, 선남자는 마땅히 대보살에 귀명(歸命)해야 한다는 구절이 있고, 언급된 스무 명의 보살 명호 중에 지장보살은 보현(普賢) · 문수(文殊) · 무구(無垢)보살의 뒤에 위치하고 있다. 권12에서는 부처가 사리불에게 시방의 여러 대보살에게 예배하고 공경할 것을 설하고 있는데, 여기에는 지장보살도 있다. 그리고 『불명경』이라는 경전의 명칭은 같지만, 나중에 위경(僞經)으로 인식된 30권 『불설불명경(佛說佛名經)』 권1, 권5, 권12의 경우를 살펴보자. 모두 시방의 여러 대보살마하살을 공경하고 예배하라는 단락이 있는데, 여기에도 지장보살이 있다. 앞부분은 보리류지가 번역한 구(句)와 유사한 흐름을 유지하고 있지만, 뒷부분에 이르러서는 '대지장(大地藏)보살'이 더욱 많은 보살의 명호 가운데에 위치하고 있다.

30권 『불명경』은 위경 『마두나찰경(馬頭羅刹經)』을 포함하고 있으며, 여기에 있는 지옥의 명칭은 『지장보살본원경(地藏菩薩本願經)』「지옥명호품(地獄名號品)」의 지옥 명칭과 대단히 유사하다. 이 부분은 따로 다룰 만한 가치가 있으며, 다음에 자세히 살펴보겠다.

이외에 또 다른 의위경으로, 돈황 사경(寫經)에서 발견되어 『대정장』 제85권 고일의위부(古逸疑僞部)에 수록된, 『불설요행사신경(佛說要行舍身經)』, 『고왕관세음경(高王觀世音經)』, 『시소범유가법경경(示所犯瑜伽法鏡經)』 등을 살펴보자.

『불설요행사신경』은 현재 알려진 돈황의 유서 가운데 하나이다.[52] 이 경전의 앞부분은 완전하지만, 몇 개의 글자가 결실되어 있다. 특이한 점은 지장보살이 먼저 언급되어 있다는 것이다. 이 경전은 '여시아문(如是我聞)'으로 시작되며, 부처가 여러 대보살 8천 명을 거느리고 설법하실 때에, '지장보살'이 상수(上首)로 나타나고 있다. 『고왕관세음경』은 본래 관음(觀音)의 범주에 대해 설하는 경전이다. 경전의 앞부분에는 여러 부처의 명호와 육방(六方)의 여섯 부처의 명호 등이 나타나고 있는데, 이러한 일련의 부처 명호는 『불명경』과 관계가 있다. 보살의 명호를 들 때, 먼저 대명(大明), 관명(觀明), 고명(高明), 개명(開明)의 모두 네 명의 관음보살 명호를 들고 있다. 이어서 약상(藥上)・약왕(藥王)・문수・보현・허공장・지장보살을 들고 있고, 청량보산억만(淸凉寶山億萬)과 보광여래화승(普光如來化勝)보살의 여덟 명 보살을 들고 있는데, 지장보살이 여기에 나타나 있다.

『대길상천녀십이계일백팔명무구대승경(大吉祥天女十二契一百八名無垢大乘經)』

당대(唐代) 불공이 번역한 이 경전은 부처님께서 안락세계(安樂世界)에 머무실 때, 관자재보살을 위하여 처음에 38명의 길상여래(吉祥如來) 명호를 말씀하시고, 다음에 길상천녀 108명을 말씀하신 것을 설하고 있다. 그리고 천녀(天女)의 이름을 12계풍(契諷)으로 나누어 칭하시고, 12단의 곡보(曲譜)로 나누신 까닭에 그 이름을 갖게 되었음이 밝혀져 있다. 앞부분은 박가범(薄伽梵)이 안락세계에 대보살들과 함께 머무르고 있는 것으로 시작된다. 관자재(觀自在)보살, 득대세(得大勢)보살, 제일체개장(除一切蓋障)보살, 지장보살 등, 모두 12명의 보살 이름이 열거되어 있으며, 형식은 앞에 열거한 바 있는 청경(聽經)보살들과

52 『大正藏』에는 다만 龍谷大學 소장본과 S.2044號가 실려 있다. 그러나 『敦煌遺書總目索引新編』에는 12本을 열거하고 있으며, 또한 著者 姜靜의 題名이 있는 것이 있다. 따라서 『佛說菩薩要行舍身經』은 13本에 달한다. 索引 p. 62 참조.

같다.

송대(宋代) 법현(法賢)이 번역한『불설팔대보살경(佛說八大菩薩經)』에는 일심억념동방무능승(一心憶念東方無能勝) 등 다섯 명의 부처 명호가 더해져 있고, 경전의 앞부분에 8대보살의 명호가 언급되어 있지만, 실제로 그 안에 8대보살과 관련된 것은 보이지 않는다. 법현이 번역한 또 다른 경전인『불설대승팔대만다라경(佛說大乘八大曼荼羅經)』은 당대 불공이 번역하여 가장 일반적으로 통용되고 있는 팔대보살경본과 대응되고 있다. 이 경전의 앞부분에는 설법을 듣는 대중들의 명호를 들고 있는데, 여기에도 8대보살이 있다. 즉, 묘길상(妙吉祥), 성관자재(聖觀自在), 자씨(慈氏), 허공장(虛空藏), 보현(普賢), 금강수(金剛手), 제개장(除蓋障), 지장(地藏)이다. 그러므로 이 경전도 지장보살의 명호가 표현되어 있는 경전의 종류로 분류할 수 있다.

『최상대승금강대교보왕경(最上大乘金剛大教寶王經)』

송대(宋代) 법천(法天)이 번역하였다. 팔사(八事)와 이제(二諦) 등이 설해져 있다. 부처가 광엄성(廣嚴城) 암라수원(庵羅樹園)에서 대비구(大比丘) 60만 명을 거느리고 있을 때, 또한 여러 보살들도 함께 있었다. 즉 사자위덕(獅子威德), 지장, 허공장, 보현, 금강수, 제개장, 관자재(觀自在), 묘길상, 보성(寶星), 자씨 등을 포함한 15명의 보살이다. 이들 보살의 명호 가운데 앞부분이 8대보살의 명호인데, 여기서 사자위덕을 자씨로 교체하면, 일반적으로 통용되는 8대보살의 명호와 같다.

참회법과 관련이 있는 경전도 있다. 30권『불명경』역시 참회법과 관련을 가지고 있으며, 경전의 매 권 끝에 각종 참회문이 있고, 삼보(三寶)에 대한 공경과 각종 죄에 대한 참회를 강조하는 내용이 담겨져 있다.『자비수참법(慈悲水懺法)』은 당대(唐代) 오달(悟達)국사가 지어서 전한 것이다. 참의(懺儀)를 행할 때에 매번 발원귀명(發願歸命)하여 예(禮)로써 일체의 부처, 일체의 대보살에게 공경하는 것이 요구된다. 이 경전에서 예배드리는 것은 다음과 같다.

나무비로자나불(南無毘盧遮那佛), …… 나무사자후불(南無獅子

吼佛), 나무문수사리보살, 나무보현보살, 나무대세지보살, 나무 지장보살, 나무관자재보살.

『자비수참법』 중에 이 단락의 예불 명호는 3권에서 반복해서 나타나고 있는데, 모두 여덟 번이다. 여러 부처의 명호들 가운데 10존의 부처와 여섯 명의 보살이 언급되고 있으며, 여기에는 지장보살도 있다. 참법에 나타나는 지장보살의 명호는 앞서 살펴본, 부처의 설법을 듣는 보살들 중의 지장보살과는 다른 또 하나의 유형이다.

2) 『팔대보살만다라경(八大菩薩曼茶羅經)』

밀교 계통의 지장보살은 대단히 복잡하며, 사소한 내용도 역시 대단히 많다. 지장보살의 명호 역시 여러 종류가 있으며, 어떤 것은 지장인주(地藏印呪) 등과 관련이 있지만, 중요한 것은 지장보살이 들어가 있는 여러 형태의 8대보살의 구성이다. 8대보살과 관계가 있는 경전이 많고 여러 가지 분류가 있음에도 불구하고, 적지 않은 8대보살의 구성 중에는 지장보살이 없는 경우도 있다. 예를 들면, 『반주삼매경(般舟三昧經)』과 『팔길상신주경(八吉祥神呪經)』에 나타나고 있는 것은 현호(賢護), 보생(寶生) 등의 보살이며, 『약사경(藥師經)』의 경우는 문수, 관음, 득대세(得大勢) 등의 보살이고, 『칠불팔보살소설신주경(七佛八菩薩所說神呪經)』의 경우는 문수, 허공장 등의 보살이다. 『사리불다라니경(舍利弗陀羅尼經)』에 나타나고 있는 것은 광명(光明), 혜광명(慧光明) 등의 보살이며, 『반야이취경(般若理趣經)』의 경우는 금강수, 관자재 등의 보살이다. 이처럼 이들 몇몇 경전에는 지장보살의 명호가 나타나 있지 않다.

8대보살과 관련하여 가장 중요하고 또한 많이 유통된 경전은 당대(唐代)의 밀교대사 불공이 번역한 『팔대보살만다라경』이다. 이 경전은 번역된 후에 널리 유통되었는데, 당(唐)으로 불법을 구하러 왔던 일본의 고승 쿠카이(空海)도 이 경전을 가지고 일본으로 돌아갔다. 쿠카이의 『어장래목록(御將來目錄)』, 엔닌

(圓仁)의 『입당신구성교목록(入唐新求聖教目錄)』, 케운(惠運)의 『장래교법목록(將來教法目錄)』, 엔친(圓珍)의 『지증대사청래목록(智證大師請來目錄)』에서 이 경전을 볼 수 있다. 중국과 일본에서 이 경전은 상당한 영향을 미치고 있다. 다만 초당(初唐) 시기부터 송대까지 이 경전은 실제로 여러 번 번역되었는데, 장문본(藏文本)도 남아 전해지고 있다.

불공이 이 경전을 번역하기 전에, 당초(唐初)에 나제(那提)가 『사자장엄왕청문보살경(師子莊嚴王請問菩薩經)』을 번역하였는데, 그 명칭도 역시 『팔만다라경(八曼茶羅經)』이며, 도선(道宣)율사가 지은 서문이 있다. 그 내용은 부처님께서 장엄왕(莊嚴王)의 질문에 근거하여, 방형 만다라를 짓는 것에 대해 설하신 것이다. 만다라의 안쪽에 원형의 광장을 만들고 8대보살을 안치하는데, 8대보살은 관음, 미륵, 허공장, 보현, 집금강주(執金剛主), 문수, 지제장(止諸障), 지장보살이다. 이러한 8대보살의 구성은 불공의 번역본과 부합된다. 경전에는 또한 팔만다라법(八曼多羅法)의 수행 부분이 있지만, 밀주(密呪)가 없기 때문에 밀교의 경전으로 분류되지 않고 있다. 다만 이것은 『팔대보살만다라경』의 원시적 상태를 비교적 잘 반영하고 있다.

삼장법사 불공이 어지(御旨)를 받들어 번역한 『팔대보살만다라경』은 『대정장』 제20권에 수록되어 있고, 경전의 번호는 T.1167이다. 경전에서는 박가범(薄伽梵)이 포달락가산(補怛落伽山)의 성관자재보살(聖觀自在菩薩)의 궁전에 머물 때에, 보장월광보살(寶藏月光菩薩)이 팔만다라법을 건립하는 법에 대해 묻자, "팔만다라가 있는데, 이것이 바로 8대보살의 깊은 법요(法要)이다."라고 하며, 8대보살의 밀언(密言)과 형상을 이어서 설하고 있다. 8대보살의 명호는 관자재, 자씨, 허공장, 보현, 금강수, 만수실리(曼殊室利), 제개장, 지장보살이다. 이 경전에서 보살의 순서는 변화를 겪지만, 경전의 뒤에 주석을 붙여 설명하고 있다. 이 경전에 있는 여덟 보살에 대한 문장은 서로 차이가 있어서 『존승불정념송법(尊勝佛頂念誦法)』에 의거하여 그것을 바로잡았다.

지장보살의 밀언은 "흘쇄(二合) 하라야바바(二合)(引) 하(引)[乞灑(二合) 訶羅惹婆哺(二合)(引) 賀(引)]" 이다.

지장보살의 형상에 대해서도 묘사하고 있다. 여래 상(像) 앞의 지장보살은 영락 장식이 있는 관을 쓰고 있으며 적정(寂靜)에 들어 있는 모습이다. 일체 유정을 가련히 여기며 생각에 잠겨 있다. 왼손은 배꼽 아래로 발우를 들고 있으며, 오른손은 손바닥을 위로 향하게 하고 있는데, 대지(大指)로 두지(頭指)를 비스듬히 맞대어 안위인(安慰印)을 지어서 일체 유정을 근심하는 모습이다. 8대보살의 찬(贊)에도 역시 지장보살을 찬탄하는 게송이 있다.[53]

송대(宋代)의 명교(明教)대사 법현(法賢)은 『불설대승팔대만다라경(佛說大乘八大曼荼羅經)』을 번역하고 8대보살법(大菩薩法)을 강설하였는데, 여기에 지장보살의 주어(呪語)가 있다. 이것 역시 불공 번역본의 이역본(異譯本)이다. 한편, 실역본(失譯本) 중에는 이 경전이 한음(漢音)을 범문으로 음사한 『팔대보살경』에 부수되어 있는 것이 있어서, 범본(梵本)에 대응할 만하다.[54] 또한 법현이 번역한 『팔대보살경』이 있는데, 이 경전 앞부분의 8대보살 명호는 동일하다. 내용은 매우 짧으며, 다른 내용이 설해져 있다.

『불정존승다라니염송의궤법(佛頂尊勝陀羅尼念誦儀軌法)』

『불정존승다라니염송의궤법』은 불공이 번역하였다. 이 경전은 먼저 삼매야만다라(三昧耶曼荼羅)에서 현성(見賢)을 관상(觀想)하고 관정(灌頂)한 다음 본존(本尊)에 대하여 설하고 있다. 스승을 좇아 삼매야(三昧耶)를 얻은 다음, 가르침을 받을 곳 혹은 깨끗한 곳을 택하되, 먼저 본존존승다라니상(本尊尊勝陀羅尼像)을 그려서 동쪽 벽에 안치한다. 그 앞에 염송처(念誦處)를 두고 만다라를 건립하여 불보살을 모신다. 즉 중앙에 비로자나불을, 주변에 8대보살을 배치하는데, 그 아홉은 다음과 같다. 중앙에는 비로자나불을 안치하고, 오른쪽에 관자재보살을 안치한다. 관자재보살의 뒤에는 자씨보살을 안치한다. 비로자나불 뒤에는 허공장보살을 안치한다. 이 보살의 왼쪽에 보현보살을 안치한다. 비로자나불의 왼쪽에 금강수보살을 안치한다. 금강수보살의 아래에 문수사리보살을 안치한다. 비로자나불의 앞에 제개장보살을 안치한다. 제개장보살의 오른쪽에 지

53 堅慧悲憫臧. 地藏我頂禮. 此眞善逝子. 贊揚所呼獲福.

54 法賢本과 失譯本은 『大正藏』(第20卷)에 수록되어 있으며, 각각 T.1169A와 T.1169B이다. 法賢이 번역한 또 다른 『八大菩薩經』은 『大正藏』(第14卷, T.490)에 수록되어 있다.

장보살을 안치한다. 이것이 아홉 명의 위치이다.

이와 같이 8대보살은 불공이 번역한 『팔대보살경』의 명호와 부합되며, 그 차이가 없음을 알 수 있다. 현존하는 불공의 번역본인 『팔대보살만다라경』에 나타나는 보살의 순서는 이것에 의거하여 개정한 것이다.

당대(唐代) 불공이 번역한 『대방광만수실리경(大方廣曼殊室利經)』은 『대본문수경(大本文殊經)』의 관음수기(觀音授記) 부분으로, 관자재다라보살단법(觀自在多羅菩薩壇法)을 수행하는 것이다. 만다라에 8대보살을 안치하는데, 석가, 관음, 금강장의 주위로 미륵, 대세지, 만수실리, 지장, 허공고(虛空庫), 제개장, 살타파륜(薩陀波侖), 허공장보살이 둥글게 배치된다. 이 8대보살은 앞서 살펴보았던 불공의 역본과 차이가 없다. 송대(宋代) 천식재(天息災)가 번역한 『대방광보살장문수사리근본의궤경(大方廣菩薩藏文殊師利根本儀軌經)』에는 문수사리만다라도상의칙(文殊師利曼荼羅圖像儀則)이 있다. 「서품」은 석가가 정광천(淨光天) 위에 계실 때, 보살행진언(菩薩行眞言)을 여러 보살들에게 설하신 것을 내용으로 하고 있는데, 이들 보살 가운데 지장보살이 있다. 그리고 「보살의칙품(菩薩儀則品)」의 만다라 작법(作法)에서는 다라(多羅)보살의 위에 불모반야바라밀다(佛母般若波羅蜜多)를 그리고, 불안불정존승왕(佛眼佛頂尊勝王) 및 16대보살을 그린다. 이들 보살은 보현, 지장 등이다. 화면의 상품(上品)에 상(像)을 올릴 때, 먼저 석가와 그 협시인 두 용왕을 그린다. 본존의 왼쪽에는 8대보살인 묘길상(妙吉祥), 성월광(聖月光), 묘재(妙財), 제일체개(除一切蓋), 허공장, 지장, 무가(無价), 묘안의(妙眼意)보살이 오며, 모두 동자의 형상이다. 청대(淸代)의 공포사포(工布査布)의 『불설조상량도경해(佛說造像量度經解)』에는 팔대괄자(八大适子)를 해설하고 있다. 일(一)은 대지문수(大智文殊), 이(二)는 대자미륵(大慈彌勒), 삼(三)은 대비관음(大悲觀音), 사(四)는 대행보현(大行普賢), 오(五)는 대세밀주(大勢密主), 육(六)은 대력공장(大力空藏), 칠(七)은 대원지장(大願地藏), 팔(八)은 대용제장보살(大勇除障菩薩)이다. 8대보살이 손에 들고 있는 지물 역시 명확히 밝혀져 있는데, 지장보살이 들고 있는 것은 황색의 신선한 과일이다.

『염송결호법보통제부(念誦結護法普通諸部)』는 금강지(金剛智)가 관정자

(灌頂者)에게 주는 염송법(念誦法)이다. 그 삼마지공양법(三摩地供養法)은 먼저 삼십칠존만다라(三十七尊曼荼羅)의 주존과 내외 4공(供)의 명호를 설하고, 다시 팔만다라 도량의 주존 명호를 설하고 있다. 이 주존의 명호 역시 불공이 번역한 바 있는 8대보살과 동일하다.

『약사여래관행의궤법(藥師如來觀行儀軌法)』

이 경전은 금강지가 번역하였다. 약사여래의 염송법(念誦法)을 강설하고 있다. 여기에 나타나는 보살들의 명호는 다음과 같다.

> 일광(日光)보살, 월광(月光)보살, 관세음보살, 미륵보살, 허공장보살, 보현보살, 금강장보살, 문수사리보살, 제개장보살, 지장보살, 금강군다리(金剛軍荼利)보살, 일체여래구(一切如來鉤) …… 일체여래도향공양(一切如來塗香供養)보살.

여기서 지장보살 역시 8대보살의 명호 속에 나타나 있는데, 앞으로 일광, 월광보살이 있고, 뒤로는 금강군다리보살이 있으며, 계속해서 팔방내외(八方內外)로 구(鉤), 삭(索), 쇄(鎖), 섭입(攝入)과 보(寶), 밀(密), 가(歌), 무(舞), 향(香), 화(花), 정(燈), 도(塗)보살이 있다.

『일체여래대비밀왕주미증유최상미묘대만나라경(一切如來大秘密王呪未曾有最上微妙大曼拏羅經)』

송대(宋代)의 천식재(天息災)가 번역하였다. 이 경전에 나타나는 보살은 관자재보살, 금강수보살, 자씨보살, 허공장보살, 보현보살, 문수사리보살, 제개장보살, 지장보살이다. 이는 불공이 번역한 8대보살과 완전히 부합한다.

『대묘금강대감로군나리염만치성불정경(大妙金剛大甘露軍拏利焰鬘熾盛佛頂經)』

간략하게 『대묘경(大妙經)』이라고도 한다. 8대보살의 밀교적 도상과 관련하여 대단히 중요한 경전이다. 이 경전은 8대보살의 화신이 '8대명왕(大明王)' 임을 설하고 있는데, 교령륜신(敎令輪身)은 분노신(忿怒身)의 화현이다. 경문을 보면 다음과 같다.

> 그때에 시방세계의 모든 대보살, 이른바 금강수보살, 묘길상보살, 허공장보살, 자씨존(慈氏尊)보살, 관자재보살, 지장보살, 제개장보살, 보현보살이 일시에 허공법계(虛空法界)의 보봉(寶峰)누각에 이르러 세존륜왕(世尊輪王) 앞에 모였다. 모두 머리와 얼굴을 조아려 부처님의 발에 예를 올리고 찬탄하며 진언을 염송하였는데, …… 진언을 마치자마자, 8대보살이 각각 광명륜(光明輪)을 나타내고 팔대금강명왕(八大金剛明王)의 몸을 지어 드러냈다. …… 그때 지장보살은 무능승금강명왕(無能勝金剛明王)으로 나타났는데, 몸이 온통 누런색이며 불꽃처럼 빛들이 퍼져 나왔다. 오른손으로 금강저(金剛杵)를 던질 듯이 잡고 왼손은 입을 향하여 의인(擬印)을 짓고 이 13자의 심진언(心眞言)의 밀호를 설하였다. "옴호로호로찬나리마등의사바하[唵戸盧戸盧讚拏里㢭等擬薩嚩賀]"[55]

8대보살은 팔대명왕으로 현신하고, 지장보살은 무능승명왕(無能勝明王)으로 화현하는데, 이것은 밀교에 있어서의 지장보살 신앙과 조상(造像)의 중요한 근거가 된다. 현존하는 석굴상이나 조각상을 살펴보면, 운남(雲南) 검천(劍川) 석굴의 팔대명왕감(八大冥王龕)의 거대한 상을 들 수 있다. 또한 대족(大足) 북산(北山)에 십대명왕이 있는데, 비록 팔대명왕과는 구별되지만, 지장보살의 화신이 무능승명왕임을 분명히 밝혀 주는 제기(題記)가 있다.

55 爾時十方世界諸大菩薩. 所謂金剛手菩薩. 妙吉祥菩薩. 虛空藏菩薩. 慈氏尊菩薩. 觀自在菩薩. 地藏菩薩. 除蓋障菩薩. 普賢菩薩. 一時咸集至虛空法界寶峰樓閣世尊輪王前. 頭面禮足咸作是讚歎眞言曰 : …… 說此語已. 爾時八大菩薩各各現光明輪各現作八大金剛明王. …… 爾時地藏菩薩. 現作無能勝金剛明王. 遍身黃色放火光焰. 以右手擲一金剛杵. 左手作擬印向口. 說此十三字心眞言曰 : 唵戸盧戸盧讚拏里㢭等擬薩嚩賀.

『묘길상평등비밀최상관문대교왕경(妙吉祥平等秘密最上觀門大教王經)』

송대(宋代) 자현(慈賢)이 번역한 이 경전은 간략하게 『묘길상관문경(妙吉祥觀門經)』이라 하기도 한다. 부처님께서 사위국(舍衛國) 화림원(華林園)에 계실 때에 미타보살의 물음에 답하시며, 삼승(三乘)의 깊고 깊은 묘법(妙法) 외에도 마하삼매야(摩訶三昧耶)의 비밀스런 내법(內法)을 말씀하셨다. 또한 행자가 이에 의존하여 수행하면 속히 성불할 수 있음을 밝히셨다. 부처님께서 오색의 빛을 뿌리며 비로자나불 등의 오불(五佛)로 화(化)하셨고, 모든 대보살이 지송법(持誦法)을 강론했는데, 관자재보살, 금강수보살, 허공장보살, 대비보살, 지장보살, 보현보살, 묘길상보살, 미륵보살이 이들이었다.

이 8대보살은 불공이 번역한 경전에 나타나는 8대보살과 일치하지 않지만, 제개장보살이 대비보살로 바뀌었을 뿐 나머지는 모두 일치하고 있다. 이 경전에는 만다라가 설해져 있다. 그리고 내원(內院)에 있는 네 문의 바깥, 부처님 앞의 좌우에 8대보살이 배치되어 있는데, 관자재, 묘길상, 금강수, 허공장, 대비, 지장, 금강살타, 미륵보살이다. 이 8대보살 가운데 금강수와 금강살타는 동일 보살이며, 한 보살이 두 번 표현된 것이다. 그러므로 묘길상은 문수보살이다. 이 8대보살의 구성에서는 일반적으로 나타나는 보현보살이 빠져 있다.

3) 태장만다라(胎藏曼荼羅)

『대비로자나성불신변가지경(大毘盧遮那成佛神變加持經)』

선무외(善無畏)가 일행(一行)과 공동 번역한 『대일경(大日經)』 권1, 권4에 지장보살과 관련된 부분이 있다. 권1 「입만다라구연진언품(入漫茶羅具緣眞言品)」 제2에 한 단락의 게송이 있으며, 대비태장만다라(大悲胎藏漫茶羅)가 간단명료하게 개설되어 있다. 이 게송 가운데 지장원(地藏院) 주존과 권속을 나타낸 문구가 있다.[56]

---

56 次復捨斯位, 至於北勝方. 行者以一心, 憶持布衆綵. 而造具善忍, 地藏摩訶薩. 其座極巧嚴, 身處於焰胎. 雜寶莊嚴地, 綺錯互相間. 四寶爲蓮華, 聖者所安住. 及與大名稱, 無量諸菩薩. 謂寶掌寶手, 及與持地等. 寶印手堅意, 上首諸聖尊. 各與無數衆, 前後共圍遶.

『대일경』「보통진언장품(普通眞言藏品)」에서는 지장보살 진언을 설하고 있다. 즉, 지장보살이 금강삼매(金剛三昧)에 머물러 무너지지 않는 경계의 삼매진언[地藏住金剛不可壞行境界三昧眞言]을 설하였는데, "나마삼만다발타남(南麼三曼多勃馱喃). 하하하(訶訶訶). 소달노(素怛弩). 사하(莎訶)."가 그것이다.

『대일경』에 표현되어 있는 지장보살의 형상과 진언은 기본적으로 밀교 지장보살의 모습에 의거한 것이다. 지장보살은 태장계대만다라(胎藏界大曼荼羅)의 지장원에 권속과 함께 있으며, 진언과 인계(印契) 등의 특징을 보이고 있다. 여러 『대일경소(大日經疏)』와 『의궤(儀軌)』에는 그 특징이 더욱 자세히 밝혀져 있다. 세부의 구성에 일련의 다양한 변화가 있고, 또한 6지장설로 발전하지만, 모두 『대일경』의 기본 경궤(經軌)에 입각하고 있다.

『대일경』은 밀교의 두 대법(大法) 가운데 태장계에 의거한 것이다. 태장계대만다라 가운데 지장보살은 관음원(觀音院)의 권속 보살로 나타나고 있고, 또한 지장원의 주존으로도 나타나고 있다. 지장원에서는 주존의 상 이외에 또한 여덟 명의 협시가 있으며, 이 중 다섯 명이 상수(上首)이다. 적지 않은 경궤에 관련 수인과 진언 등이 보인다. 관음원의 지장보살은 다만 관음보살 현신(現身)에서 최후의 시종보살로 묘사되어 있다.

『섭대비로자나성불신변가지경입연화태장해회비생만다라광대염송의궤공양방편회(攝大毘盧遮那成佛神變加持經入蓮花胎藏海會悲生曼荼羅廣大念誦儀軌供養方便會)』

간략하게 『섭대의궤(攝大儀軌)』라고 한다. 당(唐)의 수바가라(輸婆迦羅)가 번역하였는데, 수바가라는 바로 선무외(善無畏)이다. 이것은 태장만다라의 4부(部) 의궤 가운데 하나이다. 태장 4부 의궤는 선무외의 『섭대의궤』와 『광대의궤(廣大儀軌)』, 법전(法全)이 찬술한 『현법사궤(玄法寺軌)』와 집록한 『청룡사궤(靑龍寺軌)』를 말한다. 4부 의궤는 모두 『대일경』에 있는 여러 품의 취지를 간략하게 나타내고 있으며, 태장계 공양법과 모든 존(尊)들의 인명(印明)과 진언 등을 명확하게 밝히고 있다.

선무외가 번역한 2부는 시방삼세 모든 부처가 대일여래법계만다라(大日如

來法界曼荼羅)에 유입하는 묘행(妙行)을 중점적으로 다루고 있다. 법전이 편찬한 것은 석가모니여래가 대일여래법계만다라에서 개회(開會)의 의상(儀相)을 중점적으로 다룬 것이다. 『섭대의궤』에서 순서에 따라 열거하고 있는 모든 회(會)와 모든 존(尊)의 진언은 중대팔엽원(中臺八葉院)에 근거한 것으로, 제1중(重) 동방변지원(東方遍知院), 북방관음원(北方觀音院), 제2중 동방문수원(東方文殊院), 남방제개장원(南方除盖障院), 북방지장원(北方地藏院), 서방허공장원(西方虛空藏院)과 제1중 남방금강수원(南方金剛手院), 서방지명원(西方持明院), 제3중 동방석가원(東方釋迦院)과 제3중 석가원(釋迦院)의 북우(北隅), 남우(南隅), 남방(南方), 서남우(西南隅), 서방(西方), 서북우(西北隅), 북방(北方), 동북우(東北隅) 바깥의 금강부(金剛部)의 순서대로 기술되어 있다. 관음원 게송에서 가장 마지막으로 말하고 있는 것은 지장보살로 수전(手錢)을 소지하고 있으며 마두관음(馬頭觀音)과 같다. 이 회(會)에 보이는 여러 존(尊) 가운데 마지막 진언이 지장보살 진언이다. 다시 문수원과 제개장원이 설해진 후에 지장원에 있는 모든 존의 인명(印明)과 진언이 나타나고 있다. 이 진언의 순서는 제85에서 90진언까지이다.

『대비로자나경광대의궤(大毘盧遮那經廣大儀軌)』

간략하게 『광대의궤(廣大儀軌)』라고 칭하기도 한다. 역시 『대비태장(大悲胎藏)』이라는 명칭이 붙은 3권은 선무외가 번역한 태장법(胎藏法) 4부 의궤 가운데 하나이다. 이 경전의 내용은 『대일경』에 의하여 이루어진 태장대법(胎藏大法)의 공양법(供養法)이다. 중권(中卷)에서 하권(下卷)까지는 태장만다라부(胎藏曼荼羅部), 주부모(主部母) 등 여러 존의 종자(種子), 존형(尊形), 위치(位置), 진언 등이 설해져 있다. 그 특징은 연화부원(蓮華部院)부터 외금강부원(外金剛部院), 최후에 열거되어 있는 중대팔엽원(中臺八葉院)까지 만다라의 순서가 설해져 있다. 즉, 변지원(遍知院)부터 시작해서 이어서 관음원(觀音院), 금강수원(金剛手院), 지명원(持明院)에 이르고, 제2중 문수원(文殊院), 제개장원(除盖障院), 지장원(地藏院), 허공장원(虛空藏院)에 이르며, 제3중 석가원(釋迦院)과 외금강부원(外金剛部院) 등이다. 이러한 순서와 『보대의궤(報大儀軌)』의 순서에는 차이가 있다.

『보대의궤』의 대만다라는 대일(大日)의 동쪽, 북쪽, 서쪽의 연대(蓮臺)에 여러 상(像)이 있으며, 대일의 왼쪽이 관음원이고, 그 주존은 관음보살이다. 그 다음의 오른쪽이 대세지보살, 그 다음의 왼쪽이 다라존(多羅尊), 그 다음의 오른쪽이 구지보살(俱胝菩薩)이다. 다라존의 오른쪽이 백처존(白處尊), 다음의 왼쪽이 대력명왕(大力明王), 다음의 오른쪽이 지장보살이다. 다시 남방 제개장보살원의 뒤와 서방 허공장보살원의 앞이 지장원으로, 북방 지장과 그 주요 협시가 있다. 그 아래는 다른 권속이 열거되어 있다. 즉, 지장존의 왼쪽과 오른쪽에 연꽃 가운데 보살이 나뉘어 있고, 역시 각각의 인계(印契)와 진언이 구비되어 있다.

또한 이 경전에서는 '보장(寶掌)보살, 보수(寶手)보살' 이『보대의궤』에서는 '보처(寶處)보살, 보수(寶手)보살' 로 나타나고 있으며, 또한 여기에서는『대일경』과 비교하여 대비태장만다라(大悲胎藏曼荼羅) 지장원의 상수(上首)보살을 더욱 상세하게 설명하고 있다.

『대일경소(大日經疏)』

일행(一行)이 저술한『대일경소』는 여러 곳에 지장보살 의궤에 대한 설명이 매우 상세히 있으며, 권5에는 지장보살의 복장과 형식을 어떻게 그리는지, 그 권속을 어떻게 배치하는지 등이 분명하게 설명되어 있다.

> 다음으로, 북방(北方)에 지장보살을 그린다. …… 지장보살의 오른쪽에 보처(寶處)보살을 배치한다. 지장보살의 왼쪽에 보장(寶掌)보살을 배치한다. 이어서 보처보살의 오른쪽에 지지(持地)보살을 배치한다. 보장보살의 왼쪽에 보인수보살(寶印手菩薩)을 배치한다. 지지보살의 오른쪽에 견고의(堅固意)보살을 배치한다. 이와 같이 상수(上首)의 여러 존(尊)을 배치한다. 또한 각각의 좌우에 모든 권속을 둘러싸게 배치하여 그린다.[57]

57 次於北方畵地藏菩薩. …… 當於地藏之右置寶處菩薩. 地藏之左置寶掌菩薩. 次於寶處之右置持地菩薩. 寶掌之左置寶印手菩薩. 持地之右又置堅固意菩薩. 如是上首諸尊. 又各各於其左右. 畵諸眷屬以自圍遶也.

『대일경소』에는 지장보살의 도양(圖樣)이 있으며, 권13에는 지장보살 도상에 대한 규제(規制)가 재차 설명되어져 있고, 또한 지장보살의 인계(印契), 지장원(地藏院) 주존과 권속의 인계와 진언이 나타나 있다. 인계와 진언의 형태와 내용에는 모두 해석이 있다. 지장보살 인계에는 두 가지 설이 있다. 관음원의 지장보살도 인계와 진언을 갖추고 있지만, 지장원의 주존으로서 손[手]의 인계와는 차이가 있기 때문에 기인(旗印)이라 한다.

보처보살 등의 명칭과 내력에 대해서도 자세히 밝히고 있는데, 보처보살은 다음과 같다.

> 그러므로 이름을 보처(寶處)라고 하는 것은 보물이 바다에서 나는 것과 같다. 그곳에서 생기는 연유로 이름을 보처라 한다.[58]

이어 지장보살의 도색(圖色)과 수인, 진언이 구체적으로 나타나 있다.[59]

결론적으로, 일행이 저술한 『대일경소』는 만다라의 지장보살에 대해 상당히 세밀하고 분명하게 밝히고 있다. 권5에서는 태장계(胎藏界) 지장원(地藏院) 아홉 존의 상수(上首)인 지장, 보처, 보장, 지지(持地), 보인수, 견고의보살에 대해 설명하고 있다. 즉, 경전의 의궤에 나타나 있는 지장보살과 다섯 부류의 권속이다. 후에 이것이 변화하여 육지장이 되었는데, 육도윤회의 중생을 이끄는 육지장보살이다. 중국 당대(唐代)의 석굴인, 섬서 빈현(彬縣) 대불사(大佛寺) 석굴에는 여섯 구의 지장보살상이 표현되어 있다. 이미 초당(初唐) 시기에 지장보살상이 나타나고 있지만, 조상(造像) 기록으로 보면, 이들 상을 육지장상으로 단정하기에는 무리가 있다.

58 所以名寶處者, 如寶生於海. 從彼處生故名寶處也. 如寶在海. 從彼而有故得名也.

59 北方作地藏菩薩. 色如鉢孕瞿花. 西方出此花. 如此間粟穀之色. 花房亦如穀穗甚香也. 此菩薩手執蓮華. 以諸瓔珞莊嚴其身. 若但作印者但置蓮華也. 若置字者作伊字也. 次地藏菩薩印. 作向內相叉合掌作拳. 申地水指令頭相合(如峰刃也)二空指直並而竪之. 眞言：訶訶訶(離三因也. 謂聲聞緣覺菩薩之因也. 凡此中諸眞言. 皆自說本尊之德行. 此總持地藏菩薩之德也)蘇哆奴(妙身也. 內身極淨故名妙身卽法身也)莎訶, 地藏菩薩旗印. 先作指向內相叉拳. 申二火指竪之. 令指頭一寸許不相到卽是也(二空並竪如常也)計睹是旗也. 此印如旗也眞言, 訶訶(離三因如上也)吠薩末羅(希有也). 一切有情常有我想惱. 截念之我想卽除. 此爲希有也. 亦是希奇義也.

육지장의 구성으로 육도의 육지장을 표현하는 것은 일본에서 크게 유행하였다. 예를 들면, 『각선초(覺禪鈔)』의 지장보살 부분에 육지장이 나열되어 있다. 보주와 경전을 들고 있는 것이 대견고(大堅固)지장이며, 보주를 들고 무외인을 펼치고 있는 것이 대청정(大淸淨)지장이고, 보주를 들고 범협(梵莢)을 든 것이 청정무구(淸淨無垢)지장이고, 보주를 들고 여의를 한 것이 대덕청정(大德淸淨)지장이며, 석장과 보주를 들고 있는 것이 대정지비(大定智悲)지장이다. 일본 대밀(臺密)의 비서(秘書)인 『연화삼매경(蓮華三昧經)』에 나타나 있는 것이 천타(擅陀), 인두당(人頭幢), 보주(寶珠), 보인(寶印), 지지(持地), 제개장(除蓋障), 일광(日光) 등의 육지장보살이다. 『지장보살발심인연시왕경』에도 역시 육지장이 나타나 있다. 즉, 여의주를 들고 설법인을 펼치고 있는 예천하(預天賀), 석장을 잡고 원인(願印)을 펼치고 있는 방광왕(放光王), 금강당(金剛幢)을 잡고 무외인(無畏印)을 펼치고 있는 금강당(金剛幢), 보주를 들고 감로인(甘露印)을 펼치고 있는 금강보(金剛寶), 항마당(降魔幢)을 들고 성변인(成辨印)을 펼치고 있는 금강원(金剛願)이다. 위의 이러한 여섯 종류의 지장이 각기 천(天), 지(地), 인(人), 수라(修羅), 축생(畜生), 아귀(餓鬼)의 육도에 나뉘어 있다.

『대비로자나성불신변가지경연화태장비생만다라광대성취공양방편회(大毘盧遮那成佛神變加持經蓮華胎藏悲生曼茶羅廣大成就供養方便會)』

이는 『현법사의궤(玄法寺儀軌)』 2권으로, 당대(唐代)의 법전(法全)이 집록한 것이다. 법전은 원래 혜과(慧果)를 모시던 동자로 총명하였다. 혜과가 입적한 후에 출가하여 법을 크게 떨쳤다. 여러 부의 의궤를 찬술하였으며, 일본에서 유학 온 승려를 포함하여 많은 제자를 가르쳤다. 법전은 먼저 이 경전의 의궤에 지장보살과 권속의 형의(形儀)와 인계(印契), 진언 등을 기록하였다. 법전은 현법사(玄法寺)에 머무르다가 후에 청룡사(靑龍寺)에 거주하면서 대비태장만다라의 의궤를 찬술하였는데, 이 2개를 나누어 『현법사의궤』와 『청룡사의궤』라 부른다. 두 의궤는 모두 『섭대궤(攝大軌)』와 『광대궤(廣大軌)』에서 비롯되었지만, 세부 구성에 있어서는 차이가 있다. 이 의궤에서는 관음원(觀音院) 게송의 마지막에 지장보살이 묘술되고 있다.[60] 북방지장원에서는 『광대궤』의 주존과 권속과 대체적으로 동일할 뿐만 아니라, 여덟 권속의 모습이 구체적으로 표현되어 있고, 뒤에는 다시 상수(上首) 협시의 수인 등이 나타나 있다.[61] 법전이 찬술한 이 『현법사의궤』에는 또 하나의 별본(別本)이 있다. 즉, 두 권으로 구성된 『광대성취의궤(廣大成就儀軌)』로서 관련된 부분은 서로 일치하고 있지만,[62] 관음원 앞에는 명확하게 '제3회(會)'라는 표시가 있고, 지장원 위에는 명확하게 '제10회'라는 표시가 있다.

『대비로자나성불신변가지경연화태장보리당표치보통진언장광대성취유가(大毘盧遮那成佛神變加持經蓮華胎藏菩提幢標幟普通眞言藏廣大成就瑜伽)』

이것은 『청룡사의궤』 3권으로, 당대(唐代)의 법전(法全)이 집록(集錄)한 것이다.[63] 이 의궤는 장안(長安) 청룡사에서 저술되었는데, 법전이 현법사에서 거주하며 찬술한 2권의 『현법사의궤』와 대비되어 그렇게 불리고 있다. 이 의궤는 실질적으로 『섭대궤』와 『광대궤』에서 비롯되었다. 그 주요 내용은 인계(印契)와 진언의 뜻을 분명히 밝히고, 태장대만다라십삼원(胎藏大曼荼羅十三院)에 대해 설명하고 있는 것이다. 또한 부분적으로 만다라의 제존(諸尊)을 열거하고 있는데, 이는 만당(晩唐) 밀교의 전법의칙(傳法儀則)을 반영한 것이다. 여기에 집중되어 있는 지장보살의 형상과 의궤, 진언은 『현법사의궤』와 대체적으로 일치한다. 특히 지장원의 주존으로, 또한 여덟의 협시보살을 하나하나 열거하고 있는데, 이들은 다음과 같다.

일광보살(日光菩薩), 견고심심보살(堅固深心菩薩), 지지보살(持

60 地藏內爲縛, 地水空並合.

61 北方地藏尊, 其座極巧嚴. 身處於熖胎, 雜寶莊嚴地. 綺錯相互間, 四寶爲蓮華. 聖者所安住, 金剛不可壞. 行境界三昧, 及與大名稱. 無量諸眷屬. 日光明菩薩. 堅固心菩薩, 幷持地菩薩. 寶手菩薩等, 寶光明菩薩. 寶印手菩薩, 不空見菩薩. 除一切憂冥 …….

62 別本에서는 "堅固心菩薩"을 "堅固心菩提"로 잘못 기록하고 있다.

63 그 全稱은 『大毘盧遮那成佛神變加持經蓮華胎藏菩提幢標幟普通眞言藏廣大成就瑜伽』이다. 『蓮華胎藏菩提幢標幟普通眞言藏廣大成就瑜伽』, 『大毘盧遮那成就瑜伽』으로도 불리며, 『靑龍軌』로 略稱된다. 『大正藏』 第18卷에 수록되어 있다. 또한 이 儀軌는 圓仁, 圓珍, 宗睿 등에 의하여 日本으로 전래되었고, 일본 밀교에서 널리 사용되는 『胎藏廣次第』는 바로 이 儀軌를 의지하여 만들어진 것이다. 그에 따라 地藏尊은 반드시 일본에 전래되었다고 하겠다.

地菩薩), 보수보살(寶手菩薩), 보광보살(寶光菩薩), 보인수보살(寶印手菩薩), 불공견보살(不空見菩薩), 제일체우명보살(除一切憂冥菩薩)

이들 보살의 아래에 보처(寶處), 보수(寶手), 지지(持地), 보인수(寶印手), 견고의(堅固意)보살의 진언이 있다. 이 지장보살 의궤 역시 경전에 의거한 것으로, 진언에 대해 비교적 상세하게 해설하고 있다. 또한 일종의 『태장범자진언(胎藏梵字眞言)』이 있는데, 역시 지장보살의 진언이 포함되어 있다. 『현법사의궤』와 『청룡사의궤』에서 중요한 곳은 지장보살 아래에 열거되어 있는 여덟 명의 권속이다. 왜냐하면 이전의 이 경궤에서는 지장보살의 명호 아래에 오직 다섯 명의 상수(上首)보살과 주존의 여섯 명만이 열거되고 있기 때문이다. 그렇다면 대만다라의 지장원에 있어서 총 아홉 명의 보살들 가운데 다른 세 명이 어떤 명호를 가지고 있는지가 불명확한데, 이 『현법사의궤』와 『청룡사의궤』로부터 그것이 일광(日光), 불공견(不空見), 제일체우명(除一切憂冥)보살이라는 것을 알 수가 있다. 『태장금강교법명호(胎藏金剛教法名號)』에서는 태장만다라 가운데 지장원의 여러 존의 위치와 순서를 다음과 같이 일일이 나타내고 있는데, 이것과 태장계대만다라를 비교해 보면, 지장원 보살의 배열, 명칭과 교법명호가 분명해진다.

북면(北面) 제사중(第四重)은 서쪽을 따라 제1 제개장보살(除盖障菩薩; 離惱金剛), 제2 견고심심보살(堅固深心菩薩 ; 超越金剛),[64] 제3 지지보살(持地菩薩 ; 內修金剛 혹은 顯相金剛이라고도 함), 제4 보수보살(寶手菩薩 ; 滿足金剛), 제5 지장보살(地藏菩薩 ; 悲願金剛), 제6 보광보살(寶光菩薩 ; 祥瑞金剛), 제7 보인보살(寶印菩薩 ; 執契金剛), 제8 불공견보살(不空見菩薩 ; 普觀金剛), 제9 제일체우명보살(除一切憂冥菩薩 ; 大赦金剛)

64 이것은 『玄法寺儀軌』와 『青龍寺儀軌』에서 말하는 日光菩薩과 일치하지 않는다.

지장원은 아홉 보살이 종열로 배치되는데, 북방의 관음원과 상대하여 관음비문(觀音悲門)으로써 구도미정(九道迷情)을 구하고자 함을 나타낸다. 일반적으로, 태장계대만다라는 모두 13원(院)으로 이루어져 있고, 지장원은 제8원, 혹은 제9원이라 하는데, 통상적으로 제9원이라고 한다. 다만 『현법사의궤』의 별본(別本)과 한 권의 『청룡사궤기(靑龍寺軌記)』에서는 13회(會), 즉 13원의 설이 있으며, 모두 지장회(지장원)를 제10에 배치하고 있다. 『청룡사궤기』에 배열되어 있는 13회는 아래와 같다.

> 보광정월륜(普光淨月輪)이 팔만다라(八曼茶羅)를 둘러싸고 있다. 다음의 동변지인(東遍知印)이 제2회, 북방 관자재(觀自在)가 제3회, 남쪽에 배치된 금강수(金剛手)가 제4회, 풍방(風方) 승삼세(勝三世)가 제5회, 사방사대호당(四方四大護當)이 제6회, 초문석가문정(初門釋迦文正)이 제7회, 제삼묘길상(第三妙吉祥)이 제8회에 해당한다. 남방 제개장(除蓋障)을 제9회, 승방(勝方) 지장존(地藏尊)을 제10회라 한다. 용방(龍方) 허공장(虛空藏)이 제11회이며, 소실지(蘇悉地) 권속이 제12회, 호세(護世) 위덕천(威德天)을 제13회라 한다.

지장보살은 이 13회 가운데, 제10회에 위치하고 있다. 대만다라를 나타낸 도상 가운데 종종 12원만이 있고 사대호원(四大護院)이 생략된 것도 있다. 이로부터 지장원이 제9원에 배열될 수 있지만, 실제로 배열하는 순서에는 차이가 나타나고 있다.

4) 밀전(密典) 및 경주(經呪)

당(唐) 초기의 아지구다(阿地瞿多)가 번역한 『다라니집경(陀羅尼集經)』에 불정팔주단법(佛頂八肘壇法)이 있는데, 축단(築壇)을 하여 관정(灌頂)한다. 또한 금강지인법(金剛地印法)은 여러 원(院)의 많은 불보살과 금강, 법기 등을 배치하고, 구체적으로 동면외원북두(東面外院北頭)의 배치를 설명하고 있다. 여기서 제2는 동방천왕(東方天王), 제3은 지장보살, 제4는 허공장보살, 제4는 석가불개(釋迦佛蓋), 제6은 석가불도(釋迦佛刀), 제7은 석가불삭(釋迦佛槊), 제8은 천제석(天帝釋)이다. 이것은 불정법(佛頂法)을 수행하는 관정단(灌頂壇) 가운데 지장보살이 열거되어 있는 단의 조합으로, 만다라 속의 지장보살이 묘사된 것이다. 이 경전의 보집회단(普集會壇) 아래에 있는 장엄십육주도(莊嚴十六肘圖)에도 역시 지장보살이 있다.

> 남면(南面)의 동쪽 꼭대기에 있는 제1좌의 주인은 화천(火天)이다. …… 제3좌의 주인은 지장보살이다. 연꽃의 자리 위에 보병 같은 것을 그린다. 병은 밑바닥이 없으며, 병의 입구는 마치 2개의 언월(偃月)과 같아서 서로 앙와(仰臥)하여 걸려 있다. 병의 색은 청색이다. 언월은 순백색이다. 화염이 주위를 감싸고 있다.[65]

이 경전의 「제불대다라니도회도량인품(諸佛大陀羅尼都會道場印品)」에 역시 단(壇)과 반야바라밀화좌(般若波羅蜜華座)를 건립하는 것이 설해져 있는데, 제24위(位)에 지장보살이 안치되어 있다.

역자 미상인 『불설대륜금강총지다라니경(佛說大輪金剛總持陀羅尼經)』의 내용과 『다라니집경』의 『대륜금강다라니(大輪金剛陀羅尼)』는 서로 일치한다. 대륜금강은 보살의 명호이며, 태장계 금강수원(金剛手院) 33존의 한 명이다. 손에 3개의 다리가 달린 바즈라(跋折羅 ; 金剛杵)를 들고 있으며, 미혹을 끊은 지덕(智德)을 표현하고 있어서 대륜(大輪)이라 한다. 부처님께서 말씀하시기를, "멸도(滅度) 후 말법시대에 대재난이 있는데, 이 대륜을 잡고 금강주(金剛呪)를 하면 해탈할 수 있다"고 하셨다. 모든 대보살이 역시 부처님 곁으로 모여 주위를

65 南面東頭第一座主爲火天 …… 第三座主名地藏菩薩. 蓮花座上作似寶瓶. 而無瓶底. 其瓶口頭如二偃月. 相拄仰臥. 其瓶青色. 偃月純白. 光焰圍繞.

둘러싸고 공양하며 말법 시대의 중생들을 위하여 대륜금강다라니를 수학(修學)하여 선복(善福)을 돕는데, 그 가운데에 역시 지장보살이 있다.

『다라니집경』에는 또한 2처(處)의 지장법신인주(地藏法身印呪)가 있다. 즉, 제6 지장보살법신인주(地藏菩薩法身印呪)[66]와 제7 지장보살인(地藏菩薩印)[67]에서 각각의 수인과 진언을 설하고 있다. 이어서 만약 어떤 사람이 매 백월(白月) 14일, 흑월(黑月) 14일에 향을 끓여 목욕한 다음, 땅에 서서 몸과 양다리를 단정히 하고 이 인(印)을 맺어서 호신의 주문을 염송하면, 죄가 멸해지고 병이 치료되며 아주 좋은 일을 경험하게 된다고 하고 있다.

『소실지갈라경(蘇悉地羯囉經)』

선무외(善無畏)가 번역한 『소실지갈라경』도 역시 밀교대법(密敎大法)에 의거한 것이다. 소실지(蘇悉地)는 묘성취(妙成就)로 번역되고, 금강계법(金剛界法), 태장계법(胎藏界法)과 함께 3부 대법(大法)으로 존중된다. 일본 대밀(臺密)에서는 금태불이(金胎不二)의 가장 깊고 은밀한 비법으로 숭앙하고 있다. 이 경전 가운데 식재법(息災法), 즉 선저가법(扇底迦法) 부분은 제13 「선저가법품(扇底迦法品)」에서 어떻게 의궤를 행하는지, 역시 여러 보살 가운데 지장보살을 어떤 자리에 어떻게 배치하는지를 설명하고 있다.[68]

『불설최승묘길상근본지최상비밀일체명의삼마지분(佛說最勝妙吉祥根本智最上秘密一切名義三摩地分)』

이것은 송대(宋代) 시호(施護)가 번역하였다. 게송 가운데 "대보현묘의(大普賢妙意), 지장세간주(地藏世間主)"라는 문구가 있다. 원대(元代) 사라파(沙羅巴)가 번역한 『불설문수보살최승진실명의경(佛說文殊菩薩最勝眞實名義經)』은

66 地藏菩薩法印第六仰兩手. 二頭指二無名指. 各相鉤右壓左. 二大指各屈在掌中. 以二中指各屈. 押二大指甲上. 二小指叉各屈在掌中. 大指來去呪曰 : 唵(一)波囉(二合)末(平音)馱〇(二)莎訶(三)

67 合兩腕. 二大指直竪. 屈二頭指壓二大指頭. 二中指直竪. 以二無名指. 各〇於中指背上. 二小指開直竪. 是法印呪.

68 本眞言主當中佛坐左. 佛慈佛母普賢彌勒虛空地藏除蓋障等菩薩. 卽次安坐辟支佛等. 及淨居天等. 乃至門西難陀龍王.

무량수불만다라묘관찰지(無量壽佛曼荼羅妙觀察智)를 설명하고 있으며, 모두 275명의 존상이 있고, 42개의 송(頌)이 있다. 그 가운데 가장 마지막에 있는 존상이 '대보현묘혜(大普賢妙慧), 지장지세주(地藏持世主)' 이다. 앞의 경전 내용과 기본적으로 일치하고 있다.

『불공견삭신변진언경(不空絹索神變眞言經)』

『불공견삭신변진언경』[69]의 제13품인 「광대해탈만다라품(廣大解脫曼茶羅品)」에서 단(壇)을 세우는 법을 설명하고 있다. 세존은 불공왕광대해탈품연화만다라상인삼매야(不空王廣大解脫品蓮花曼拿拏像印三昧耶)이며, 그 내원(內院) 가운데 석가모니불이 안치되어 있고, 주위에 여러 불보살이 있는데, 동북방이 지장보살이며, 동남방은 미륵보살이다. 서남방은 보현보살, 서북방은 만수사리(曼殊師利)보살이다. 다음의 원(院)은 남면의 동쪽을 따라 제1이 지장보살이다. 왼손으로 연화대 위의 보인(寶印)을 잡고 있고, 오른손에 석장을 들었으며, 반가부좌를 하고 있다. 제24품인 「최상신변해탈상단품(最上神變解脫上壇品)」의 관음구지최상광대해탈련화만다라삼매야(觀音求知最上廣大解脫蓮花曼茶羅三昧耶)는 단성(壇城)의 바깥에 십주원(十肘院)을 건축하고, 네 문의 바깥에 다시 팔주원단(八肘圓壇)을 배치한다. 마땅히 단(壇)의 북문(北門)에 팔주방단(八肘方壇)을 세우는데, 토대의 높이는 2주(肘)로 한다. 각종의 깃발과 꽃을 장엄하게 펼쳐 장식하고, 중앙에는 비로자나변(毘盧遮那變), 지장보살변(地藏菩薩變) 등을 배치한다. 오직 남문(南門)만 개방하여, 앞에 여러 꽃과 향, 음식, 향수 등의 공양물을 진설한다. 관음보살 경전 가운데 지장보살의 형상에 대해 묘사하고 있으며, 또한 관음과 지장신앙의 결합을 설하고 있다.

『여의보주전륜비밀현신성불금륜주경(如意寶珠轉輪秘密現身成佛金輪呪經)』

당대(唐代) 불공이 번역하였으며, 간략하게 『금륜주왕경(金輪呪王經)』이라

69 『不空絹索神變眞言經』 卷9. 『大正藏』 第20卷, pp.269~270.

한다. 9품으로 나뉘어 있다. 여의륜관음(如意輪觀音)이 삼매야(三昧耶) 형상으로 나타나고, 만다라의 중대(中臺)에 위치하며, 여의보주법(如意寶珠法)을 수행한다. 제1「방발품(放鉢品)」에는 부처님께서 대설산(大雪山) 정상 만수사리동자반야굴(曼殊師利童子般若窟)에 계실 때에 불법을 듣는 여러 대보살 가운데 지장보살이 있다. 대보살들의 명호는 마치 8대보살을 열거한 듯하며, 득대세지(得大勢至)보살은 있고, 미륵보살은 보이지 않는다. 18금강, 12대천(大天), 팔부선신(八部善神)이 있다. 여기서 모셔진 제존(諸尊)은 허공장보살이며, 지장보살은 여의보주법을 설하고 있다. 「대만다라품(大曼荼羅品)」에서는 부처가 허공장에게 설하고, 단상에는 여의보주왕(如意寶珠王)이 안치되어 있으며, 정중앙에는 『대반야경(大般若經)』이, 바로 뒤에는 대반야보살이 안치되어 있다. 오른쪽에는 불공관자재(不空觀自在), 허공장, 지장, 자씨보살 등이 있고, 앞의 왼쪽과 오른쪽 앞의 아래에는 군다리금강(軍荼利金剛), 수길상(水吉祥), 여의륜(如意輪), 관자재 등의 여러 보살이 안치되어 있다.

『존승불정수유가법궤의(尊勝佛頂修瑜伽法軌儀)』

선무외(善無畏)가 번역하였다. 「대관정만다라(大灌頂曼荼羅)」 제8에서는 만다라단(曼荼羅壇) 서문(西門)의 좌우에 8대보살 등을 안치하고 있다. 허공장보살, 지장보살, 제개장보살, 자씨보살, 만수실리동자(曼殊室利童子), 지지(持地)보살, 연화수(蓮華手)보살, 비밀주(秘密呪) 등이다. 이와 불공이 번역한 8대보살은 매우 유사하지만, 보현보살이 지지보살로 대체되어 있다.

『자씨보살약수유가염송법(慈氏菩薩略修瑜伽念誦法)』도 역시 선무외가 번역하였다. 「자씨보살약수대만다라품(慈氏菩薩略修大曼荼羅品)」 중 제2원(院)의 네 문에 각각 보살과 현성(賢聖) 등이 그려져 있다. 서문의 왼쪽에는 항삼세명왕(降三世明王)이, 오른쪽에는 부동존명왕(不動尊明王)이 그려져 있고, 왼쪽에 천수천안관음보살이, 오른쪽에는 여의륜관자재(如意輪觀自在)보살이 그려져 있으며, 왼쪽에 허공장보살이, 오른쪽에 지장보살이 그려져 있다. 또한 제일체개장(除一切盖障)보살과 십일면(十一面)보살, 난타용왕(難陀龍王) 등이 있다. 호문팔존(護門八尊)과 지장보살 이외에, 주요한 형상으로 관음보살과 명왕

등이 있다.

『승군부동명왕사십팔사자비밀성취의궤(勝軍不動明王四十八使者秘密成就儀軌)』

당대(唐代)의 변지(遍智)와 불공이 편집한 이 경전은 전체가 1권이다.[70] 승군부동명왕(勝軍不動明王) 계(系)의 경전으로, 대일여래(大日如來)의 마음이 행자(行者)를 수호하고자 일어나는 바를 따라 48사자(使者)의 몸이 나타난다. 소위 48사자는 '발심수행(發心修行)'과 관련된 의미를 가진 왼쪽 사자 24인과 또한 '수과성불(修果成佛)'과 관련된 의미를 가진 오른쪽 사자 24인을 말한다. 48사자는 모두 여러 천왕보살(天王菩薩)의 화신이다. 그 '발심수행'의 왼쪽 사자 가운데 제23이 화라제천왕(火羅諸天王)이며, 지장보살의 화신이다. 경전의 주석에서는, 이 사자가 적색의 형상을 하고 있으며 부귀를 원하는 자라면 그를 칭하라고 하고 있다. 화라(火羅)는 본래 범천(梵天)의 이름이며, 이 화라제천은 당연히 범천의 형상이다.

『염라왕공행법차제(焰羅王供行法次第)』는 역경본이 아니고, 불공삼장(不空三藏)이 찬술한 것이다. 이 경전에는 전문적인 공도위(供圖位)가 있고, 또한 여러 불보살을 청하고 있다. 일심(一心)으로 본래의 스승인 석가모니불, 세간광대위덕자재명신(世間廣大威德自在明神) 등으로부터 지장보살, 허공장보살, 금강보살 등을 받들어 청하고, 일심으로 시방(十方) 끝 허공계(虛空界)의 보살마하살과 성문, 연각, 일체 현성(賢聖)과 그리고 호법금강의 은밀한 자취와 모든 선신(善神)들을 받들어 청한다. 시주(施主)는 불보살의 장소에 와서 일일이 봉경하고, 또한 전적으로 금강(金剛) 합장하며 지장보살을 받들어 청하고, 자비로써 일체의 명도(冥道)에서 다음에는 잃는 바가 없기를 기원한다.

송대(宋代) 천식재(天息災)가 번역한 『관상반야바라밀다보살경(觀想般若波羅蜜多菩薩經)』은 관상반야바라밀다보살 앞에 있는 모든 부처와 관자재보살, 자

---

70 또한 『勝軍不動秘密儀軌』, 『勝軍不動儀軌』, 『勝軍儀軌』라고도 칭한다. 『大正藏』 第21卷에 수록되어 있다. 이 儀軌는 功德, 呪詛法, 畵像法, 道場觀, 略布字法, 供養法, 不動尊贊, 四十八使의 形像 및 本地, 大自在蘇息의 呪法 등을 그 내용으로 하고 있다.

씨보살 …… 법운(法雲)보살, 지장보살 등 23명의 대보살에 대해 설하고 있다.

『대방등대집경(大方等大集經)』

표제(標題)와 아래의 한 단락이 유실되어 있다.

『대정장』 도상부(圖像部)에는 적지 않은 지장보살의 밀교의궤가 있으나, 이 부분의 경문은 대부분 도상과 결합되어 있다.

『지장진언다라니(地藏眞言陀羅尼)』

『대일경(大日經)』의 권2 「보통진언장품(普通眞言藏品)」과 권4 「밀인품(密印品)」에는 모두 지장보살 진언다라니가 수록되어 있다. 「보통진언장품」에서 설하는 지장보살 진언다라니는 「밀인품」에서 지장보살 수인(手印)의 지장보살 진언에 맞추어 나타나 있으며, 두 종류 수인의 진언이 설해져 있다. 첫 번째는 지장보살 수인이며, 두 번째는 지장보살 기인(旗印)이다. 첫 번째의 지장보살 수인의 진언은 「보통진언장품」에 나타나는 진언과 하나이고 기인의 진언과 매우 유사하지만, 아주 작은 차이는 있다. 흥미로운 점은 이 두 종류의 지장보살 진언다라니와 앞서 살펴본 『지장보살대도심구책법(地藏菩薩大道心驅策法)』의 주문과 『지장호신다라니(地藏護身陀羅尼)』가 매우 비슷하다는 것이다. 이러한 일련의 지장보살 진언과 주문은 모두 4개의 범구(梵句)이며 간단하고 또한 그 사이에도 다시 생략이 있어서 구별된다.

결론적으로 말하면, 『대일경』의 지장보살 진언다라니는 2개가 있으며, 두 종류의 지장보살 수인과 결합되어 있다는 것을 알 수 있다. 『구책법』과 『호신다라니』를 더하여, 세 종류는 비슷한 4개의 범구로 된 진언다라니이다.

『대일경』은 여러 보살의 수인을 연속해서 설명하고 있기 때문에 상세하지 못한 점이 있지만, 『대일경소(大日經疏)』와 『청룡사의궤(靑龍寺儀軌)』는 이에 비해 보다 분명하게 설명하고 있다. 또한 앞서 살펴본, 세 종류의 지장다라니에 대한 구별은 모두 제2 범구(梵句)와 제3 범구에 있다. 『대일경소』에서는 대비적으로, 지장보살 진언 가운데 제2 범구인 "하하하(訶訶訶)"는 인(因)을 여의는 것이라고 분명하게 해석하고 있다. 즉, 성문・연각・보살의 삼리인(三離因)이 지장보살의 본덕(本德)이라는 것이다. 그리고 제3 범구의 해석은 "묘신(妙身) 혹은 법신(法身), 소치노(蘇哆奴)는 묘신(妙身)이다. 내신(內身)을 지극히 맑게 하는 연유로 묘신이라 이름하며, 즉 법신이다."라고 해석하고 있다. 그러므로 지장보살 기인의 제3 범구와 다시 차이가 있다. 『대일경소』는 주문의 제3 범구 '폐살말라(吠薩末羅)'에 대하여 '드물고 기특한[希奇]'의 뜻으로 해석하였으며, "그러므로 일체 유정은 늘 아상(我想)의 번뇌가 있기 때문에, 재념지(截念之)로 아상의 번뇌를 없앨 수 있으며, 그래서 드물고 기특한 것이다."라고 하고 있다. 다만 "재념지"의 뜻은 여전히 분명하지 않다. 그래서 『청룡사의궤』는 이 제3 범구에 대하여 더욱 직접적으로 설명하고 있다. 여기서 이르길, "미사마(尾娑麼), 예(曳), 재념(裁念)의 이 주어(呪語)는 곧 아상(我相)의 번뇌를 제거할 수 있기 때문에 드물고 기특한 것이다."라고 하는데, 이것이 더욱 명확한 것이다.

위의 세 종류, 4범구의 지장다라니를 아래와 같이 표로 대비해 보면, 이 관계가 더욱 분명해진다.

『지장보살대도심구책법(地藏菩薩大道心驅策法)』의 주문과 『호신다라니(護身陀羅尼)』	출 처
나모 나라삼바타야 구류파마 삼도만 사바하 [南謨 那羅三婆陀耶 俱留婆摩 糝都滿 娑婆訶]	『대정장』, 『대일본속장경(大日本續藏經)』
나무 나라삼바 야절타 구계바 바발 삼도만 사바하 [南無 那羅三婆 野節駝 俱溪婆 婆鉢 糝都滿 娑婆訶]	영국 소장 돈황사경 S.431
지장보살설진언다라니(地藏菩薩說眞言陀羅尼)	
나무 삼만다발타남 하하하 소달노 사하 [南麼 三曼多勃馱喃 訶訶訶 素怛拏 莎訶]	『대일경(大日經)』 권2 「보통진언품(普通眞言品)」
나무삼만다발타남 하하하 소달노 사하 [南麼三曼多勃馱喃 訶訶訶 蘇 怛拏 莎訶]	『대일경』 권4 「밀인품(密印品)」
하하하 소치노 사하[訶訶訶 蘇哆奴 莎訶]	『대일경소(大日經疏)』

지장보살기인다라니(地藏菩薩旗印陀羅尼)	
나무삼만다발타남 하하하 미사마예 사하 [南麼三曼多勃馱喃 訶訶訶 微娑麼曳 莎訶]	『대일경』 권4 「밀인품」
하하하 폐살말라[訶訶訶 吠薩末羅]	『대일경소(大日經疏)』
낭막삼만다몰타남 하하하 미사마예 사하 [囊莫三曼多沒馱喃 訶訶訶 尾娑麼曳 娑賀]	『청룡사의궤(青龍寺儀軌)』

이로부터 알 수 있는 것은 이러한 4언 범구의 진언이 근본적으로 대단히 중요한 지장보살 진언이라는 것이다. 『대도심구책법』과 『호신다라니』는 비교적 이른 시기에 형성되었으며, 이러한 점은 진언밀교 형성 시기에 지장다라니가 일찍 유통되었을 가능성을 짐작하게 한다. 그리고 『대일경소』와 『청룡사의궤』의 해석을 통하여, 우리는 『대일경』의 지장보살 진언다라니 중에 제2 범구인 "하하하(訶訶訶)"의 뜻이 인(因)을 떠나고, 삼인(三因)을 떠나는데, 삼인은 바로 성문 · 연각 · 보살임을 알 수 있다. 제3 범구의 '묘신(妙身)', '묘색신(妙色身)'은, 즉 법신(法身)의 뜻이다. 『대일경』 가운데 지장보살의 기인(旗印)과 진언에 있어서 제2 범구는 위와 같고, 제3 범구의 뜻은 "드물고 기특함[希有希奇]"이다. 그러므로 이 구절의 범구 진언을 염송하면, 일반 유정 중생의 아집(我執)과 아상(我相)의 번뇌를 없앨 수 있다.

5) 대승(大乘)의 여러 경전

『금강삼매경(金剛三昧經)』[71]은 1권으로, 북량(北凉)에서 번역되었으며, 역자 미상이다. 비교적 연대가 이르며, 지장보살을 주 내용으로 하는 경전으로서

71 『大正藏』 第9卷(T.273). 또한 이 경전을 唐初에 제작된 위경으로 보는 견해도 있다.

법화부(法華部)에 속한다. 경전은 모두 8품으로 나뉘어 있으며 1만여 글자에 달한다. 「서품」에는 부처님께서 영산(靈山)에 머무실 때에, 대승(大乘) 일미(一味)의 진실법(眞實法), 즉 금강삼매(金剛三昧)에 대해 설법하시고, 아가타(阿伽陀) 비구가 게송으로 찬탄한 내용이 있다. 그리고 「무상법품(無相法品)」, 「무생법품(無生法品)」, 「본각리품(本覺利品)」, 「여래장품(如來藏品)」 등에는 해탈(解脫)보살, 심왕(心王)보살, 무주(無住)보살 등과 부처님의 문답이 나뉘어 있다.

최후의 「총지품(總持品)」에 지장보살과 부처님의 문답이 있다. 지장보살이 중생의 의혹을 해결하기 위하여, 먼저 부처님께 일체의 제법(諸法)이 어떻게 불연생(不緣生)하는가를 여쭈었고, 부처님은 헤아려 게송으로 설하시며 넓게 불법의 본성을 펼쳐 보이셨다. 다시 지장보살이 법상(法相)은 이와 같이 내외(內外)가 모두 공(空)하다고 하였다. 경지(境智)의 이중(二衆)이 본래 적멸한 것으로, 여래가 말한 바의 실상(實相)과 진공여시(眞空如是)의 법은 집기(集起)하지 않는다는 것이다. 다시 지장보살은, 불가사의(不可思議), 불사의취(不思議聚)로서 존자가 설하신 법의(法義)는 모두 공(空)한 것이라고 하였다. 이에 부처님께서 대중들에게 찬탄하며 말씀하시기를, "지장보살은 불가사의하니, 항상 커다란 자비로 중생의 고통을 없애 준다."고 하셨으며, "만약 중생이 악취(惡趣)에 떨어져 있다고 해도 이 경법(經法)을 지니고, 지장보살의 명호를 지니는 자는 모든 장애가 멸해질 것이다."라고 하셨다. 또한 중생이 잡념을 떠나서 여법하게 경전을 수습한다면, 지장보살이 항상 화신(化身)하여 그들이 속히 아뇩다라삼먁삼보리를 얻을 수 있도록 도와줄 것이라고 하셨다.

『금강삼매경』에는 지장보살과 부처님이 불법의 오묘함에 대해 논하고 있다. 지장보살이 여러 중생의 의혹을 해결하기 위하여, 먼저 불법을 부처님께 여쭙자, 부처님께서는 이를 헤아려 게송으로 설하셨으며, 이어서 지장보살을 찬탄하셨다. 총체적으로 말하면, 이 경전은 여러 대승사상을 널리 포섭하고 있고, 지장보살의 경전류에 속하기에 매우 중요한 가치를 지닌다.

신라 승려 원효(元曉)는 일찍이 『금강삼매경론(金剛三昧經論)』 3권을 저술하였다. 『금강삼매경』의 「총지품」은 의망(疑網)의 대의(大意)를 해석하고 있는데, 『금강삼매경론』에서는 먼저 대의를 해석하여 제명으로 하고, 뒤에 상세하게

문의(文義)를 분석하고 있다. 그리고 이 부분의 지장보살이 설한 바는 구(句)와 단(段)을 좇아 상세하게 추가하여 해석하고 있다. 그러므로 이 주석서는 지장보살의 사상적인 측면에 있어서 대단히 중요하다고 할 수 있다.

같은 형식의 주석서인 『화엄경탐현기(華嚴經探玄記)』는 법장(法藏)이 저술한 것이다. 여기에는 보살이 닦는 권청(勸請), 참회(懺悔), 수희(隨喜), 회향(回向) 등이 있는데, 특히 권청에 『지장보살경』의 삼시(三時) 권청을 언급하고 있다.

『대방등대집경(大方等大集經)』

『대방등대집경』은 북량(北涼) 담무참(曇無讖)과 북제(北齊) 나련제려야사(那連提黎耶舍)가 번역한 것이다. 본문의 주된 부분은 북량에서 나누어 번역하였으며, 「수미장분(須彌藏分)」과 「월장분(月藏分)」은 북제 천축의 승려인 나련제려야사가 번역하였다. 「수미장분」 제15, 즉 권57 중에 지장보살에 관한 내용이 있다.

이 경전의 「수미장분」 제15 선본업품(禪本業品)은 보살선(菩薩禪)의 수행에 대하여 설하고 있다. 보살선은 대승수행의 6도(度 : 육바라밀)에 있어서 중요한 위치를 차지하고 있다. 이 품에서는 지장보살 선행(禪行)의 원만함과 신통력에 대하여 명확하게 밝히고 있는데, 지옥에 들어서도 능히 일체의 번뇌와 일체의 불선법(不善法)으로부터 중생을 구제할 수 있다. 이것은 여러 지장 경전들 가운데 비교적 신속하게 지장이 지옥의 고통을 멸하고 중생을 구제하는 내용이어서 특히 주목된다.

6) 관련 있는 나머지 여러 경전

대장경 가운데 지장보살과 관련된 여러 종류의 경전들이 있다. 지장보살의 고사나 감응(感應)에 관한 경전도 있고, 지장원(地藏院)에 대해 설한 경전도 있으며, 삼계교의 『유가법경경(瑜伽法鏡經)』 등과 같은 의위경(疑僞經)도 있다. 그런데 경우에 따라서는 단지 지장보살의 명호만 있거나, 혹은 선승(禪僧)으로 표현되어 있거나, 지장원에 머물기 때문에 이름을 지장이라 한다는 정도로 간략하게 설한 경전도 있다. 이러한 경우는 지장보살과 직접적인 상관관계가 없으며, 다만 '지장' 이라는 단어만이 있을 뿐이다. 이와 함께 지하(地下)에 보장(寶藏)이 있다는 등의 상황을 나타내는 경우들도 이에 해당이 된다. 당연히 이들은 본 저서의 연구 범위에서 배제될 수밖에 없다.

『광청량전(廣淸凉傳)』

『광청량전』에 이르길, 도의(道義)선사가 당(唐) 개원(開元) 24년 오대산(五臺山)에서 주석할 때에 코끼리를 탄 노승의 모습으로 화현한 대성문수(大聖文殊)를 만나 금각사(金閣寺) 안으로 인도되었는데, 절에는 12원(院)이 있고 모두 제액(題額)이 있었으며 보살을 주존으로 모시고 있었다고 한다. 동랑(東廊) 6원은 대성보살원(大聖菩薩院) 등이며, 서랑(西廊) 6원은 보현보살원(普賢菩薩院), 대세지보살원(大勢至菩薩院), 약상보살원(藥上菩薩院), 지장보살원(地藏菩薩院), 금강혜보살원(金剛慧菩薩院), 마명보살원(馬鳴菩薩院)이다. 도의선사는 대력(大歷) 연간에 장안(長安)으로 돌아와 어명을 받아 양건사(樣建寺)에 의탁하였다.

『대승보요의론(大乘寶要義論)』

이 경전은 북송의 법호(法護), 유정(惟淨) 등이 번역하였다. 경전의 권4, 권5 중에 『지장보살경』의 세 단락이 인용되어 있다. 하나는 단지 가사를 입고, 삭발을 하는 것만으로도 보호를 받을 수 있으며, 이어서 나찰(羅刹)도 역시 상해(傷害)를 입히지 않는다고 하고 있다. 이 경전을 번역한 법호, 유정에 따르면, 원저자는 명확하지 않으며 티베트어본이 남아 있다. 제목에 '용수(龍樹)' 가 언급되어 있지만, 이 경전은 대승불교도의 실천법문의 여러 가지 행동에 대해 강술하고 있으며, 70여 종에 달하는 여러 경전들을 인용하여 논하고 있다. 이 가운데 어떤 것은 현재 존재하는 경전에서 연원을 찾을 수가 없다.

다만 앞서 언급한 단락은 현장이 번역한 『대승대집십론(大乘大集十輪)』 권4 「무의행품(無依行品)」 제3의 2에서 인용한 것이 확실하다. 한 죄인의 이야기를 통하여 외면적으로 비구의 위의(威儀)를 갖추는 것의 중요성을 강조하고 있다. 비록 인용문이 간단하다고 하지만, 원래 경문의 문자와는 차이가 있다. 예를 들면, 원래 경문의 "반차라국(般遮羅國), 승군왕(勝軍王)의 때"가 인용문에서는 "반좌라국(半左羅國), 최승군왕(最勝軍王)의 때"로 되어 있다. 원 경전에서는 이 사람이 구광(丘曠)의 뒤에 이르자 앞뒤로 여러 나찰이 있었는데, 어미의 이름이 도검안(刀劍眼), 여라허(驢騾虛), 쟁영발(猙獰發) 등이었다. 그를 본 모든 나찰의 자식들이 잡아먹으려고 하였지만, 그 어미가 이 사람의 머리 위로 한 조각의 적색 가사와 삭발한 모습을 보고 모든 자식들에게 이 비구를 먹으면 반드시 지옥에 떨어지게 될 것이라고 말하였다. 인용문은 단지 쟁영발만 서로 일치하고, '악안(惡眼)'이 '도검안(刀劍眼)'에, '검구(劍口)'는 '도검구(刀劍口)'에 대응하고 있다. 가장 독특한 것은 '여라허(驢騾虛)'로서, 이것은 범음(梵音) 거네라내제(佉禰騾奈帝)를 번역한 것이다. 이러한 세부 구절은 이 『지장경』의 인용문이 직접 범문(梵文)으로부터 번역되었다는 것을 분명하게 보여주고 있다. 두 번째로 이 경전에 인용된 것은 술 취한 코끼리 이야기로, 위의 첫 번째 고사와 서로 같고, 『십륜경』에도 그 내용이 있다. 세 번째로, 이 경전의 권5에 인용된 것은 『대집지장십륜경(大集地藏十輪經)』「무의행품(無依行品)」제3의 3으로, 원리십악륜(遠離十惡輪), 호지정법(護持正法) 등의 내용에 대해 설하고 있으며, 인용문은 매우 간략하다.

『대승집보살학론(大乘集菩薩學論)』

이 경전은 법칭(法稱)이 지은 것으로, 북송의 법호(法護)와 일칭(日稱) 등이 공역하였다. 『학처요집(學處要集)』이라 하기도 한다. 보살이 마땅히 닦아야 할 법에 대해 논하고 있으며, 육바라밀(六波羅蜜)의 덕목이 게시되어 있다. 이 경전도 역시 많은 경전을 인용하고 있다. 지장경을 인용하고 있는데, 『대집십륜경(大集十輪經)』을 인용하고 있어서 주목된다.

『법연선사어록(法演禪師語錄)』

법연선사는 북송 임제파(臨濟派)의 문하로, 임제오조(臨濟五祖)로 불린다.

이 책은 제자들이 그가 입적하기 전, 10여 년 동안의 법어를 한데 모아서 엮은 것이다. 공안궤봉(公案机鋒) 항목에 지장보살이 언급되어 있는데, 지장보살과 염라가 관장하는 18지옥의 모습을 단지 반영하고 있을 뿐이다.

『경덕전등록(景德傳燈錄)』 권11에 있는 1칙(則)의 기록은 광주(廣州) 문수원(文殊院)의 원명(圓明)선사에 관한 것이다. 개보(開寶) 시절에 전(前) 추밀사(樞密使)인 이숭구(李崇矩)가 남방을 순례할 때에, 선사의 거처에서 지장보살상을 보았다. 스님에게 묻기를, "지장보살이 어찌하여 손을 펴고 있습니까?"라고 하자, 스님이 답하기를, "손 가운데 있는 구슬을 도적질 당했느니라."라고 했다. 이숭구가 선사에게 다시 질문하기를, "지장보살이 어떤 도적을 만났습니까?"라고 하자, 선사가 답하기를, "오늘 잡았느니라."라고 하였다. 그러자 이숭구가 감사의 예를 올렸다. 원명선사가 말하는 지장보살은 다만 지장보살상일 뿐이며, 이숭구와의 대화에서 표현된 궤연선어(机緣禪語)이다. 그러므로 전술한 내용들과는 대단히 차이가 있는 지장신앙의 내용이라고 할 수 있다.

당(唐) 서명사(西明寺) 승려 도세(道世)가 지은 『법원주림(法苑珠林)』 권14의 경불편(敬佛篇), 감응록(感應緣) 가운데 〈당익주법취사화지장보살상연(唐益州法聚寺畵地藏菩薩像緣)〉이 있다. 이에 따르면, 당대(唐代) 익주(益州) 성곽 아래의 법취사(法聚寺)에는 남조(南朝)의 이름난 화가 장승요(張僧繇)가 그린 지장상이 있었다. 지장보살은 끈으로 엮은 의자에 다리를 드리우고 앉아 있으며, 높이는 8~9촌(寸)이었다. 절에 이 그림을 걸어놓자 방광(放光)하기를 마치 금환(金環)을 걸어놓은 듯하여 도성에서 공양하는 자가 끊이질 않았다고 한다.

이러한 기록은 상근(常謹)이 모아서 엮은 『지장보살영험기(地藏菩薩靈驗記)』와 비탁(非濁)의 『삼보감통요약록(三寶感通要略錄)』에도 모두 보인다. 다만 송대(宋代)의 비교적 이른 시기의 고사인 〈양조덕양선적사지장영험기(梁朝德陽善寂寺地藏靈驗記)〉가 반대로 『법원주림』에는 보이지 않는다. 법취사(法聚寺) 〈지장영험기〉는 시간적으로 도세가 지은 『법원주림』과 상당히 가깝다. 기록에 의하면, 도세가 장안(長安)의 대찰 서명사(西明寺)에서 편찬한 『법원주림』은 당(唐) 고종(高宗)의 종장(總章) 원년(668)이며, 이것과 인덕(麟德) 2년(665)의 일은 불과 몇 년 사이의 일이다. 저술된 시기로 보면, 신빙성이 상대적으로 높다고 할 수 있고, 최소한 당시에 구전되던 이야기를 모으거나, 혹은 스스로 채집하여 엮은 것이다. 예를 들면, 『법원주림』 권14에 서술되어 있는 〈당형주서상도화방광연(唐荊州瑞像圖畵放光緣)〉에는 “경성(京城)의 도속(道俗)들이 모두 아는 일이기 때문에 별도의 인용전거를 달지 않는다.”라고 하는 주해가 달려 있어서 당시에 구전되던 것을 스스로 채록한 것임을 나타내고 있다. 그리고 법취사 〈지장영험기〉에 역시 “별도의 인용 전거를 달지 않는다.”는 주해가 있으며, 이 역시 도세 자신의 기록일 것이다. 또한 서명사에는 이렇게 전해진 영험한 지장보살의 도상(圖像)이 있다. 상근의 집록과 비탁이 편집한 법취사 〈지장영험기〉에는 『법원주림』으로부터 근거했다는 주해가 들어 있다.

『각림보살게(覺林菩薩偈)』

앎을 구하자고 하는 이는, 삼세(三世)의 모든 부처님께서 마땅히 이와 같음을 관(觀)하고 마음이 모든 여래(如來)를 만듦을 알아야 한다.

앎을 깨치고자 하는 이는, 삼세의 모든 부처님께서 마땅히 법계(法界)의 성품[性]을 관하고 모든 것이 오직 마음에서 지은 것임을 알아야 한다.[72]

위의 이 두 단락의 게문(偈文)은 모두 『화엄경(華嚴經)』의 야마천궁보살게찬(夜摩天宮菩薩偈贊)으로부터 나온 것이고 그 내용은 같다. 다만 역필(譯筆)은 차이가 있다. 위의 것은 진(晋)대의 번역인 『육십화엄(六十華嚴)』 제16품 야마천궁보살설게(夜摩天宮菩薩說偈)로 여래림(如來林)보살의 게송이며, 아래에 있는 것은 당(唐)대의 번역인 『팔십화엄(八十華嚴)』 제20품 야마궁중게찬(夜摩宮中偈贊)으로 각림(覺林)보살의 게송이다. 당대 혜영(惠英)이 찬술하고 호유정(胡幽貞)이 편찬한 『대방광불화엄경감응전(大方廣佛華嚴經感應傳)』 권1은 수공(垂拱) 3년(687) 4월에 간행된 것으로, 박진(薄塵) 율사는 이 게송이 지옥의 중요한 이야기, 즉 곽신량(郭神亮)의 일이라고 밝히고 있다.[73]

72 若人欲求知. 三世一切佛. 應當如是觀. 心造諸如來.
若人欲了知. 三世一切佛. 應觀法界性. 一切唯心造.

73 今夏賢安坊中郭神亮檀越. 身死經七日. 却蘇入寺禮拜. 見薄塵自云. 傾忽暴已. 近蒙更生. 當時有使者三人. 來追至平等王所. 問罪福已. 當合受罪. 令付使者引送地獄. 垂將欲入. 忽見一僧云. 我欲救汝地獄之苦.

『화엄경감응전』은 또한 이 곽신량의 게송이 앞서 번역된 것이며, 이후에 번역된 게송이 있음을 보충하여 설명하고 있다. 이 책은 법장(法藏)의 제자인 혜영이 먼저 찬술하였고, 이어서 사명(四明) 호유정(胡幽貞)이 건중(建中) 연간(783)에 다시 정리하여 간행하였다. 이 시기[증성(證聖) 원년(695)~성력(聖歷) 2년(699)]에 『팔십화엄』이 이미 번역되어 있었기 때문에, 이 책은 신·구 두 번역본의 화엄 가운데 수록되어 있는 이 게송의 어휘 차이를 분명하게 보여주고 있다. 흥미로운 것은 서로 유사한 이야기가 서로 다른 기원을 가지고 다시 나타나고 있다는 점이다. 즉, 당대의 징관(澄觀)이 저술한 『대방광화엄경수소연의초(大方廣華嚴經隨疏演義鈔)』 권15와 권42의 두 곳에 지옥을 파괴하는 공능을 가진 게송 하나가 실려 있지만, 모두 『찬령기(簒靈記)』에서 인용한 것이다. 고사의 주인공은 왕명간(王明干)이며, 때는 문명(文明) 원년(684)의 일이다. 징관의 이 저술은 『화엄경』을 위한 소(疏)로서 흥원(興元) 원년에서 정원(貞元) 3년(784~787) 사이에 쓰여졌다. 나중에 제자 승예(僧睿) 등 100여 명이 『수소연의초(隨疏演義鈔)』를 짓고, 그 소(疏)의 문의(文意)를 해설하였다.[74]

왕명간의 이야기와 곽신량의 것을 서로 비교해 보면, 비록 시간과 인물에는 차이가 있지만, 사건의 내용은 일치하고 있으며, 모두 화엄의 한 게송으로 지옥을 파괴하는 것이다. 징관 역시 권15에서 신(新)·구역(舊譯)에 있는 이 게송의 미세한 차이를 나타내고 있으며, 권42칙은 왕명간이 공관사(空觀寺)의 정법사(定法師)를 찾았던 일을 싣고 있다. 다만 『찬령기』에 있어서 가장 중요한 하나의 차이는 지옥문 입구에 게(偈)를 주는 승려가 나타나고 있다는 점이다. 그가 지장보살이라는 것은 명백하다. 이후에 이것은 송대(宋代) 비탁(非濁)의 『삼보감응

教汝誦一行偈. 神亮驚懼. 請僧救護. 卑賜偈文. 僧誦偈曰. 若人欲了知三世一切佛應當如是觀心造諸如來. 神亮乃志心誦此偈數遍. 神亮及合同受罪者數千萬人. 因此皆得離苦. 不入地獄. 斯皆檀越所說. 當知此偈能破地獄.

74 그 권42에 기재되어 있는 것은 다음과 같다.
即纂靈記云文明元年. 洛京人. 姓王. 名明幹. 既無戒行. 曾不修善. 因患致死. 見彼二人引至地獄. 地獄門前見有一僧云. 是地藏菩薩. 乃教王氏誦一行偈. 其文曰若人欲了知. 三世一切佛. 應當如是觀. 心造諸如來. 菩薩既授經偈謂之曰. 誦得此偈能排地獄之苦. 王氏既誦. 遂入見閻羅王. 王問此人曰. 有何功德. 答唯受持一四句偈. 具如上說. 王遂放免. 當誦偈時聲所到處. 受苦之人皆得解脫. 王氏王日方蘇. 憶持此偈向空觀寺僧定法師. 說之參驗偈文. 方知是舊華嚴經第十二卷. 新經當第十九夜摩天宮無量諸菩薩雲集說法品偈. 王氏自向空觀寺僧定法師說之也.

요약록(三寶感應要略錄)』과 영명(永明) 연수(延壽)의 『종경록(宗鏡錄)』 가운데, 지옥을 파괴하는 이 게송과 대비되어 인용되어 있다. 비탁 본(本)에 열거되어 있는 것이 제6 왕씨지장보살감응(王氏地藏菩薩感應)으로 아래에 주해가 있다. 영명연수(永明延壽) 판본에는 『화엄연의(華嚴演義)』의 내용이 인용되어 있다. 그 내용은 기본적으로 『찬령기』에 나타나는 것과 동일하다.

이 화림보살게는 불교의 다른 논저에도 인용되어 있지만, 모두 불교의 의리(義理) 부분에 있어서의 논술로서 이와는 차이가 있다. 예를 들면, 『기신론소필삭기(起信論疏筆削記)』 권5에는 이 게송을 인용하여 "여래즉일심(如來卽一心)", "일심즉근본(一心卽根本)"이라는 불의(佛儀)를 분명하게 밝히고 있다. 『원오불과선사어록(圓悟佛果禪師語錄)』에서도 이 구절을 인용하여 유심(唯心)의 이치를 설명하고 있다. 『치문경훈(緇門警訓)』에도 역시 홍주(洪州) 대홍산(大洪山) 수(遂)선사가 화엄 경문을 찬미하면서, 이 단락을 적출하여 이 게송이 화엄사상을 대표하고 있다고 설명하고 있다. 다만 곽신량(郭神亮)부터 왕명간(王明干)의 고사에 이르기까지, 실제로 이 고사들은 대중에게 큰 영향을 미쳤다. 이른바 『마두나찰불명경(馬頭羅刹佛名經)』에는 『마두나찰(馬頭羅刹)』 혹은 『보달보살경(寶達菩薩經)』이라 칭하는 내용이 포함되어 있고, 보달(寶達)보살이 지옥에 들어가, 지옥에서 고통받고 있는 승려 500명을 구원한 고사가 실려 있다. 이 경전은 양조(梁朝) 시기에 저술된 것으로 의위경(疑僞經)으로 판명되었지만, 보살이 지옥에 들어가 고통받는 중생을 제도한다는 구성이 이미 남북조(南北朝) 시기에 있었다는 것을 알 수 있다.

화엄(華嚴)은 원래 진(晋) 시기에 번역되었으며, 당대(唐代)에 전국(闐國)의 삼장(三藏) 실차난타(實叉難陀)가 새롭게 번역하였다. 전하는 기록에 의하면, 『지장보살본원경』도 실차난타가 번역하였다. 『대방광십륜경』 역시 이른 시기에 번역된 구역(舊譯)이 있으며, 현장의 신역(新譯)인 『대승대집지장십륜경(大乘大集地藏十輪經)』도 신화엄(新華嚴) 이전에 이미 번역되어 있었다. 이러한 것들은 지장보살 신앙의 발전 과정에 있어서 중요한 단계를 함축하고 있는 것으로, 이 고사들 속에 반영되어 있는 미묘한 변화에 주목해야 할 것이다. 기술된 내용을 살펴보면, 이 두 고사의 발생 시기는 마치 신화엄이 번역되기 전의 상황처럼 보인다. 곽신량의 고사부터 왕명간의 고사에 이르기까지, 한 승려가 지옥문의 입구에서 경전을 주고 있는 내용이 있다. 바로 이 승려의 신분이 지장보살이다. 비단 무계(無戒) 무행(無行)한 사람이라도 지옥에 들어가지 않도록 구할 뿐만 아니라, 게를 염송하는 소리가 곳곳에 퍼져, 고통을 받는 중생을 모두 해탈시킨다는 내용이다. 이것은 확실히, 지장보살이 지옥을 파괴하고 끝없는 수난을 받고 있는 중생을 제도하는 내용으로, 대단히 빠른 시기의 이야기이다. 하지만 이후에 지옥을 파괴하는 내용이 지장보살만의 전형적인 형태로 변화되어 갔다. 또한 『불조통기(佛祖統記)』의 시왕공(十王供) 부분에는, 이 곽신량의 고사에 나오는 평등왕(平等王)의 이야기를 중시하고 있다. 명부의 시왕에는 평등왕이 늘 들어가 있으며, 평등왕의 내력은 곽신량의 고사로부터 비롯되었다고 보는 것이 일반적이다. 즉, 평등왕은 염라왕(閻羅王)에 해당하며, 여기서의 평등왕이 시왕의 내력 가운데 하나이다. 다만 인도 범어(梵語)에 있어서 염라왕은 원래 평등왕의 뜻을 포함하고 있으므로, '염라(閻羅)' 는 '평등왕' 으로 의역될 수 있다. 왕명간의 고사에는 확실히 이와 같이 바뀌어 있다. 결론적으로 곽신량과 왕명간 고사는 평등왕이냐, 염라왕이냐를 막론하고, 승려 형상을 한 지장보살이 지옥문 입구에서 게송으로 지옥을 파괴하고 사람을 구원하여 지옥을 떠나는 내용으로 이루어져 있다. 비록 이후에 나타났던 지장보살과 관련된 고사와 비교해 볼 때, 파격적인 부분은 많이 부족하지만, 확실히 이 고사들은 지장보살 신앙의 발전 과정에 있어서 중요한 연결고리라고 할 수 있다.

『시소범자유가법경경(示所犯者瑜伽法鏡經)』

약칭 『유가법경경(瑜伽法鏡經)』은 당대(唐代) 삼계교의 학승 사리(師利)가 찬술한 것이다. 경전 끝의 가탁(假托)된 제기에는 실리말다(室利末多) 삼장(三藏)이 번역하고, 사문 사리가 받아 적었다고 기록되어 있다. 대략 경룡(景龍) 원년(707년)에 찬술되었다. 현재는 돈황본에 그 잔편이 전해질 뿐이며, 『대정장』 고일의위부(古逸疑僞部) 제85권에 수록되어 있다. 전 1권 3품으로 이루어져 있다. 그중 제2품이 「지장보살탄법신관행품(地藏菩薩嘆法身觀行品)」이며, 고증에 의하면 불공이 번역한 『지장보살청문법신찬(地藏菩薩請問法身贊)』의 내용과 상응하고 있다.[75] 그 제1품은 「불임열반아난설법주멸품(佛臨涅槃阿難說法住滅品)」이며, 제3칙(則)이 「상시보살소문품(常施菩薩所問品)」이다. 제2품에 있는 게송은 확실히 『청문법신찬(請問法身贊)』과 상응하고 있다. 다음의 게송 구절과 비교해 보면 한눈에 알 수 있다.

師利 譯本	不空 譯本
譬如日光明相現, 黑暗障目並蠲除. 令彼愚癡無智人, 煩惱鎖滅慧光淨. 無明煩惱弊其目, 一切雜染並隨行. 爲欲利益衆生故, 次第咸令獲淸淨. 隨諸衆生示神變, 猶如明月水中現. 邪智生盲惡衆生, 佛對面前而不現. 譬如餓鬼臨大海, 盡見海水皆枯竭. 如是薄德惡衆生, 口常說言無有佛. 此等薄德有情類, 諸佛如來不能救. 譬如生盲無目人, 明珠對前而不見. 誰能有力令觀彼, 無垢淸淨妙法身 …….	以日光明威, 破壞衆翳瞙. 隨從暗煩惱, 及餘罪身者. 令彼作利益, 積漸令淸淨. 彼彼人現化, 安住如水月. 煩惱攪擾心, 不見於如來. 如餓鬼於海, 普遍見枯竭. 如是少福者, 無佛作分別. 有情少福者, 如來云何作. 如於生盲手, 安以最勝寶. 云何而能見, 無上之法身 …….

이 품(品)의 최후에 부처님께서 지장보살에게 다음과 같이 설하셨다.

> 뛰어나도다. 뛰어나도다. 선남자여. 네가 말하는 것이 묘가타(妙伽他)로다. 만약 어떤 사람이 받아 지키며 읽고 염송한다면, 그 사람은 일체 제불의 무등법장(無等法藏)을 얻을 것이며, 또한 제불지혜를 잊지 않는 여래의 비밀장(秘密藏)을 얻을 것이다. 그런 까닭에 오래지 않아 삼계(三界) 안에 있을 것이다. 즉, 해탈을 얻을 것이며, 이미 스스로 해탈하였다. 또한 일체 중생으로 하여금 해탈을 얻게 할 것이며, 듣는 자로 하여금 나의 법을 행하게 할 것이다.

75 『開元釋敎錄』 卷18에 이미 그 第一品이 玄奘 『法住記』에 增删되고, 第三品이 『像法決疑經』으로 개정되었다. 『像法決疑』은 爲僞經으로 판명되었다. 『中華佛敎百科全書』의 관련된 條目 참조.

부처님께서 이 말씀을 하실 때, 무량한 천인(天人)이 일승(一乘)의 도(道)에 들었으며, 또한 무량한 타방보살(他方菩薩)이 구경(究竟)을 증득(證得)하여 불퇴전위(不退轉位)에 들었다.

현존하는 제2품은 불완전하다. 뒷부분은 잘 보존되었지만, 앞부분이 손상되어 있다. 지장보살이 설한 게송은 있지만, 부처님을 찬탄하는 구절은 이미 변용되어 있다.

『석정토군의론(釋淨土群疑論)』

이 논은 정토종(淨土宗)의 입장에서 펼쳐진 이론이다. 『십륜경』 중에 지장보살을 염송하는 공덕이 관음보살을 염송하는 것보다 뛰어나고, 아미타불을 염송하는 공덕이 모든 대보살을 염송하는 것보다 우월하다고 인식하고 있다. 이 논(論)은 당대(唐代) 정토종의 이름난 승려 회감(懷感)이 저술하였고, 동문(同門)인 회운(懷惲)이 이어서 완성하였다. 주요 요지는 정토신앙에 있어서의 의문점을 해결하는 것이며, 여기에는 삼계교에 대한 비판도 실려 있다.[76]

선승(禪僧) 지장(地藏)

선종(禪宗)의 고승 가운데 역시 지장(地藏)이 있다. 그는 기봉(機鋒)이 예리하고 성품이 순후(淳厚)하며, 무수한 사람을 제도하여, 선종의 전적(典籍)에 자주 언급되고 있다. 구화산(九華山) 김지장(金地藏)의 상황과는 다른 것이어서 그의 행적은 지장보살에 의탁(依托)한 것이 아니다. 지장보살의 화신이 아니고, 실제로 한 사람의 걸출한 선종의 승려였다. 일찍이 지장원(地藏院)에 탁석(卓錫)한 바가 있어 이 명호를 얻게 되었다. 그러므로 여기서 논하는 바는 단지 지장보살 신앙의 변연(邊緣)일 뿐이다.

이 지장은 오대(五代)의 승려 계침(桂琛 ; 867~928)이다. 송대(宋代) 지소

76 十輪經說. 若人於百大劫. 至心念觀世音菩薩等. 不如一食頃念地藏菩薩. 若百大劫念觀世音菩薩. 況前校量. 卽當過百千萬億不可說恒河沙菩薩名號供養也. 若多劫中念地藏菩薩. 不如一聲至心念阿彌陀佛. 功德無量無邊也. 如是將佛比地藏菩薩. 將地藏菩薩比觀世音菩薩. 將觀世音菩薩比餘菩薩六十二億恒河沙等挍量. 卽當念佛一聲功德勝無量阿僧祇恒河沙數菩薩名號供養四事. 此卽一念念佛卽過念餘菩薩. 一阿僧祇二阿僧祇劫修道. 如何念佛而功德少耶. 可須以此校量知多功德也.

(智昭)가 집록한 『인천안목(人天眼目)』에 있는 〈오가요괄(五家要括)〉은 선종의 5종인 임제종(臨濟宗), 위앙종(潙仰宗), 조동종(曹洞宗), 운문종(雲門宗), 법안종(法眼宗)의 종지를 간략하게 설명하고 있는데, 법안종은 다음과 같다.

> 설봉(雪峰)은 현사(玄沙) 사비(師備)를 방출(傍出)하였고, 지장(地藏)은 법안(法眼) 문익(文益)을 우러러 받들었으며, 덕소(德韶)는 수(壽)와 진(津)에게 법을 전하였으니, 불법이 신라(新羅)에 있을 뿐이다.[77]

이 구절은 선종 오가(五家)인 법안종 승사(承嗣)의 맥을 구체적으로 밝히고 있다. 이 종파의 창시자는 법안(法眼)대사, 즉 청량(淸凉) 문익(文益)으로, 청원(靑原) 행사(行思) 문하의 제8세이며, 계침(桂琛)은 제7세에 속한다. 실제로 법안은 계침에 의해 깨달음을 열었다. 지장 계침의 원적(原籍)은 절강(浙江)의 상산(常山)이며, 속성은 이(李)씨이다. 일찍이 속세의 번뇌를 털겠다는 뜻을 가지고, 상산(常山) 만세사(萬歲寺)의 무상(無相)대사에게 율(律)을 배웠다. 이후에 지계(持戒), 속신(束身)은 해탈을 이루지 못하는 길이라 여기고, 뜻을 바꾸어 세상을 돌아다녔다. 남종(南宗)의 여러 대사들을 찾아다니며 불법을 공부하였는데, 먼저 설봉(雪峯) 의존(義存)을 배알하고, 다시 복주(福州)에 이르러, 스승인 현사(玄沙) 밑에서 득도하였다. 그때에 장주목(漳州牧)이 민성(閩城)의 서쪽 석성산(石城山)에 지장원(地藏院)을 세우고, 그를 주지로 청하였는데, 문도 200여 명이 모였다. 이런 연유로 '지장(地藏)'이라는 칭호를 얻게 되었다.

『송고승전(宋高僧傳)』 본전(本傳)에서 이르길, "계침은 신비한 묘법으로 불경이법(不輕易法)을 문도들에게 보였으며, 밀학(密學)이 있어 간절히 구하는 자가 있을 때는 열어서 잘 설명해 주었다."라고 하였다. 이후에 다시 장주(漳州) 나한원(羅漢院)으로 옮겨 종요(宗要)를 크게 떨쳤으며, 이로부터 '나한계침(羅漢桂琛)'이라는 칭호를 얻게 되었다. 개성(開成) 3년 가을에 입적하였고, '진응선

77 雪峰傍出玄沙備, 地藏法眼益尊貴, 韶國師傳壽與津, 佛法新羅而已耳.

사(眞應禪師)' 라는 시호를 받았다. 지장 계침이 법안(法眼)을 제도한 일은 많은 선종의 전적(典籍)에 반복해서 보이고 있다. 『금릉청량원문익선사어록(金陵淸凉院文益禪師語錄)』 이외에도, 『만송노인평창천동각화상송고종용엄록(萬松老人評唱天童覺和尙頌古從容闇錄)』, 『허당화상어록(虛堂和尙語錄)』, 『분양무덕선사어록(汾陽無德禪師語錄)』, 『불과원오선사벽암록(佛果圓悟禪師碧岩錄)』, 『원오불과선사어록(圓悟佛果禪師語錄)』, 『명각선사어록(明覺禪師語錄)』, 『굉지선사광록(宏智禪師廣錄)』, 『치문경훈(緇門警訓)』, 『선림보훈(禪林寶訓)』 등에 자세히 기록되어 있다.

또한 계침(桂琛)의 스승인 현사와의 일도 다음과 같이 기록되어 있다.[78]

> 현사선사가 묻기를, "삼계유심(三界唯心)이라고 하는데, 너는 어떻게 생각하는가?" 라고 하자, 선사는 의자를 가리키면서 말하기를, "화상께서는 이것을 무엇이라고 부르겠습니까?" 라고 하자, 현사선사는 "의자이다." 라고 하였다. 계침은 "화상께서는 삼계유심을 깨닫지 못하였습니다." 라고 했다. 현사선사가 "나는 이것을 대나무라고 부르겠는데, 너는 무엇이라고 부르겠는가?" 라고 묻자 말하기를, "계침 또한 대나무라고 부르겠습니다." 라고 답하였다. 현사선사가 말하기를, "대지(大地)가 다하도록 불법을 깨달은 사람을 찾았지만 찾을 수 없었다." 라고 하였다.

지장이 법안을 깨우쳐 주는 내용은 전적마다 조금씩 다르게 나타나 있다. 『경덕전등록(景德傳燈錄)』에는 다음과 같이 법안과 계침의 이야기가 나타난다.

> 법안이 설봉(雪峯) 의존(義存)의 법사(法嗣)인 장경(長慶) 혜릉(慧稜)선사를 참알하자 상당히 대접을 받아 도반으로서 각지로 함께 참학하였다. 장주(漳州)를 지날 때, 큰 눈을 만나 갈 수 없어

78 『景德傳燈錄』 卷21 참조.

서 지장원에 이르러 불을 쬐며 지장 계침선사와 문답을 나누게 되었다. 자장선사가 "무얼 하는가?" 라고 묻자, "행각합니다." 라고 답했고, 다시 "행각하여 무얼 하는가?" 라고 묻자 "모릅니다." 라고 답했더니, 지장선사가 "가장 적절한 대답인지 모르겠군." 라고 하자 바로 깨달았다.

다만 후세에 전해진 법안 자신의 어록에 기재되어 있는 내용이 더욱 풍부하고 완전하다.

또한 같은 세 사람이 『조론(肇論)』을 논하다가, '천지는 나와 함께 같은 뿌리를 갖는다[天地與我同根].' 라는 구절에 이르자, 지장선사가 말하기를, "산하대지가 상좌 자신과 같은가 다른가?" 라고 하자, 법안은 "다릅니다." 라고 하였다. 그러자 지장선사는 똑바로 일어나 두 번 가리켰다. 법안이 다시 "같습니다." 라고 했더니, 지장선사는 또 일어나 두 번 가리키더니 나가 버렸다.
이후에 눈이 그쳐 법안이 작별인사를 할 때, 지장선사가 대문까지 바래다주면서 다시 묻기를, "상좌는 항상 삼계유심(三界唯心), 만법유심(萬法唯心)을 말하고 있다." 라고 하고 정원의 조각돌을 가리키며, "말해 보라. 이 돌조각이 마음 안에 있는가? 마음 밖에 있는가?" 라고 하자, 법안은 "마음 안에 있습니다." 라고 하였다. 지장선사는 "행각인이 무슨 까닭으로 마음 속에 돌조각을 지니고 다니는가?" 라고 하니, 법안은 크게 궁색해져 대답할 말을 못 찾았다. 이에 자리를 펴고 앉아 결택하기를 근 한 달여, 어느 날 견해를 밝혀 도리를 말하였다. 지장선사는 말하기를, "불법(佛法)이 그렇지 않은가?" 라고 하자, 법안이 말하기를, "저는 말이 궁색해지고 도리가 끊어졌습니다." 라고 하였다. 선사가 "만약 불법을 논하자면, 일체가 모두 드러나 있는 것[一切現成]이다." 라고 하자, 법안은 이 말 끝에 바로 대오하였다.

이와 같이 선종의 여러 전적에 나타난 지장은 약간의 예외는 있지만, 대부분 계침선사를 이르는 말이다.

3. 지옥 관련 경전과 그 특징

지장보살은 유명교주(幽冥敎主)로서 지옥과 대단히 밀접한 관계를 가지고 있다. 그러면 불교 경전에서 표현되고 있는 지옥 장면은 도대체 어떤 것일까? 멀리까지 그 근원을 탐색해 보면, 불교의 전적(典籍)이 나타나기 이전에 이미 인도에는 지옥의 관념이 있었으며, 중국의 요원한 상고시대의 의식 속에도 역시 사후세계에 대한 관념이 있었다. 불교가 중국에 들어온 이후에, 유명지옥 부분의 상상과 의식이 점차 불교의 개념으로 통섭되어 갔다. 다만 불교의 교리는 방대하고 심오할 뿐만 아니라 전적도 대단히 많아서 지옥에 대한 묘사와 설명 또한 헤아릴 수 없이 많다. 지옥에 관한 불교 경전은 일부에 그치지 않으며, 설 또한 대단히 번잡하고 다양하다. 그러므로 여기서는 지옥과 관련된 전적들을 간단히 살펴보고자 한다. 이로부터 지옥과 관련된 설의 기본적인 발전 과정과 정황을 대략이나마 알 수 있을 것이다.[79]

고대 인도에서는 불교가 발생하기 전에 이미 지옥에 대한 관념이 있었는데, 염라왕과 상관관계가 있다. 고대의 장시(長詩)인 『리그베다[梨俱吠陀]』 가운데 이미 '염라왕(閻羅王)' 의 이야기가 나온다. '죽음' 을 전담하는 통치자이지만, 행운의 사자(死者)로도 나타나고 있다. 『우파니샤드[奧義書]』의 천당과 지옥에 관한 이야기는 조금 더 완비되어 있다. 그 가운데에는 불교에서 말하는 천당과 지옥, 육도윤회(六道輪回)의 맹아가 이미 자리하고 있음을 알 수 있다.

지옥이라는 번역은 불교 경전에서 적지 않게 찾아볼 수 있다. 지옥의 범음(梵音) 명칭은 '나번가(那藩迦)', '니리(泥犁)' 등이다. 한역(漢譯)에서는 '불락(不樂)', '가압(可厭)', '고기(苦器)', '고구(苦具)' 등으로 칭한다. 고대에서 현재까지, 인간을 가장 두렵게 하는 것이 바로 18층 지옥의 이야기라는 것은 널리 알려진 사실이다. 다만 불교 경전에는 18층 지옥만 있는 것이 아니다. 8대지옥

79 중국인의 鬼神觀念과 인도의 地獄觀念에 대해서는 杜斗城의 『敦煌本佛說十王經』에 상세히 논하고 있다.

이 있으며, 매 지옥에는 다시 16개 소지옥이 있다. 또한 10지옥 등의 설도 있다. 이러한 다양한 설은 지옥의 관념이 발전되어 나가는 과정을 잘 보여주고 있다. 동시에 지옥의 경전에는 염라왕의 궁전과 심판 장면, 그리고 죄인을 처벌하는 장면 등이 표현되어 있다. 이러한 경전들 중에는 제바달다(提婆達多), 구바리(瞿波梨) 등의 승려가 지옥에 떨어진 것을 내용으로 하는 유명한 경전들도 있다. 지옥 관련 경전의 내용이 상당히 풍부하며, 일련의 중요한 정보를 포함하고 있다는 것을 알 수 있다.

1) 빨리어(巴利語) 경전[80]

원시불전(빨리어로 된 불경)은 그 형성 연대가 대단히 빨라서, 원시불교의 기본적인 모습을 잘 반영하고 있다. 빨리어 원전 가운데에도 역시 지옥을 소재로 한 경전들이 있는데, 이러한 경전들은 한문 대장경에 수록된 경전들과 대조해 볼 수 있다. 그러므로 빨리어 경전에 묘사되어 있는 지옥에 대한 내용을 먼저 살펴보고 이해하는 것이 대단히 유익한 일이라고 생각된다.

빨리어로 된 경전이 잘 보존되어 온 것은 남전불교(南傳佛教)이며, 사실 '빨리(Pali)' 의 원뜻은 한 종류의 언어가 아니라, 불전삼장(佛典三藏)인 경(經) · 율(律) · 논(論) 가운데 '경(經)' 을 의미하며, '성전(聖典), 원전(原典)' 이라는 의미를 가지고 있다. 빨리어는 실제로 고대 인도의 마게다어(摩揭陀語)로서, 특히 동부 지역 방언(方言) 계통의 마게다어이다.[81] 부처가 불법을 전하던 시기에, 범문(梵文)은 바라문교(婆羅門教) 용어였다. 불교의 교의는 바라문교에 대하여 혁명적인 성격을 가지고 있었기 때문에 언어상에 있어서도 비교적 통속적이고 대중적인 언어를 사용하게 된 것이다.

빨리어 경전에 이미 6대지옥, 8대지옥, 10대지옥 등의 설법이 있으며, 대지

---

80 이 節의 글은 郭良鋆의 『佛陀和原始佛教思想』(北京 中國社會科學出版社, 1997)에 의거한 것이며, 일반적으로 많이 참고되고 있다.

81 季羨林, 『原始佛教的語言問題』, 中國社會科學出版社, 1985, p.8.

옥인 아비(阿鼻)지옥[무간(無間)지옥]의 여러 장면들이 구체적으로 묘사되어 있다. 또한 염라왕이 오천사(五天使)의 이름으로 악행을 한 자들을 심문하는 장면들도 있는데, 이러한 내용 대부분은 한역(漢譯) 불전에서도 찾아볼 수 있다.

『중부니카야(中部尼伽耶)』 중에는 『천사경(天使經)』에 6대지옥에 관한 언급이 있다. 이것은 대지옥(大地獄), 분뇨지옥(糞屎地獄), 열회지옥(熱灰地獄), 사면림지옥(絲棉林地獄), 도엽림지옥(刀葉林地獄), 그리고 감수하지옥(堿水河地獄)을 말한다.

『본생경(本生經)』의 『상길차본생고사(商吉遮本生故事)』에는 8대지옥이 언급되어 있다. 즉 등활지옥(等活地獄), 흑승지옥(黑繩地獄), 중합지옥(衆合地獄), 규환지옥(叫喚地獄), 대규환지옥(大叫喚地獄), 초열지옥(焦熱地獄), 대초열지옥(大焦熱地獄), 아비지옥(阿鼻地獄)을 말한다.

『경집(經集)』의 『구나리야경(拘那利耶經)』에는 10종의 지옥 명칭이 언급되어 있다. 이것은 수포(水泡), 수포열(水泡裂), 아파파(阿婆婆), 아가가(阿訶訶), 아타타(阿吒吒), 백련(白蓮), 수련(水蓮), 우발라(優鉢羅), 분타리(芬陀利)와 연화(蓮花)이다. 지옥의 고통스러운 장면 등을 구체적으로 묘사하면서, 폐다라니(吠多羅尼)와 도엽림(刀葉林)지옥을 언급하고 있다.

지옥에 관한 중요한 경전은 『니카야경(尼伽耶經)』에서 살펴볼 수 있다. 빨리어 장경(經藏)은 모두 5부(部)의 니카야가 있으며, 전 4부의 니카야는 한역 가운데의 4아함(阿含)에 해당한다. 즉, 『장아함(長阿含)』, 『중아함(中阿含)』, 『잡아함(雜阿含)』과 『증일아함(增一阿含)』이다. 단지, 『소부니카야(小部尼伽耶)』에 상응하는 한문 번역이 없는데, 이 경전은 앞의 4부 경전에 비하여 늦게 성립되었으며, 앞의 4부 경전을 보완하는 성격을 가지고 있다.

『중부니카야』 「사자유품(獅子吼品)」 부분의 제12는 『사자후대경(獅子吼大經)』이며, 부처가 말한 5취(趣)의 내용이 있다. 즉, 지옥취(地獄趣), 축생취(畜生趣), 아귀취(餓鬼趣), 인취(人趣), 천취(天趣)가 그것으로 사람이 업보에 따라 윤회전생(輪回轉生)하는 것을 말한다. 앞의 3취는 3악취(惡趣) 혹은 3악도(惡道)라고 부르며, 뒤의 2취는 선취(善趣) 혹은 선도(善道)라고 한다. 지옥에서는 "잔혹(殘酷) 극렬한 순수한 고통을 받음"을, 축생도(畜生道)에서는 "엄혹(嚴酷) 극렬한 고통을 받음"을, 아귀도(餓鬼道)에서는 "매우 많은 고통을 받음"을, 인도(人道)에서는 "매우 많은 쾌락을 받음"을, 천도(天道)에서는 "순수한 쾌락을 받음"을 설한다. 이것은 대단히 분명하게 5도(道)의 성격을 보여주고 있는데, 3악도(惡道) 가운데서도 특히 지옥은 가장 참혹한 고통을 받는 윤회의 길이라는 것을 알 수 있다.

『중부니카야』에서 『근본오십경편(根本五十經編)』의 「쌍소품(雙小品)」 부분 제41은 『살라촌바라문경(薩羅村婆羅門經)』이며, 제50은 『가마경(呵魔經)』으로 모두 지옥에 관한 내용이 있다. 『살라촌바라문경』에는 신(身)·구(口)·의(意)를 따라 일어나는 각종의 정도(正道)·정법(正法) 행위와 비정도(非正道)·비정법(非正法) 행위가 열거되어 있으며, 정도·정법을 행하는 자는 하늘에 태어나고, 비정도·비정법을 행하는 자는 지옥에 떨어진다고 강조하고 있다.

『가마경』에는 다음과 같은 내용이 있다.

> 마라(摩羅)가 아주 작은 몸으로 변화하여 부처님의 대제자인 목건련의 배 속으로 들어갔다. 목건련이 편안하게 마라를 위하여 전생(前生)의 일을 말하였다. 그 자신도 전생에 역시 마라였던 적이 있었다. 이름이 두신(杜辛)이었으며, 시끄럽게 하는 지계비구(持戒比丘)로 인해서 돌덩어리로 존자(尊者)의 제자인 비다라(毘陀羅)의 머리에 상처를 입히게 되었다. 그 과보를 받아 지옥에 떨어지게 되어 고통스러운 형벌을 겪었는데, 두 배로 전오(煎熬)의 형벌을 받았다. 목건련이 이 예를 말하며, 마라에게 부처님과 불제자를 소란스럽게 하지 말라고 정중히 권하였다. 마라는 이 말을 들은 후에, 달아나 숨어 버렸다.

『중부니카야』의 『중분오십경편(中分五十經編)』「거사품(居士品)」 부분 제57은 『구행자경(狗行者經)』이다. 여기서 파나(波那)는 소처럼 생활하는 자이고, 새니야(塞尼耶)는 개[狗]처럼 생활하는 자라고 설명되어 있다. 부처님께서는 그들에게 장차 지옥에 떨어지거나 축생으로 전생할 것이라고 경고하시고, 4종의 업과 업의 멸적(滅寂)에 대해 설법하셨다. 그들은 설법을 듣고 부처님께 귀의하였다.

『중부니카야』의 『후분오십경편(後分五十經編)』의 「공품(空品)」 제129는 『현우경(賢愚經)』이며, 제130은 『천사경(天使經)』이다. 『현우경』에서 부처님께서는 어리석은 자는 지옥에 떨어지거나 축생도에 들고, 현명한 자는 사후에 천당에 오를 것이라고 설하셨다. 어리석은 자는 장차 지옥에서 참혹한 형벌의 고통을 받고, 현명한 자는 천국에서 전륜왕(轉輪王)과 함께 비할 바 없는 쾌락을 누리게 된다. 그러나 주의해야 할 것은 이 『현우경』과 같은 이름의 한문 경전은 동일한 경전이 아니라는 점이다. 이 경전과 상응하는 한문 경전은 아함경전(阿含經典)의 『불설니리경(佛說泥犁經)』 혹은 『치혜지경(痴慧地經)』이다. 『천사경』에는 부처가 선을 행하는 자는 천당에 오르고, 악을 행하는 자는 지옥에 떨어진다고 설하는 내용이 있다. 지옥에 떨어지는 자는 염라왕과 오천사(五天使)의 이름으로 심판을 받고, 나중에 옥졸에게 끌려가 지옥의 형벌을 받는다.

『소부니카야』에 있는 『법구경(法句經)』의 「지옥품(地獄品 ; Niraya vagga)」에는 헛된 말을 하는 자, 부녀에게 음심을 품는 자, 가사를 입고 악을 행하는 자는 장차 지옥에 떨어질 것이라는 설법 내용이 있다. 그러므로 성곽을 보호하는 것처럼 자기를 보호하여 결코 방일(放逸)해서는 안 된다. 『소부니카야』의 『경집(經集)』에 있는 『구나리야경(拘那利耶經)』에는 구나리야(拘那利耶) 승려가 사리불(舍利弗)과 목건련에 대하여 마음에 나쁜 뜻을 품고, 입으로 나쁜 말을 하였다가 사후에 지옥에 떨어졌다는 내용이 있다. 『소부니카야』에는 또한 『천궁경(天宮經)』과 『아귀사경(餓鬼事經; Petavatthu)』이 있다. 『천궁경』은 불제자가 부처에게 그들이 천국에서 천신(天神)에게 들은 것을 보고하는 모습을 이야기 형식으로 담고 있다. 또한 천신이 생전에 선을 행하고, 부처를 믿고, 승려·탑묘·사리 등을 공양하여, 사후에 천국에서 복을 누리는 내용이 나타나 있다. 『아귀사경』에는 51개의 고사가 수록되어 있고, 4품으로 나뉘어 구성되어 있으며, 게송(偈頌)의 형식을 취하고 있다. 그 주요한 내용은 각종의 아귀가 생전에 악업을 지어서, 사후에 아귀로 변하여 고통을 받는 비참한 모습들로 이루어져 있다.

예를 들면, 나라타(那羅陀) 승려가 한 아귀에게 묻기를, "빛나는 금신(金身)

으로 사방을 두루 비추는데, 도리어 무슨 일로 오래도록 돼지 주둥이를 하고 있는가?"라고 하자, 아귀가 대답하기를, "입으로는 믿는다고 했지만, 말과 행동이 일치하지 않아 오래도록 돼지 주둥이가 되었습니다."라고 한다. 이러한 아귀들은 이미 무법(無法)하여 다시 다른 사람을 침범하고 해치며, 여전히 배고픔, 갈증, 애욕 등의 인간과 같은 일반적인 육체의 욕구를 가지고 있어서 시시때때로 욕망을 감내(堪耐)해야 하는 괴로움을 겪는다.

이 경전에는 또한 부처님께서 설하신 다음과 같은 내용이 있다.

> 사자(死者)에게 제사 공양을 하는 것은 실제로는 다만 아귀계에 있는 사자들의 전생(轉生)을 위한 것이며, 지옥이나 축생계, 인계, 천계의 사자들은 각자 방식의 생활에 처해지며, 제사 공양이 어떠한 작용을 하지는 못한다.

지옥 관련 경전들은 또한 지옥에서 받는 각종 형벌과 지옥의 참혹함을 생생하게 묘사하고 있다. 예를 들면, 『본생경』에는 8대지옥, 즉 등활지옥(等活地獄), 흑승지옥(黑繩地獄), 중합지옥(衆合地獄), 규환지옥(叫喚地獄), 대규환지옥(大叫喚地獄), 초열지옥(焦熱地獄), 대초열지옥(大焦熱地獄), 아비지옥(阿鼻地獄)에 관한 내용이 있는데, 그 가운데서 규환지옥(叫喚地獄)과 대규환지옥(大叫喚地獄)을 제외하고는 모두 지옥에서 받는 참혹한 형벌의 내용이 바로 해당 지옥의 이름과 관련되어 있다. 즉, 초열(焦熱)과 대초열(大焦熱)은 이름의 뜻을 생각해 보면 알 수 있듯이, 극렬하게 타오르는 불길 속에서 태워지거나 구워지는 등의 형벌을 받는 것이고, 등활(等活)은 형벌을 받는 자가 혼미한 상태로 지각을 잃은 후, 깨어나면 다시 계속해서 형벌을 반복해서 받으므로 그 고통이 끝이 없다. 흑승(黑繩)은 포승으로 징계를 받는 것이고, 중합(衆合)은 2개의 거대한 돌에 부딪히는 형벌을 받는 것이다.

그리고 『구가리야경(拘迦利耶經)』에는 10종의 지옥이 나타나고 있는데, 수포(水泡)나 수포열(水泡裂) 같은 지옥은 명칭으로 그 형벌의 내용을 알 수 있다. 아파파(阿婆婆), 아가가(阿訶訶), 아타타(阿吒吒)는 모두 의성어로서, 죄인이 지옥에서 참혹한 형벌을 받으면서 부르짖는 소리가 아파파, 아가가, 아타타 등이라고 한다. 나머지 여러 개의 지옥은 모두 연꽃의 이름이다. 백련(白蓮), 수련(水蓮)은 연(蓮)이며, 우발라(優鉢羅)와 분타리(芬陀利)는 연화(蓮花)이다. 고대 인도에서는 연꽃을 대단히 숭앙해서, 명칭도 세밀하게 나뉘어 있다. 중국에서는 통칭하여 연꽃이라고 하지만, 인도에서는 최소한 네 종류의 명칭으로 나누어 불렀다. 연화는 지옥의 명칭으로, 연꽃의 색깔에 따라 지옥 이름을 붙인 것이다. 즉, 죄인이 지옥에서 얼려지는 등의 추위와 관련된 형벌을 받을 때, 신체가 연꽃의 색깔처럼 희게 되거나 빨갛게 동결되어 가는 것을 나타낸 것이고, 또한 지옥의 불꽃도 홍색의 연꽃 같아서 그러한 지옥 이름을 가지게 되었다.

부처님께서는 무리를 교화하시며, 각종의 죄악을 행하는 자는 지옥에 떨어지게 된다고 강조하셨다. 악업은 해소하기 어려우며, 철봉(鐵棒)으로 두드려 맞거나, 철침(鐵針)에 찔리거나, 불꽃이 넘실대는 홍색의 철환(鐵丸)을 삼키거나, 붉은색 화탄(火炭) 위에 눕게 되거나, 그물에 묶여 두드려 맞거나, 끝없는 암흑에 빠지거나, 화장퇴(火葬堆) 가운데서 불태워지거나, 끝없는 철과(鐵鍋)의 농혈(膿血) 가운데서 불태워지거나, 구더기로 가득 찬 더러운 물 가운데서 불태워지게 된다. 또한 도엽림지옥(刀葉林地獄)에 떨어지면, 날카로운 도엽(刀葉)으로 피와 살의 구분이 없어지도록 베이며, 철구구(鐵鉤勾)로 혀를 두드려 맞게 된다. 다시 폐다라니지옥(吠多羅尼地獄)에 떨어지면, 무리를 이룬 검은 갈까마귀가 그들을 쪼아 먹고, 개, 승냥이, 대머리독수리, 대머리매 등이 그들을 쪼개 먹는다. 그러므로 사람은 세상에 있을 때 마땅히 근신하여 직책을 지키며, 그 여생이 다하도록 방종해서는 안 된다.

『천사경』에서 대단히 중요한 것은 부모에게 불경을 저지르는 등의 악행을 한 자를 심문하는 장면으로, 다섯 가지 심문 내용이 있다. 각 심문은 각기 다른 죄를 지은 죄인에 대한 것이다. 예를 들면, "너는 영아(嬰兒)가 자기의 똥 속에 누워 있는 것을 본 적이 있느냐?" "너는 8 · 90세의 늙은이로 낙타 같은 배에 굽은 허리 …… 등을 한 늙은 모습을 본 적이 있느냐?" "너는 남자 혹은 여자가 병상에 누워 도와주는 사람도 없이 고통을 받으며, 다만 다른 사람의 도움에 의지해야만 일어날 수 있는 것을 본 적이 있느냐?" "너는 국왕이 도적을 잡아 각종 형벌을 가하고, 채찍 같은 걸로 때리거나 …… 참수하는 것을 본 적이 있느냐?" "너는 남자 혹은 여자가 죽어서 하루나 이틀 혹은 3일 후에 시체가 부어오르고, 변색되며, 부패되어 가는 것을 본 적이 있느냐?" 하는 질문들이다. 이것은 생(生)·노(老)·병(病)·사(死)와 죄의 다섯 종류의 상태를 의미하는 것으로, 경전에서 말하는 '오천사(五天使)' 이다. 악을 범한 자가 이러한 각종 장면을 본 후에도 여전히 깨닫지 못하고 악업을 지으면, 지옥에 떨어져 큰 고통을 겪게 되는 것이다.

석가모니가 태자의 몸이었을 때 네 문으로 유람을 떠났다가, 각각의 문에서 생·노·병·사를 보고 인생의 무상한 도리를 깨닫게 되어서, 이로 인해 깨달음의 길을 나서게 된다. 『천사경』에 있는 이 부분의 내용은 개인마다 생활 가운데서 모두 '생로병사' 를 볼 수 있으므로, 이를 살펴 무상(無常)의 이치를 깨달아 마음에 늘 선(善)을 품고, 최소한 자기 자신을 다스려서 악업을 짓지 말아야 한다는 것이다. 경전에는 이러한 다섯 종류의 인생 상태에 대해 '천사' 로 표현하여 나타내고 있으며, 이것은 석가모니의 깨달음과 하나의 사상적 연관성을 가지고 있다. 지옥 관련 경전은 인생의 진리에 대한 깨달음에 어느 정도 부합하고 있는 것이다.

지옥 관련 경전은 또한 시간관념이 과장되어 있으며, 신화(神話)적인 기년(紀年)이 나타나 있다. 이러한 형태의 시간관념은 본래 인도 원시신화의 사유 체계에 보이는 하나의 특색이다. 예를 들면, 『경집(經集)』에 한 개인이 연화지옥에서 생활하는 시간은 매우 장구하다고 한다. 몇 년이 아니라, 몇백 년, 몇천 년, 혹은 몇십만 년으로 나타나고 있다. 지옥에 처해진 시간은 상상할 수 없을 정도로 장구하여 지옥에 대한 공포감을 더욱 증가시키고 있다. 이것은 불교의 지옥사상에 있어서 중요한 한 부분이기도 하다. 한역(漢譯)된 많은 종류의 지옥 관련 경전들이 거의 빠짐없이 이 부분을 담고 있다.

2) 장경(藏經)의 경전

『대장경』에는 많은 지옥 관련 경전이 수록되어 있다. 다만 어떤 경전들은 앞뒤에 중복되어 수록되어 있고, 어떤 경전들은 대부두(大部頭) 경전 가운데 있는 별국부(別局部)의 경전 속에 중복되어 있다. 이것이 바로 별역본(別譯本)이다. 이들 경전 중에는 다른 내력과 내용을 가진 것이 있지만, 여기서는 지옥 관련 경전 가운데 중요 경전만을 살펴보고자 한다. 별역본과 중복된 경전도 연관된 부분에서 함께 살펴볼 것이다. 지옥 관련 경전의 상관관계를 일목요연하게 파악하고, 나아가 지옥관념과 그 발전 과정의 이해를 위한 것이다.

『대장경』의 지옥 관련 경전들을 언급하기 전에 먼저 『지장보살본원경』에 대해 살펴보는 것이 필요하다. 이 경전의 「지옥명호품(地獄名號品)」 제5에서는 지옥에 대해 구체적으로 밝히고 있는데, 24종류의 지옥 명칭과 죄와 형벌 등이 나타나 있다.

동쪽에는 철위산(鐵圍山)이 있으며, 대지옥의 호는 무간(無間), 혹은 대아비(大阿鼻)이고, 사각(四角), 비도(飛刀), 화전(火箭), 협산(夾山), 통창(通槍), 철차(鐵車), 철상(鐵床), 철우(鐵牛), 철의(鐵衣), 천인(千刃), 철려(鐵驢), 양동(烊銅), 포주(抱柱), 유화(流火), 경설(耕舌), 좌수(剉首), 소각(燒脚), 염안(啗眼), 철환(鐵丸), 쟁론(諍論), 철부(鐵鈇), 다진(多瞋)이 있다. 또한 규환(叫喚), 발설(拔舌), 분뇨(糞尿), 동쇄(銅鎖), 화상(火象), 화구(火狗), 화마(火馬), 화우(火牛), 화산(火山), 화석(火石), 화상(火床), 화량(火梁), 화응(火鷹), 거아(鋸牙), 녹피(剝皮), 음혈(飮血), 소수(燒手), 소각(燒脚), 도자(倒刺), 화옥(火屋), 철옥(鐵屋), 화랑(火狼)이 있다. 그 가운데 각각 다시 여러 소지옥이 있는데, 하나 혹은 둘, 혹은 백천(百千)이다.

이후에 다시 지옥의 죄와 형벌에 관한 것이 모두 14곳에 언급되어 있지만, 대부분은 앞서 살펴본 내용과 같다. 경설(耕舌), 식심(食心), 확탕(鑊湯), 한빙(寒氷), 질려(疾藜), 철사(鐵蛇), 철구(鐵狗) 등의 지옥 형벌이 조금 차이가 있을 뿐이다.

소승(小乘) 불전(佛典)으로 엮은 『장아함경(長阿含經)』에는 『세기경(世紀

經)』이 있다. 이 중 「지옥품(地獄品)」에는 지옥에 대한 상세한 묘사가 있다. 『세기경』에는 3개의 별역본이 있다. 첫 번째는 『대루탄경(大樓炭經)』이다. 그 가운데 「니리품(泥犁品)」은 앞의 「지옥품」에 해당한다. 서로 비교해 보면 「지옥품」의 역문(譯文)이 조금 더 뛰어나며, 내용도 역시 조금 더 많다. 두 번째는 『기세경(起世經)』으로, 권2에서 권4까지가 지옥 부분의 내용이다. 세 번째는 『기세인본경(起世因本經)』으로, 지옥 부분은 3품으로 나뉘어 있다. 이 몇 개의 경전은 모두 「지옥품」의 내용과 기본적으로 일치하고 있다. 역문 역시 『장아함』에 미치지 못한다. 이들 경전 중 『대루탄경』의 시기가 가장 빠른데, 서진(西晋) 시기에 번역되었다. 『장아함경』은 이보다 조금 늦은 16국 시대의 후진(後秦) 시기에 번역되었다. 그리고 『세기경』과 『기세인본경』은 가장 늦은 시기인 수대(隋代)에 번역되었다.

소승(小乘) 불전(佛典)을 모은 또 다른 경전인 『중아함경(中阿含經)』의 『천사경(天使經)』도 지옥 내용과 관계있는 경전이다. 이 경전에도 역시 2개의 별역본이 있다. 첫 번째가 『철성니리경(鐵城泥犁經)』이고, 두 번째는 『불설염라왕오천사자경(佛說閻羅王五天使者經)』이다. 이들 경전 가운데 『철성니리경』이 가장 빠른 시기인 동진(東晋) 시대에 번역되었다. 『중아함경』도 역시 동진 시기에 번역되었다. 그리고 『불설염라왕오천사자경』은 이보다 늦은 남조(南朝)의 송(宋) 시기에 번역이 이루어졌다.

『중아함경』에 있는 『치혜지경(痴慧地經)』에도 지옥에 관한 내용이 있다. 축담무란(竺曇無蘭)이 번역한 『불설니리경(佛說泥犁經)』은 이 경전의 별역본(別譯本)이다. 하지만 『치혜지경』에 비해서 내용이 더욱 풍부하며, 염라왕의 다섯 질문의 내용은 앞서 살펴본 『철성니리』와 『염라왕오천사자경』의 내용과 일치하고 있다.

번역 시대를 살펴보면, 동진(東漢)의 안세고(安世高)가 번역한 『불설십팔니리경(佛說十八泥犁經)』 등이 지금까지 전해져 오고 있는 지옥 관련 경전의 역본 가운데 가장 빠르다고 할 수 있다. 중국인에게 친숙한 어휘인 18층 지옥의 어원(語源)이 여기에서 비롯되었다. 이 경전의 분량은 그렇게 많지 않고, 문자 역시 3천 자가 조금 못된다. 하지만 18층 지옥의 여러 가지 정황 등이 오히려 상세하게 소개되고 있다. 경문은 18층 지옥에 대한 내용으로 가득 차 있다. 안세고가 번역한 경전으로 또한 『불설죄악응보교화지옥경(佛說罪惡應報教化地獄經)』이 있다. 이 경전도 역시 한 개의 이역본(異譯本)이 있다. 즉, 대용(大勇), 승가발타(僧伽跋陀)가 번역한 『분별업보약경(分別業報略經)』,[82] 『불설죄복보응경(佛說罪福報應經)』이 그것이다. 안세고는 또한 『불설귀문목련경(佛說鬼問目連經)』을 번역하였으며, 그 이역본(異譯本)으로 법현(法顯)이 번역한 『불설잡장경(佛說雜藏經)』, 실역(失譯)의 『아귀보응경(餓鬼報應經)』이 있다. 비록 경전의 제목은 지옥과 직접적인 관계를 가지고 있지 않지만, 내용은 목련(目連)이 항하(恒河) 옆에서 많은 아귀를 만나는 것으로 구성되어 있다. 아귀들이 일일이 고통을 받는 인과(因果) 등에 관하여 묻고, 목련(目連)이 그들을 위하여 설하는 내용이다. 이를 통해 지옥의 모습을 생동감 있게 살펴볼 수 있다.

이외의 지옥 경전으로는 『삼법도론(三法度論)』의 권하(卷下)가 있으며, 『십주비바사론(十住毘婆沙論)』과 『대지도론(大智度論)』의 권16, 『아비달마구사석론(阿毘達磨俱舍釋論)』 권8, 권9가 있다. 『불설전륜오도죄복보응경(佛說轉輪五道罪福報應經)』, 『정법염처경(正法念處經)』의 「지옥품」 등에도 지옥에 관한 내용이 있다. 30권 『불명경(佛名經)』에도 역시 지옥의 부분이 있고, 『지장보살본원경』에는 「지옥품」이 있다.

앞서 살펴본 경전들은 동한(東漢)에서 번역되기 시작하여 남북조(南北朝)를 거쳐 수대(隋代)까지 번역되었다. 안세고가 번역한 『십팔니리경』 등의 시대가 가장 빠르다. 『장아함경』부터 『중아함경』은 소승불교의 기본적인 경전이다. 그러므로 아함경 중 지옥 관련 경전은 인도에서 형성된 시기가 그 나머지 경전보다 확실히 빠르다고 보아야 한다. 동진(東晋) 시대 담축무란(曇竺無蘭)이 번역한 『니리경(泥犁經)』은 3개의 판본이 있다. 지옥에 관한 내용이 가장 많이 묘사되어 있는 것은 아마도 『정법염처경(正法念處經)』일 것이다. 이 경전에는 10권 분량의 「지옥품」이 있을 뿐만 아니라, 지옥 장면을 매우 구체적으로 설하고 있다. 또한 「생사품(生死品)」, 「아귀품(餓鬼品)」, 「관천품(觀天品)」 가운데 적지

82 『中阿含經』에 『鸚鵡經』 제9가 있다. 이 경전은 4개의 別譯本이 있다. 즉, 『佛說兜調經』, 『佛說鸚鵡經』, 『佛爲首迦長者說業報差別經』 및 『分別善惡業報經』이다.

않은 내용이 지옥에 관한 것이다. 이들 경전은 남전(南傳) 빨리어 원전의 지옥 부분과 상응하고 있다.

이와 같이 지옥 관련 경전과 지옥을 내용으로 하는 경전이 너무나 많기 때문에 지옥에 관한 설법 또한 너무도 많다. 하지만 세심히 살펴보면 지옥도 18지옥, 10지옥, 20지옥, 18대지옥으로 정리할 수 있다. 4대지옥, 8대지옥은 다시 각각 16소지옥이 있는 등의 차이가 있다. 이들 지옥의 모습은 점차적으로 변화 발전되어 전파되었는데, 최종적으로는 중국의 민중신앙에 있어서 십전염왕(十殿閻王)과 지옥, 18층 지옥 등의 관념으로 크게 유행하였다.

이외에 초기의 지옥 경전 중에는 단지 지옥이라는 말뿐만이 아니라 심판의 장면에 관한 내용이 있는데, 이것은 이후에 나타나는 것과 상당한 차이가 있다. 실제로 초기의 지옥 경전에는 삼천사(三天使)와 오천사(五天使)의 이야기가 나타나 있지만, 생로병사(生老病死)를 대표하는 천사와 염라왕이 초기의 지옥 경전에서는 지부명궁(地府冥宮)의 정형을 함께 구성하고 있는 모습을 보여준다. 어떤 경전의 경우는 구성이 비교적 잘 이루어져 있어서 먼저 지옥의 여러 가지 정황을 나타내고, 다음으로 염라왕의 궁전과 염라왕의 업무 그리고 삼천사나 오천사에 대해 나타내고 있다. 『장아함』의 『세기경』「지옥품」이 이에 속한다. 어떤 경전은 단지 염라왕과 천사만이 나타나 있는데, 『중아함』의 『천사경(天使經)』과 『염라왕문오천사자경(閻羅王問五天使者經)』 등의 경전이 이에 속한다. 여기서 더욱 흥미로운 것은 염라왕이 최초로 또한 일찍이 형벌을 받았다는 사실이다. 염라왕이 옥졸에 이끌려 녹인 구리 액[銅汁]을 입에 넣게 되었고, 염라왕이 이로 인해 발심(發心)하여 사문이 되기를 원하였다는 것이다. 이러한 흥미 있는 세부 구성은 지옥, 염왕, 지부, 유명(幽冥)의 관념이 어떻게 발전되어 왔으며, 어떻게 지장과 밀접한 관계를 가지게 되었는지를 잘 설명해 주고 있다.

아래에서는 지옥에 관한 설이 대체적으로 비슷한 경전을 파악하고, 몇 개의 조로 나누어 조금 더 깊이 있는 검토를 하겠다. 중이(重異), 별행(別行)의 역본(譯本)의 함의 역시 대체적으로 이와 같으며, 이들 경전 또한 한 곳에서 같이 검토할 것이다.

(1) 18지옥설

『불설십팔니리경(佛說十八泥犁經)』은 동한(東漢) 시대에 안식국(安息國)의 승려 안세고(安世高)가 번역하였다. 일부의 단편적인 경문(經文)에 18지옥이 언급되어 있다. 그 가운데 화(火)지옥은 여덟 종류가 있고, 한(寒)지옥은 열 종류가 있다. 화지옥은 지반(地半) 아래에 위치해 있고, 한지옥은 하늘과 땅의 경계에 위치해 있다. 부모를 업신여기거나 천자(天子)를 범한 자 등이 죽어서 이 지옥에 떨어진다. 18지옥을 살펴보자.

첫 번째 명칭은 광취(光就)이며, 도검(刀劍)과 몽둥이가 서로 마주하고 있다. 두 번째 거로졸(居盧卒)은 안에 큰 불이 있다. 세 번째 명칭은 상거도(桑居都)이다. 안에는 추살(捶殺)이 있다. 네 번째 명칭은 루(樓)이다. 성(城)이 불타는 철과 같다. 다섯 번째 명칭은 방졸(旁卒)이며, 구덩이 안에서 삶아지는 것과 같다. 여섯 번째 명칭은 초오비차(草烏卑次)이며, 몹시 뜨거운 불구덩이다. 일곱 번째 명칭은 도의난차(都意難且)이다. 몸을 굽고 또한 벌레들이 뜯어먹는다. 여덟 번째 명칭은 불로도반호(不盧都般呼)이다. 커다란 고통이 익어 간다는 의미이다. 이상이 8화(火)지옥이다. 아홉 번째 명칭은 오경도(烏竟都)이다. 몸을 급랭시킨 다음 돌로 때린다. 열 번째 명칭은 니로도(泥盧都)이다. 열한 번째 명칭은 오략(烏略)이며, 열두 번째 명칭은 오만(烏滿)이다. 열세 번째 명칭은 오적(烏藉)이며, 열네 번째 명칭은 오호(烏呼), 열다섯 번째 명칭은 수건거(須健渠)이다. 열여섯 번째 명칭은 미두건직호(未頭乾直呼)이며, 열일곱 번째 명칭은 구포도(區逋塗)이다. 열여덟 번째 명칭은 침막(沈莫)이다. 그 안에는 모진 추위와 다른 지옥의 고통보다 만 배에 이르는 고통이 있다. 뒷부분의 10지옥이 한(寒)지옥이다.

총체적으로 살펴보면, 『십팔니리경』의 관념은 비교적 단순하고 소박하다. 18지옥에 대해 기술되어 있으며, 그 내용도 비교적 간단 명료하다. 그 주요 구성은 8화(火)지옥과 10한(寒)지옥으로 이루어져 있지만, 구체적으로 묘사되어 있는 것은 도검(刀劍), 추살(捶殺) 등이다. 경전에는 또한 18지옥의 하나하나 지옥에 묘사된 고통은 그 전 지옥의 고통보다 20배에 달한다고 설하고 있다. 지옥에서의 수명도 또한 앞의 지옥에 비해 더욱 길어진다.[83] 그래서 더욱 긴 시간 동안 고통에 시달린다. 이 경전에서 최후로 말하는 것은 사람이 범한 일의 선악의 경중에 따라 지옥에서 지낸다는 것이다. 사람이 행한 선이 많고 악이 적으면 지옥에서 속히 나오고, 행한 선이 적고 악이 많으면 지옥에서 빠져나오는 것이 늦다. 『불설십팔니리경』은 중국에 전입된 가장 빠른 시기의 지옥에 대한 관념을 잘 보여주고 있다.

남조(南朝) 양보창(梁寶唱)이 집록한 『경률이상(經律異相)』에도 지옥에 관한 부분이 있다. 이 중에 18지옥과 옥주(獄主)의 명호가 『문지옥경(問地獄經)』에 의거하고 있다. 안세고(安世高)의 역경(譯經)에 비하여 더욱 구체적으로 18지옥의 옥주 명호와 전주(典主) 그리고 어떤 지옥인지가 나타나 있다. 동시대의 『양황참(梁皇懺)』, 즉 『자비도량참법(慈悲道場懺法)』 안에도 『지옥경(地獄經)』이 인용되어 있는데, 역시 같은 내용으로 이루어져 있다.

이러한 설에 나타나는 여러 지옥과 왕의 명호는 안세고의 역경과 차이가 있으며, 앞의 8개 화지옥과 뒤의 10한지옥의 구성과도 다르다. 흥미 있는 것은 『양황참』에도 18격자(格子)지옥에 관하여 언급이 있다는 점이다. 지옥에 관하여 설명할 때 동서남북 사방에 18격자가 있는데, 격자는 작고 사람의 신체는 커서 사람이 그 격자 사이에 묶여 형벌을 받는다고 언급되어 있다.

(2) 4대지옥의 경설(經說)

『불설사니리경(佛說四泥犁經)』

동진(東晋) 시기에 서역의 승려 축담무란(竺曇無蘭)이 번역하였다. 세존께서 사위성(舍衛城) 기수급고독원(祇樹給孤獨園)에서 여러 비구에 대하여 말씀하신 것이다. 소위 4대니리(大泥犁)는 실제로 괴계범악(壞戒犯惡)을 행한 네 명의 비구이며, 이 네 명의 몸에서 나오는 대화염이 지옥이다. 제사(提舍) 대지옥은 바로 제사비구(提舍比丘)의 몸으로, 그 몸에서는 길이 20주(肘 ; 약 60cm)의 화염이 나오는데, 20대해(大海)의 물로도 끌 수가 없다. 구파리(瞿波離) 대지옥은 사리불(舍利弗)과 목건련을 비방한 비구의 몸으로, 몸에서 30주의 화염이 나

83 『佛說十八泥犁經』에서는 "第一獄壽人間三千七百五十歲. 萬歲爲人間百三十五億歲. 第十八獄壽芥種六萬五千五百三十六斛. 百歲去一實. 芥種盡壽未盡."라고 설하고 있다.

온다. 30대해의 물로도 역시 꺼지지 않는다. 조달(調達 ; 提婆達多) 대지옥은 여래를 해하고 아라한과 비구니를 살해하고 비구승단을 무너뜨리려고 한 비구의 몸이다. 그 몸에서 40주의 화염이 치솟는다. 40대해의 물로도 꺼지지 않는다. 미기리(未伎梨) 대지옥은 미기리가 100구리(拘梨)의 가르침을 받아 사람들로 하여금 사견(邪見)을 행하게 한 비구의 몸이다. 그 몸에서 60주의 화염이 치솟는다. 60대해의 물로도 역시 끌 수가 없다.

이 경전은 또한 발두마(鉢頭摩)지옥과 아비(阿鼻)지옥에 관하여 언급하고 있다. 아비지옥에 대해 묘사한 경전의 뒤에는 반드시 실려 있는 것을 볼 수 있다. 발두마 지옥은 지옥의 색깔이 발두마(鉢頭摩) 꽃과 같아서 그렇게 불리게 되었다. 발두마는 인도 연꽃의 일종으로, 붉은색을 띠고 있다. 지옥 가운데에 타오르는 불이 홍색이기 때문에 그 이름을 붙인 것이다. 『대루탄경(大樓炭經)』「니리품(泥犁品)」 등의 경전에도 역시 구파리(句波利)라는 이름을 가진 사람이 사리불(舍利弗)과 마하목건련(摩訶目犍連)을 비방하여 홍련화니리(紅蓮花泥犁)에 떨어지게 되었다는 이야기가 나온다. 이것은 『사니리경(四泥犁經)』의 적파리(翟波離) 대지옥을 의미한다. 이 네 곳의 징벌에 대한 내용은 기타의 지옥 경전 속에서도 찾아볼 수 있다. 『사니리경』은 다른 몇 부의 지옥 경전 이야기가 서로 통합되고 발전하면서 형성되었을 가능성이 대단히 크다.

(3) 20지옥설

『삼법도론(三法度論)』은 산현(山賢)이 만들고, 동진(東晋) 시대의 승려 승가제바(僧伽提婆)가 번역하였다. 이 경전의 권3, 즉 『의품(依品)』의 내용 중에도 20지옥이 나타나고 있지만, 지옥들에 대해 명확하게 설명하고 있지 않다. 단순 열거하고 있는데, 지옥의 구성과 조직도 또한 비교적 독특하다. 이 20지옥을 살펴보자.

이 경전에서 지옥은 모두 세 종류가 있다고 한다. 즉, 한(寒)지옥, 열(熱)지옥, 변(邊)지옥이 그것이다. 한지옥은 다시 세 종류로 분류되는데, 요규환(了叫喚)지옥, 요불규환(了不叫喚)지옥, 불규환(不叫喚)지옥이다. 요규환지옥은 다시 세 종류로 구성되어 있다. 즉, 아유타(阿浮陀), 니라유타(泥羅浮陀), 아파파(阿

波跋)이다. 요불규환지옥도 역시 세 종류로 구성되어 있다. 즉, 아타휴(阿吒㒇), 타휴(吒㒇), 우체라(優體羅)이다. 불규환지옥은 네 종류로 이루어져 있다. 즉 환모타수(換牟陀須), 건제가분(健提伽分), 타리가(陀梨伽), 파담마(波曇摩)이다. 이상의 10지옥이 한지옥을 구성하고 있다.

10지옥 역시 세 종류로 구분된다. 즉, 주치(主治)지옥, 소주치(少主治)지옥, 무주치(無主治)지옥이 그것이다. 주치지옥은 다시 세 종류로 구분되는데, 활(活)지옥, 행(行)지옥, 흑승(黑繩)지옥이다. 소주치지옥도 역시 세 종류로 구분되며, 급(給)지옥, 대곡(大哭)지옥, 철함(鐵檻)지옥이다. 무주치지옥도 역시 세 종류가 있으며, 곡(哭)지옥, 자(炙)지옥, 무결(無缺)지옥이다. 이상의 9지옥이 10지옥을 구성하고 있다.

끝의 한 종류가 단독으로 구성된 변지옥이다. 변지옥의 속뜻은 산 속이나, 물 속 혹은 광야에서 홀로 악업에 대한 과보를 받는 것을 말한다. 이 종류의 지옥 형식은 비교적 특수한 것이며, 마치 인간 세상에 있어서의 유배와 같은 형벌처럼 보인다. 이 부분은 지옥 경전에 있어서도 아주 독특한 설명이다.

20지옥은 한지옥 열 종류, 열지옥 아홉 종류에다 변지옥 한 종류를 더하여 구성되었다는 것을 어렵지 않게 알 수 있다. 이러한 종류의 지옥 체제와 구성은 상술한 18지옥과 어느 정도 유사한 점이 있다. 18지옥도 역시 열 종류의 한지옥과 여덟 종류의 화지옥으로 구성되어 있다. 『삼법도론』에서는 세 단계의 구성 형식을 취하여 기술하고 있다. 뿐만 아니라, 다른 설에서는 볼 수 없는 한 종류의 변지옥은 이 경전의 독특한 점이기도 하다.

(4) 8대지옥설

『철성니리경(鐵城泥犁經)』은 동진(東晋) 시기의 서역(西域) 승려 축담무란(竺曇無蘭)이 번역하였다. 이 경전의 분량은 그다지 많지 않지만, 여기에는 염라왕이 지옥에 떨어진 사람에게 하는 다섯 가지 종류의 심문이 나온다. 경전의 후반부에 8대지옥이 나타나 있다.

경전은 부처님께서 정천안(淨天眼)으로 사후에 지옥에 떨어진 사람을 보는 것으로 시작된다. 먼저 염라왕의 다섯 심문의 내용을 살펴보자.

먼저 이야기되고 있는 것은 부모에게 불효한 사람, 사문(沙門)을 받들지 않은 사람, 금생이나 후생 등의 죄행을 두려워하지 않는 사람이 죽어서 니리(泥犁)에 들어와 염라왕과 서로 만나게 된다. 염라왕이 이들을 각각 심문한다. 첫 번째 심문은 부모에게 불효를 저지른 사람에게 하는 것이다. 부모 공양하기를 완강히 거부한 것을 기록하고, 그 죄과에 따르는 처벌을 한다. 두 번째 심문은 병으로 고통받는 사람을 돌보았는지 여부를 묻고, 어찌하여 고쳐 주지 않았는가 하는 것이다. 세 번째 심문은 기력이 약해진 사람을 돌보았는지의 여부와 어찌하여 돌보지 않았는가 하는 것이다. 네 번째 심문은 죽은 자의 7일간 부패되고 썩어 가는 몸을 돌보았는지 여부와 어찌하여 돌보지 않았는가 하는 것이다. 다섯 번째 심문은 체포된 겁살(劫殺)의 도적이 감옥에 갇히거나 죽음에 처한 일을 본 적이 있는지의 여부와 어찌하여 고치지 않았는지, 죄는 자신의 허물에서 비롯된다는 것이다. 결론적으로, 염라왕의 다섯 가지 심문은 유(幼)·노(老)·병(病)·사(死)·치죄(治罪)의 다섯 항목을 그 내용으로 한다.

염라왕의 다섯 가지 심문은 비록 글자 수는 많지 않지만 대단히 중요한 의미를 지니고 있다. 이후의 지옥 경전, 지장보살 경전, 지옥변상(地獄變相), 각종의 시왕화권(十王畵卷)과 보권(寶卷), 특히 중국적인 특징을 가지고 있는 지장과 십전염라(十殿閻羅)와 관련된 여러 경전, 화축(畵軸)과 변상(變相)의 심판 장면으로 나타나고 있기 때문이다. 이것은 이와 관련된 각종 심판 장면의 근거라 할 수 있다. 동진(東晋) 시대에 번역된 『철성니리경』뿐만 아니라 비교적 빠른 시기에 서진(西晋)에서 번역된 『대루탄경(大樓炭經)』에도 역시 염라왕의 다섯 가지 심문 내용이 있다.

그런데 초기 경전들 중에는 염라왕의 세 가지 심문 내용으로 구성된 것도 있다. 예를 들면, 『장아함』의 『세기경』 「지옥품」이 바로 그것이다. 세 가지 심문 내용은 '노(老)·병(病)·사(死)'의 것이다. 다섯 가지 심문은 이러한 내용에 더하여 이루어진 것이다. 염라왕의 세 가지 혹은 다섯 가지 심문의 함의는 천상에서 이미 천사를 파견하여 하계를 감찰하며 경고하고 있다는 것을 의미한다. 다만 세인들이 그 경고를 듣지 못하고 죄업을 더할 뿐인 것이다. 이 경전의 내용과 유사한 경전으로 또한 『불설니리경(佛說泥犁經)』과 『염라왕오천사자경(閻羅王五

天使者經)』이 있다.

『철성니리경』은 이어서 8대지옥에 대해서도 설하고 있다. 그 첫 번째는 아비마니리(阿鼻摩泥犁), 두 번째가 구연니리(鳩延泥犁), 세 번째가 미리마덕니리(彌離摩德泥犁), 네 번째가 붕라다니리(崩羅多泥犁), 다섯 번째가 아이파다원(阿夷波多洹), 여섯 번째가 아유참파리원(阿喩慘波犁洹)이며, 일곱 번째가 숙사무(熟徙務), 여덟 번째가 단니유(檀尼兪)이다. 이러한 8대지옥의 명칭은 범문(梵文)으로 되어 있다. 이들 지옥은 부자(釜煮), 초열지(焦熱地), 충훼(蟲喙), 석여도(石如刀), 열풍(熱風), 자수(刺樹), 식인돈충(食人敦蟲), 열비수(熱沸水) 등의 형벌이 갖추어져 있으며, 죄인들은 이러한 8지옥을 하나씩 돌아가며 겪기 때문에 형벌과 고통이 끝이 없다.

『아비달마구사론(阿毘達磨俱舍論)』은 당대(唐代) 현장이 번역하였다. 원래의 경전은 세친(世親)에 의하여 저술되었다. 이 경전의 권8에 있는 「분별세품(分別世品)」 제3의 1에 8대지옥의 명칭이 열거되어 있다. 이 지옥은 순서대로 등활(等活)지옥, 흑승(黑繩)지옥, 중합(衆合)지옥, 호규(號叫)지옥, 대규(大叫)지옥, 염열(炎熱)지옥, 대열(大熱)지옥, 무간(無間)지옥이다. 비록 지옥의 내용에 대하여 상세히 설명하고 있지는 않지만, 이러한 지옥 분류는 남북조(南北朝) 시기의 경전들에서 많이 찾아볼 수 있다. 특히, 현장이 번역한 지옥 명칭은 우아하면서도 깊은 고뇌의 흔적이 나타나 있어서 눈길을 끈다.

(5) 8대지옥 및 10지옥설

『중아함경(中阿含經)』 권5의 13은 『대품(大品)』 「치혜지품(痴慧地品)」이다. 이 경전은 동진(東晋) 시기에 계빈(罽賓 ; 캐시미르)의 고승 승가제바(僧伽提婆)가 번역하였다. 경전은 어리석은 사람의 3악(惡)에 대하여 분석하고 있다. 즉, 사악(思惡), 사설악설(思說惡說), 주악(做惡)이다. 또한 지혜로운 사람의 3상(相)도 있는데, 사선(思善), 사설선설(思說善說), 작선(作善)이 그것이다. 어리석은 자는 당연히 지옥으로 떨어지며, 지옥에는 열 종류의 형벌이 기다리고 있다. 즉, 철부감삭(鐵斧砍削), 철환입인(鐵丸入咽), 융동관구(融銅灌口), 철정정수족급복(鐵釘釘手足及腹), 백정정설(百釘釘舌), 녹피상철거(剝皮上鐵車), 부지이

화자관구(僕地以火自灌口), 상하화산(上下火山), 부중자(釜中煮)와 최후의 지옥에 있는 육경락(六更樂), 즉 안이비설신의(眼耳鼻舌身意)의 감각을 마비시켜서 즐거움을 전혀 느끼지 못하게 하는 형벌이 있다. 모두 합하여 10지옥 혹은 열 종류의 형벌이 있다. 이 경전에 묘사되어 있는 지옥 가운데 최후의 지옥 장면은 대단히 특징적이다. 이 구절의 묘사는 『대루탄경(大樓炭經)』「니리품(泥犁品)」의 아비마가(阿鼻摩訶)지옥에 묘사되어 있는, "죄인은 다만 악한 색만을 보고, 선한 색을 보지 못한다"라는 내용과 유사한 점이 있다.

이외에도 각종 지옥의 형벌이 모두 한 가지 특징을 가지고 있는데, 바로 불과 관련되어 있다. 철부(鐵斧), 철환(鐵丸), 철거(鐵車)는 물론이고, 동즙(銅汁), 화산(火山), 정신(釘身), 정설(釘舌)의 지면에는 모두 비할 바 없는 불길이 타오르고 있다. 『십팔니리』, 『삼법도론』에 나타나 있는 여러 화(火)지옥과 관련이 있다.

『불설니리경(佛說泥犁經)』은 동진(東晋) 시기의 서역(西域) 승려 축담무란이 번역하였다. 이 경전은 앞서 살펴본 『중아함』「치혜지품(痴慧地品)」의 별역(別譯), 즉 별행이역본(別行異譯本)이다.[84] 이 경전에서 분석하고 있는, 어리석은 자의 3악인 염악(念惡), 언악(言惡), 행악(行惡) 등의 내용을 살펴보면 더욱 뚜렷하다. 다만 이 『니리경』에 나타나는 지옥의 내용은 위의 경전보다 오히려 많다. 뿐만 아니라 『철성니리경(鐵城泥犁經)』과 『염라왕오천사경(閻羅王五天使經)』에 보이는 염왕의 다섯 가지 심문 내용과도 서로 유사하다. 이 경전의 처음에 나타나고 있는 지옥의 열 종류의 징벌도 또한 위의 경전과 기본적으로 일치하고 있으며, 약간의 차이가 있을 뿐이다. 그 형벌은 소동입구(消銅入口), 철저입인(鐵杵入咽), 철산상하(鐵山上下), 적부참수족(赤斧斬手足), 철근감신(鐵斤砍身), 조훼탁뇌(鳥喙啄腦), 낙수열식(駱獸裂食), 도삭가거(刀削駕車), 부중열자(釜中熱煮)이다.

『니리경』은 이어서 철성(鐵城)지옥에 대하여 묘사하고 있다. 이 지옥에는 큰 불꽃이 있으며, 성에는 4개의 문이 있다. 동서남북의 출구에 문이 하나씩 있는

84 會性法師, 『大藏會閱』(第一册), 臺北 天華出版公司, 1978 참조.

데, 각각의 문을 지키는 귀졸이 녹인 동액(銅液)을 악인의 입에 들이붓는다. 계속해서 노탄(爐炭)지옥, 한빙(寒氷)지옥, 비시(沸屎)지옥, 농혈(膿血)지옥, 체두(剃頭)지옥, 도산(刀山)지옥, 검수(劍樹)지옥, 철죽로(鐵竹盧)지옥, 감수(咸水)지옥으로 나아간다. 이 지옥[泥犁] 옆에서 악인은 다시 녹인 동액(銅液)을 들이마시게 되며, 그 다음에 다시 철죽로로 돌아간다.

『니리경』 뒷부분의 한 단락은 8대지옥에 관한 설명이다. 첫 번째는 아비마니리(阿鼻摩泥犁), 두 번째는 구연니리(鳩延泥犁), 세 번째는 미리마덕니리(彌離摩德泥犁), 네 번째가 붕라다니리(崩羅多泥犁), 다섯 번째는 아이파다원(阿夷波多洹), 여섯 번째는 아유참파니원(阿喩慘波犁洹)이며, 일곱 번째는 숙사무(熟徙務), 여덟 번째는 단니유(檀尼兪)이다. 여기에 묘사되어 있는 8대지옥은 앞서 살펴본, 대지옥문(大地獄門) 밖에 이어져 있는 8지옥과 매우 유사하다. 이 단락의 지옥 명칭도 또한 범문(梵文)으로 되어 있다. 부자(釜煮), 초열지(焦熱地), 충훼(蟲喙), 석여도(石如刀), 열풍(熱風), 자수(刺樹), 식인돈충(食人敦蟲), 열비수(熱沸水) 등의 징벌도 앞서 살펴본 것과 약간의 차이만 있을 뿐이다. 8지옥을 순환하면서 형벌을 받는 특징도 기본적으로 동일하다.

그러면 어떻게 한 경전에 이러한 내용이 중복되어 나타나게 된 것일까? 원래 이 경전 뒷단락의 8대지옥에 대한 설명은 염왕의 다섯 가지 심문과 상충하며 이어져 있다. 8대지옥과 염왕의 다섯 가지 심문은 모두 『중아함경(中阿含經)』 「치혜지품(痴慧地品)」에서는 볼 수 없고, 『철성니리』와 『염라왕오천사경』에서 그 유사한 내용을 살펴볼 수 있다. 이를 통해 『불설니리경』의 전반부는 『중아함경』 「치혜지품」의 이역(異譯)이며, 후반부는 『철성니리경』이라는 것을 알 수 있다. 두 경전의 역자가 모두 축담무란이라는 사실로부터 이것이 삽입되었을 가능성을 추론할 수 있다. 『니리경』에서 『철성니리경』으로 변화되었을 가능성은 희박하다. 『니리경』 가운데 지옥조(地獄條) 명목이 여러 차례 나타나고 있는 것을 볼 때, 삽입의 흔적이 비교적 명확한 것처럼 보인다. 남전(南傳) 빨리어 계통의 불전을 살펴보면, 「치혜지품」과 『니리경』이 『중부니카야』 제129의 『현우경』에 해당한다는 것을 알 수 있다.

(6) 8대지옥과 16소지옥설

『대지도론(大智度論)』은 후진(後秦)의 구마라집(鳩摩羅什)이 번역하였으며, 용수(龍樹)가 저술하였다. 이 경전의 권16인 「석초품(釋初品)」 중 「비리야바라밀의(毘梨耶波羅蜜義)」의 지옥에 관한 내용에 8대지옥과 16소지옥이 있다.

8대지옥은 활(活)지옥, 흑승(黑繩)지옥, 합회(合會)지옥, 규환(叫喚)지옥, 대규환(大叫喚)지옥, 열(熱)지옥, 대열(大熱)지옥, 아비(阿鼻)대지옥이다. 그 8대지옥 주위에 16소지옥이 있다. 구체적으로 보면 탄갱(炭坑), 비시(沸屎), 소림(燒林), 검림(劍林), 도도(刀道), 철자림(鐵刺林), 감하(堿河), 동초(銅椒)지옥의 8지옥과 이어서 8한빙(寒氷)지옥이 있는데, 바로 해부타(頞浮陀), 니라부타(尼羅浮陀), 아라라(阿羅羅), 아바바(阿婆婆), 아타타(阿吒吒), 구파라(漚波羅), 파두마(波頭摩), 마가발두마(摩訶鉢頭摩)이다. 결론적으로, 8한빙지옥과 앞의 8지옥이 16개의 소지옥을 구성하고 있는 것이다. 이 경전은 지옥의 구성을 비중있게 다루고 있지만, 지옥의 장면을 상세하게 묘사하고 있지는 않다.

이를 상세하게 묘사하고 있는 경전으로 북위(北魏) 시기에 번역된 『정법염주경(正法念住經)』이 있다. 『정법염주경』은 북위 시기에 승려 반야류지(般若流支)가 번역하였다. 이 경전의 지옥 관련 내용은 그 분량이 상당히 많으며, 권5에서 권11까지 모두 11품(品)이나 된다. 경문(經文)은 8대지옥과 부속된 16소지옥의 각종 참혹한 광경들을 자세히 묘사하고 있다. 서두는 승려가 업(業)의 과보법(果報法)에 대한 사유(思惟)를 통하여 지옥에서 큰 고통을 받는 것을 보는 내용으로, 악업에 따른 과보를 이야기하고 있다.

이 경전에는 먼저 8대지옥의 명칭이 나타나 있다. 즉, 활(活), 흑승(黑繩), 합(合), 환(喚), 대환(大喚), 열(熱), 대열(大熱), 아비(阿鼻)지옥이 그것이다. 이러한 8대지옥의 명칭은 『장아함』의 『세기경』 「지옥품」의 8대지옥과 일치하고 있으며, 이어서 8대지옥 각각에 부속되어 있는 16소지옥의 구성 형식과도 일치하고 있다. 『장아함』 계통의 경전들에서 16소지옥은 모두 일치하고 있다. 각 대지옥에서 단지 서로 동일한 소지옥을 반복하여 표현하고 있다. 그런데 이 경전의 특징은 8대지옥에 부속된 16소지옥이 다르고, 각 대지옥마다 각각 부속된 16소지옥이 있다는 점이다. 즉, 16소지옥마다 고유의 특색이 있다.

첫 번째의 '활(活)' 대지옥에 속한 16소지옥을 구분하여 살펴보면, 1. 시니(屎泥), 2. 도륜(刀輪), 3. 옹열(瓮熱), 4. 다고(多苦), 5. 간명(間冥), 6. 불희(不喜), 7. 상고(相苦), 8. 중병(衆病), 9. 양질(兩疾), 10. 악장(惡杖), 11. 흑색서랑(黑色鼠狼), 12. 측측회전(昃昃回轉), 13. 고어(苦魚), 14. 발두의마(鉢頭衣摩), 15. 파지(玻池), 16. 공중수고(空中受苦)이다.

세 번째의 '합(合)' 대지옥에 속한 16소지옥은 1. 대량수고뇌처(大量受苦惱處), 2. 명할고처(名割刳處), 3. 맥맥단처(脈脈斷處), 4. 명악견처(名惡見處), 5. 단처(團處), 6. 다고뇌처(多苦惱處), 7. 인고처(忍苦處), 8. 주기주기처(朱沂朱沂處), 9. 하하부처(何何富處), 10. 저화출처(詛火出處), 11. 일체근멸처(一切根滅處), 12. 무피안수고처(無彼岸受苦處), 13. 발두마처(鉢頭摩處), 14. 대간두마처(大秆頭摩處), 15. 화분처(火盆處), 16. 철화래처(鐵火來處)이다.

이 경전은 8대지옥에 대하여 기술하고, 다시 각 대지옥마다 16소지옥의 각종 형벌과 죄 등에 대하여 기술함으로써, 지옥 관련 내용이 대단히 풍부하고 분량 역시 많다. 다만 지옥의 잔혹한 형벌에 관한 내용 이외에 염라왕의 심문 내용은 보이지 않는다. 수행비구가 내심(內心)으로 사유(思惟)하고, 이어서 지옥의 일체 광경을 관찰하는 것으로 끝을 맺고 있다.

(7) 8대지옥과 16소지옥 및 10지옥설

『장아함경』은 16국 요진(姚秦) 시기에 불타야사(佛陀耶舍)와 축불염(竺佛念)이 공동으로 번역한 것이다. 여기서 『세기경(世記經)』 「지옥품(地獄品)」은 전적으로 지옥에 관련 내용으로 이루어져 있다. 이 경전은 중금강산(重金剛山) 사이에 8대지옥이 있다고 설하고 있다. 각기의 지옥마다 16소지옥이 있다. 8대지옥의 명칭을 순서대로 살펴보면, 첫 번째가 상(想)지옥, 두 번째는 흑승(黑繩)지옥, 세 번째가 퇴압(堆壓)지옥이며, 네 번째는 규환(叫喚)지옥, 다섯 번째가 대규환(大叫喚)지옥, 여섯 번째는 소자(燒炙)지옥, 일곱 번째가 대소자(大燒炙)지옥, 여덟 번째는 무간(無間)지옥이다.

8대지옥에 부속되어 있는 16소지옥은 모두 같다. 즉, 1. 흑사(黑沙), 2. 비시(沸屎), 3. 오백정(五百釘), 4. 기(飢), 5. 갈(渴), 6. 일동부(一銅釜), 7. 다동부(多

銅釜), 8. 석마(石磨), 9. 농혈(膿血), 10. 양화(量火), 11. 탄하(炭河), 12. 철환(鐵丸), 13. 작부(斫斧), 14. 시랑(豺狼), 15. 검수(劍樹), 16. 한빙(寒氷)이다.

지옥의 각종 잔혹한 형벌과 고통은 이 「지옥품」의 전반부에 묘사되어 있다. 후반부에는 10지옥에 관한 이야기가 다시 계속된다. 뿐만 아니라, 구파리(瞿波梨)가 대비구를 비방하여 지옥에 떨어진 내용, 염라왕궁(閻羅王宮)의 염라왕이 삼천사(三天使)의 명의로 죄인을 심문하는 장면, 염라왕의 발원(發願) 등의 내용이 있다.

경문의 중대금강산(重大金剛山) 중에 다시 10지옥이 있다. 10지옥의 명칭을 살펴보면, 1. 후운(厚雲), 2. 무운(無雲), 3. 가가(呵呵), 4. 나하(奈何), 5. 양명(羊鳴), 6. 수건제(須乾提), 7. 우발라(優鉢羅), 8. 구물두(拘物頭), 9. 분타리(分陀利), 10. 발두마(鉢頭摩)이다. 이러한 지옥 명칭은 대단히 흥미롭다. 첫 번째 후운은 죄인의 자연적으로 생긴 몸이 두터운 구름[厚雲]과 같다는 것을 비유한 것이다. 두 번째 무운은 죄를 받는 중생의 육신이 가짜 육신이기 때문에 그러한 명칭이 붙은 것이다. 세 번째는 죄를 받는 중생의 고통에 찬 신음의 흔적이다. 끝의 네 종류의 지옥 명칭은 모두 연꽃의 명칭이다. 그러면 이러한 지옥 명칭이 어떻게 해서 생겼을까? 원래 수건제는 검은색 꽃이고, 그 지옥이 모두 검기 때문에 이 명칭을 얻게 되었다. 우발라는 청색의 꽃이고, 분타리는 흰색의 꽃이며, 발두마는 홍색의 꽃이다. 위에서 몇 개의 지옥 색이 이러한 꽃 색깔과 같기 때문에 그 명칭을 얻게 된 것이다. 구파리(瞿波梨) 승려는 사리불(舍利弗)과 목건련(目犍連)을 비방하였기에 발두마 지옥에 떨어졌는데, 이곳이 바로 붉은 연꽃색의 대화염지옥이다. 이로부터 『불설사니리경(佛說四泥犂經)』의 내용이 이 단락의 경문으로부터 발전되어 이루어졌다는 것을 분명하게 알 수 있다.

염라왕궁은 염부제 남쪽 대금강산(大金剛山) 안에 위치하고 있다. 이 궁전은 세로로 넓이가 6천 유순(由旬 ; 약 4km)이며, 7중(重)의 성(城)에는 7중 난순(欄楯), 7중 나망(羅網), 7중 행수(行樹)가 있다. 이 궁전에는 하루 밤과 낮으로 세 차례 동확(銅鑊)이 나타나는데, 스스로 움직여 궁 가운데에 있는 염라왕의 면전으로 움직인다. 염라왕이 이것을 본 후에 두려운 마음이 들어 궁 밖으로 피신을 하지만, 부처를 닮은 동확(銅鑊)이 역시 궁 밖으로 따라나오고, 염라왕이 피하여 궁 안으로 다시 돌아온다. 이때에 대옥졸이 염라왕을 체포하여 펄펄 끓고 있는 철 침대 위에 눕히고, 철구(鐵鉤)로 염라왕의 입을 벌리게 하여 입에다 넘치는 구리액을 집어넣는다. 구리액이 먼저 혀를 불태우고, 다시 목구멍을 타고 배 아래로 흘러 들어가서 복부에 있는 모든 것을 태운다. 염라왕이 죄를 완전히 받은 후에 여러 시녀와 궁전의 여러 신하들과 만나 함께 즐긴다.

부처가 승려에게 삼천사(三天使)에 대하여 설법을 한다. 삼천사의 첫 번째는 노(老)이고, 두 번째는 병(病)이며, 세 번째가 사(死)이다. 지옥의 옥졸은 신(身)·구(口)·의(意) 3악을 범한 죄인을 염라왕 앞으로 압송한다. 염라왕이 노(老), 병(病), 사(死) 삼천사 명의의 심문을 한다. 순서대로 죄인을 심문하고, 어찌하여 그 잘못을 고치지 않았는지를 살핀 후에, 죄에 따라 죄인을 압송하여 지옥에 떨어뜨린다.

최후에, 염라왕 자신의 발심 기원이 있다. "만약 내가 명이 정해진 사람으로서 여래를 알게 된다면, 마땅히 정법에 따라 머리를 깎은 다음 삼법의(三法衣)를 입고 출가 수행하리라. 청정한 믿음과 범행(梵行)을 닦아 지을 바를 다하고, 생사(生死)를 끊어 없애며, 현겁(現劫) 가운데 스스로 증득하여 다시는 몸을 받지 않겠다." 결론적으로, 『장아함경』 가운데 염라왕과 관련된 이 단락의 내용은 주목을 받지 못했지만 대단히 특징적이다. 원래 염라왕 자신도 형벌을 받았고, 발원하여 출가 수행하였다. 이러한 것은 이후의 염라왕 모습뿐만 아니라 지장보살의 모습과도 관련성을 가지고 있다.

『대루탄경(大樓炭經)』은 서진(西晋) 시대 승려 법립(法立)과 법거(法矩)가 번역하였다. 「니리품(泥犁品)」은 지옥을 중점적으로 다루고 있는데, 8대지옥과 16소지옥이 상세하게 묘사되어 있다. 경전의 서두는 세존이 승려에게 2개의 중철위산(重鐵圍山)이 있음을 설하는 것으로 시작된다. 그 가운데 8대지옥이 있으며, 각기의 지옥마다 다시 16부의 소지옥이 있다. 8대지옥은 첫 번째가 상(想)지옥, 두 번째가 흑(黑)지옥, 세 번째가 승건(僧乾)지옥, 네 번째가 루작(樓獵)지옥, 다섯 번째가 대규환(大叫喚)지옥, 여섯 번째가 소자(燒炙)지옥, 일곱 번째가 부자(釜煮)지옥, 여덟 번째가 아비마하(阿鼻摩訶)지옥이다.

16소지옥은 흑계(黑界), 비시(沸屎), 오백정(五百釘), 차호(車怙), 음(飮), 일

동부(一銅釜), 동부(銅釜), 철마(鐵磨), 농혈(膿血), 고준(高峻), 작판(斫板), 곡(斛), 검수(劍樹), 요로하(撓撈河), 낭야간(狼野干), 한빙(寒氷)이다.

이 경전은 8대지옥과 16소지옥에 대해 설하고 나서 염라왕의 성, 다섯 가지의 심문, 염라왕이 형벌을 받고 한 발원 등을 설하고 있는데, 이 내용은 앞서 살펴본 『장아함경』 「지옥품」의 내용과 기본적으로 일치한다. 8대지옥과 16소지옥의 내용도 역시 같다. 비록 이 경전의 번역 시기가 더 빠르고, 비교적 많은 범문의 어휘가 남아 있지만 문장의 유려함은 『장아함경』에 미치지 못한다.

이 경전은 먼저 염라왕성(閻羅王城)과 칠보칠중벽(七寶七重壁), 원관욕실(園觀浴室), 각종 보문(寶門)의 모습에 대하여 설하고 있다. 염라왕의 다섯 가지 심문은 노(老)·병(病)·사(死)의 것이며, 이어서 유소(幼小), 도적(盜賊)으로 염라니리(閻羅泥犁)에 압송된 죄인을 추궁하는 것이 나온다. 죄인이 잘못을 고치지 않았다면 지옥으로 압송되어 형벌을 받는다. 다섯 가지 심문 가운데 앞의 세 가지는 『장아함경』과 동일하고, 뒤의 두 가지인 유소와 도적 부분은 추가되어 있지만 천사의 명칭은 언급되어 있지 않다. 죄인이 염왕성(閻王城)의 10대니리(大泥犁)에 끌려가는 것도 역시 앞서 살펴본 『장아함경』과 대동소이하다. 10대니리의 명칭은 1. 아부(阿浮), 2. 니라부(尼羅浮), 3. 아가부(阿呵不), 4. 아파부(阿波浮), 5. 아라유(阿羅留), 6. 우발(優鉢), 7. 수건(修建), 8. 연화(蓮花), 9. 구문(拘文), 10. 분타리(分陀利)이다.

『대루탄경』 「니리품」의 마지막 부분도 니리방(지옥의 옥졸)이 염라왕을 잡아 불타고 있는 철로 된 땅에 놓고, 철구로 그 입을 받치고, 녹인 구리액을 왕의 입에 들이붓는 내용이다. 목을 태우고, 위장을 불사르고, 독통(毒痛)을 견디기 힘들지만, 염라왕의 죄악이 미진한 이유로 죽지 않는다고 한다. 나중의 한 단락에는 염라왕의 발원이 없다. 이 경전의 뒷부분 순서도 역시 『장아함경』과 크게 다르지 않다. 10지옥은 염라왕의 다섯 가지 심문 뒤에 나타나고 있다.

『기세경(起世經)』은 수대(隋代) 천축(天竺)의 삼장(三藏) 사나굴다(闍那崛多) 등이 번역한 경전이며, 『기세인본경(起世因本經)』은 수대 천축의 승려 달마급다(達摩笈多)가 번역한 것이다. 이 경전의 「지옥품」에 묘사되어 있는 내용은 앞서 살펴본 것들과 기본적으로 일치한다. 다만 수대(隋代)의 역경이 더 세밀하고, 세부 구성도 발전되어 있다. 『기세경』「지옥품」은 네 부분으로 구분되며, 『기세인본경』은 상 · 중 · 하의 3품으로 지옥의 내용을 설명하고 있다.

『기세경』은 철위산(鐵圍山)에 8대지옥이 있다고 설하고 있다. 그 명칭은 활(活)지옥, 흑(黑)지옥, 합(合)지옥, 규환(叫喚)지옥, 대규환(大叫喚)지옥, 열뇌(熱惱)지옥, 대열뇌(大熱惱)지옥, 아비지(阿毘至)지옥이다. 하나의 대지옥마다 모두 16소지옥이 둘러싸고 있다. 16소지옥은 흑운사(黑云沙), 분뇨니(糞尿泥), 오차(五叉), 기아(飢餓), 초갈(焦渴), 농혈(膿血), 일동부(一銅釜), 다동부(多銅釜), 철(鐵), 함량(函量), 계(鷄), 탄하(炭河), 작절(斫截), 검엽(劍葉), 호랑(狐狼), 한빙(寒氷)이다. 『기세인본경』의 8대지옥은 그 명칭이 조금 다르게 번역되어 있는데, 8대지옥에서 합(合)지옥이 중합(衆合)지옥으로, 아비지(阿毘至)지옥이 아비지(阿毘脂)지옥으로 번역되어 있으며, 16소지옥에서는 '기아(飢餓)' 가 '기(飢)' 로, '초갈(焦渴)' 이 '갈(渴)' 로, '철(鐵)' 이 '첩(疊)' 으로, '함량(函量)' 이 '곡량(斛量)' 으로, '작절(斫截)' 이 '작발(斫拔)' 로, '검엽(劍葉)' 이 '도엽(刀葉)' 으로 번역되어 있으며, 나머지는 모두 동일하다.

이 두 경전은 8대지옥과 16소지옥을 설명한 후에 다시 10지옥에 대하여 설명하고 있다. 10지옥의 명칭도 역시 기본적으로 서로 동일하다. 순서대로 살펴보면, 니라부타(泥羅浮陀), 아부(阿浮), 호호파(呼呼婆), 아타타(阿吒吒), 소건제가(搔健提迦), 우발라(優鉢羅), 파두라(波頭摩), 분다리(奔荼利), 구모타(究牟陀)이다. 또한 구가리(瞿迦梨) 승려가 비방하는 마음 때문에 파두마(波頭摩) 지옥에 떨어진 내용의 고사(故事)가 있다.

이어지는 내용은 염부주(閻浮洲) 남쪽 염라왕궁에서 염라왕이 구리를 녹인 액을 입에 들이붓는 형벌을 받는 내용이다. 이에 염라왕이 생각하기를, '중생이 나와 같이 업(業)을 짓고 모두 고통을 받고 있다. 원컨대 내가 이 몸을 버리고 인간으로 태어나 여래의 교법을 배워 마땅히 신해(信解)를 얻으리라.' 라고 하였다. 머리를 깎고, 가사를 입고, 염라왕이 발원하였다. "내가 이제 이미 생사를 다하였고, 범행(梵行)을 세웠습니다. …… 후세에는 수생(受生)을 다시 하지 않기를 발원합니다." 염왕이 서원을 행하자, 철 궁전이 다시 칠보(七寶)가 되었다.

염라왕은 또한 노(老) · 병(病) · 사(死)의 삼천사(三天使) 명의로 죄인을 심문한다. 죄인은 심문을 마친 후에 지옥으로 끌려간다.

『장아함』의 『세기경』에서 『대루탄경』 그리고 『기세경』, 『기세인본경』에 이르기까지, 그 실상은 전부 동일한 경전의 이역본(異譯本)이다. 앞의 두 역경은 서진(西晋)과 16국(國) 시기에 번역되었으며, 뒤의 두 역경은 수대(隋代)에 번역되었다. 비록 이 경전들이 동일 경전의 서로 다른 번역본이지만, 여기에도 작은 차이는 있으며, 가장 중요한 것은 『대루탄경』에 나타나는 염라왕의 다섯 가지 심문이다. 나머지 세 경전은 모두 세 가지 심문으로 나타나고 있다. 이 세 가지 심문은 천사의 화현인 노(老)·병(病)·사(死)에서 비롯된 것이다. 그리고 『대루탄경』의 염라왕의 다섯 가지 심문과 『철성니리경』 등의 내용이 동일하다. 염라왕의 심문이 세 가지와 다섯 가지로 구별됨에 따라 관련 경전도 크게 두 갈래로 나뉜다. 이것에 대해서는 아래에서 다시 살펴보겠다.

앞서 살펴본 경전 외에도, 8대지옥과 16소지옥을 포함해 또 다른 지옥에 대해 설하고 있는 경전이 있다. 바로, 남조(南朝) 진(陳) 시기에 진제(眞諦)가 번역한 『아비달마구사론(阿毘達磨俱舍論)』이다. 이 경전은 앞서 살펴본 경전들이 번역되던 시기의 중간 시기에 번역되었는데, 지옥에 대한 내용은 동일하거나 약간의 차이만 있을 뿐이다. 권8의 「중분별세간품(中分別世間品)」에 8대지옥과 16소지옥이 소개되어 있다. 8대 지옥의 명칭은 아비지(阿毘指), 대소(大燒), 소(燒), 대규환(大叫喚), 규환(叫喚), 취개(聚磕), 흑승(黑繩), 경활(更活)이다.

이 8대지옥에는 각각 16원(園)이 있다. 즉, 1. 열회원(熱灰園), 2. 사시원(死尸園), 3. 도인로원(刀刃路園), 4. 열회즙원(烈灰汁園)이다. 비록 이렇게 단지 네 종류의 옥원(獄園)만을 열거하고 있지만, 경전에서 설하기를, 이 네 원이 네 방위에 따라 달라져 16원을 이룬다고 한다. 뒤이어 경전에는 다시 8개의 한빙(寒氷)지옥이 열거되어 있다. 즉, 1. 빈부타(頻浮陀), 2. 니자부타(尼剌浮陀), 3. 아타타(阿吒吒), 4. 아파파(阿波波), 5. 구후후(漚睺睺), 6. 욱파라(郁波羅), 7. 파두마(波頭摩), 8. 분타리가(分陀利柯)이다.[85]

[85] 이 경전의 卷9 「中分世間品」 第4에서는 6지옥을 설하고 있다. 更活·黑繩·聚磕·叫喚·大叫喚·燒然 지옥이 그것이다. 寫本에는 更活·黑繩·燒然·大燒·無間이 있다. 여기서 大燒와 無間을 더하면 8지옥이 된다.

이 경전에서 지옥의 내용은 『장아함경』 등과 같은 경전과 일치하는데, 단지 배열 순서에 차이가 있다. 이 경전은 최후의 지옥을 묘사한 다음, 이어서 나머지 7지옥을 묘사하고 있어서 전체적으로 8대지옥의 구성을 보이고 있다. 또한 16 소지옥에서는 4지옥을 들고 있는데, 이것이 다시 네 방향에 따라 달라지니, 네 배가 되어 16의 수, 즉 16지옥이 된다.

(8) 30지옥과 20가지의 징벌지옥

『정도삼매경(淨度三昧經)』

『정도삼매경』은 중요 고일의위경(古逸疑僞經)의 하나이다. 장경(藏經)에 수록되어 있지 않으며, 소수의 잔본이 전해져 오고 있다. 일본의 『속장경(續藏經)』에는 수록되어 있다. 돈황의 사경(寫經) 가운데 10여 건이 발견되었는데, 일본의 일곱 사찰에 전래되어 오던 고본(古本)이 다시 발견되었다. 이에 이 경전의 전모를 파악할 수 있게 되었고, 그 정리 과정을 통하여 더욱 주목받게 되었다.[86] 이 경전에는 38지옥이 있으며, 지옥에는 각각의 옥주(獄主)가 있다. 즉, 38개의 대니리(大泥犁) 가운데 8대왕(大王)과 30소왕(小王)이 있는 것이다. 구체적인 부분에서는 30지옥 왕의 명호만을 밝히고 있다.

> 1. 평호왕(平胡王) 전주(典主) 아비마가니리(阿鼻摩訶泥犁), 2. 진평왕(晋平王) 전치(典治) 흑승지옥(黑繩地獄) 3. 망도왕(莽都王) 전치(典治) 철흉지옥(鐵凶地獄), 4. 보천왕(輔天王) 전치(典治) 합회옥(合會獄), 5. 성도왕(聖都王) 전치(典治) 태산옥(太山獄), 6. 현도왕(玄都王) 전주(典主) 화성옥(火城獄), 7. 광무왕(廣武王) 주치(主治) 검수옥(劍樹獄), 8. 무양왕(武陽王) 전주(典主) 관후옥(礶吼獄), 9. 평양왕(平陽王) 주치(主治) 팔로옥(八路獄), 10. 도양왕(都陽王) 전치(典治) 자촌옥(刺村獄), 11. 소양왕(消陽

[86] 牧田諦亮(監) · 落合俊典(編), 『七寺古逸經典研究叢書』 第二卷, 大東出版社, 1996 ; 『藏外佛教文獻』 第七輯, 宗教文化出版社, 2000.

王), 주치(主治) 비회옥(沸灰獄), 12. 연위왕(延慰王) 주치(主治) 대담옥(大啖獄), 13. 광진왕(廣進王) 주치(主治) 대아비옥(大阿鼻獄), 14. 고도왕(高都王) 주치(主治) 철차옥(鐵車獄), 15. 공양왕(公陽王) 주치(主治) 철화옥(鐵火獄), 16. 평곡왕(平斛王) 치(治) 비시옥(沸屎獄), 17. 주양왕(柱陽王) 치(治) 지소옥(地燒獄), 18. 평신왕(平身王) 전(典) 미이옥(彌離獄), 19. 연석왕(璉石王) 치(治) 산석옥(山石獄), 20. 낭야왕(狼耶王) 치(治) 다원옥(多洹獄), 21. 도관왕(都官王) 치(治) 니원옥(犁洹獄), 22. 현양왕(玄陽王) 치(治) 비충옥(飛蟲獄), 23. 태일왕(太一王) 주치(主治) 양아옥(陽阿獄), 24. 합석왕(合石王) 치(治) 대마옥(大磨獄), 25. 양무왕(凉無王) 치(治) 한설옥(寒雪獄), 26. 무원왕(無原王) 치(治) 철저옥(鐵杵獄), 27. 정시왕(政始王) 치(治) 철주옥(鐵柱獄), 28. 고원왕(高遠王) 치(治) 농혈옥(膿血獄), 29. 도진왕(都進王) 주치(主治) 소석옥(燒石獄), 30. 원도왕(原都王) 치(治) 철륜옥(鐵輪獄).

『정도삼매경』의 진위에 대해서는 학계에서 현재 의견이 분분하지만, 이 경전이 대단히 큰 영향을 미쳐온 것만은 부인하기 어렵다. 남북조(南北朝) 시기의 많은 전적(典籍)에 이 경전이 인용되어 있기 때문이다. 보창(寶唱)의 『경률이상(經律異相)』「지옥부(地獄部)」에도 30지옥과 옥주의 이름이 나타나 있는데, 이것은 이 경전의 일부분을 인용한 것이다. 경전에는 또한 사왕(沙王)이 부처에게 청문하는 내용, 오관(五官)이 염라왕에게 속한다는 내용 등이 있다. 8옥주에 대해서도 설하고 있어서 8대지옥 설(說)을 취하고 있음을 알 수 있다. 다만 30지옥과 왕의 명호는 층차(層次)를 분별하지 않고 순서대로 배열하여 설하고 있다.

『자비도량참법(慈悲道場懺法)』

『양황참(梁皇懺)』에 나타나는 지옥 설명도 역시 주목하여야 한다. 이 책은 중국의 가장 중요한 참의(懺儀)인데, 여기에 지옥 관련 내용이 적지 않게 보이고 있다. 그러나 전체적으로 지옥 관련 내용이 체계적이지 않다. 권4에 지옥이 두 번째로 나타나고 있다. 권9의 삼악도예불(三惡道禮佛) 중에 역시 모든 지옥에서 예불을 드리는 내용이 있다. 또한 39지옥이 있음을 밝히고 있는데, 다섯 단계로 나누어 설명하고 있다. 권4에서는 마치 지옥이 40여 종류가 있는 것처럼 말하고 있으며, 심지어 18지옥설(地獄說)이나, 18격자(鬲子) 지옥설 등도 인용되어 있다. 결론적으로, 이 책에는 대단히 다양한 지옥설이 있으나, 중요한 것은 40지옥설로 보인다는 것이다. 『불명경(佛名經)』, 『정도삼매경』 등과도 역시 관련성이 있어 보인다.

『불명경(佛名經)』

30권 『불명경』에는 2개의 소경(小經)이 포함되어 있다. 즉, 『대승연화보달문답보응사문경(大乘蓮花寶達問答報應沙門經)』과 『불설죄업보응교화지옥경(佛說罪業報應教化地獄經)』이다. 앞의 경전은 『마두나찰(馬頭羅刹)』이라 불리기도 하는데, 일찍이 고승의 증명이 있었다. 『개원록(開元錄)』의 지승(智升)은 이 경전이 북위(北魏)의 보리류지(菩提流志)가 번역한 『불명경』과 다르다는 것을 밝히고, 『마두나찰불명경(馬頭羅刹佛名經)』이라 칭했다. 이 경전에는 보달(寶達)보살이 동방(東方) 철위산(鐵圍山) 지옥에 들어갔을 때, 귀왕(鬼王)이 한 방위에 32지옥의 명칭을 보고하는 내용이 있다.

> 철거(鐵車), 철마(鐵馬), 철우(鐵牛), 철려(鐵驢), 철의(鐵衣), 철수(鐵銖), 양동관구(洋銅灌口), 유화(流火), 철상(鐵床), 경전(耕田), 작수(斫首), 소각(燒脚), 철장(鐵鏘), 음철수(飮鐵銖), 비도(飛刀), 화전(火箭), 자육(炙肉), 신연(身然), 화환앙구(火丸仰口), 쟁론(諍論), 우화(雨火), 유화(流火), 분시(糞屎), 구음(鉤陰), 화상(火象), 미성규환(咩聲叫喚), 철질리(鐵鏃鑗), 붕매(崩埋), 연수각(然手脚), 동구구아지(銅狗鉤牙地), 박피음혈(剝皮飮血), 해신(解身), 철옥(鐵屋), 철산(鐵山), 비화규환분두지옥(飛火叫喚分頭地獄).

위의 지옥들 가운데, 철거(鐵車), 철마(鐵馬), 철우(鐵牛), 철려(鐵驢)의 4소 지옥은 하나의 지옥이다. 뒤이어 경문에는 보달보살이 이 지옥에서 끝없이 고통을 받고 있는 500명의 승려들을 보는 장면이 있다. 다른 나머지 지옥은 층차(層次)의 구별이 보이지 않고, 대지옥과 소지옥으로 구별되어 있다. 이러한 지옥의 관계는 문제가 있지만, 마치 각종의 대소지옥이 8대지옥과 16소지옥 등의 체계에 대응하고 있는 듯하다.

한 가지 주의해야 할 것은 『지장보살본원경』 「지옥명호품(地獄名號品)」의 내용이다. 여기서의 지옥은 대지옥과 소지옥이 있으며, 대지옥 아래에는 하나 혹은 둘, 혹은 셋, 혹은 넷, 혹은 백, 혹은 천 개의 소지옥이 있다. 먼저 12대지옥의 명칭을 들고 이어서 12소지옥의 명칭을 든 다음, 지옥에서 받아야 하는 징벌과 고통 등이 설명되어 있는 10여 지옥을 들고 있는데, 이 중 다수가 앞서 살펴보았던 24지옥과 중합(重合)된다. 다만 이 부분에서 열거하고 있는 지옥의 명칭과 구성을 살펴보면, 이 경전의 지옥 명칭과 전체적으로 유사한 것을 알 수 있다. 비도(飛刀), 화전(火箭), 철차(鐵車), 철상(鐵床), 철려(鐵驢) 등이 이에 속한다. 연수각(然手脚)과 소수(燒手), 소각(燒脚) 같은 것이 비교적 차이를 보이는 것이며, 쟁론(諍論)지옥 등은 일치하고 있다. 그러므로 이 두 종류의 지옥 명칭은 대단히 밀접하다고 할 수 있다.

또한 『마두나찰경(馬頭羅刹經)』에는 보달보살이 지옥에 들어가기 전에 먼저 36지옥의 옥주(獄主)를 만났다는 내용이 있다. 32지옥에 36명의 옥주가 있다는 것은 대단히 기괴한 일이다. 철거(鐵車)지옥, 말[馬]지옥, 소[牛]지옥, 노새[驢]지옥을 독립시켜 설명한다 해도 모두 35지옥으로 서로 부합하지 않는다. 36명의 옥주에 대한 설(說)은 『정도삼매경(淨度三昧經)』의 38옥주와 비슷하지만, 구체적인 옥주와 지옥의 명칭이 모두 일치하는 것은 아니다. 보달보살이 지옥에서 중생을 제도하는 이야기는 지장보살의 행적과 대단히 유사하다. 이 경전은 보살의 지옥 제도 관련 내용이 비교적 빠른 시기에 나타나는 경전들 가운데 하나로서 주목된다.

『불설죄업응보교화지옥경(佛說罪業應報教化地獄經)』

이 경전은 동한(東漢) 시대 안세고(安世高)가 번역하였다. 글자 수가 2천 자를 조금 넘는 정도로 분량이 많지 않다. 지옥의 구성이나 장면이 구체적으로 묘사되어 있지 않지만, 죄업을 설명하고 교화하는 부분에서, 부처님께서 미간 사이에 빛을 뿌려 지옥을 살펴보는 내용이 있다. 신상(信相)보살이 부처님께 숙연(宿緣)에 대한 가르침을 청하며, 20종의 악행에 대하여 받는 형벌의 형태를 말씀드리자, 부처님께서는 죄업과 응보에 대하여 하나하나 답하셨다.

이 중에 여섯, 일곱 종류의 지옥의 죄연(罪緣)이 있다. 예를 들면, 첫 번째는 작추(斫椎)로 몸을 베는 것으로, 삿된 바람이 불어 몸을 살린 다음 다시 몸을 벤다. 일곱 번째는 중생이 옥졸에 의해 불태워지는 것으로, 철정정(鐵釘釘)으로 백여 곳의 뼈마디와 머리가 쑤셔지고, 마침내는 태운 못으로 전신(全身)이 그을려진다. 여덟 번째는 소머리의 아방(阿傍)이 3개의 꼬챙이가 달린 철차(鐵叉)를 사용하여 중생을 확탕(鑊湯)에 넣고 삶는다. 바람이 불어 다시 몸을 살린 다음에 다시 삶아 버린다. 아홉 번째는 중생을 화성(火城) 가운데에 두고 사문(四門)을 모두 열되, 만약에 중생이 문을 향해 달리면 문을 즉시 폐쇄한다. 동서(東西)로 미친 듯이 뛰어다녀도 불태워지는 것을 면할 수 없다. 열 번째는 설산(雪山)의 찬바람이 불어 피부와 살을 벗겨서 죽음을 원할 정도의 고통을 받는다. 열한 번째는 도산검수(刀山劍樹)이다.

여기서 한 가지 주목해야 할 것은, 이 경전에 나타나는 지옥 묘사와 안세고의 또 다른 번역인 『십팔니리경(十八泥犁經)』에 나타나는 지옥의 묘사가 동일하지는 않다는 점이다. 화성(火城), 도산검수(刀山劍樹) 등은 기타의 8대지옥, 16소지옥에서 항상 나타나고 있다. 안세고가 번역한 이 경전은 동한 시대이므로, 중국 최초의 지옥 경전이라고 할 수 있다. 이를 통해 당시 유통되던 인도의 불전(佛典)이 이미 여러 종류의 지옥 형태를 갖추고 있었다는 것을 알 수 있다.

『불설전륜오도죄복보응경(佛說轉輪五道罪福報應經)』

2개의 역본(譯本)이 있다. 다른 하나는 명칭이 『불설죄복보응경(佛說罪福報應經)』으로, 남조(南朝)의 유송(劉宋) 시기에 전국(闐國)의 삼장(三藏)법사 구나발타(求那跋陀)가 번역하였다. 문자는 약간 다르다. 이 경전은 니구수(尼拘樹)에 열리는 과일을 비유하여, 부처가 아난(阿難)에게 숙연(宿緣)에 대하여 설법하는 내용이다. 먼저 팔정도(八正道)를 수행함으로써 어떠한 복보(福報)를 얻는지 설하고 있다. 계속해서 악행(惡行)을 함으로써 어떠한 응보(應報)를 받는지도 설하고 있으며, 그 가운데 여러 곳에 지옥니리(地獄泥犁)에 대한 설명이 있다. 경전의 뒷부분에 오도윤회(五道輪廻) 사상이 언급되어 있다.

이외에 법천(法天)이 왕의 뜻을 받들어 번역한 『불설육도가타경(佛說六道伽陀經)』이 있고, 마명(馬鳴)보살이 모으고, 일칭(日稱) 등이 왕의 뜻을 받들어 번역한 『육취윤회경(六趣輪廻經)』이 있는데, 모두 게송(偈頌)의 형식으로 이루어져 있다. 이 중에 육도(六道)의 하나인 '지옥품(地獄品)' 혹은 '지옥취(地獄趣)' 부분이 있다. 이 두 경전의 번역은 송대(宋代)에 이루어졌다.

『불설귀문목련경(佛說鬼問目連經)』

이 경전도 역시 안세고가 번역하였다. 문자는 2천 자에 조금 못 미친다. 경전은 여러 아귀들이 항하(恒河)에서 목련(目連)존자를 만나게 되어 마음에 공경심이 일어나자 목련에게 죄에 따르는 인과에 대해 묻고, 목련이 상세하게 대답하는 내용으로 이루어져 있다. 모두 17아귀의 질문과 목련의 대답이 있다. 이 경전의 이역본(異譯本)으로 동진(東晋) 시기 실역인(失譯人)의 『아귀보응경(餓鬼報應經)』이 있는데, 그 내용이 동일하다. 동진의 법현(法顯)이 번역한 『불설잡장경(佛說雜藏經)』은 목련이 아귀의 질문에 대답하는 것 이외에도 목련이 천녀(天女)에게 하는 질문, 국왕의 출가, 월명부인(月明夫人) 등의 선행에 따른 응보(應報)의 인연 등이 있다.

3) 염라왕(閻羅王)과 삼천사(三天使) · 오천사(五天使)

지옥과 관련된 여러 경전 가운데, 남조(南朝) 유송(劉宋) 시기에 혜간(慧簡)이 번역한 『염라왕오천사자경(閻羅王五天使者經)』은 매우 특징이 있다. 이 경전은 대단히 간단하며, 염라왕이 오천사(五天使) 명의(名義)로 죄인을 심문하는 내용임에도 지옥 장면에 대한 묘사가 없다. 오천사(五天使)는 유(幼), 노(老), 병(病), 사(死), 죄(罪)(즉, 관가에 체포된 바 있는 도적 등이다)를 말한다. 염라왕은 충정어린 말로 죄인을 심문한다. 천사(天使)가 보여준 바 있는 각종 형태를 보았는지의 여부와 죄를 고쳤는지의 여부를 묻고, 그리고 죄인으로 하여금 그러한 방일(放逸)한 행위가 어떤 것으로부터 이루어진 것인지를 알게 한다. 이 경전은 염라왕의 심문으로 끝을 맺고 있으며, 다른 몇몇의 경전에서 볼 수 있는, 죄인을 옥(獄)에 들여보내는 내용은 보이지 않는다.

염라왕의 다섯 심문 내용과 담무란(曇無蘭)이 번역한 『철성니리경(鐵城泥梨經)』은 기본적으로 동일하지만 나머지 내용은 생략되어 있으므로 별역(別譯)에 속한다고 할 수 있다. 남전(南傳) 빨리어 『중부니카야』의 『천사경(天使經)』에는 염라왕의 다섯 심문이 있으며, 악을 행하는 자에게 다섯 종류의 형벌이 가해지고 있으며, 다시 여섯 종류의 지옥의 참혹함에 대하여 묘사하는 내용이 있는데, 이러한 내용은 한역본(漢譯本)의 내용보다 더 풍부하다. 다만 실제적으로 염라왕과 오천사 그리고 오천사의 내용은 앞서 살펴본 여러 지옥 경전 가운데서 상당히 자주 볼 수 있는 것으로, 이들 경전에서 한 단락의 내용을 이루고 있다. 이로부터 이 경전이 다른 경전의 구절을 찬(選)하여 이루어졌다는 것을 알 수 있다. 염라왕이 천사(天使)의 명의로 된 심문을 하는 것은 삼천사와 오천사의 두 경우로 크게 나눌 수 있기 때문에, 아래에서 이를 정리해 보겠다.

남전 『중부니카야』의 『천사경』에 대응하는 것으로 염라왕과 오천사가 나타나는 경전은 『중아함』의 『천사경』을 포함해서 『철성니리경』, 『불설니리경(佛說泥犁經)』, 『염라왕오천사자경(閻羅王五天使者經)』과 『중아함』의 『치혜지경(痴慧地經)』 그리고 『증일아함(增一阿含)』과 『장아함(長阿含)』의 『대루탄경(大樓炭經)』을 들 수 있다.

서진(西晋) 시대의 『대루탄경』이 가장 일찍 번역된 경전으로, 내용도 가장 풍부하다. 여기서 염라왕의 첫 번째 심문은 죄인이 일찍이 노인을 보았는지의 여부이고, 두 번째 심문은 죄인이 일찍이 병(病)을 보았는지의 여부이며, 세 번째 심문은 죄인이 일찍이 죽음을 보았는지의 여부이고, 네 번째 심문은 죄인이 일찍이 어린아이를 보았는지의 여부이며, 다섯 번째 심문은 죄인이 일찍이 도살(盜殺) 행위로 형벌을 받은 자를 본 적이 있는지의 여부를 묻는 것이다. 이 다섯 가지 심문의 토대는 노(老), 병(病), 사(死), 유(幼), 도살자(盜殺者)이다. 염라왕의 심문 순서는 기타의 다른 경전과 차이가 있으며, 또한 천사(天使)라는 어휘도 보이지 않는다. 염라왕의 심문이 끝난 후에 죄인은 10옥(獄)으로 끌려간다.

동진(東晋) 시기에 번역된 『중아함』의 『천사경』은 비록 『대루탄경』보다 조금 늦게 번역되었지만, 경전에 나타나 있는 형태는 오히려 더 오래된 것이어서 중요하다. 『중아함』의 『천사경』 내용은 천사(天使)의 심문 부분에 집중되어 있다. 여기서 오천사는 유(幼), 노(老), 병(病), 사(死), 범죄인(犯罪人)이다. 염라왕이 선문(善問), 선검(善檢), 선교(善教), 선가(善訶)의 순서대로, 죄인에게 인간의 유(幼), 노(老) 병(病), 사(死), 죄인(罪人)이 형벌을 받는 온갖 모습을 보았는지의 여부, 악을 행하고 뉘우치지 않은 자가 받아야 할 죄책 등을 말하고 있다. 그리고 이후에 죄를 짓고 죽은 자는 네 문의 대지옥으로 끌려 나간다. 네 문의 지옥에 이어서 다시 봉암(峰岩), 분뇨(糞屎), 철엽(鐵葉), 검수(劍樹), 회하(灰河)의 5지옥이 있다. 죄인은 이 여러 지옥을 오가며 형벌을 받는데, 그 고통이 끝이 없다.

동진(東晋) 시기에 번역된 『철성니리경』은 『천사경』의 이역(異譯)이다. 그 가운데에도 염라왕의 다섯 문제가 있다. 첫 번째 문제는 부모를 공양했는지, 두 번째 문제는 병(病), 세 번째 문제는 노(老), 네 번째는 사(死), 다섯 번째 문제는 도살자(殺盜者)가 형벌을 받았는지에 관한 것이다. 염라왕의 다섯 문제의 심문 뒤에, 계속해서 아비마(阿鼻摩) 등의 8대지옥이 기술되어 있는데, 이것은 상술한 『천사경』의 다섯 지옥과 조금 다른 부분이다.

동진(東晋) 시기에 번역된 『불설니리경』은 본래 『중아함』의 『치혜지경』의 이역(異譯)이다. 이 경전의 후반부와 『철성니리경(鐵城泥犁經)』은 완전히 일치한다. 오직 염왕(閻王)이라는 한 단어가 염왕(鹽王)으로 바뀌어 있을 뿐이다. 그러므로 이 경전의 염왕의 오문(五問)과 팔지옥(八地獄)은 위의 경전에 의거하여 번역된 것이라고 할 수 있다.

동진(東晋)의 『증일아함경(增一阿含經)』은 가제바(伽提婆)가 번역한 것이다. 이 경전의 권24에 있는 「선취품(善聚品)」의 제4 단락도 역시 여러 경전에 있는 염라왕의 다섯 가지 심문 내용과 동일하다. 첫 번째 심문인 인간의 출생에서 시작하여, 순서대로 계속해서 노(老), 병(病), 사(死), 치죄(治罪) 등에 대해 묻는다. 다섯 가지 심문 후에 네 문의 대지옥이 있고, 문을 나서면 열회(熱灰), 도체(刀剃), 대열회(大熱灰), 도검(刀劍), 비시(沸屎)의 5지옥과 만난다. 마지막 한 단락에 염라왕의 발원과 인간의 몸을 얻는다면 출가 수도를 원하는 내용이 있는 것은 동일하다. 이 단락에 있는 염라왕의 다섯 가지 심문 등의 내용은 『중아함』의 『천사경』과 상당히 유사하다. 더욱이 다섯 가지 심문 후에 두 『아함경』에서는 죄인을 5지옥으로 끌고 가는데, 이러한 내용은 일치하고 있다는 것을 알 수 있다.

남조(南朝)의 송(宋) 시기에 번역된 『염라왕오천사자경(閻羅王五天使者經)』은 경전의 제목이 내용을 잘 보여주고는 있지만 분량은 가장 적다. 염라왕이 오천사로 나타나 유(幼), 노(老), 병(病), 사(死), 폐인(弊人)이 악을 행하고 형벌을 받는지에 관한 다섯 가지 심문을 죄인에게 한다. 이어 염라왕이 충정어린 말로 심문을 마친 후에 경전은 끝을 맺고 있다.

『장아함』의 『세기경』 「지옥품」과 같이 동본(同本)의 중역(重譯)된 경전들 중에 가장 먼저 번역된 서진(西晋)의 『대루탄경』도 염라왕의 다섯 가지 심문이 나타난다. 그리고 『기세경』, 『기세본인경』은 모두 염라왕의 세 가지 심문으로 이루어져 있다. 후진(後秦) 시대에 번역된 『장아함』 중 이 부분은 부처가 승려에게 설법하는 것으로 구성되어 있다. 삼천사(三天使)가 있는데, 즉 노(老), 병(病), 사(死)를 말한다. 염라왕은 삼천사의 이름으로 죄인을 심문한다. 염라왕의 세 가지 심문에서 앞부분은 염라왕의 수형(受刑) 부분이고, 뒷부분은 염라왕의 발원 부분으로 이루어져 있다.

여기서 한 가지 흥미로운 점은, 염라왕과 삼천사는 3개의 경전에 나타나고 있고, 염라왕과 오천사는 현재 7개의 경전에 나타나고 있으며, 또한 남전(南傳) 불전(佛典)인 『천사경』도 이에 부합된다는 점이다. 실제로 오천사의 심문은 『중아함』 계통에 나타나고 있으며, 남전 불교에서 한역(漢譯) 경전에 이르기까지 모두 이 내용이 있다. 『증일아함』도 역시 같다. 삼천사의 심문은 『장아함』 계통에서 나타나고 있지만, 여기서 『대루탄경』은 예외라는 점을 주의해야 한다. 결론적으로, 여러 경전의 정황을 살펴보면 오천사의 심문이 보다 더 오래된 형태이고, 삼천사의 심문은 이후에 생략된 형태일 가능성이 많다고 할 수 있다.

4) 『마두나찰경(馬頭羅刹經)』과 『지장보살본원경(地藏菩薩本願經)』의 지옥 명칭

역자(譯者) 미상인 『불설불명경(佛說佛名經)』은 30권이 있으며, 이 경전의 대단히 많은 부분이 보리류지(菩提流支)가 번역한 『불명경(佛名經)』의 내용과 부합하고 있다. 하지만 이 전적(典籍)에는 더욱 많은 내용이 추가되어 있으며, 별첨된 경전이 있다. 『대승연화보달문답보응사문경(大乘蓮花寶達問答報應沙門經)』 등을 포함해, 특히 『마두나찰경(馬頭羅刹經)』이 유명한데, 이 경전의 매권(卷) 끝마다 하나의 품(品)이 부수되어 있다. 『마두나찰경』의 내용은, 보달(寶達)보살이 마두나찰(馬頭羅刹)의 인도로 지옥의 여러 곳을 다니며, 계율을 어긴 승려들이 지옥에서 끝없는 고통을 겪는 모습을 지켜보는 것이다. 이것은 후세의 지옥 편력과 관련된 많은 고사들, 즉 목련(目連) 고사, 도명(道明) 고사, 황사강입명기(黃仕强入冥記), 당(唐) 태종(太宗) 입명기(入冥記) 등의 효시라고 할 수 있다. 이 경전은 중국에서 찬술된 경전으로, 찬술 시기는 대략 남북조(南北朝) 시기이다.

30권의 『불명경』은 보리류지가 번역한 12권 『불명경』에 의거해 내용을 추가하여 이루어진 것이다. 먼저 추가를 통해 20권의 책자로 만들었으며, 나중에 다시 확대하여 16권이 되었다. 16권은 원래 매 권이 상 · 하의 두 부분으로 나뉘어 있었으므로 32권이라고 할 수 있다. 이 두 경전은 모두 돈황 사경(寫經)에서 발견되었으며, 그 사이 진행된 변화에 대해서는 이미 연구가 되어 있다.[87] 이 경전의 20권본(卷本)은 대략 남북조(南北朝) 중기에 형성되었다. 보리류지의 『불

[87] 方廣錩, 『關於敦煌遺書佛說佛名經』 敦煌學佛教學論叢(下), 홍콩 中國佛教文化出版公司, 1998, p.130 참조.

명경』을 확대하여, 염송(念誦) 경신(敬信)의 뜻을 내포한 것이 삼보(三寶)이고, 또한 매 권의 끝에는 『마두나찰경』이 첨부되어 있다. 16권본(本)은 수 · 당 초에 만들어졌으며, 그 성질과 정형은 대체적으로 앞의 본과 같다. 당대(唐代)에 지승(智升) 등이 경전 목록을 정리할 때 고승이 모두 이 경전을 위경(僞經)으로 판정하면서, 이러한 종류의 부처는 대략 양대(梁代)에 나타났다고 설명하고, 동시에 『마두나찰경』도 위경(僞經)이라고 지적하였다. 고승들이 경전 목록을 정리하면서 위경이라고 판단했기 때문에, 이 경전은 장경(藏經)에서 제외되었다. 비록 당(唐) 덕종(德宗) 시기에 칙령으로 이 경전을 장경에 수록하기도 했었으나, 송 · 명의 여러 장경 가운데 이 『불명경』은 수록되어 있지 않다. 하지만, 민간에서는 여전히 유행하며 부단히 전승되었으며, 고려장(高麗藏) 초본(初本)에 이 『불명경』이 수록되었는데, 이것은 30권본이며, 현재 『대정장』에 있는 책자이다.[88]

이 경전이 주목되는 이유는 지장보살의 명호나 사적 때문이 아니다. 『마두나찰경』에 서술되어 있는 지옥의 명칭과 체계가 『지장보살본원경』의 지옥 명칭과 체계와 대단히 근접되어 있는 미묘한 관계라는 점 때문에 특히 주목하는 것이다.

『마두나찰경』의 중심적인 내용은 보달보살이 지옥을 편력하는 것이고, 당연히 그 가운데에 지옥의 각종 명칭이나 체계가 대단히 중요한 분량을 차지하고 있다. 그 가운데 먼저 36명의 왕의 명칭에 대해서 소개하고 있으며, 이들이 각 지옥을 주재한다. 이어서 그 아래에 보달보살의 지옥에 대한 질문과 귀왕(鬼王)의 회답이 있으며, 한 조(組)의 32지옥의 명칭을 나열하고 있다. 『불명경』의 매 권 끝에 이 경전을 첨부할 때, 권마다 한 지옥씩의 상황이 강술되어 있다. 보달보살이 기술한 전주지옥(典主地獄)의 왕은 내용이 점차적으로 전개되면서, 전면(前面)에서 보달이 알게 된 지옥의 상황과 일치하지만, 실제적으로는 약간의 차이가 있다.

경전에는 보달보살이 동방철위산(東方鐵圍山) 앞까지 달려가자, 36전주지옥(典主地獄)의 왕이 좁은 길까지 나와 영접하였는데, 이 좁은 길 양쪽으로 36

88 『佛說佛名經』. 『大正藏』(T.441).

왕이 나뉘어 있었다고 서술되어 있다.

그 왕의 명칭은 항가금왕(恒伽噤王), 파길두왕(波吉頭王), 광목도왕(廣目都王), 안두라왕(安頭羅王), 호목견왕(虎目見王), 양성길왕(陽聲吉王), 대쟁송왕(大諍誦王), 흡혈귀왕(吸血鬼王), 안득라왕(安得羅王), 타달왕(陀達王), 달다라왕(達多羅王), 길리선왕(吉梨善王), 안후라왕(安侯羅王), 보수왕(寶首王), 금수길왕(金樹吉王), 대악성왕(大惡聲王), 조두왕(鳥頭王), 등호안왕(等虎眼王), 등상아왕(等象牙王), 등진성왕(等震聲王), 등귀수왕(等歸首王), 의수왕(衣首王), 견수왕(見首王), 광안왕(廣安王), 광정왕(廣定王), 왕두왕(王頭王), 입정왕(立正王), 입견왕(立見王), 마니라왕(摩尼羅王), 도조왕(都曹王), 부견왕(部見王), 악목왕(惡目王), 선왕(善王), 용구왕(龍口王), 귀왕(鬼王), 남안왕(南安王) 등이다.

귀왕(鬼王)이 지옥의 명칭에 대해 보달보살에게 말한 것은 다음과 같다.

> 철차철마철우화지옥(鐵車鐵馬鐵牛火地獄), 철상지옥(鐵床地獄), 경전지옥(耕田地獄), 작수지옥(斫首地獄), 소각지옥(燒脚地獄), 철장지옥(鐵鏘地獄), 음철수지옥(飮鐵銖地獄), 비도지옥(飛刀地獄), 화전지옥(火箭地獄), 자육지옥(炙肉地獄), 신연지옥(身然地獄), 화환앙구지옥(火丸仰口地獄), 쟁론지옥(諍論地獄), 우화지옥(雨火地獄), 유화지옥(流火地獄), 분시지옥(糞屎地獄), 구음지옥(鉤陰地獄), 화상지옥(火象地獄), 미성규환지옥(咩聲叫喚地獄), 철질리지옥(鐵鋨鑗地獄), 붕매지옥(崩埋地獄), 연수각지옥(然手脚地獄), 동구구아지옥(銅狗鉤牙地獄), 박피음혈지옥(剝皮飮血地獄), 해신지옥(解身地獄), 철옥지옥(鐵屋地獄), 철산지옥(鐵山地獄), 비화규환분두지옥(飛火叫喚分頭地獄).

이곳에서 보달보살이 귀왕의 환영을 받으며 자리에 앉아 질문할 때, 이곳에는 실제 32지옥이 있다는 것을 알게 되며, 상술한 전주지옥(典主地獄)의 36왕에 비교하면 지옥이 일부 부족하다. 그러나 지옥의 명칭에 있어서 중요한 것은, 실제로 경문에 나타나는 것은 36지옥이라는 사실이다. 하지만, 앞에는 '철차 · 철마 · 철우 · 철려'를 하나의 지옥으로 합하였고, 나중에는 '비화규환분두(飛火叫喚分頭)' 지옥을 합하여 하나로 하였다. 그러므로 차이가 있는 것처럼 보이기는 하지만, 지옥의 왕과 지옥의 명칭 수는 실제로 동일하다고 할 수 있다. 하지만 경문(經文)에서 일일이 대응하여 기술하지 않고, 36왕과 32지옥으로 설명하고 있는 것은 받아들이기 쉽지 않다.

경본(經本)을 살펴보면, 『불명경』은 수 · 당 초기에 16권으로 이루어졌으며, 매 권은 상 · 하권으로 나뉘어 있어서 그 수가 모두 32권이라는 것을 알 수 있다. 하지만 어떻게 해서 이러한 수가 정해졌는지 여부는 확인하기 어렵다. 비교적 이른 시기에 번역된 경전인 『정도삼매경(淨度三昧經)』에서 『경률이상(經律異相)』에 승계된 내용 중에 30지옥과 각각의 지옥을 관할하는 왕에 대한 설명이 있는데, 이것은 『마두나찰경』의 지옥 숫자와 근접해 있다. 『정도삼매경』도 앞에서는 38지옥을 설하고 있지만, 구체적으로 열거할 때는 30지옥만을 들고 있다. 왕의 숫자가 지옥의 숫자보다 많은 이러한 특징은 확실히 『마두나찰경』과 유사하다.

『지장보살본원경』에서 지장보살은 지옥의 명칭에 대하여 다음과 같이 설하고 있다.

> 인자(仁者)여! 나는 지금 부처님의 위신(威神)과 대사(大士)의 힘을 이어 받아, 간략하게 지옥의 명호와 죄보(罪報), 악보(惡報)의 일에 대하여 말하겠다. 인자여! 염부제(閻浮提) 동쪽에 산이 있는데, 그 이름을 철위(鐵圍)라 한다. 그 산은 너무도 검으며 해와 달의 빛이 없다. 어떤 지옥의 이름은 극무간(極無間)이고, 어떤 지옥의 이름은 대아비(大阿鼻)이며, 어떤 지옥의 이름은 사각(四角)이고, 어떤 지옥의 이름은 비도(飛刀)이며, 어떤 지옥의 이름은 화전(火箭)이고, 어떤 지옥의 이름은 협산(夾山)이며, 어떤 지옥의 이름은 통창(通槍)이고, 어떤 지옥의 이름은 철차(鐵車)이며, 어떤 지옥의 이름은 철상(鐵床)이고, 어떤 지옥의 이름은 철우(鐵

牛)이며, 어떤 지옥의 이름은 철의(鐵衣)이고, 어떤 지옥의 이름은 천인(千刃)이며, 어떤 지옥의 이름은 철려(鐵驢)이고, 어떤 지옥의 이름은 양동(洋銅)이며, 어떤 지옥의 이름은 포주(抱柱)이고, 어떤 지옥의 이름은 유화(流火)이며, 어떤 지옥의 이름은 경설(耕舌)이고, 어떤 지옥의 이름은 좌수(剉首)이며, 어떤 지옥의 이름은 소각(燒脚)이고, 어떤 지옥의 이름은 담안(啖眼)이며, 어떤 지옥의 이름은 철환(鐵丸)이고, 어떤 지옥의 이름은 쟁론(諍論)이며, 어떤 지옥의 이름은 철부(鐵鈇)이고, 어떤 지옥의 이름은 다진(多瞋)이다.

인자(仁者)여! 철위(鐵圍) 안에는 이와 같은 지옥이 있으며, 그 수가 무한하다. 다시 규환지옥(叫喚地獄), 발설지옥(拔舌地獄), 분시지옥(糞尿地獄), 동쇄지옥(銅鎖地獄), 화상지옥(火象地獄), 화구지옥(火狗地獄), 화마지옥(火馬地獄), 화우지옥(火牛地獄), 화산지옥(火山地獄), 화석지옥(火石地獄), 화상지옥(火床地獄), 화량지옥(火梁地獄), 화응지옥(火鷹地獄), 거아지옥(鋸牙地獄), 박피지옥(剝皮地獄), 음혈지옥(飮血地獄), 소수지옥(燒手地獄), 소각지옥(燒脚地獄), 도자지옥(倒刺地獄), 화옥지옥(火屋地獄), 철옥지옥(鐵屋地獄), 화랑지옥(火狼地獄) 등의 지옥이 있다. 그 각각의 지옥마다 다시 여러 개의 소지옥이 있다. 혹은 하나, 혹은 둘, 혹은 셋, 혹은 넷, 혹은 백천(百千)이다. 그 이름도 또한 서로 같지 않다.

『지장보살본원경』의 이러한 지옥 명칭과 체계를 정통적인 여러 경전의 일반적인 지옥 설명과 비교해 보면 4지옥설, 8대지옥설과 10지옥, 16소지옥설, 18지옥설, 20지옥설, 30여 지옥 및 20징벌지옥설과 같은 것이 있다.

『지장보살본원경』과 『마두나찰경』의 지옥 명칭을 표로 비교해 보면 다음과 같다.

『마두나찰경』 품 一	철차(鐵車), 철마(鐵馬), 철우(鐵牛), 철려(鐵驢), 철의(鐵衣), 철수(鐵銖), 양동관구(洋銅灌口), 유화(流火), 철상(鐵床), 경전(耕田), 작수(斫首). 소각(燒脚), 철장(鐵鏘), 음철수(飮鐵銖). 비도(飛刀), 화전(火箭), 귀육(魄肉). 신연(身然), 화환앙구(火丸仰口), 우화(雨火), 유화(流火). 분뇨(糞尿), 구음(鉤陰), 화상(火象), 미성규(咩聲叫), 철질리(鐵疾離), 붕매(崩埋), 연수각(然手脚), 동구구아(銅狗鉤牙), 박피음혈(剝皮飮血), 해신(解身). 철옥(鐵屋), 철산(鐵山), 비화규환분두(飛火叫喚分頭).
『지장보살본원경』	극무간(極無間), 대아비(大阿鼻), 사각(四角). 비도(飛刀), 화전(火箭), 협산(夾山), 통창(通槍). 철차(鐵車), 철상(鐵床), 철우(鐵牛), 철의(鐵衣), 천인(千刃), 철려(鐵驢). 양동(洋銅), 포주(抱柱), 유화(流火), 경설(耕舌), 좌수(剉首), 소각(燒脚), 담안(啖眼). 철환(鐵丸), 쟁론(諍論), 철부(鐵鈇), 다진(多嗔). 규환(叫喚), 발설(拔舌), 분뇨(糞尿), 동쇄(銅鎖), 화상(火象), 화구(火狗), 화마(火馬), 화우(火牛), 화산(火山), 화석(火石), 화상(火床), 화량(火梁), 화응(火鷹), 거아(鋸牙), 박피(剝皮), 음혈(飮血), 소수(燒手), 소각(燒脚), 도자(倒刺), 화옥(火屋), 철옥(鐵屋), 화랑(火狼).
『마두나찰경』 각품	철차(鐵車), 철마(鐵馬), 철우(鐵牛), 철려(鐵驢), 철의(鐵衣), 철수양동관구(鐵銖洋銅灌口), 유화(流火), 철상(鐵床), 화상(火象), 발설(拔舌), 소각(燒脚), 화장(火鏘), 음화주(飮火珠), 비도(飛刀), 화전(火箭), 귀육(魄肉), 신연(身然), 화환앙구(火丸仰口), 작수(斫手), 우화(雨火), 비시(沸屎), 해신(解身), 미성규환(咩聲叫喚), 구음(鉤陰), 쟁론(諍論), 경전(耕田), 화미(火米), 철화옥(鐵火屋), 붕매(崩埋), 박피음혈(剝皮飮血), 비화규환분두(飛火叫喚分頭). 철질리(鐵疾離), 철옥(鐵屋), 철산(鐵山).

위의 표를 살펴보면, 각 지옥들이 비교 대상과 정확하게 대응관계에 있지 않음을 알 수 있다. 『지장보살본원경』의 지옥 명칭은 규칙성이 보인다. 경전의 전반부에서 먼저 여러 대지옥에 대하여 설명하고 있으며, 후반부에서는 다시 여러

종류의 화형(火刑) 징벌이 나타나고 있다. 설(舌), 수(手), 각(脚), 안(眼)과 아(牙), 피(皮), 혈(血), 수(手), 각(脚)으로 징벌을 받으며, 신체의 사지와 장기가 구체적으로 언급되고 있다.

『지장보살본원경』과 『마두나찰경』을 총체적으로 비교해 보면, 특히 몇 종류의 지옥 명칭, 즉 철옥지옥(鐵屋地獄), 소각지옥(燒脚地獄) 등은 이 두 경전에만 나타나 있어서[철옥(鐵屋), 소각(燒脚)이 지옥에서 행하는 형벌로 초기에 나타나고 있기는 하다], 이 점에 대해서는 깊이 생각해 볼 만하다.

『지장보살본원경』의 지옥 명칭을 살펴보면, '극무간(極無間)' 은 여러 원전(原典)에서 찾아볼 수 없지만, '무간지옥(無間地獄)' 은 보이고 있다. '대아비(大阿鼻)' 는 진(秦)의 승려 가발징(伽跋澄)의 『비바사론(毘婆沙論)』에 있는 '대아비니려(大阿鼻泥黎)' 로 나타나고 있다. 수대(隋代)의 사나굴다(闍那崛多)가 번역한 『사동자삼매경(四童子三昧經)』의 '타대아비옥(墮大阿鼻獄)' 등의 게구(偈句)와 『무소유보살경(無所有菩薩經)』의 '대아비옥대규환옥(大阿鼻獄大叫喚獄)' 그리고 보창(寶唱)이 『정도삼매경(淨度三昧經)』에서 인용하며 기술한 『경률이상(經律異相)』의 '대아비옥(大阿鼻獄)' 이 이것과 부합하고 있다.

나머지 지옥의 명칭은 당(唐) 개원(開元) 이후에 나타난 것이다. '사각(四角)' 은 북위(北魏) 시기 구담반야유지(瞿曇般若流支)의 『정법염세경(正法念世經)』에 '열철사각지옥(熱鐵四角地獄)' 이 있을 뿐이다. '비도(飛刀)', '협산(夾山)' ('협산' 은 실제는 여러 경전에 보이는 '합지옥(合地獄)' 이며, 의역(意譯)하면 '협산' 이다), '통창(通槍)' 은 단지 『지장보살본원경』에서만 보이고 있다. '화전(火箭)' 의 경우는 『수십선계경(受十善戒經)』에 이르길, "도(盜)의 과보(果報)' 는 한빙지옥(寒氷地獄)에 떨어져서 '화전입심(火箭入心)' 하는 것" 이라고 한 것에서 찾을 수 있을 뿐이다.[89] 이로부터 이 경전 역시 중국에서 찬술된 특징이 드러나 있고, 지옥의 명칭이 매우 독특하다는 것을 알 수 있다.

앞서 살펴본, 불전(佛典)의 지옥 명칭과 체계를 개괄하고, 더불어 대만(臺灣) 소등복(蕭登福)[90]의 전문적인 연구 저서를 참조하여 정리하면 다음과 같다.

89 『大正藏』 第24卷(T.1486), p.1025.

90 蕭登福, 『道佛十王地獄說』, 宗教文化出版社, 2003.

『지장보살본원경』과 『마두나찰경』의 지옥 명칭은 서로 대단히 근접해 있으며, 다른 경전과 다르다는 것을 어렵지 않게 발견할 수 있다. 찬술 시기에 따라 그 연관성을 검토해 보면, 중국에서 찬술된 『마두나찰경』은 특히 지옥의 명칭 부분에 있어서 『지장보살본원경』의 기원이 된 경전 가운데 하나로 볼 수 있다. 『마두나찰경』에 부속된 『불명경』을 분석해 보면, 이 경전이 남·북조 중기에 만들어졌으며, 수·당 초기에 착간(錯簡)되어 유행하였다는 것을 알 수 있다. 개원(開元) 연간에 불교 전적 전문가인 지승(智升)이 의위경(疑僞經)으로 판정한 점으로 미루어 볼 때 『지장보살본원경』이 형성된 시기는 최소한 지옥의 명칭 부분에 있어서 대략 당(唐)의 초기에서 개원(開元) 사이였을 것으로 추정된다.

5) 지옥 관련 경전에 반영되어 있는 사상과 특징

앞서 살펴본, 지옥 경전들은 특징적이고 개성이 강한데, 이 가운데 지옥의 구성 부분, 염라왕이 삼천사(三天使) 혹은 오천사(五天使)의 이름으로 심문하는 내용, 염라왕의 수형(受刑)과 발원(發願) 부분, 계를 어긴 승려가 지옥에 떨어진 내용, 지옥에서의 시간의 장구함, 강한 권선징악 사상 등은 다시 살펴볼 가치가 있다.

초기의 지옥 경전 중에는 지장보살이 주재하는 내용이 보이지 않는다. 염라왕의 수형(受刑), 염라왕과 세 가지 심문 혹은 다섯 가지 심문, 염라왕의 발원과 염라왕의 궁전 등이 초기 지옥 경전을 구성하는 주요 내용이다. 여기서 염라왕의 수형 부분은 비교적 특이한 내용이라 할 수 있으며, 염라왕의 심문 부분과 발원 내용은 주목되는 부분이다. 이것은 후대의 지장보살과 시왕 경전, 보권(寶卷) 등의 전적(典籍)에 영향을 미치고 있다.

지옥 관련 경전에 반영되어 있는 사상과 특징을 살펴보면 다음과 같다.

첫 번째, 지옥 관련 경전의 지옥 구성은 대단히 풍부하다. 두 가지 계통으로 분류된다. 하나는 18지옥, 10지옥, 8지옥 등의 숫자로 구성된 지옥이다. 8대지옥과 16소지옥이 가장 널리 알려졌으며 민간에도 깊이 침투되었다. 빨리어로 된 지옥 관련 경전에는 6지옥, 10지옥, 8대지옥설이 있다. 여기서 8대지옥은, 이후의 한역(漢譯) 경전에 기본적으로 그대로 승계되었다. 이러한 토대 위에서 다시 16소지옥 등을 비롯한 여러 소지옥이 추가되면서 그 구성과 내용이 더욱 복잡해지고 있지만, 그 기본적인 체계는 여전히 유지되고 있다. 다른 한 계통은 지옥의 구성과 내용이 비교적 번잡한 것이다. 지옥의 숫자도 같지 않고, 한(寒)·열(熱)·변(邊)·대(大) 등의 내용도 일관되지 않다. 결론적으로 말하면, 이와 같이 다양하고 풍부하며, 어느 면에서는 복잡하기까지 한 지옥 구성은 큰 계통의 변화와 구성적 특징에 집중할 때에 비로소 그 전체적인 면모를 파악할 수 있을 것이다.

두 번째, 지옥 관련 경전에는 계를 어긴 승려가 지옥에 떨어지는 내용이 있는데, 이것은 대단히 오래된 연원을 가지고 있는 듯하다. 남전(南傳) 빨리어 중에 『니카야경』의 『경집(經集)』인 『구가리야경(拘迦利耶經)』에는 악의를 품고 악행을 한 구가리야(拘迦利耶)가 사후에 지옥에 떨어진 내용이 있다. 한역 불전에도 역시 이와 유사한 내용이 적지 않게 있을 뿐만 아니라 언급되어 있는 승려도 더 많다. 어떤 경전에는 조달(調達)이, 어떤 경전에는 네 명의 승려가 언급되어 있다. 『장아함』의 『세기경』에는 구파리(瞿波梨)가 대승려를 비방하여 지옥에 떨어진 고사가 있는데, 이것은 남전 빨리어 경전에 상응하는 내용이다. 축무란(竺無蘭)이 번역한 『사니리경(四泥梨經)』에는 악을 행한 네 명의 승려가 지옥에 떨어진 내용이 있다. 이 가운데 구파리는 남전의 구가리야에 해당하며, 미기리(未技梨), 조달(調達 ; 提婆達多), 제사우인(提舍愚人)이 추가된 것이다. 계를 어긴 이 네 승려와 관계된 지옥은, 늘 네 종류의 연화색지옥과 의성어인 '아바바(阿婆婆)' 등으로 표현된 지옥이다.

세 번째, 염라왕이 형벌을 받는 내용이다. 『세기경』의 이역본(異譯本)인 『기세경』, 『기세본인경』의 경문에 표현되어 있는 염라왕은, 지옥에서 형벌을 받고 발원하여 출가 수행하는 모습이다. 음침한 삼림에 위치한 무서운 궁전의 높고 높은 곳에서 호령하는 염라왕의 형상과는 큰 차이가 있다. 후대의 민간신앙에 보이는 포공식(包公式)의 청렴한 관리의 모습과도 차이가 있다. 이 단락의 경문은 이러한 맥락에서 매우 주목하여야 할 부분이다.

네 번째, 염라왕이 발원하여 출가하는 내용이다. 이것은 여러 다른 경전에도 나타나고 있는데, 지장보살과 염라왕이 밀접한 관계를 형성하는 토대가 되고 있다. 지장보살이 사문의 모습으로 나타나는 것은 이미 여러 지장 관련 경전에서 살펴본 바 있다. 수많은 지옥변상 회화나 조각에서, 지장보살은 지옥을 주재하거나 혹은 염라왕이 있는 곳에 함께 있다. 돈황본인 『불설지장보살경(佛說地藏菩薩經)』에서 지장보살은 남천정유리(南天淨琉璃) 세계로부터 바로 염라왕 궁전으로 오는 모습이 설명되어 있지만, 번역 시기가 더 빠른 본원적인 소승 불전에서는 염라왕이 발원하여 승려가 되어, 출가 수행하는 모습으로 설명되고 있다. 이러한 내용과 지장보살의 대서원(大誓願)은 확실히 상통하는 바가 있다. 지장보살의 비원(悲願)은 이러한 기반 위에서 전개되어 형성된 것이라고 할 수 있으며, 지장보살과 염라왕의 밀접한 관계는 염라왕의 발원을 토대로 하여 그 공고한 유대 관계가 형성되었다고 볼 수 있다. 앞서 살펴본, 여러 경전들에 나타나는 염라왕의 모습 속에서, 지장보살의 초기 모습을 찾아볼 수 있기 때문에, 이것은 쉽게 간과할 수 없는 내용이다.

다섯 번째, 염라왕의 심문(審問) 내용이다. 염라왕이 천사(天使)의 이름으로 세 가지 심문 혹은 다섯 가지 심문을 하는 내용은 지옥에서의 심문 형태의 기초가 되었다고 볼 수 있다. 비록 염라왕의 심문과 최후의 심판은 상당히 차이가 있지만, 이러한 과정의 핵심은, 죄에 대한 판결 그 자체에 있는 것이 아니라 권선징악에 있다. 천사가 인간 세계에 내려와 사람의 생노병사와 법치(法治)에 의한 판죄(判罪)의 각종 형태를 순시하고, 세인이 경계하고 깨닫는지 여부를 살핀다. 깨닫지 못해 그 허물을 고치지 않으면 죄책을 받아, 당연히 지옥에 떨어져 징벌을 받게 되는 것이다. 다만 이러한 종류의 심판 형태는 이미 확립되어 있었던 세속의 심판 체제를 반영하여 변화시킨 것이다. 당시의 중국 봉건사회(封建社會)의 심판 체제를 시왕경변(十王經變)이나 시왕회화(十王繪畵)에 그대로 반영하고 있는 것은 대단히 자연스러운 일이다. 이러한 것은 또한 10지옥과 많은 상관관계를 가지고 있다.

남전(南傳) 빨리어 『천사경』을 살펴보면, 생로병사 등의 천사 명의로 심문을 하는 내용이 초기에 이미 형성되어 있었다는 것을 알 수 있다. 한역(漢譯) 『중아함경』과 2개의 별역본이 모두 이러한 내용을 가지고 있으며, 기본적으로 초기의 면모를 그대로 지니고 있다. 『장아함경』의 별역본 역시 적지 않게 이 내용과 결합되어 있지만, 어느 정도 변화가 있다.

여섯 번째, 죄인에 대한 지옥의 각종 징벌. 여러 종류의 지옥 경전을 살펴보면 8대지옥, 16소지옥, 그리고 18지옥설 등이 있다. 10악(惡)·5역(逆)을 범한 죄인의 혼백은 지옥에 떨어져 고통을 받는다. 비록 여러 종류의 지옥 경전이 대부분 먼저 각종 지옥 장면을 묘사한 다음에 염라왕 궁전에서의 심문 내용을 기술하고 있지만, 염라왕이 삼천사 혹은 오천사 명의로 심문하는 것을 볼 때, 염라왕의 심문이 끝난 후에 지옥에 떨어뜨리는 기본 질서가 이미 확립되어 있다는 것을 알 수 있다. 결론적으로 말하면, 지옥의 징벌체계에서 분석할 수 있는 특징은, 지옥에서의 시간의 장구함과 권선징악의 강조이다. 남전의 지옥 관련 경전들은 『천궁경(天宮經)』과 서로 연결되어 선명한 대비를 이루고 있다. 중국에 전해진 일부 불교 전적도 역시 정토신앙과 대응하여 보완관계를 이루고 있다.

앞서 살펴본 것을 종합적으로 정리하면, 비록 초기의 지옥 관련 경전이 이후의 『지장시왕경(地藏十王經)』이나 『예수시왕경(預修十王經)』의 모습과 큰 차이가 있지만, 초기 경전에 이미 염라왕의 궁전, 염라왕의 심문, 죄인의 혼백을 지옥에 들이는 내용 그리고 지옥의 각종 참혹한 형벌 등의 기본적 요소가 구비되어 있다는 것을 알 수 있다. 이러한 요소들이 복잡한 발전 과정을 겪으면서 중국인 혹은 한국인, 일본인 등의 민족적 특성에 적합하게 변화하기 시작하였으며, '위경' 등을 통하여 확대 재생산되었다.

또한 불교의 지옥 관련 경전에 반영되어 있는 지옥 관념은 실제로 불교의 세계관을 이루는 중요 부분이라는 것이다. 『기세본인경』이나 『구사론』 등과 같은 경전은 불교의 세계관을 상세하게 설명하고 있다. 예를 들면, 프랑스에 소장되어 있는 돈황 유서 P.2824호는 당(唐) 현장이 번역한 『아비달마구사론(阿毘達磨俱舍論)』에 의거해 그려진 〈삼계구지지도(三界九地之圖)〉이다. 여기에도 지옥 부분의 도상과 제기(題記)가 있다.

『지장보살본원경』「지옥명호품(地獄名號品)」의 지옥 명칭은 인도 대승·소승 경전에 나타나는 지옥 명칭과 어느 정도 구별이 되는데, 이것은 오히려 중국에서 위경(僞經)으로 널리 유통되었던 『마두나찰경』의 지옥 명칭과 전체적으로 대단히 유사하다. 이러한 사실은 이 경전이 『본원경』의 기원 가운데 하나이며, 『본원경』의 형성에 중요한 작용을 했다는 것을 암시하고 있다.

4. 돈황 유서(遺書) 및 대장경 외의 지장보살 경전

돈황의 유서에는 고대(古代), 중대(中代) 시기의 희귀 문헌이 많이 남아 있다. 불교 경전이 대부분으로, 이 중에는 지장보살 관련 경전도 많다. 『대정장』 제85권 고일의위부(古逸疑僞部)에는 돈황 유서가 수록되어 있는데, 돈황학(敦煌學) 연구가 진전되면서 이후 이를 보완하고 보충하는 연구가 진행되고 있다. 돈황 유서의 지장 경전에 대해 전면적인 고찰이 이루어지게 된 것은 고대의 보살신앙 분야에 있어서 대단히 다행스러운 일이라 할 수 있다. 예를 들어, 『지장보살경(地藏菩薩經)』의 판본들에 대해 파악할 수 있고, 『지장보살본원경』의 초기 형성 과정에 대해 이해할 수 있으며, 『불설시왕경(佛說十王經)』에 대한 고증과 연구가 진행되는 등 지장보살 신앙에 대한 인식이 심화되고 있기 때문이다.

1) 지장보살 삼부경(三部經)의 사본(寫本)

지장보살 경전 가운데 가장 중요한 것은 삼부경(三部經)이다. 이들 경전과 관련된 돈황 유서는 지장보살 신앙의 변천과 발전 과정을 잘 보여준다. 유서의 사본 중에 『지장보살본원경』과 『점찰경(占察經)』은 모두 대단히 희소한 것이다. 『십륜경(十輪經)』의 사본은 비교적 많지만 실역(失譯)의 『대방광십륜경(大方廣十輪經)』이 주가 되고 있고, 비교적 많은 사본이 존재한다. 현장이 번역한 『대승대집지장십륜경(大乘大集地藏十輪經)』의 사본은 단지 한 부분의 잔편만이 남아 있고, 보존되어 있는 숫자도 대단히 적다. 『돈황대장경(敦煌大藏經)』에는 『십륜경』의 두 가지 이본(異本)의 사본들과 『점찰선악업보경(占察善惡業報經)』이 수록되어 있지만 『지장보살본원경』의 사본은 하나도 없다.[91]

91 『敦煌大藏經』.

『지장보살본원경』

『지장보살본원경』은 『돈황유서총목색인(敦煌遺書總目索引)』에 4책(册)이 수록되어 있다. 즉, 북중(北重) 31(231)호, S.431호, S.5892호(『지장보살경』), 산(散)372호이다. 러시아에 소장되어 있는 돈황 유서에도 이 경전이 있다.

이 4책 가운데 스타인 편호는 실제로 『지장보살본원경』이 아니고, 『불설지장보살경(佛說地藏菩薩經)』과 『지장보살십재일(地藏菩薩十齋日)』이다. 예를 들면, S.431호가 이에 속한다. 『돈황보장(敦煌寶藏)』을 살펴보면, 이 책의 제목에 있는 착오를 알 수 있다. 책의 내용은 『불설지장보살경』이다. 이 경전의 앞 구절과 경전 명칭을 살펴볼 필요가 있다. 그 구절은 "구복섬례합장이퇴(俱復贍禮合掌而退)" 이며, 경전의 명칭은 "『지장보살본원경(地藏菩薩本願經)』(下)" 이다. 이에 이 경전의 제목을 『지장보살본원경』(下)으로 오해하게 된 것이다. 앞 구절의 여덟 글자는 바로 『지장보살본원경』의 마지막 품(品)인 「촉루인천품(囑累人天品)」의 끝 구절이라는 것을 알 수 있다.

S.5892호의 경우는 비교적 독특하다. 『총목색인(總目索引)』의 색인에는 이 경전이 『본원경』(下)으로 기록되어 있지만, 첨부된 괄호 속에는 『지장보살경』으로 되어 있다. 『총목색인』의 스타인겁경록[斯坦因劫經錄] 목록에는 『지장보살경』과 『실달태자수도인연(悉達太子修道因緣)』 등으로 되어 있다. 다만 『돈황보장』을 자세히 살펴보면, 이 책의 『지장경』이 실제로는 『지장보살십재일』이며, 『대정장』 제85권에 있는 동일 제목의 경문과 일치한다는 것을 알 수 있다. 경전의 제목으로 '경(經)' 자가 들어가는 것이 많기 때문에, 즉 다시 말하면 이 경전의 제목이 '지장보살경십재일(地藏菩薩經十齋日)' 이기에 목록에서 착오로 『지장보살경』이라 한 것이다.[92]

현존하는 가장 중요한 『본원경』 사본은 바로 북도(北圖 : 북경도서관)231(重31)호이다. 이 사본은 겨우 잔편만 남아 있는데, 『본원경』의 「지옥명호품(地獄名號品)」 제5와 「교량보시공덕인연품(校量布施功德因緣品)」 제10의 내용이 있다. 「지옥명호품」은 9행(行)이 남아 있으며, 한 행은 17자로 되어 있다. 문장은 "復

92 S.431호와 S.5892호는 黃永武(編)의 『敦煌寶藏』 第3卷과 第44卷을 참조.

有地獄名曰熖眼 ……”로 시작된다. 「교량보시공덕인연품」은 38행이 남아 있다. 문장은 “爾時地藏菩薩摩訶薩承佛威神從座而起 ……”로 시작되어, “時佛贊地藏菩薩言善哉吾助汝喜汝”까지이다.[93] 경문(經文)의 뒷면에는 경전의 음의(音義)와 발원문이 있다.

마지막 책은 산(散)372호이다. 『이씨감장돈황사본목록(李氏鑒藏敦煌寫本目錄)』에 속해 있다. 이 책의 앞면은 『금광명최승왕경(金光明最勝王經)』 권1이며, 뒷면은 『지장보살본원경』 「분신집회품(分身集會品)」 제2인데, 앞면의 상태는 완전하지만 뒷면은 불완전하다. 이 경전은 간행되지 않았기 때문에 행(行)과 글자 수를 알 수 없다.[94]

러시아에 소장되어 있는 돈황의 사경인 제665호가 『지장보살본원경』이다. 권상(卷上)의 「신분집회품」에 속한다. 문장은 “遍滿百千億恒河沙世界化百千萬億身”에서부터 “贊地藏菩薩言善哉哉五助汝善汝成就”까지이다. 유통본에 비해서 글자들이 약간 누락되어 있다.[95]

앞서 살펴본 것을 종합하면, 현존하는 돈황 사경에는 『지장보살본원경』의 대단히 적은 부분만이 남아 있다는 것을 알 수 있다. 즉, 제5품 「지옥명호품(地獄名號品)」과 제10품 「교량보시공덕인연품(較量布施功德因緣品)」[북도(北圖)231호], 제2품 「분신집회품(分身集會品)」[산(散)372호, 러시아 소장], 제13품 「촉루인천품(囑累人天品)」의 마지막 8자와 미제(尾題)(S.431호)이다. 북도231호는 『돈황보장』에서 찾아볼 수 있다. 산(散)372호는 다만 목록을 통해서만 그 존재를 알 수 있었다. 『스타인겁경록[斯坦因劫經錄]』의 부분도 역시 『돈황보장』을 통해서 찾아볼 수 있다. 러시아 소장본은 그 목록을 통해서만 앞뒤의 구절들을 알 수 있다. 결론적으로, 돈황의 사경에는 『본원경』의 3개의 잔편 책(册)과 한 개 경전의 끝부분이 있다.

『돈황유서총목색인(敦煌遺書總目索引)』의 『스타인겁경록』 목록에 열거된 S.431호와 S.5892호는 『지장본원경』이 아니다. 이들 두 책의 내용은 『지장보살

93 『敦煌寶藏』 第57卷 참조.

94 王重民, 『敦煌遺書總目索引』, 中華書局, 1983, p.6.

95 『敦煌叢刊初集 · 蘇俄所劫敦煌卷子目錄 (一) · (二)』, 新文豊出版公司.

경』과 『지장보살십재일』로 정정되어야 할 것이다.

비록 돈황의 유서에는 『본원경』의 완전한 사본이 없지만, 이 경전의 제목은 『지장보살경』 이전에 출현하고 있음을 알 수 있다. 이와 관련하여 돈황의 장경동(藏經洞) 사본을 다시 살펴볼 필요가 있다. 장경동의 봉쇄 시기는 대략 11세기초 북송(北宋) 시기이다. 영신강(榮新江) 교수는 북송 경덕(景德) 3년(1006)을 주장하고 있는데,[96] 이보다 조금 더 느린 시기를 수용한다고 하여도, 『본원경』의 출현이 명대(明代)라는 것은 불가능하다. 이러한 점은 앞서 살펴본 『지장보살영험기(地藏菩薩靈驗記)』 등의 저술에서 내렸던 결론과 일치한다. 돈황 사본에 나타난 4품(品)의 『본원경』 잔편은 앞서 살펴본 상근(常謹)의 『지장보살영험기』에서 인용한 『본원경』 경문의 연대와 비교적 가깝다. 이러한 사실은 북송 초기에 이미 『본원경』이 상당히 유행하고 있었다는 것을 설명해 주고 있다. 그러므로 돈황 사본은 『본원경』의 출현 시기를 이해하는 데 있어서도 중요한 의의가 있는 것이다.

『지장십륜경(地藏十輪經)』

『십륜경(十輪經)』은 『돈황대장경(敦煌大藏經)』에 수록되어 있다.

현장이 번역한 『대승대집지장십륜경(大乘大集地藏十輪經)』은 돈황 사본 S.7041호이다. 권1 「서품(序品)」 제1의 잔편이 남아 있다. 서두 부분의 한 단락의 내용이다. 이 경전은 원래 10권으로 이루어져 있지만, 사경에는 겨우 100여 자만 남아 있다. 경전의 제목 앞에는 "大方等大集經無盡意菩 …….. "라는 글이 있고, 경의 제목은 『대승대집지장십륜경서(大乘大集地藏十輪經序)』이다. 문장은 "尼仙所依住處 ……"로 시작하여 "證得諸法身生天涅"으로 끝난다.

실역(失譯)의 『대방광십륜경(大方廣十輪經)』은 돈황 유서에 적지 않은 사본이 존재하고 있다. 본래의 경전은 8권이지만, 사본에는 제4, 제5가 결실되어 있다. 나머지 권은 모두 여러 종의 사본이 있다.

제1권은 처음과 끝이 온전하게 남아 있는 S.3136호가 있으며, 「서품」 제1의

96 榮新江, 「敦煌藏經洞的性質及其封閉的原因」, 『敦煌國際學術討論會論文集』, 1994.

내용이 모두 있다. 또한 불완전한 북도(北圖) 225호, S.209호, 북도 8519호가 이에 속한다. 러시아에 소장되어 있는 것 중에 역시 「서품」 제1의 내용이 있고, 그 목록 1의 제664호에 열거되어 있다.[97]

제2권은 서두 부분의 약간의 잔편에 해당되는 S.3368호가 있다. 내용은 앞부분이 불완전한 「제천녀소문사대품(諸天女所問四大品)」 제2 그리고 완전한 「발문본업단결품(發問本業斷結品)」 제3으로 이루어져 있다. 그리고 제3품의 내용이 있는 북도226호가 있다.

제3권은 앞부분과 뒷부분이 온전하게 남아 있는 S.3367호가 있다. 내용은 「관정유품(灌頂喩品)」 제4와 「상륜품(相輪品)」 제5이고, 사본(寫本)은 제5품인 「증상품(證相品)」으로 이루어져 있다.[98]

『돈황대장경』에는 비록 이 경전의 제4권, 제5권이 결여되어 있지만, 러시아에 소장되어 있는 돈황본 제4권의 「찰리전다라현지상품(刹利旃陀羅現智相品)」이 있으며, 그 목록 2의 2247호에 열거되어 있다. 문장은 "林商○餚罰逼切其身於(過)"로 시작하여 "○○○○人家○黃"으로 끝난다.[99]

제6권은 앞부분이 약간 불완전한 북도(北圖)227호가 있다. 그리고 앞부분과 끝부분이 모두 불완전한 북도8511호와 S.7240, 7255호가 있다. 내용은 모두 「찰리의지상륜품(刹利依止相輪品)」 제8이다.

제7권은 북도228호, 북도229호가 있다. 책의 앞부분이 약간 훼손되어 있으며, 내용은 「원리식혐품(遠離識嫌品)」 제9, 「보시품(布施品)」의 10이며, 228호는 「선품(善品)」의 10, 229호는 「법시품(法施品)」의 11, 「계상품(戒相品)」 제11이다. 228호는 「법시품」의 제11이 있다. 「인욕품(忍辱品)」 제12는 이들 두 책의 「법시품」에 들어 있다. 산(散)0056호 책도 권7의 내용과 머리 제목이 「원리식혐품」 제9에 들어 있다.

제8권인 S.154호의 내용은 비교적 완전하다. 「정진상품(精進相品)」 제13, 「선상품(禪相品)」 제14의 내용이 있다. 북도230호 책자는 앞부분이 훼손되었

97 唐 失譯, 『大佛頂光聚陀羅尼』. 『大正藏』 第19卷(T.946).
98 『敦煌遺書總目』 卷三에 S.3368호가 수록되어 있다.
99 唐 失譯, 『大佛頂光聚陀羅尼』. 『大正藏』 第19卷(T.946).

다. 「선상품」 제14의 문장이 있다. 「지상품(智相品)」 제15는 사본(寫本) 중에 「선상품」의 제14에 있다.

총체적으로 살펴보면, 책(冊)의 정리 부분에 있어서는 『돈황대장경』이 『돈황유서총목색인』에 비해 더 세밀하고 정확하다. 『대승대집지장십륜경(大乘大集地藏十輪經)』은 대단히 적은 한 권의 잔편으로 『총목색인』에 기재되어 있지 않다. 『대방광십륜경(大方廣十輪經)』의 각 권, 각 품의 사본의 대응관계도 『돈황대장경』이 역시 더 세밀하고 적절하다.

비록 『대방광십륜경』의 사본이 온전하지 않은 상태이지만, 돈황 유서에는 상당히 많이 남아 있다. 총 20개에 가깝다. 이것은 지장신앙이 돈황 지역에 유행하였다는 사실을 설명해 준다. 이 수량을 통해서 추측할 수 있는 것은, 지장신앙이 비교적 이른 시기에 돈황 지역에서 유행하였다는 사실이다. 왜냐하면 『대방광십륜경』은 지장경전 가운데 비교적 일찍 형성된 경전이기 때문이다. 북량(北凉) 혹은 북조(北朝) 시기에 번역되었다. 당대(唐代) 현장의 번역이 이루어진 당(唐) 영미(永徽) 2년의 역본보다 대단히 빠르다. 이것이 『대방광십륜경』이 『대승대집지장십륜경』에 비하여 더욱 많은 원인 가운데 하나이다.

『대승대집지장십륜경』의 사본이 대단히 적은 것은(겨우 100여 개의 글자만 있는 한 개의 잔편이 남아 있다), 이러한 원인만은 아니다. 당대 현장의 역경(譯經)은 대단히 정치하고 뛰어났지만, 법상종(法相宗) 혹은 유식종(唯識宗)의 종파 전교를 위한 것으로, 체계가 대단히 광대하고 이론이 치밀해서 중국불교사에서 오히려 가장 빠르게 사라져 갔다. 즉, 그 이론이 너무도 깊고 뛰어나서 일반 민중들의 신앙에 자연스럽게 수용되기 어려웠던 측면이 있었다. 돈황의 사경 가운데 가장 간단하고 쉬운 『불설지장보살경』이 오히려 상당히 많이 남아 있는 것도 역시 같은 원인이다.

『점찰선악업보경(占察善惡業報經)』

『점찰선악업보경』은 북도(北圖)241호의 사본이다(北圖 宙83號). 권상(卷上)의 잔편만 겨우 남아 있다. 『돈황대장경』 제59에 수록되어 있다. 사본의 문단은 31행(行)에 불과하며, 한 행은 17자 혹은 18자로 이루어져 있다. 『점찰경』 권상 서두의 일부분이다. “令離疑网○ ……”로 시작되어 “語堅淨信菩薩摩訶薩言男子諦”로 끝난다. 다만 『돈황유서총목색인』에는 전면(全面)이 수록되어 있지 않은데, 방광창(方廣錩) 선생이 일찍이 『북경도서관장돈황유서심사초기(北京圖書館藏敦煌遺書勘查初記)』라는 글에서 이를 소개한 적이 있다. 『돈황석실사경상목속편총목(敦煌石室寫經詳目續編總目)』의 경집부(經集部) 25호가 바로 『점찰선악업보경』이라는 것이다. 이로부터 『점찰경』은 돈황의 사경 가운데 최소한 2개의 본이 있다는 것을 알 수 있다. 그러나 또 다른 한 본의 상세한 상태, 즉 완전한지의 여부 등에 대해서는 알 수 없다.[100]

부(附) : 방산석경(房山石經)의 지장보살 삼대경[101]

『대승대집지장십륜경』은 운거사(雲居寺)의 주승(主僧)인 현도(玄導), 신주자사(愼州刺史) 이회인(李懷仁) 등에 의하여 조경(造經) 되었다. 이 경전은 영주(瀛州) 상락사(常樂寺) 승려 혜경(慧慶) 등이 공양한 것이다. 그 시기는 대략 당(唐) 고경(顯慶) 6년(661)에서 인덕(麟德) 2년(665) 사이 무렵이다. 현장대사가 이 경전을 번역한 시기는 당(唐) 영미(永徵) 2년(650)인데, 만약에 경전을 새긴 시기에 오류가 없다면, 이 경전을 새긴 시기와 역경이 이루어진 시기의 차이는 불과 십수 년에 불과하다. 따라서 특별한 의의와 가치를 지니고 있다.

『대승대집지장십륜경』 10권은 요(遼) 대강(大康) 10년(1084), 당대(唐代)에 편집되었다. 경전을 조성한 이들은 조산대부(朝散大夫) 통판탁주군주사(通判涿州軍州事) 우온인(牛溫仁), 현지의 승려 가수(可壽), 법명(法明), 법선(法選), 법식(法式) 등이다.

이외에도 사천(四川) 안악(安岳) 와불원(臥佛院)의 석각 불경들 중에 『대승대집지장십륜경』이 있다.

『점찰선악업보경』 2권은 천경(天慶) 5년(1115)에 새겨졌다. 시주자는 진국(陳國)의 별서(別胥), 금오태사(金吾太師) 등이다.

『백천송대집지장보살청문법신찬(百千頌大集地藏菩薩請問法身贊)』 1권의

100 方廣錩, 「北京圖書館藏敦煌遺書勘查初記」, 『敦煌學』(第2期), 1991.
101 据陳燕珠, 『新編補正房山石經題記滙編』, 覺苑文教基金會, 1995.

시주자는 봉성주(奉聖州) 보령사(保寧寺) 승려 현영(玄英), 속가 제자 사군경(史君慶)이며 돌에 새긴 시기는 천권(天眷) 원년(1138)이다.

방산각경(房山刻經)에는 『지장보살본원경』이 보이지 않는다.

2) 서하문(西夏文) 『지장보살본원경』

돈황 막고굴의 장경동에서 발견된 『지장보살본원경』은 사경으로 온전하게 남아 있는 것이 거의 없다. 몇 개의 잔편만이 남아 있을 뿐이다. 이것은 『본원경』이 중국에서 찬술되었다는 설을 밑받침한다. 한편, 장경동 바깥에서 몇 개의 『지장보살본원경』 잔편이 발견되었는데, 이것은 장경동 안에서 발견된 것과 몇 가지 차이가 있다. 첫째는 사경이 아니라 인쇄본이라는 것이다. 둘째는 조판(雕版)하여 인쇄한 것이 아니라 활자로 인쇄한 것으로, 역사적으로 가장 빠른 활자 인쇄라는 것이다. 진흙활자[泥活字]로 인쇄하였을 것으로 추정된다. 셋째는 이 경전이 한문이 아닌 서하문(西夏文) 경전이며, 제작 시기가 서하 시대라는 것이다.

이 몇 개의 『지장보살본원경』이 세상에 그 모습을 드러낸 시간은 대단히 짧다. 이것은 최근에(대략 1988~1996년까지) 막고굴(莫高窟) 북쪽 지역의, 기본적으로 조각이나 회화가 없는 여러 굴실에서 진행된 고고학적 탐사 작업 도중에 발견되었다.[102] 이 탐사 작업 도중에 적지 않은 서하 시대의 경전이 발견되었다. 이 가운데 3개의 동굴에서 출토된 것이 『지장보살본원경』이다. 그 기본 형태는 모두 유사하며, 모두 니활자판(泥活字版)을 사용하여 인쇄한 것으로 추정된다. 이러한 경전은 아직 다른 지역에서 발견된 적이 없는 것이다.

서하문 활자본 『지장보살본원경』이 어떻게 발견되고 선별되었을까? 이것은 돈황연구원의 팽금장(彭金章)[103] 선생과 중국사회과학원민족연구소(中國社會科學院民族研究所)의 사금파(史金波)[104] 선생의 공이다. 막고굴은 실제적으로

102 彭金章 · 沙武田, 「敦煌莫高窟北區洞窟清理發掘簡報」, 『文物』(第10期), 1998, pp.4~27.

103 彭金章 · 王建軍, 『敦煌莫高窟北區』, 文物出版社, 1999.

104 史金波 · 雅森吾守爾, 『中國活字印刷術的發明和早期傳播—西夏和回鶻活字印刷術研究』, 社會科學文獻出版社, 2000, pp.49~50.

남구(南區)와 북구(北區)의 두 구역으로 나뉜다.

남구는 487개에 이르는 풍부하고 다양한 굴의 형태에 채색된 조각이나 벽화가 있는 석굴보장(石窟寶藏)으로, 막고굴을 대표한다고 할 수 있다. 북구는 248개 이상의 동굴이 있으나, 제461호에서 제465호 장밀굴(藏密窟)까지, 그리고 제77호와 제175호의 예불(禮佛) 조상이 있는 굴을 제외하면, 그 나머지 대부분의 굴에서는 조각이나 벽화가 발견되지 않고 있다. 남구는 풍부한 예술 작품으로 넘쳐나지만 북구는 그렇지 않은 것이다. 바로 최근에는 북구의 고고학적 발굴이 끝이 나면서 북구의 베일이 벗겨지게 되었다. 북구의 굴은 공간적으로 승려들이 생활하는 승방굴(僧房窟), 수행을 위한 선굴(禪窟), 승방(僧房)에 붙은 선굴(禪窟), 그리고 품굴(稟窟), 즉 창방굴(倉房窟), 예굴(瘞窟), 즉 묘굴(墓窟) 등으로 이루어져 있어서 승려들의 거주와 선(禪) 수행 그리고 사후에 매장을 위한 구역이었음이 알려지게 되었다.

북구의 고고학적 발굴 성과는 대단히 풍부하다. 발굴 문물 중에는 여러 종류의 문자, 즉 서하(西夏), 회골(回鶻), 몽(蒙), 장문(藏文), 서리아문(敍利亞文 ; 景教) 등의 문헌과 경전, 그리고 페르시아[波斯]의 은화, 서하의 동전과 화폐, 회골의 목활자(木活字) 등이 출토되었다. 이 가운데 가장 많이 출토된 것이 불교와 관련된 중요 문물들이다. 북구에 있는 27개의 굴에서 발견된 서하의 문헌은 모두 잔편이고 식별하기가 쉽지 않은데, 최근에 사금파 선생의 식견과 연구를 통하여 해독된 후에 발표되었다. 이들 문헌 중에는 사본(寫本)과 각인(刻印)으로 만든 불교 경전도 있다. 사본 중에는 금니(金泥)로 필사한 『고왕관세음경(高王觀世音經)』의 잔편이 있고, 각인본(刻印本)에는 다시 조판(雕版)과 활자인(活字印)으로 만들어진 두 종류가 있다. 이 중에 활자판(活字版) 경전은 니활자(泥活字)로 추정되는데, 중국의 현존하는 가장 빠른 활자 인쇄물로 그 가치는 무엇과도 견줄 수 없다.

『지장보살본원경』의 잔편은 현재 막고굴 북구에 있는 3개의 굴에서 출토되었으며, 모두 8지(紙)이다. 이 3개의 굴은 제59호, 제159호, 제464호이다. 제59호 굴에서 출토된 것은 4지(紙)이며, 편호는 B59(E26) : 62-1・2・3・4・5호이다.[105] 이 잔편들 중에 『지장보살본원경』의 경전 명칭이 나타나 있다. 이것은 잔편이 어떤 경전에 속하는지 판단하는 가장 중요한 근거가 되고 있다. 다만 이 잔편의 끝부분에 있는 세부 구성 가운데 현재 알려진 한문본 『지장보살본원경』과 다른 곳을 발견할 수 있다. E56 : 61-1의 한 행(行)의 경전 제목을 한문으로 해석하면, "地藏菩薩本願經契中卷○竟"이다.

62-2와 62-3에 있는 문장을 옮기면, "訶六沒 …… 訛訶○"와 "枝葉花果 …… 地藏菩薩以百千方便 …… 呵室目菩"이다. 62-4와 62-5의 문장은 "佛之弟子住家出家 …… 長一切衆生威力"과 "未滿報說 …… 如此等報承後地獄"이다. 다시 이 경전의 제목 뒤에 있는 제1면의 끝 행은 제2면에 거듭 인쇄되어 있다. 모두 주어(呪語)이다. 뿐만 아니라 범음(梵音)을 서하문(西夏文)으로 바꾸어 번역하면서, 작은 글자를 부대(附帶)하여 음(音)을 보다 정확하게 주석하고 있다. 사금파 선생이 지적하는 것처럼, 이 경전의 제목은 중권(中卷)에 있다. 그렇다면 상권과 하권도 있어야 한다. 한문본 『지장보살본원경』은 당(唐) 실차난타(實叉難陀)의 번역으로 되어 있으나 중국에서 찬술된 것으로 상·하 두 권으로 나뉘어 있다. 한문본에는 주문(呪文)이 없으며, 서하본에 있는 주문은 그 의미가 여전히 밝혀지지 않고 있다. 일부 학자들 중에는 서하본과 한문본이 차이가 있고, 서하본 주문의 존재로 볼 때 서하본이 『본원경』이 아닐 가능성을 제기하는 이도 있다.

제159호 굴에서 출토된 것은 잔지(殘紙) 3매(枚)로서 편호는 B159 : 24, B159 : 42, B159 : 31호이다. 이 중에 두 매는 마치 게송문처럼 행(行)이 두 구(句)로 되어 있고, 매 구는 칠언(七言)으로 이루어져 있다. 다른 한 매는 경문(經文)인데, 여기에 "지장(地藏)"이라는 글자 형태가 있으며, 판식(版式) 등이 제59호 굴에서 출토된 것과 같다. 쪽과 문자의 특징도 서로 유사하므로 동일 경전이라고 판단할 수 있다.

제464호 굴에서 출토된 것은 잔지(殘紙) 한 매로, 편호는 464측실(側室) : 51이다. 여기서 제5행에 나타난 "지장보살"이라는 네 글자와 제2행의 공백인 곳에 있는 한자(漢字) "직(直)"은 그 판식(版式), 페이지, 형제(形制) 등의 특징이 모두 앞의 두 굴에서 나온 잔편들과 동일하다. 그래서 같은 경전에 속한다고 판단

105 史金波, 「敦煌莫高窟北區出土西夏文文獻初探」, 『敦煌研究』(第3期), 2000, pp.10~11.

되고 있다.

사금파 선생이 해독한 잔편의 처음과 끝 등의 어휘에 근거하여 현재 대체적으로 판독이 가능하다.

B59 : 62-3에 있는 것은 "地藏菩薩以百千方便"이라는 구절이며, 한문 경전에는 이 구절과 일치하는 것이 없다. 만약에 위 구절의 "이(以)"자를 옮길 수 있다면, 『본원경』 상권 중에 「염부중생업감품(閻浮衆生業感品)」의 끝부분에 있는 구절이 이와 유사함을 알 수 있다. 「염부중생업감품」에는 지장보살이 생전에 세운 여러 가지 서원이 나타나 있다. 부처님께서 정자재왕보살(定自在王菩薩)에게 설하시기를, "과거의 오랜 무량 겁(劫) 전에, 작은 두 나라의 왕이 10선(善)을 행하여 악을 지은 중생을 제도할 것을 발원하였다. 한 왕은 먼저 불도(佛道)를 이룰 것을 발원하였고, 한 왕은 먼저 중생을 제도하고 나중에 성불(成佛)할 것을 발원하였으니, 이 사람이 바로 지장이다. 청정연화목왕여래세(淸淨蓮華目王如來世)에 지장보살은 또한 광목녀(光目女)였는데, 어머니를 구하기 위하여 불화상(佛畵像)에게 염송하고, 일체의 지옥 악도의 괴로움에서 벗어날 것을 발원하였다. 지장보살은 사바세계 염부제(閻浮提)의 중생들이 악업을 짓는 것에 차별이 있음을 느끼고, 그것을 분별하여 말하였다. 예를 들면, 살생한 자를 만나면 숙앙단명(宿殃短命)의 과보(果報)를 말하였고, 도적질한 자를 만나면 빈궁고초(貧窮苦楚)의 과보(果報)를 말하였다. …… 파계(破戒)나 재(齋)를 범한 자를 만나면 금수기아(禽獸飢餓)의 과보(果報)를 말하였다. …… 이와 같이 염부제의 중생들의 죄업에 차별이 있음을 느끼고, 지장보살은 백천(百千)의 방편으로 그들을 교화하였다."라고 하셨다.

「염라왕찬탄품(閻羅王贊嘆品)」에 있는 한 구절도 역시 이와 유사하다. 염라천자가 부처님께 예를 올리며 말하였다.

"제가 지장보살을 보았습니다. 육도(六道)에서 백천(百千)의 방편으로 죄업의 고통을 받는 중생을 제도하기 위하여 어떠한 피로도 마다하지 않았습니다."

「촉루인천품(囑累人天品)」에 부처님께서 지장보살에게 염불(念佛)과 선한 생각을 가진 이들을 구제하라고 부촉하시자 지장보살은 다음과 같이 말씀드렸다.

"미래세에 만약 어떤 선남자와 선여인이 부처님의 법에서 한 생각의 공경함을 낸다면, 저는 백천의 방편으로 그 사람들을 제도하겠습니다."

서하본과 한문본의 어법과 순서는 차이가 있기 때문에, 위의 세 구절은 서하본의 『본원경』과 대비될 수 있다. 다만 경문에 있는 품의 순서로 살펴보면 제4품과 제8품이 서하본의 구절과 더 많이 대응하고 있음을 알 수 있다.

그리고 제464호 굴 측실(側室)의 51호 잔편의 처음과 끝 구절은 『본원경』 「여래찬탄품(如來贊嘆品)」 단락의 두 구절과 대비된다.

서하본(西夏本) 수구(首句)	後多得解脫. 乃至夢及驚夢中永復不見.
『대정장』 본(本)	如是惡道眷屬. 經聲畢是遍數當得解脫. 乃至夢寐之中永不復見.
서하본 미구(尾句)	七日中菩薩之名誦一萬遍滿, 則如是等.
『대정장』 본	乃至一七日中念菩薩名可滿萬遍. 如是等人盡此報後. 千萬生中常生尊貴.

이 두 구절의 내용은 부처님께서 보광보살(普廣菩薩)에게 지장보살의 이익이 인천(人天)에 두루 미침을 설하신 것이다. 즉, 어떤 사람이 꿈에서 귀신이나 여러 유형(有形)이 슬피 울며 두려워하고 있는 것을 본다면, 이것은 부모 등의 숙세의 여러 친인(親人)이 악도(惡道)에 떨어져 해탈을 하지 못하고 있기 때문이다. 이에 불보살의 상(像) 앞에서 『지장본원경』을 염송하거나, 사람을 청하여 세 번 혹은 일곱 번을 읽게 하면 충분히 염송이 이루어진 후에 악도에 떨어진 권속이 마땅히 해탈을 얻게 된다. 그리하여 꿈에서 다시는 보지 않게 된다. 또한 어떤 노비나 비천한 사람, 혹은 자유롭지 못한 사람이 숙세(宿世)의 악업(惡業)을 깨닫고 참회하고자 한다면 지장보살상에 공손히 예를 올리고, 첫 번째 7일(日) 이내에 지장보살의 명호를 1만 번 염송하여야 한다. 이와 같이 하면 과보(果報)가 다한 후의 천만(千萬) 생(生)에서는 항상 존귀하게 왕생하게 되며 3악

취(惡趣)에 떨어지지 않는다.

그러므로 제464호 굴의 측실 51호 잔편은 『지장보살본원경』 「여래찬탄품(如來贊嘆品)」의 내용이라고 할 수 있다. 서하본과 한문본에서 차이가 있는 부분은 주문 부분과 권(卷)의 순서에 있다. 하지만 명대(明代) 지욱(智旭)대사가 주재하여 다시 새긴 『본원경』은 세 권으로 이루어져 있고, 또한 각 품(品)의 뒤에 모두 칠불멸죄진언(七佛滅罪眞言)이 있다. 이러한 종류가 모두 주문인지의 여부, 그리고 세 권으로 나뉜 경전의 체제가 서하본 경전과 대응되는지 여부는 단정하기 힘들다.

북구의 세 굴에서 나온 『본원경』의 판식(版式) 등은 일치하고 있으며, 면(面)은 6행으로, 행은 16자의 형식으로 이루어져 있다. 사금파 선생의 세밀한 분석과 해석에 따라, 여기에 나타난 니활자(泥活字) 인쇄의 각종의 특징을 살펴보면 묵색(墨色)이 고르지 못하며, 글자에도 변화가 있어서, 어떤 글자는 깊게 인쇄되고, 어떤 글자는 얇게 인쇄되어 있으며, 종이의 뒷면에도 이러한 특징이 그대로 반영되어 있다. 세로 행의 배열이 단정하지 않고, 어떤 행은 명백하게 휘어져 있으며, 어떤 글자들은 비뚤어져 있고, 글자의 형태도 역시 크기가 불일치하는 곳이 있다. 이러한 것들은 모두 전형적인 활자 인쇄의 특징이기도 하다. 일반적으로 니활자는 활자의 질량에 약간의 차이가 있고 글자 가장자리가 쉽게 손상되는데, 이러한 특징이 여기에도 나타나고 있다.

북송(北宋) 시대 말엽에 활자 인쇄가 발명되었는데, 그 시기는 대략 11세기 중기이다. 이것은 중국의 평면인쇄술(平面印刷術), 즉 조판인쇄술(雕版印刷術)로 발전되었으며, 다시 거듭된 기술적 혁신이 이어졌다. 서하의 여러 활자본(活字本)은 대략 12세기 중기로, 서하 시대의 중기에 해당한다. 북송과 서하는 서로 국경을 접하고 있어서 전쟁도 자주 일어났고 문화적 교류도 활발하였는데, 특히 불교 방면의 교류가 활발하였다. 예를 들면, 서하는 일찍이 다섯 차례에 걸쳐 송(宋)에 대장경을 청하였고, 북송도 이에 응하였다.[106] 니활자는 이미 살펴보았듯이 활자의 최초 형태이며, 글자의 가장자리가 손상되기 쉽고, 필법이 세밀하지

106 李蔚, 『簡明西夏史』, 人民出版社, 1997, pp.325~326.

못하다. 이러한 특징은 일련의 서하 활자 인쇄본에서도 발견되고 있다. 북구에서 출토된 『제밀주요어(諸密呪要語)』, 녕하(寧夏) 영무(靈武)에서 출토된 『대방광화엄경(大方廣華嚴經)』, 가란산(賀蘭山) 불탑, 감숙(甘肅) 무위(武威)와 흑수성(黑水城)에서 발굴된 것이 이에 속한다.

다만 서하본이 출토된 장소 이외에서 발굴된 것은 『지장보살본원경』이 아니기에 이 서하본이 더 희귀한 것이다. 여기서 한 가지 주목해야 할 것은, 프랑스에 소장되어 있는 서하본 『지장보살본원경』 권하(卷下)이다. 『서하불교사략(西夏佛教史略)』의 부록3에 열거되어 있는 '각본(刻本)'[107]이며, 같은 책의 참고문헌에 일찍이 일본 학자가 1928년에 발표했던 논문의 제목[108]이 있다. 필자는 이 논문을 직접적으로 본 적이 없으나 프랑스에 소장된 경전이 바로 이 '각본' 이라는 결론은 이 글에서 나왔을 것이다. 그러나 프랑스에 소장된 경전은 펠리오 당시에 막고굴의 북구에서 획득한 것이다. 1908년 펠리오 P.181, 즉 지금의 464호 굴에 쌓여 있던 모래에서 회골문 목활자(木活字)(당시에는 몽고문으로 오해되었다)가 발견되어 약탈되었는데, 이 중에 서하의 인쇄본들이 있었다. 이 굴은 본래 서하 시기에 건립되어 원대(元代)에 중수(重修)되었다. 이러한 일련의 인쇄본 형식은 '면(面) 6행(行), 행(行) 16자(字)' 이며, 이것은 최근에 출토된 것과 일치한다.

이에 필자는 프랑스에 소장된 『지장보살본원경』의 잔편과 제464호 굴에서 발견된 1매(枚)를 동일 인쇄본으로 추측하고 있다. 당년에 펠리오가 발굴한 회골의 목활자는 960매에 이를 정도로 많다. 현재까지 정리된 것에 따르면, 이 굴에서 발견된 것이 2매, 동남쪽의 측실에서 발견한 것이 17매로 모두 19매에 달한다. 그러면 이 굴의 측실에서 발견된 1매의 『본원경』 잔편도 역시, 펠리오가 약탈한 『본원경』의 나머지일지도 모른다는 추측이 가능하다. 만약에 이러한 추측에 오류가 없다면 프랑스에 소장되어 있는 잔편과 최근에 출토된 것은 같은 원본에 속하게 될 것이며, 결론적으로 서하본 『지장보살본원경』에 대하여 더 많은 정보를 얻을 수 있게 될 것이다.

107 史金波, 『西夏佛教史略』(附錄三), 寧夏人民出版社, 1988, p.413.
108 石濱純太郎, 『西夏文地藏菩薩本願經殘紙典籍研究』, 1928.

장경동(藏經洞)에 출토된 한문본 『지장보살본원경』도 역시 세 종류의 잔편과 하나의 미제(尾題)만이 남아 있다. 흥미 있는 것은, 돈황 지역에서 발견된 『본원경』은 한문본과 서하본이 모두 희귀한 잔편들이며, 한문본이 서하본보다 많지 않다는 것이다. 이것은 장경동 봉쇄 이후의 서하본의 상황을 설명해 주고 있다. 이들 각 본의 경전들은 돈황 지역 지장보살 신앙의 존재와 유행 그리고 한족(漢族)과 당항족(黨項族)의 교류를 대변하고 있다.

이외에 또 한 가지 살펴보아야 할 것이 있다. 흑수성(黑水城)에서 출토된 목판 『금광명최승왕경(金光明最勝王經)』 서언(序言)의 장거도(張居道) 고사이다. 판화에는 장거도가 출가한 딸 도계저(屠鷄猪)를 위하여 지옥에 들어가는 내용이 표현되어 있는데, 화면의 당(堂) 위에 지장보살과 염라왕이 있다. 이 도상(圖像)은 대단히 정교하고 아름다우며, 일찍이 대만과 독일에서 열렸던 〈서하예술품전람회〉에 전시된 적이 있다.[109] 이것은 돈황 이외의 서하 지역에서도 역시 지장보살 신앙이 존재하고 있었다는 사실을 잘 설명해 주고 있다.

『본원경』은 회골문의 잔편에도 있다. 이것은 신강(新疆) 토로번(吐魯番)의 백자극리극(伯孜克里克) 석굴에서 출토된 유물로, 독일의 제2차 서역발굴대에 의해 발굴되어 약탈당한 것이다. 현재는 베를린에 소장되어 있는데, 편호가 TI 동(同)M100호이고 한 매(枚)의 양면이며 44행의 글자가 있다. 독일의 짐메 교수가 이에 대해 쓴 논문이 있다.[110]

3) 『불설지장보살경(佛說地藏菩薩經)』

『불설지장보살경』은 대단히 짧은 경전으로, 전문(全文)이 모두 280자 정도에 불과하다. 『대정장』 제85권 고일의위부(古逸疑僞部)에 수록되어 있다(T.2909). 원본은 대영박물관에 소장되어 있는 돈황본 S.197호이다.[111] 이외에

109 『絲綢之路上消失的王國－西夏文物特展』, 1989.

110 P. Zieme. 「Ein alttürkisches Fragments des Ksitigarba sutras aus Bazaklik」, 『AoF17』, 1990. S.379~384호 ; 楊富學, 『回鶻之佛教』, 新疆人民出版社, 1998, p.131.

도 프랑스에 소장되어 있는 펠리오 돈황본과 북경도서관에 소장되어 있는 돈황본 중에 『지장보살경』이 있어서, 이 경전이 당시에 매우 유행하였다는 것을 알 수 있다.

『불설지장보살경』에서, 지장보살은 남방의 정유리세계(淨琉璃世界)에서 천안(天眼)으로 지옥에서 온갖 참혹한 고통을 받는 중생을 보고 곧 지옥으로 가서 염라왕과 한자리에 앉는다. 지장보살이 이렇게 지옥으로 간 것은 네 가지 이유가 있다. 첫째는 염라왕이 함부로 단죄(斷罪)할 것이 두렵고, 둘째는 죄를 기록한 문안(文案)에 착오가 있을까 하는 것이며, 셋째는 적합한 죽음인가를 확인하기 위한 것이고, 넷째는 이들을 지옥에서 벗어나게 하기 위한 것이다.

이 경전은 마지막으로 지장보살의 공덕에 대하여 설하고 있다. 만약 선남자와 선여인이 지장보살상을 만들고 『지장보살경』을 사경하며 지장보살의 명호를 염송하면, 장차 이 사람은 서방 극락세계에 왕생하게 된다. 불국(佛國)에서 불국으로, 천당(天堂)에서 천당으로 왕생하게 되는 것이다. 이 사람은 명이 다하는 날, 지장보살이 와서 영접하며, 지장보살과 함께 한 곳에 머무르게 된다.

흥미로운 것은 이 경문에서 지장보살은 염라왕의 본지보살(本地菩薩) 형식으로 나타나는 것이 아니고, 염라왕 심판의 불공정성과 공무 태만에 대한 우려 때문에 염라왕과 한자리에 앉아 있는 것이다. 지장보살은 염라왕과 대등한 신분으로 염라왕의 옆에서 중생을 위해 슬퍼하고 고민한다. 이 점은 이 경전의 특징 가운데 하나이다.

실제로 이 경전에는 많은 종류의 사본이 있다. 예를 들면 대영박물관에 소장되어 있는 S.0431호, 2247호, 5531호, 5535호, 5618호, 5672호, 5677호, 6257호 그리고 프랑스 파리국립도서관에 소장되어 있는 P.2289호, 2873호, 3748호, 3760호, 3932호가 이에 속한다. 북경도서관에 있는 금(金)62, 제(帝)81호, 산(散)1551호도 이 경전의 사본이다.[112] 이외에 경제(經題) 앞에 『지장본원경』이라는 미제(尾題)가 있는 S.0431호도 『지장보살경』이다. 북경도서관에서 편집한

111 S.0197호 同卷. 바로 대영박물관 Chesley R. Perry의 新編號 G.5031호이다. 敦煌寫經 중에는 지장보살경은 매우 많지만, S.0197호는 지장보살경이 아니다.

112 『敦煌寶藏』의 제17 · 43 · 44 · 45 · 118 · 124 · 130卷 참조.

『돈황석실사경속편총목(敦煌石室寫經續編總目)』 경집부(經集部)의 제44호도 이에 속한다.[113] 러시아에 소장되어 있는 돈황본에도 이 경전의 사본이 적지 않다. 목록에 올라 있는 맹(孟)1293호, 맹(孟)1293B호, 맹(孟)2720호가 그것이다.[114] 또한 상해박물관에 소장되어 있는 48호(41379) 경책 중에 제16호가 『불설지장보살경』이다.[115] 상해도서관에 소장되어 있는 돈황본 중에는 제123호가 있다.[116] 이 경전의 사본의 합계는 대략 23권에 이를 정도로 대단히 많다.[117]

S.0431호 『지장보살경』은 돈황 사본에 있는 다른 동명의 경전에 비하여 결미 부분에 다시 '지장보살호신다라니(地藏菩薩護身陀羅尼)' 가 더해져 있다. 뿐만 아니라, 이것은 『지장보살다라니(地藏菩薩陀羅尼)』에 있는 것과도 같지 않고, 『십륜경(十輪經)』에 첨부되어 있는 다라니나 『혜림음의(慧琳音義)』의 지장다라니(地藏陀羅尼)와도 다르다. 이것은 아주 간단한 다라니이다. 그 내용은 다음과 같다.

나무 나라삼바 야절타 구계바 바발 삼도만 사바하
[南無 那羅三婆 野節駝 俱溪婆 婆鉢 糁都滿 娑婆訶]

이외에도 돈황의 유서에 지장보살 다라니가 있다. 이 다라니는 S.4543호 중에 대비다라니(大悲陀羅尼), 마두나찰관세음다라니(馬頭羅刹觀世音陀羅尼), 구호소아다라니(救護小兒陀羅尼) 그리고 길상대력신주다라니(吉祥大力神呪陀

113 그 全稱은 『大毘盧遮那成佛神變加持經蓮華胎藏菩提幢標幟普通眞言藏廣大成就瑜伽』이고, 『蓮華胎藏菩提幢標幟普通眞言藏廣大成就瑜伽』, 『大毘盧遮那成就瑜伽』로도 불리는데, 『靑龍軌』로 略稱된다. 『大正藏』 第18卷에 수록되어 있다. 이 儀軌는 圓仁, 圓珍, 宗睿 등에 의하여 日本으로 전래되었다. 일본 밀교에서 널리 사용되는 『胎藏廣次第』가 바로 이 儀軌를 의지하여 만들어진 것이다.

114 『大方廣佛華嚴經』는 두 가지 번역이 있는데, 하나는 東晋 시기 北天竺 那呵利國의 佛馱跋陀羅가 번역한 것이고, 다른 하나는 唐 則天武后 시기의 實叉難陀가 번역한 것이다. 앞의 것은 六十品으로, 六十華嚴으로 칭하고, 뒤의 것은 八十品으로 八十華嚴으로 불린다. 佛馱跋陀羅는 義熙 2年(406)에 중국에 와서 義熙14年(418) 楊州 道場寺에서 華嚴을 번역하였는데, 沙門 法業이 筆受를 맡았다. 萍婷曾의 「俄藏敦煌文獻經眼錄之一」 『敦煌硏究』(第2期), 1996에서 孟1293號 『地藏菩薩經』의 題記를 언급하고 있다.

115 『上海博物館藏敦煌吐魯番文獻』(二), 上海 古籍出版社. 1993.

116 吳織・胡群耘, 「上海圖書館藏敦煌遺書目錄」, 『敦煌硏究』(第2期), 1986.

117 이 寫本들 중에 다수는 『敦煌寶藏』 등의 影印本으로부터 그 상세한 내용을 알 수 있는데, P.2873號의 경우는 글자가 심하게 마모되어 알아볼 수 없다.

羅尼)와 함께 1권에 있다. 이 지장보살 다라니는 "南無佛陀耶 地無達磨耶 ……"로 시작되어 "塹心哆般地瑟慕訶莫恒疑娑婆訶"로 끝나며, 모두 38구(句)가 있다. 일부의 몇몇 지장 다라니와는 다른 듯하다.

러시아 소장본 가운데 1293호가 비록 불완전하고(뒷면의 문자가 결여되어 있다), 2720호도 역시 불완전하지만(앞면의 문자 일부가 결실되어 있다), 2720호에 비해 1293호는 오히려 대단히 양호한 편이며, 경전 뒤에 간지(干支)로 표시된 연대와 사묘(寺廟)의 이름이 남아 있다. 즉, "歲次已卯六月十六日龍興寺齋○侍郎鑒惠"이 그것이다. 이것은 이미 알려진 『불설지장보살경』 중에서 대단히 가치가 있는 것이다.

비교적 특이한 것은 『대정장』 제85권에 수록된 『지장보살경』으로, 주(註)에 저본(底本)으로 사용된 것이 대영박물관 소장의 돈황본 S.0197호임을 명확하게 밝히고 있다.[118] 다만 S.0197호는 실제 『불설지장보살경』이 아니다. 『돈황보장(敦煌寶藏)』에 수록된 S.0197호의 경우도 『대승무량수경(大乘無量壽經)』의 잔편일 뿐이며, 『불설지장보살경』의 흔적을 찾아볼 수 없다. 저본(底本)이 어떤 것인지 알 수 없다.

『불설지장보살경』은 비록 300여 자에 불과한 경전이지만, 이 경전의 사본은 대단히 많이 남아 있어서 당시 지장보살 신앙이 얼마나 성행하였는지 알 수 있다. 경문의 내용이 비록 깊은 이론으로 구성되어 있는 것은 아니지만, 지장보살과 염라왕의 관계를 이해하는 데 있어서 매우 중요한 역할을 하고 있다.

이 경전은 경문의 분량이 적기 때문에 『묘법연화경』「보문품(普門品)」, 『불설속명경(佛說續命經)』, 『마리지천경(摩利支天經)』, 『반야심경(般若心經)』과 『연수명경(延壽命經)』 등의 경전과 함께 필사되고 있다. S.5531호에는 불설염라왕경(佛說閻羅王經)』, 즉 『염라왕수기경(閻羅王授記經)』 한 권이 함께 필사되어 있다. P.3760호와 바로 연결되어 있는 P.3761호에도 역시 『염라왕수기경』이 함께 있다. 이러한 사실들은 대단히 흥미로운 것으로, 경전들의 전체 구성에 어떤 의미가 있다는 것을 알 수 있다. 비교적 전형적인 P.3932호는 『묘법연화

118 『大正藏』 第85卷(T.2909), 註1.

경』「보문품」, 『반야심경』, 『불설속명경』, 『불설지장보살경』, 『불설해백생원가경(佛說解百生怨家經)』 등 모두 5개의 경전을 초록하고 있다. 이에 비해 S.5531호의 경우는 경전의 수가 9개로 더 많고, 그 구성도 보다 긴밀하다. 아홉 경전은 『묘법연화경(妙法蓮花經)』 1권, 『불설해백생원가다라니경(佛說解百生怨家陀羅尼經)』, 『불설지장보살경』, 『불설천청문경(佛說天請問經)』, 『불설속명경』, 『마리지천경』, 『불설연수명경』, 『불설염라왕경』 1권, 『반야바라밀다심경(般若波羅蜜多心經)』 1권 등이다.

위 경전들의 내용을 살펴보면 『법화경』 「보문품」은 관음보살에 대하여 설하고 있는 경전이고, 『반야심경』도 관음보살로 서두를 시작하는 경전이다. 『속명경』 역시 관음보살, 대세지보살(大勢至菩薩)과 아미타불(阿彌陀佛)의 서방 삼성(三聖)에 대하여 설하고 있고, 관음보살과 서방 삼성을 공경하여 복과 수명을 더할 것을 설하는 경전이다. 『해백생원가경』에는 짧은 다라니 하나가 설해지고 있는데, 만약에 7일 밤과 낮을 깨끗한 몸과 마음으로 재계(齋戒)하고 다라니를 염송하면, 이전에 원수를 진 집안의 사람이라도 원(怨)을 깨끗이 해소하여 다시는 만나지 않는다.[119]

이들 경전의 구성은 관음경전(觀音經典)을 위주로 한 것이어서 지장보살과 관음보살 그리고 아미타불과의 밀접한 관계가 잘 드러나 있다. 또한 지장보살과 정토신앙과의 불가분의 관계가 분명하다.

4) 『지장보살십재일(地藏菩薩十齋日)』

『지장보살십재일』은 지장보살과 관련된 대단히 중요한 경전이다. 이 경전은 『대정장』 제85권 고일의위부에 수록되어 있다(T.2850). 돈황 유서로 대영박물관에 소장되어 있는 S.2568호가 바로 이것이다. 이 경전은 돈황 유서로 여러 본(本)이 전해지고 있는데, 이와 밀접한 관련이 있는 경전이 『대승사재일(大乘四

119 P.3932호 『佛說續命經』의 두 面은 순서가 뒤집혀 있다. 앞머리에 『佛說續命經』의 經題와 "南無大慈大悲觀世音菩薩"이 "若能誦此一佛二菩薩" 等의 뒤에 위치하고 있다.

齋日)』이다.

『돈황유서총목색인(敦煌遺書總目索引)』에는 3개의 본(本)이 있다. 첫 번째는 S.2568호이고, 두 번째가 S.4443호이며, 세 번째가 산(散)1291호이다.[120] 영인본(影印本)은 발간되지 않았다. 이외에도 이미 살펴보았던 S.5892호가 있다. 이들 본 중에 제목이 『지장보살경(地藏菩薩經)』이라고 되어 있는 것이 『지장보살십재일』이다. S.5892호는 특별한 점이 있는데, 사본의 끝에, "갑술년(甲戌年) 30일(日) 삼계사(三界寺) 승사미(僧沙彌) 법정사(法定師)가 기록할 뿐 ……."[121] 이라고 하여 간지(干支)가 기록된 제기(題記)가 있다.

이밖에도 또 다른 본이 있는데, 『돈황석실사본상목속편총목(敦煌石室寫本詳目續編總目)』 잡저부(雜著部) 112호인 『지장보살경십재(地藏菩薩經十齋)』가 그것이다. 상해박물관에 소장되어 있는 48(41379)에도 역시 십재일의 경문이 있는데, 이 중에 제31호가 그것이다. S.6897호 경권의 뒷면에도 십재일의 내용이 있다. 이외에도 여러 종류가 있는데, 2개의 티베트어본이 있으며, 그 가운데 하나는 고(古) 티베트어 음역본(音譯本)이다. 프랑스 학자 미셸 소미에(Michel Soymié) 선생은 일찍이 『지장보살십재일』에 깊은 관심을 가졌지만, 그 연구물에 수록된 본은 11개에 불과하다. 현재까지 알려진 본은 이미 17개에 이른다. 필자는 대족(大足)석굴 보정산(寶頂山) 제20호 굴의 지장시왕지옥변(地藏十王地獄變)을 조사한 적이 있는데, 10지옥(地獄)의 위쪽에 새겨져 있는 것이 바로 이 '십재일' 이었다. 결론적으로 말하면, 십재일과 관련된 것은 사본들뿐만 아니라 조각 자료까지도 포함하여 이를 하나로 정리할 필요가 있다.[122]

『지장보살십재일』의 경문은 대단히 짧다. 경전의 내용은 불교 신자가 십재일(十齋日)에 염송해야 하는 불·보살의 명호 그리고 각 재일에 이 세상에 내려오는 불·보살에 대하여 설하고 있다. 이 경전은 경문이 짧음에도 불구하고 『염라왕수기경(閻羅王授記經)』(十王經)의 시왕의 본지불·보살과 대단히 밀접한 관계가 있어서, 이들 경전 성립의 선후 관계에 의문이 있다.

120 散1291호는 『總目索引』에 표기되어 있지만, 散錄의 상세한 목록에는 『淨土懺』이라 되어 있다. 따라서 이 本은 여전히 의문점이 남는다.

121 이 기록은 『寶藏』에 있다.

122 拙稿, 「地藏菩薩十齋日」, 『藏外佛教文獻』(第七輯), 宗教文化出版社, 2001.

『지장보살십재일』의 십재일 내용은 다음과 같다.

1일, 동자(童子) 아래에 정광여래불(定光如來佛)을 염(念)하면, 도창(刀創)지옥에 떨어지지 않으며, 죄가 40겁(劫)이 제거된다.

8일, 태자(太子) 아래에 약사유리광불(藥師琉璃光佛)을 염하면, 분뇨(糞尿)지옥에 떨어지지 않으며, 죄가 30겁이 제거된다.

14일, 찰명(察命) 아래에 현겁천불(賢劫千佛)을 염하면, 확탕(鑊湯)지옥에 떨어지지 않으며, 죄가 1천 겁이 제거된다.

15일, 오도대장군(五道大將軍) 아래에 아미타불을 염하면, 한빙(寒氷)지옥에 떨어지지 않으며, 죄가 200겁이 제거된다.

18일, 염라왕(閻羅王) 아래에 관세음보살을 염하면, 검수(劍樹)지옥에 떨어지지 않으며, 죄가 90겁이 제거된다.

23일, 대장군(大將軍) 아래에 노사나불(盧舍那佛)을 염하면, 아귀(餓鬼)지옥에 떨어지지 않으며, 죄가 1천 겁이 제거된다.

24일, 태산부군(太山府君) 아래에 지장보살을 염하면, 작참(斫斬)지옥에 떨어지지 않으며, 죄가 1천 겁이 제거된다.

28일, 천제석(天帝釋) 아래에 아미타불을 염하면, 철거(鐵鋸)지옥에 떨어지지 않으며, 죄가 1천 겁이 제거된다.

29일, 사천왕(四天王) 아래에 약사상보살(藥師上菩薩)을 염하면, 동마(硐磨)지옥에 떨어지지 않으며, 죄가 7천 겁이 제거된다.

30일, 범천왕(梵天王) 아래에 석가모니불을 염하면, 회하(灰河)지옥에 떨어지지 않으며, 죄가 8천 겁이 제거된다.

『대승사재일(大乘四齋日)』[123]과 『지장보살십재일』의 십재일은 내용이 거의

123 『敦煌遺書總目索引』에 『大乘四齋日』은 세 본이 있다. 즉 S.2567호, P.3790호, 散1490호이다. P.3790호에는 『地藏十齋日』과 중복된 내용이 없는 듯하다. 十齋日의 각 齋日에 下界하는 佛菩薩 뒤의 一段이 轉入되어 있다. 題記에서는 이 네 종류의 齋日(四齋日, 三長齋月, 六齋日, 十齋日)이, 玄奘法師가 十二部經에서 略出한 것이라고 설명하고 있다.

동일하다. 다만 『대승사재일』은 『지장보살십재일』에 비해 내용이 조금 더 많고, 십재일 앞에 육재일(六齋日), 사재일(四齋日)과 삼장재월(三長齋月)의 내용이 더 있다. 이 십재일은 두 번에 걸쳐 반복되어 있다. 첫 번째는 모일(某日)에 어떤 신이 세상에 내려오는지에 대한 것이다. 두 번째는 『지장보살십재일』과 같다. 먼저 모일(某日)에 어떤 신이 내려오는지를 설하고, 다시 어떤 불보살의 명호를 염송하는지, 그리고 이를 통하여 어떤 죄를 덜고, 어떤 지옥에 떨어지지 않는지에 대하여 설하고 있다.

『대승사재일』의 십재일 내용은 다음과 같다.

1일, 동자(童子) 아래에 정광여래불(定光如來佛)을 염(念)하면, 죄가 40겁(劫)이 제거되고 도창(刀創)지옥에 떨어지지 않는다.

8일, 태자(太子) 아래에 약사유리광불(藥師琉璃光佛)을 염하면, 죄가 30겁이 제거되고 분초(粉草)지옥에 떨어지지 않는다.

14일, 찰명(察命) 아래에 현겁천불(賢劫千佛)을 염하면, 죄가 1천 겁이 제거되고 확탕(鑊湯)지옥에 떨어지지 않는다.

15일, 오도대장군(五道大將軍) 아래에 아미타불을 염하면, 죄가 200겁이 제거되고 한빙(寒氷)지옥에 떨어지지 않는다.

18일, 염라왕(閻羅王) 아래에 관세음보살을 염하면, 죄가 90겁이 제거되고 검수(劍樹)지옥에 떨어지지 않는다.

23일, 천대장군(天大將軍) 아래에 노사나불(盧舍那佛)을 염하면, 죄가 1천 겁이 제거되고 아귀지옥에 떨어지지 않는다.

24일, 태산부군(太山府君) 아래에 지장보살을 염하면, 죄가 90겁이 제거되고 잔절(殘截)지옥에 떨어지지 않는다.

28일, 천제석(天帝釋) 아래에 아미타불을 염하면, 죄가 1천 겁이 제거되고 철거(鐵鋸)지옥에 떨어지지 않는다.

29일, 사천왕(四天王) 아래에 약왕약상보살을 염하면, 죄가 7천 겁이 제거되고 동마지옥에 떨어지지 않는다.

30일, 대범천왕(大梵天王) 아래에 석가모니불을 염하면, 죄가 8천 겁이 제거되고 한빙(寒氷)지옥에 떨어지지 않는다.

『지장보살십재일』의 사본들 중에는 서로 동일하지 않은 것도 있는데, 어떤 것은 단지 제목만 십재일인 것도 있다. S.6897호 사경, 상해박물관 소장본 등이 이에 해당된다. S.4443호에 있는 십재일은 잔본(殘本)이며, 책의 앞에는 다른 내용이 있다.[124] 이 경전의 앞에는 『지장보살십재일』이라는 제목이 있지만, 분량은 십재일의 반에 불과하다. "一日童子下念定光如來 ……"로 시작되어, "十八日閻羅王下念觀世音菩薩 …….”로 끝나고 있다. 상해박물관에 소장되어 있는 것은 보존 상태가 대단히 양호하고, 글씨 역시 대단히 뛰어나다. 그 48호(41379) 중에 제31호의 표제가 "매월십재일(每月十齋日)"이며, 제32호의 표제는 "개원황제권십재찬(開元皇帝勸十齋贊)"이고, 제33호 표제는 "십이월예불명(十二月禮佛名)"이다. 사실 이러한 내용들은 앞서 살펴본, 『지장보살십재일』, 『대승사재일』, 『십재일』의 경문에 모두 나타나고 있다. P.3795호의 『대승사재일』은 경문을 완전히 갖추고 있으며, 경문 뒤의 일련의 재월일(齋月日)의 내력에서는 이것이 현장법사의 12부경에서 약출된 것이라고 설명하고 있다. 이러한 것은 상해박물관 소장본에서도 찾아볼 수 있다. 십이월예불명(十二月禮佛名)은 『대승사재일』 등의 여러 본(本)에 나타나 있다. 그러므로 위의 세 표호(標號)의 사경은 하나의 경전에 속하며, 대단히 밀접하다고 할 수 있다.

여기서 한 가지 흥미로운 점은 『지장보살십재일』 등의 경전에서는, 지장보살이 염라왕과 늘 대응하는 관계에 있는 것이 아니라는 것이다. 예를 들면 재일(齋日)의 24일에는 태산부군(太山府君) 혹은 태산장군(太山將軍)이 세속으로 내려오며, 지장보살을 염송하여 죄를 덜고 지옥에 떨어지는 재앙을 피할 수 있다. 그리고 18일에 염라왕이 세속으로 내려올 때는 관세음보살을 염송하여 재앙을 피한다. 이러한 것은 아마도 『불설지장보살경』의 영향으로 비로소 바뀌어졌을 것이다. 『지장보살경』을 살펴보면, 지장보살은 네 가지 이유로 염라왕궁으로 와서, 염라왕과 함께 공동으로 음간(陰間)의 일들을 처리한다. 이후의 각종

124 S.4443호의 정면 題에 『維摩贊』의 內容이 있다. 背面에 또한 『乾元寺宋苟兒諸雜學一本』이 있다. 『地藏菩薩經十齋日』의 行文 上下와 서로 반대된다.

도상에서는 지장보살이 염라왕과 함께 그려지고 있다.

십재일 종류의 경전은 초당(初唐)의 융성기 이후에 형성되었다. 재일(齋日)이 현장법사의 12부경에서 약출되었고, 당(唐) 현종(玄宗)의 『십재일찬(十齋日贊)』이 있기 때문이다. 그리고 한 본(本)의 십재일 경전에는 연대가 기록되어 있는데, 위에서 언급했던 S.5892호의 삼계사(三界寺) 법정(法定) 갑술년(甲戌年)이라는 제기(題記)가 그것이다. 삼계사는 돈황에서 가장 유명한 사묘(寺廟) 가운데 하나이며, 돈황 유서에 여러 번 언급되고 있다. 삼계사의 연대는 대체적으로 당(唐) 소종(昭宗) 천복(天復) 4년(904)에서 공원(公元) 1000년 전후로 추정할 수 있다. 오대(五代) 시기의 갑술년은 당시 후량(後梁)의 미제(未帝) 건화(乾化) 4년(914)이다.[125] 이 경전은 이 시기에 필사되었을 가능성이 대단히 크다. 이를 통하여 사재일, 십재일 경전의 대체적인 연대를 알 수 있다. 그리고 이 경전이 다수 존재하고 있다는 사실로써, 상당히 오랫동안 유통되었음을 추정할 수 있다. 결론적으로 『지장보살십재일』과 『대승사제일』 등은 한 부류의 경전이며, 이들 경전은 준수해야 할 재일에 대하여 설명하고 있을 뿐만 아니라 재일에서의 지장보살의 중요 역할에 대해서도 설하고 있다.

지장보살의 십재일과 도교(道教)의 재일(齋日)과의 관계는 왕승문(王承文), 윤부(尹富)의 연구에 의하여 새로운 관점이 제시되고 있다. 이에 앞서, 프랑스 학자 미셸 소미에는 『지장보살십재일』에서 도교의 십재일, 즉 십직일(十直日)은 불교의 영향을 받아 성립되었음을 주장하였다. 도교의 여러 종류의 전적(典籍), 즉 『동현영보태상육재십직성기경(洞玄靈寶太上六齋十直聖紀經)』, 『태상동현영보업보인연경(太上洞玄靈寶業報因緣經)』, 『원시오로적서옥편진문천서경(元始五老赤書玉篇眞文天書經)』, 『명진과(明眞科)』, 『지교경(旨教經)』, 『동현영보제천세계조화경(洞玄靈寶諸天世界造化經)』 등에 나타난 십재일을 미셸 소미에는 불(佛) · 도(道)의 전적을 연대에 따라 고찰하였는데, 『원시오로적서옥편진문천서경』과 『명진과』는 6세기 혹은 심지어 5세기로 추정할 수 있다고 하고 있다. 그래서 도교의 십재일은 불교의 육재일에 기반을 두고 발전되어 온 것

125 姜亮夫, 「敦煌經卷壁畵中所見寺觀條」, 『敦煌學論文集』(下), 上海 古籍出版社 1987, p.1074. 題記의 甲戌年, 三界寺와 관련 있는 經卷으로 P.3365호가 있다.

으로, "천왕(天王)이 육재일(六齋日)에 내려와 하계를 시찰하는 교의(教義)의 기원은 인도에서 비롯된 것이며, 5세기 전반(대략 427년) 무렵에 불교의 『사천왕경(四天王經)』이 중국에 보급되고 전파되었다." 고 파악하고, 도교 신자들이 『사천왕경』 가운데 육재일을 발전시켜서 십재일을 만든 것이라고 주장하였다.[126] 하지만 왕승문은 『지교경』의 연구를 통하여, 오히려 한(漢) 시기에 장도릉(張道陵)으로부터 유래되었다고 파악하고 있다. 그는 돈황 유서인 송문명(宋文明)의 『통서론(通書論)』에 근거하여, 앞의 두 경전이 동진(東晋)의 고경(古經) 계통에 속한다고 지적하고 있다.[127] 그리하여 도교와의 관계에 있어서 왕승문은 도교의 재일이 불교의 여러 재일보다 앞서 성립되었으며, 도교가 불교에 영향을 주었고, 오히려 도경(道經) 중에 더 빠른 십재일 관련 경전을 제시하고 있다. 미셸 소미에의 주장인 불교의 영향을 받아 도교의 십재일이 성립되었다는 것은 비교적 전통적인 학설이다.

윤부는 한 걸음 더 나아가 도・불의 영향을 고찰하고, 양자의 영향관계를 고찰하였다. 불교에는 이미 육재일이 있어서 십재일을 받아들이지 않고 있었는데, 당(唐) 초기에 황실이 도교를 숭상하며 도교의 설을 받아들이자, 법림(法琳)이 강력하게 '변정(辨正)' 하였지만 당(唐) 왕조가 도교를 존숭하고 그에 의거하여 계도하였기 때문에 그 영향으로 불교도 십재일을 받아들이게 되었으며, 또한 현장이 만들었다는 주장 등을 거치면서 점진적으로 변화되어 인식되었다는 것이다.[128] 결론적으로, 『지장보살십재일』 혹은 여러 재일 관련 연구는 미셸 소미에 이후에 중국의 학자들에 의해 대단히 활발하게 이루어졌다. 유서(遺書)나 석각(石刻) 등의 각종 유물이 발견되어 정리되었으며, 불교와 도교의 상호 영향과 변화 발전에 대하여 주목할 만한 많은 연구와 성과가 있었다.

126 蘇遠鳴(Michel Soymié), 「道教的十齋日」, 『法國漢學』(第二輯), 清華大學出版社, 1997, pp.28~49.

127 王承文은 P.2256와 P.2861호인 宋文明의 『通門論』에 근거하여, 陸修靜의 『靈寶經目』에 이 두 경전(『元始五老赤書玉篇眞文天書經』・『明眞科』)을 '元始舊經' 이라 하고 있음을 밝히고 있다. 따라서 그 시기를 東晋時代로 볼 수 있다. 王承文, 『敦煌古靈寶經與晋唐道教』, 中華書局, 2002, pp.357~419.

128 尹富, 「十齋日補說」, 『世界宗教研究』(1期), 2007. 이 논문은 尹富의 博士論文 가운데 일부분이다. 그는 또한 『地藏菩薩十齋日』이 실제로는 地藏十齋日이 아니며, 여기에 '地藏' 의 명칭이 들어간 이유를 알 수 없다고 하였다.

5)『염라왕수기경(閻羅王授記經)』

『염라왕수기경』은 지장보살 신앙과 불교사상이 중국의 민속과 민간신앙에 얼마나 깊은 영향을 미쳤는가를 잘 보여주는 중요 경전이다. 이 경전은 확실히 당(唐) 말기 이후에 광범위하게 유전되었다. 후주(後周) 시기 의초(義楚)의『석씨육첩(釋氏六帖)』권16과 송대(宋代) 종감(宗鑒)의『석문정통(釋門正統)』권4에 이 경전이 인용되어 있다. 이 경전은 중국에서 대단히 유행했을 뿐만 아니라 한국과 일본에도 전해졌다.

이미 살펴본『지장시왕경』에 비해『염라왕수기경』은 이 경을 받아 지니고 시왕칠재(十王七齋)의 공덕을 예수(預修)할 것을 권장하며, 수재공덕(修齋功德)의 게구(偈句)를 설하고 있다. '예수'는 '逆修'로 쓰기도 한다. 사후에 정토에 왕생을 원하는 사람과 보리(菩提)의 길에 들기를 원하는 사람이 생전에 선근(善根) 공덕을 수행하는 것으로, 재를 지키고 사경(寫經)하는 것이다. 또한 사후(死後)에 행하는 칠칠재에서 이루는 공덕을 더욱 뛰어나게 할 수 있다. 왜냐하면 경전에 따르면 망인(亡人)이 받아가는 공덕은 단지 7분의 1에 불과하고, 행하는 자에게 나머지 공덕이 보존되기 때문이다.[129]『지장보살본원경』에도 역시 이러한 설법이 있다.[130] 그리고『염라왕수기경』에서 설하기를, 만약 어떤 사람이 세상에 살아 있을 때 이 재를 지키면, 즉 '예수생칠재(預修生七齋)'를 닦으면, 죽음에 이르러 바로 즐거움이 가득한 곳에 태어나게 되고, 중음(中陰)에 49일 동안 머무르지 않게 되며, 남녀의 명(命)을 구하지 않는다고 한다. 또한『예수생칠경(預修生七經)』을 사경하는 것은 매우 커다란 복보(福報)를 받는다고 한다. 이러한 경문은 돈황의 P.2870호에서도 볼 수 있는데, "살아 있는 날에 이 재를 닦는 것을 예수생칠재라고 하며, 7분의 공덕을 모두 얻을 수 있다."[131]라고 하고 있다. S.3147호 역시 살아 있는 사람이 7분의 6을 얻을 수 있다고 한다. 그리고 생전에 이 재를 '예수(預修 ; 逆修)' 하면 7분 공덕을 완전하게 얻는다. 이것이 바

129『地藏菩薩本願經』「利益存亡品」. 더욱 빠른 기원을『灌頂經』으로 소급할 수 있다.

130 在七七日內, 念念之間, 望諸骨肉眷屬與造福力救拔. 過是日後, 隨業受報. …… 是命終之人, 七分獲一.

131 在生之日作此齋者, 名爲預修生七齋, 七分功德, 盡皆得之.

로 이 경전이 『예수생칠경』으로 불리게 된 유래이다.

돈황본의 시왕류 경전에 대하여 국내외의 여러 학자들이 이미 많은 연구를 진행하였지만, 원본 자료의 연구는 여전히 미흡한 감이 있다. 그래서 여기에서는 이러한 부분을 보충하고자 한다. 두두성(杜斗城)의 『돈황본불설시왕경연구교록(敦煌本佛說十王經硏究校錄)』에 이 경전의 19개 경본(經本)이 수록되어 있고, 2개 경호(經號)의 경전도 있다. 위에서 이미 『대정장』, 『만속장(卍續藏)』 중에 이 경전과 관계있는 몇 개의 경본에 대하여 다루었으므로, 여기서는 또 언급하지 않겠다. 현재까지 알려진, 돈황의 중요 사본으로는 단지 경문만 있는 사본과 도찬본(圖贊本)의 두 형태, 그리고 도(圖)는 있지만 문장이 없는 것, 혹은 찬(贊)은 있으나 도(圖)가 없는 아형(亞型) 등이 있다. 흥미로운 것은 이들 경전의 제목이 매우 복잡하지만, 특별한 규칙이 있다는 것이다. 즉, 여러 경전의 머리제목[首題]은 부처님께서 염라왕에게 주었던 수기(授記)와 관련이 있는데, 어떤 것은 사중권수(四衆勸修), 예수(預修, 逆修), 생칠(生七), 공덕(功德), 왕생정토경(往生淨土經) 등의 글자가 첨가되어 있다. 미제(尾題)는 두 종류로 나누어 볼 수 있는데, 마치 이 경권의 두 종류의 형태와 대응하고 있는 듯하다. 즉, 미제를 나누어 살펴보면, 약칭 『염라왕수기경』과 삽화(揷畵)와 찬사(贊詞)를 구비하고 있는 약칭 『불설시왕경』으로 나눌 수 있다. 이러한 종류로 그 형태가 구별되기 때문에 『불설시왕경』은 전적으로 도회본(圖繪本)만을 의미하며, 『염라왕수기경』은 두 종류의 권본(卷本)을 가리킨다. 당연히 이러한 2개 경전의 명칭이 동시에 나타날 때는 경문본(經文本)과 도회본으로 나누어 살펴보아야 한다.

『불설시왕경』에 속하는 대다수의 경본이 도(圖)와 문(文)이 풍부하지만, 예외가 있다. P.2003호, P.2870호, S.3147호, P.4523호, 이 4개의 사본 가운데 앞의 세 권은 도(圖)와 찬(贊)과 문(文)이 모두 있다. 앞의 첫 번째와 두 번째는 서두와 끝부분이 완전하며, 세 번째의 것은 머리 부분이 조금 훼손되어 있다. 네 번째인 P.4523은 잔편으로 도회(圖繪)의 전반부만 남아 있는데, 『시왕경회권(十王經繪卷)』 앞의 5왕(王) 부분만 있고 경문과 찬어(贊語)가 없다. 다만 대영박물관에 소장되어 있는 CH.cii.001(L)에 『시왕경회권』 뒤에 5왕의 후반부가 보존되어 있다. 2개를 합하여 철(綴)하면 한 권의 책(册)이 될 것으로 추정된다.

『염라왕수기경』의 사본으로 21개의 권호가 있고, 이전의 저작에서 소개한 바가 있지만, 여기에서 마땅히 보충할 권호를 열거하면 다음과 같다.

S.5450호 - 제목 『불설 염라왕수기경』
S.5531호 - 제목 『불설 염라왕경』 1권
산(散).0262호 - 뒷면에 『염라왕수기경』이 있다. 정면은 『금강경』 책자이다.
러시아 소장본 중에도 여러 본(本)의 『예수시왕경』이 있다.
1302호 - 『불설 염라왕수기경』, 즉 『염라왕경』 11권.
1303호 - 잔본(殘本). 제목에 『불설 염라(佛說閻[羅]) …….』가 있다.[132]

상해박물관에 소장되어 있는 48(41379)호 가운데 제17호가 『불설 염라왕수기주령사중예수생칠재왕생정토경(佛說閻羅王授記住令四衆逆修生七齋往生淨土經)』이다. 미제(尾題)는 『염라왕수기경』 1권이다. 『돈황석실사경상목속편총목(敦煌石室寫經詳目續編總目)』 경집부(經集部)의 제52호는 『불설 염라왕수기권수공덕칠재공덕경(佛說閻羅王授記勸修功德七齋功德經)』이다. 돈황의 사경에는 이 경전의 명칭이 제목으로 쓰인 것이 있다. 즉, P.2249호가 그것이다. 경전의 정면에, "『대반야경(大般若經)』 권 제233"이라고 쓰여 있고, 뒷면에 일련의 습자(習字)가 있다. 제목은 『불설 염라왕수기사중예수생칠재왕생정토경(佛說閻羅王授記四衆預修生七齋往生淨土經)』이고, "성도부(成都府) 대성자사(大聖慈寺) 사문 장천(藏川) 술(述) 찬(贊) 여래임(如來臨)」 불설 염라왕수기사중예수생(佛說閻羅王授記四衆預修生)"이라는 글이 있다. 또한 "계미년(癸未年) 정월 1일 서계(書契)」 신사년(辛巳年) 화상(畵像)"이라는 발문(跋文)도 보인다.

앞서 살펴본 것처럼, 돈황 유서 중에 이 경전의 사본은 9개가 있고, 두두성 선생의 통계에 20본(本)이 더 있어서 그 총수는 30본에 달한다. 러시아 소장본

132 『敦煌叢刊初集』(러시아 소장 敦煌卷子目錄의 하나) 참조. 러시아 소장 1303號 卷子의 經文은 "寶財物幷諸〔諸〕"로 시작하여 "薩等當〔奉〕"에 이른다.

의 목록에는 2개의 잔본(殘本)이 있다. 필자가 조사한 바에 의하면 이것은 다음과 같은 특징이 있다. 첫 번째 잔본은 경전의 끝부분이 현존하는 각종 경본의 문자와 차이가 있다는 것이다. 그러므로 이것은 희귀한 이본(異本)이다. 그리고 다른 하나의 잔본은 아(俄)2744호인데, 이것은 『관정경(灌頂經)』으로, 『염라수기경』이 아니다. 당연히 논의에서 제외되어야 할 것이다. 상해박물관에 소장되어 있는 이 경전의 서사(書寫)와 보존 상태는 대단히 양호하다.[133] 그리고 북경국가도서관에 소장되어 있는 제52호는 이 경전의 머리 부분의 한 조각으로, 비록 한 행(行) 정도 차이가 있기는 하지만, 대영박물관에 소장되어 있는 S.7598호와 비슷하다. S.7598호는 대영박물관 소장의 S.2815호와 비교 가능하며, 글자의 흔적 역시 비슷하여서[134] 하나의 경전으로 보인다. 또한 돈황본 이외에 한 건이 현재 미국에 소장되어 있는 전세본(傳世本)의 잔편이다.

이상에서 살펴본 것은, 한문으로 쓰인 이 경전의 수량에 대한 것이다. 일본과 독일(德國)의 연구에 의하면, 회골문으로 쓰여진 잔본도 여러 건이 있는데, 독일의 인도 예술박물관과 일본의 천리참고관(天理參考館)에 나뉘어 소장되어 있다고 한다. 심지어는 서하문으로 된 경전도 존재하고 있기 때문에, 이 경전이 얼마나 널리 유통되었는지 짐작할 수 있다. 이 경전의 경문 내용과 도상(圖像) 관계도 주목되는 부분이다.

돈황본 이외의 전세본으로 권수화(卷首畵)와 서두 부분에 사경이 있는 것이 있다. 경문과 여러 돈황의 도찬본(圖贊本)이 서로 부합된다. 원래 이것은 여산(廬山) 개선사(開先寺)에 소장되어 있었으나, 현재는 미국의 프리어미술관에 소장되어 있다. 권수화의 제목 글자와 인명(人名)에는 운남(雲南) 대리국(大理國)의 특수한 관습이 반영되어 있어서, 이 경전이 운남 대리국과 관계가 있다는 것을 알 수 있다. 경전의 머리글자를 보면, "진관음경부인문수남경복조(陳觀音慶婦人文殊男慶福造)"로, 일반인의 성명 사이에 불보살의 명호가 들어가 있는데, 이것은 단지 운남성 남소(南詔)의 대리국 습속에서만 나타나는 것이기 때문이다. 또한 대리국은 이 시기에 인명을 적을 때 한 가지 특징이 있는데, 바로 윗사

133 『敦煌遺書總目索引』에 S.5531호, S.5450호가 기록되어 있다. 또한 散1215호는 北圖 城75호이다.
134 拙稿, 「閻羅王授記經綴補硏考」, 『敦煌吐魯番硏究』(第5卷), 北京大學出版社, 2001.

람과 아랫사람의 이름을 이어서 쓰는 것이다. 이러한 2개의 특징이 이 권수화에 모두 나타나고 있다. 그러므로 운남 대리국에도 시왕 신앙이 전파되었다는 것을 알 수 있다.

『염라왕수기경』 역시 일종의 조합관계를 보여주고 있다. 이것은 또한 칠칠재(七七齋)의 조합이기도 하다. 돈황 유서 가운데 P.2055호에는 경전의 정면에 『불설우란분경(佛說盂蘭盆經)』 등 3개의 경전이 수록되어 있다. 여기서 중요한 것은 경전의 뒷면에 있는 발문(跋文)이다. 발문에는 돈황의 유명한 문인(文人) 적봉달(翟奉達)이 그의 부인 마(馬)씨를 위해 발원하였다고 기록되어 있다. 다음과 같이 각 재(齋)마다 한 권의 경전을 쓰고 있다.

일칠재(一七齋) : 『무상경(無常經)』, 1권을 쓰다.
이칠재(二七齋) : 『수월관음경(水月觀音經)』, 1권을 쓰다.
삼칠재(三七齋) : 『주매경(呪魅經)』, 1권을 쓰다.
사칠재(四七齋) : 『천청문경(天請問經)』, 1권을 쓰다.
오칠재(五七齋) : 『염라경(閻羅經)』, 1권을 쓰다.
육칠재(六七齋) : 『호동자경(護童子經)』, 1권을 쓰다.
칠재사(七齋寫) : 『다심경(多心經)』, 1권을 쓰다.
백일재(百日齋) : 『우란분경(盂蘭盆經)』, 1권을 쓰다.
일년재(一年齋) : 『불모경(佛母經)』, 1권을 쓰다.
삼년재(三年齋) : 『선악인과경(善惡因果經)』, 1권을 쓰다.

이 발문의 100일재, 1년재, 3년재에 쓰인 경전이 P.2055호에 수록된 세 경전이다. 그리고 발문 앞의 일곱 경전은 천진(天津) 예술박물관 소장의 4532호와 북경도서관 소장의 강(岡)44호와 서로 부합한다. 여기에 각 소장본과 P.2055호를 더하면 완전히 부합하여서,[135] 십재와 그 내용을 구성하게 된다. 이 발문과 앞서 살펴본 『지장보살경』의 한 부류의 경전을 대비해 보면, 이들에 일정한 규칙

135 施萍亭의 「一件完整的社會風俗文書, 敦煌隨筆之三」, 『敦煌研究』(第2期, 1987)에서 이 경전의 意義에 대하여 논하고 있다.

이 있음을 어렵지 않게 알 수 있다.

끝으로 지적하고 싶은 것은 관음보살과 관련된, 특히 의위(疑僞) 관음경 중에 지장보살이 상당한 분량을 차지하고 있다는 점이다. 『고왕관세음경(高王觀世音經)』은 대단히 유행했던 관음경전의 하나로 역시 의위경이며, 북제(北齊)의 제왕 고(高)씨로 인해 이 명칭을 얻게 되었다. 실제로는 당시에 모모(某某) 관음명호의 경전을 염송하는 것으로 구함을 받았다는 고사로 인하여 관음경이라는 칭호를 얻게 되었다고 한다. 이 경전과 기타의 다른 관음경은 크게 구별된다. 이 경전은 관음보살에 대하여 그렇게 많이 기술하고 있지 않으며, 지장보살과 8대 보살의 명호 등을 언급하고 있다. 〈부표(附表) 『염라왕수기경』〉 참조.

순서	경호(經號)	경명의 약칭	圖	贊	文	소장처	기년(紀年)	상황
1	P.3761	『閻羅王受記經』		V	V	프랑스 국민도서관		册子裝
2	P.3304v			V				136
3	P.5580				V			册子
4	散799	상동			V	일본 서도(書道)박물관	清泰三年十二月	薛延唱供養
5	散535				V	이씨(李氏) 소장	戊辰年七月	
6	散262				V	상동		『金剛經』册[137] 뒤에 『閻羅王授記』
7	S.5531(8)	『閻羅王經』			V	영국 국가도서관		册子
8	S.2489	『閻羅王經』			V	상동		妙福題記
9	S.3147	『閻羅王受記經』			V	상동		張家道眞題記
10	S.4530	『閻羅王受記經』			V	상동		
11	S.4805	『閻羅王經』			V	상동		

136 이 本은 독특한 것이 있는데, 贊詞와 뒤에 이어지는 贊詞가 유사한 경우에 揷圖의 내용을 묘사하고 있다.

137 散字 등의 編號는 商務印書館(編)의 『敦煌遺書總目索引』(中華書局, 1983)에 근거한 것이다. 그러나 散262는 S.5450, S.5544와 비슷하다. 또한 『金剛經』과 『十王經』의 題抄는 西川戈家의 眞印本이다.

12	S.4980				V	상동		
13	S.5450	상동			V	상동	戊辰年二月	冊子裝
14	S.5585				V	상동		冊子
15	S.6230	『閻羅王受記經』			V		同光肆年 六月	
16	S.5544(2)	『閻羅王受記經』			V	상동	辛未年正月	冊子
17	S.7598+國敦 唐69+S.2815	『閻羅王受記經』			V	영국 국가도서관 북경도서관	[138]	
18	北8254咸75	『閻羅王受記』			V	북경도서관		張家 道眞題記
19	北8255服77				V	상동		
20	北8256字66				V	상동		
21	北8257字45	『閻羅王經』			V	상동		妙福題記
22	北8258列26	『閻羅王受記經』			V	상동	戊辰年八月	
23	北8259岡44	『閻羅王受記經』			V	상동	四月五日 五七(齋)	翟奉達題
24	國敦1537				V	상동		翟定友[139] 張王作 題
25	上博48[140] (41379)17	『閻羅王受記經』			V	상해박물관		
26	孟1302 Дx.931	『閻羅王經』			V	러시아과학원 동방연구소		冊子[141]

138 北京圖書館의 『敦煌石室寫經詳目續編著總目』 제52호는 이 經의 殘片이다. 方廣錩, 「北京圖書館藏敦煌遺書勘查初記」, 『敦煌學輯刊』(第2期), 1991.

139 이 本의 題記는 "行者張王作發心敬寫此經一部"와 經의 字體가 一致하는 데 반해, 寫經人의 題記인 "翟定友經一卷"의 字體와 다르다. 이것은 후대에 추가된 것으로 보인다.

140 『上海博物館藏敦煌文獻』(第2冊), 上海 古籍出版社.

141 러시아 科學院의 東方研究院 〈聖피터 소장품 目錄〉이 『敦煌叢刊初集. 蘇俄所集卷子目錄 1, 2』(新文豊出版公司, 1985)로 간행되었다. 이 목록에서 孟1302, 즉 Дx 00931, 孟1303 즉 Дx 00803, 孟1304 즉 Дx 00143은 목록 중에 經名이 보이지 않는다. 近年에 上海 古籍出版社와 러시아가 聯合하여 出版한

27	孟1303 Д x .803				V	동상		
28	孟1304 Д x .143	『閻羅王受記經』			V	동상		册子別本
29	孟2744 Д x .2791	『實爲灌頂經』			V	동상		
30	명확하지 않음		V		V	동상		西夏文[142]

〈부표(附表)『염라왕수기경』〉

6)『법화경』「마명보살품(馬鳴菩薩品)」

돈황의 사본 중에 유명한 것으로『묘법연화경』「마명보살품」이 있다. 이것은『대정장』제85권에 수록되어 있는데, 대영박물관에 소장되어 있는 S.2734호 사본을 옮긴 것이다. 이 경전은 불교적 세계관을 폭넓게 다루고 있다. 여러 하늘, 33천을 하나하나 설하고 있으며, 지옥에 대해서는 상당히 비중있게 많이 설하고 있다. 먼저 18층 지옥에 대하여 설하고, 18지옥의 명칭을 열거하고 있다. 이러한 지옥의 명칭과 초기의 번역인 안세고(安世高) 역본(譯本)의 18니리(泥犁)는 차이가 있다. 구체적으로 살펴보면 다음과 같다.

제1 확탕지옥(鑊湯地獄), 제2 노탄지옥(爐炭地獄), 제3 도산지옥(刀山地獄), 제4 검수지옥(劍樹地獄), 제5 암흑지옥(暗黑地獄), 제6 한빙지옥(寒氷地獄), 제7 화차지옥(火車地獄), 제8 도병지옥(刀兵地獄), 제9 화륜지옥(火輪地獄), 제10 철궤지옥(鐵机地獄),

---

『俄藏敦煌文獻』第6册에 Д x 00143와 Д x 00143V를 出刊하였는데, 즉 이 殘片을 합한 것이다.『俄藏敦煌文獻』第7册 가운데 Д x 00803與Д x 00931을 出刊.

142 史金波,『西夏佛教史略』, 寧夏 人民出版社, 1988, p.397, p.405.

제11 동주지옥(銅柱地獄), 제12 비시지옥(沸屎地獄), 제13 발설지옥(拔舌地獄), 제14 정신지옥(釘身地獄), 제15 토화지옥(吐火地獄), 제16 음동지옥(飮銅地獄), 제17 우치지옥(愚痴地獄), 제18 화성지옥(火城地獄)

이 경전에 묘사된 것은 18층 지옥에 그치지 않는다. 철위산(鐵圍山) 네 면 바깥의 두 산 사이에 있는 옥초산(沃礁山) 아래에 각각 18지옥이 있다고 설하고 있다. 대해(大海)의 바닥에 다시 18아비(阿鼻)지옥이 있으며, 하나의 4천(天) 아래에 또한 90지옥이 있다. 다만 이러한 18지옥이나 90지옥은, 실제적으로 16지옥의 범위를 벗어나지는 않는다. 왜냐하면 이 경전에서 구체적으로 지옥에 대하여 언급할 때에, 18소열(小熱)지옥, 18암흑(暗黑)지옥, 18한빙(寒氷)지옥, 18회하(灰河)지옥, 18화차(火車)지옥, 18확탕(鑊湯)지옥, 18비시(沸屎)지옥, 18도산(刀山)지옥, 18검수(劍樹)지옥, 18자상(刺床)지옥, 18철궤(鐵机)지옥, 18철굴(鐵窟)지옥, 18동주(銅柱)지옥, 18흑승(黑繩)지옥, 18철환(鐵丸)지옥, 18첨석(尖石)지옥, 18음동(飮銅)지옥이 있다고 설하기 때문이다. 이들 지옥의 명칭 앞에는 모두 18지옥이 붙어 있지만, 16지옥설의 변화된 한 단면이라 볼 수 있다. 그리고 이 경전의 끝 부분에, "『대루탄경(大樓炭經)』 120권에 광명세계의 일이 있으며, 대경(大經)에서는 보기 어렵다. 그런 까닭에 여기에서는 간략한 구절로써 그 핵심만을 보일뿐이다."라고 하고 있는데, 이로부터 이 경전이 『대루탄경』으로부터 나온 것임을 알 수 있다. 그러므로 지옥에 관한 설은 원 경전인 『대루탄경』의 범위를 벗어나지 않고 있는 것이다.

이외에 이 경전도 역시 『지장보살십재일(地藏菩薩十齋日)』과 『대승사재일(大乘四齋日)』 등의 경전처럼, 재일(齋日)마다 천신이 있어서 이들이 하계로 내려와 순시하며 조사하는 내용과 일치하고 있다. 다만 이 경전에 나타나는 천신의 수가 비교적 적으며, 순시하는 날도 적다.[143] 재일이 5, 6일에 불과하다. 여기

143 四天王各領一方天下, 常以月八日遣使者. 案行天下. 伺察帝王臣民天龍鬼神蛆蜚蚑行蠕動之類. 心念口言 身行善惡, 疏善記惡. 毛分不錯. 其行善者入天曹, 行惡業名入四冥室、十四日太子下、十五日四天王

서 천신은 태자(太子)와 사천왕 등이다. 온갖 사람들을 살펴서, 선을 행하는 사람은 천조(天曹)에 오를 수 있게 하고, 악을 행하는 사람은 지옥으로 끌고 간다.

7)『변문(變文)』과『원문(願文)』

대장경과 돈황 유서의 지옥 관련 경전을 하나하나 구체적으로 비교하는 작업은 중복되는 부분이 너무 많고, 중요도가 떨어지는 점이 있기에, 본 글은 지금까지 중요 경전을 중심으로 논하였다. 이 장에서는 비교적 특징적인 경전과 관계된 변문(變文), 원문(願文)을 대략적이나마 살펴보고자 한다.

돈황 유서 가운데 북도(北圖 ; 북경도서관) 衣33호는 원래 제목이 없으며, 처음과 끝이 모두 훼손되어 있다. 일찍이 유향달(由向達) 선생이 교록(校錄)하면서,[144] 지옥변문(地獄變文)으로 평하였고, 왕중민(王重民), 주일량(周一良) 등이『돈황변문집(敦煌變文集)』에 수록하였다. 변문의 내용은 아귀도(餓鬼道)에서 받는 고통, 전생에서 범한 탐욕과 인색함, 불효의 죄로 인하여 형벌 등을 받는 것으로 이루어져 있다. 비교적 기괴하고 특이한 것은 업도신(業道身)이 자기의 몸에 매질을 가하는 장면이다. 허국림(許國霖)에 의하여『돈황잡록(敦煌雜錄)』에 편집되어 있는 이 이야기는『비유경변문(譬喻經變文)』이다. 동진 시기의 실역(失譯)인『천존설아육왕비유경(天尊說阿育王譬喻經)』에 또한 이 이야기가 있다. 양(梁)의 보창(寶唱)이 지은『경률이상(經律異相)』과 당대(唐代) 도세(道世)의『법원주림(法苑珠林)』에도 역시 이것이 인용되어 있지만 문장에는 약간의 차이가 있다. 그리고 새롭게 근대에 출판된『돈황변문교주(敦煌變文校注)』[145]에

自下、二十三日復遣使者下. 二十九日復遣太子. 三十日四天王復自下. 日月五星二十八宿. 其中諸天人一切俱下、微伺世間帝王臣民諸龍鬼神含血之類. 誰有孝養父母 …… 卽條藏不上奏天帝釋. 帝釋承書關下天曹. 其行惡者, 帝釋書關下地獄閻羅大王. 卽遣地獄五官, …… 各隨所習受其殃福.

144 王重民 · 周一良(等),『敦煌變文集』6, 人民文學出版社. 1984.『敦煌遺書總目索引』에서는 이 本(科圖33호)을 地獄俗文으로 칭하였고,『敦煌變文集』에서는 地獄變文으로 칭하였다.『總目索引』의 散1609호는 실제로 北圖 衣33호이다.『總目索引』의 地獄變文은 S.0543호이다.

145 張涌泉 · 黃征,『敦煌變文校注』, 中華書局, 1997.

서는 이것을 『비유경변문』이라고 하였다. 이 단락의 경문에 직접적인 지옥 묘사는 없지만, 삼악도(三惡道)의 관념이 스며 있고, 더욱이 신식(神識)의 책벌과 육신에 대한 격상(激賞), 즉 망자의 몸에 가하는 이러한 행위는 비교적 특이한 것이라 할 수 있다. 신식과 육체의 관계는 인도 불교의 관념과 비교적 거리가 멀고, 중국인의 혼귀(魂鬼) 관념과 대단히 가깝다. 아마도 이러한 점 때문에 재차 인용되면서 변문으로 형성되었고, 나아가 널리 알려지게 되었으며, 더욱 통속화되면서 보다 대중에게 쉽게 알려지게 되었던 것으로 보인다.

『비유경』을 살펴보자. 과거에 한 행인이 길을 걷다가, 길에 한 사람이 죽어 있고, 귀신이 지팡이로 그 시체에 매질하는 것을 보았다. 행인이 묻기를, "이 사람은 이미 죽었는데 어찌하여 매질을 하는가?"라고 하니, 귀신이 답하기를, "이것은 실은 나의 죽은 몸이다. 생전에 부모에게 불효하고, 임금에게 불충하며, 삼존(三尊)을 공경하지 않고, 스승의 가르침을 따르지 않았다. 지금 내가 죄의 고통에 떨어져 있음은 다 내 몸이 지은 까닭이므로 오직 매질할 뿐이다."라고 하였다. 이 행인이 앞으로 조금 더 걸어가니, 다시 또 한 사람이 죽어 있고, 천신(天神)이 꽃을 뿌리며 내려오는 것을 보았다. 행인의 물음에 천신이 답하기를, "이것은 나의 죽은 몸이다. 생전에 부모에게 효도하고, 임금에게 충성하고, 삼존을 공경하는 등 온갖 선행을 하여 신(神)으로 하늘에 태어나게 하였으니, 보답을 하는 것이다."라고 하였다. 이 행인은 하루에 두 번의 보기 드문 일을 겪고, 대단히 큰 가르침을 얻었다.

『경률이상』은 이 단락의 경문을 인용하고 있는데, 두 가지 중 한 가지만을 인용하고 〈귀환편고기(鬼還鞭故尼)〉라는 제목을 붙였다. 문장에 약간의 변화가 있다. 『법원주림』에 인용되어 있는 것도 『경률이상』과 기본적으로 일치하는데, 이 경전에 근거하여 기술하였기 때문이다. 하지만 돈황의 『비유경변문』은 변문 형태에 속하기에, 앞의 두 경문의 인용문보다 내용이 더욱 풍부하다. 이것은 일부분이 잔편으로 남아 있으며, 서두에 혼백이 "업도(業道)의 몸"을 움직여 쇠방망이를 들고 묘소로 가는 내용이 있다. 혼백은 원래의 경문에서 "귀신(鬼神)"으로, 『경률이상』에서는 "귀(魂)"로 나타나고 있다. 업도의 몸은 아귀도(餓鬼道)에서 각종 고통을 받는데, 이것도 역시 원문이 더 구체화되어 있다. 원래의 경문이 각종 죄의 고통을 설하고 있기 때문이다. 『경률이상』은 "악도(惡道)"에 떨어진다고 하고 있는데, 악도는 지옥, 아귀, 축생의 세 종류이다.

『비유경변문』에서는 아귀도에서 고통받는 각종 장면이 표현되어 있다. 예를 들면, "마치 부서진 수레처럼 되고, 고목나무처럼 되며, 온몸에 화염이 가득하고, 입안은 연기로 가득차 있다. 하루에 백 번을 불태워지니, 오랫동안 고통받는 것이 얼마가 될 것인가!"라고 하고, 다시 또 "아침, 저녁으로 갈증이 멈추지 않으며, 배고픔에 빠져서 헤어날 수가 없다"라고 하고 있다. 이어서 혼백이 "업도의 몸"을 운용하는 것을 설하고 있다. 혼백은 아까워하며, 탐하고, 질투하는 등의 전생의 죄과를 꾸짖고는, 마침내 쇠방망이를 들고 묘소로 가서 시신을 천여 번 내려친다. 계속해서 책벌하는 내용이 이어져 있는데, 산문과 운문의 내용이 같다.

『비유경변문』의 남겨진 문장은 앞부분이 대단히 불명확하여, 지옥도 혹은 축생도에 대하여 설한 것인지 그 여부는 알 수 없다. 다만 운문을 살펴보면, 삼도(三途 ; 3악도)가 언급되어 있지만, 어휘의 실질적인 면은 아귀도의 정형을 묘사하고 있다. 내용은 『천존설아육왕비유경』보다 더 많다. 결론적으로 이 경전은 "업도의 몸"을 움직여 쇠방망이로 시신을 구타하고, 아귀도에서 고통받는 것이 기본적인 줄거리인데, 이러한 내용이 더 구체적이고 명확하게 나타나 있으며, 운문과 산문으로 표현되어 있다.

또한 S.0543호가 있다. S.0543호의 앞면은 정적(丁籍)이며, 뒷면은 순서대로 『지옥변문(地獄變文)』, 『계참문(戒懺文)』, 『대승보살유나문(大乘菩薩維那文)』, 『성문보살유나문(聲聞菩薩維那文)』과 『과읍문(課邑文)』이다.

여기서 『지옥변문』은 앞서 살펴본 것과 내용상 같은 점이 없다. 모두 20행으로 앞부분의 상태가 온전하지 않지만, 문구 중에는 지옥의 각종 모습과 잦은 성냄, 삼보(三寶)에 대한 비방으로 받는 징벌의 장면이 묘사되어 있다. 마지막에는 5대 서원(誓願)을 세우고, 계사(戒師)에게 자비로써 가르침을 청하는 구절이 나타난다. 이후에 이어져 있는 것이 『참회문』이다. 다만 『지옥변문』에 나타나는 최후의 5대 서원과 참회의 문구를 살펴보면, 『지옥변문』과 『참회문』의 원본이 한 문장이며, 내용이 다른 두 문장이 아님을 알 수 있다.

돈황 유서들 중에는 서로 다른 내용의 것이 많다. 『비유경변문』 북도(北圖) 衣33호와 S.0543호 『지옥변문』 내용의 경우도 상당히 다르며, 서로 다른 각도에서 윤회와 지옥의 관념을 반영하고 있다. 비록 잔편으로 남아 있지만, 이러한 것들은 모두 고유한 가치를 가지고 있으며, 지옥 업보의 관념에 대한 이해와 전파에 있어서 민속적 관점을 잘 반영하고 있다. 이 중에 "업도의 몸"을 움직여 쇠방망이로 묘소를 내려친다는 구성은, 원래 경문의 지팡이와 채찍으로 죽은 사람을 내려치는 구성에 비하여 더욱 가공되고 개조된 것이며, 불교가 민중의 심리 속으로 전파되고 자리잡는 특징과 지옥 업보의 관념이 민간의 생활 속에 파고들어 형성되어 있는 특징을 반영하고 있는 것으로서 대단히 그 의미가 깊다고 하겠다.

앞서 살펴본 변문류(變文類) 외에도, 이와 관련된 일련의 돈황 유서가 있지만, 여기에서는 간략하게 일부를 살펴보겠다. P.2014VF호 중에 한 단락이 "지옥최쇄주(地獄摧碎呪), 아귀지옥최쇄주(餓鬼地獄摧碎呪), 축생지옥최쇄주(畜生地獄摧碎呪)"이다.

돈황의 사본 가운데 S.4624호는 앞부분이 훼손되어 제목을 알 수 없다. 『돈황유서총목색인(敦煌遺書總目索引)』에는 원래 『수계문(受戒文)』으로 정해져 있지만, 『돈황원문집(敦煌願文集)』은 『발원문범본(發願文范本)』으로 분류하고 있다. 문장 속에 당(唐) 감숙종(甘肅宗)의 호칭이 있어서 시기는 당대일 것으로 추정된다. 흥미로운 것은 서두에 '지장보살일(地藏菩薩日)'이 있고, 계속해서 한 단락의 '예수[逆修]' 내용이 이어져 있는데, 이것은 원문(願文)으로서 중요하다. 원문 중에 지장보살에 대한 예찬(禮讚)이 있으며, 또한 '예수'를 행할 때의 장엄한 태도, 엄숙한 보시, 재를 설행하고 승려를 청하는 일, 도량을 세우고 운영하는 일, 승려를 봉양하고 청하는 일 등이 모두 생동감 있게 묘사되어 있다. 지장보살과 시왕신앙이 실생활에서 잘 나타나 있어, 눈앞에 보이는 것처럼 생생하다.

8) 『목련변문(目連變文)』

『목련구모변문(目連救母變文)』의 내용은 돈황 유서 중에 적지 않게 나타나고 있다. 목련구모의 고사는 지옥을 배경으로 하고 있다. 목련구모의 고사와 그 변천 과정을 살펴보는 것은 대단히 큰 연구 주제이기에, 본 글에서는 이와 관련된 사본만을 간략하게 살펴보겠다.

왕중민(王重民), 주일량(周一良) 등의 여러 선생이 편집한 『돈황변문집(敦煌變文集)』에는 세 부의 『목련변문』이 실려 있는데, 모두 권6에 실려 있다. 첫 번째 본은 『목련연기(目連緣起)』이고, 두 번째 본이 『대목건련명간구모변문병도(大目乾連冥間救母變文并圖)』 1권이며, 세 번째 본이 『목련변문』이다. 모두 목련구모의 고사이다. 다만 두 번째 본이 내용의 세부 구성이 가장 풍부하고 상세하다. 뿐만 아니라 돈황의 사본에는 두 번째 본의 내용과 어휘 그리고 구성이 같은 사본이 여러 권 있는데, 대략 아홉 권에 이른다. 즉, S.2614호, S.3704호, P.2319호, P.3485호, P.3107호, P.4988호, 북도(北圖) 영(盈)76호, 북도(北圖) 8445호[려(麗)85호], 북도(北圖) 8443호[상(霜)85호]가 그것이다. 『돈황변문집』에 있는 이 아홉 권은 왕경숙(王慶菽) 선생이 교록(校錄)하였다. 원 책자인 S.2614호의 미제(尾題)에는 "오대(五代)의 후량(後梁) 정명(貞明) 칠년(柒年)(921)"이라는 제기(題記)가 있다.

『대목건련명간구모변문』에는 목련이 지옥으로 들어가서 어머니를 구하는 내용이 설해져 있다. 지옥문 입구의 관원이 그를 염라대왕에게 인도하고, 염라왕의 질문에 목련이 그 연유를 말한다. 염라왕이 목련에게 전(殿)에 올라오기를 청하여 올라가니, 그곳에 지장보살이 있었다. 지장보살이 목련에게 말하기를, "그 어머니가 생전에 지은 악업이 끝을 헤아릴 수 없이 많아서 지옥에 떨어졌다. 그대가 앞으로 나아가면 나는 거기에 있을 것이다."라고 하였다. 이어지는 글에서는 목련이 수차례에 걸쳐 12환 석장으로 지옥의 문을 열었다고 되어 있다. 이것은 이후의 각종 지장보살 보권(寶卷) 등에 나타나는, 석장으로 지옥의 문을 열었다는 내용과 일치한다. 총체적으로 말하면, 『지장보살본원경』의 지장보살의 전신(前身)인 바라문(婆羅門) 여인, 광목녀(光目女)가 어머니를 구해 지옥을 나오는 고사와 목련구모의 고사는 아주 유사하다고 말할 수 있다.

『돈황변문집』의 첫 번째 본인 『목련연기』의 저본(底本)은 P.2193호이다. 세 번째 본인 『목련변문』의 저본은 북도(北圖) 8444호[성(成)96호]이다. 이외에도 S.4546호 『목련경(目連經)』 1권, 산(散)260호 『목련전(目蓮傳)』이 있다.

9) 『불설연명지장보살경(佛說延命地藏菩薩經)』

『연명지장보살경』은 대장경에는 수록되어 있지 않지만, 역시 널리 유통되었던 중요 지장경전 가운데 하나이다. 연명사상(延命思想)과 연명관음(延命觀音) 등과 관계있는 지장경전이다. 이 경전은 불공(不空) 삼장(三藏)이 왕의 뜻을 받들어 번역한 것으로 되어 있지만, 실은 불공의 이름을 가탁(假託)한 것이다.

이 경전의 내용은 다음과 같다.

> 부처님께서 거라담야산(佉羅擔耶山)에 계실 때, 천제석(天帝釋) 무구생(無垢生)이 불멸(佛滅) 후에 어떻게 발제(拔濟)를 하느냐고 여쭙자, 부처님께서 말씀하시기를, "연명지장보살이 이 소임을 맡을 수 있다. 연명지장보살을 받드는 것으로 열 종류의 복(福)을 얻을 수 있으며, 또한 8개의 큰 두려움이 없어진다. 이 열 종류의 복은, 첫 번째가 여인이 편안하게 출산할 수 있는 것이고, 두 번째가 신근(身根)이 구족한 것이며, 세 번째가 모든 병이 제거되는 것이고, 네 번째가 수명이 길어지는 것이며, 다섯 번째가 총명하여 지혜가 있는 것이고, 여섯 번째가 재물이 충분한 것이며, 일곱 번째가 많은 사람들의 사랑과 존경을 받는 것이고, 여덟 번째가 곡식이 무르익는 것이며, 아홉 번째가 신명(神明)이 가호(加護)하는 것이고, 열 번째가 대보리(大菩提)를 증득하는 것이다."라고 하셨다.

『지장보살본원경』에도 역시 지장의 열 가지 이익에 대한 설명이 있다. 다만 『지장연명경』에서 말하는 열 가지 복(福)과는 차이가 있다. 『본원경』「견문이익품(見聞利益品)」에서는, "만약 금, 은, 동, 철 등으로 지장보살의 형상을 그리거나 만들고 향을 사르고 공양하며 예배하고 찬탄한다면, 가히 열 가지 이익을 얻을 수 있다."고 한다. 첫 번째는 토지가 풍족하고, 두 번째는 가택(家宅)이 편안하며, 세 번째는 먼저 돌아가신 분들이 천상에 태어나고, 네 번째는 수명이 길어지며, 다섯 번째는 구하는 바를 얻게 되고, 여섯 번째는 물과 불의 재앙이 없으며, 일곱 번째는 헛된 것이 줄어들고 허물이 사라지며, 여덟 번째는 악몽(惡夢)이 끊어지고, 아홉 번째는 신명의 가호가 있으며, 열 번째는 성인(聖因)을 많이 만난다는 것이다.

이 경전의 연명보살은 이후에 여러 종류의 화신으로 나타난다. 불(佛), 보살(菩薩), 벽지불(辟支佛), 성문(聲聞), 범왕(梵王), 제석(帝釋), 마왕(魔王), 비사문(毘沙門), 일월(日月), 오성(五星), 칠성(七星), 구성(九星), 전륜성왕(轉輪聖王), 소왕(小王), 장자(長者), 거사(居士), 재관(宰官), 부녀(婦女), 비구(比丘)·비구니(比丘尼), 우바새(優婆塞)·우바이(優婆夷), 천룡(天龍)·야차(夜叉), 인(人)·비인(非人), 의왕(醫王), 약초(藥草), 상인(商人), 농인(農人), 상왕(象王), 사자왕(獅子王), 우왕(牛王), 마왕(馬王), 대지(大地), 산왕(山王), 대해(大海), 삼계의 모든 사생(四生)의 다섯 형태에 변하지 못하는 것이 없다. 열거되어 있는 것은 모두 36종류의 사람과 동물이다.

'지장'의 명칭에 대해서는 부처님께서 제석천에게 말씀하시기를, "참다운 보살심(菩薩心)이 밝고 원만하여 여의륜(如意輪)이라고 하고, 마음에 장애가 없으므로 관자재(觀自在)라고 하며, 마음에 생멸(生滅)이 없으므로 연명(延命)이라고 하고, 마음에 억압하고 파괴함이 없으므로 지장(地藏)이라고 한다."라고 하셨다. 이 경전에는 또한 100자의 명주(明呪)와 왕생주(往生呪) 그리고 보회향진언(普廻向眞言)이 있다.

『연명지장경』과 연명지장 신앙은 밀접한 관계가 있다. 연명이생(延命利生)을 서원(誓願)하는 지장 신앙은 『지장본원경』에 잘 나타나 있다. 『본원경』「여래찬탄품」의 한 단락을 살펴보자.

아이를 갖게 되는 아버지나 어머니가 7일을 이른 아침에 이 부사의(不思議)한 경전을 독송하고, 다시 보살의 명호를 만 번을 원만히 염송한다면, 새롭게 태어나는 아들 혹은 딸은 숙세(宿世)의 앙보(殃報)로부터 해탈을 얻을 것이고, 안락하게 양육될 것이며, 수명이 늘어날 것이다.[146]

이로부터 지장보살은 오랫동안 출산과 영아(嬰兒)를 보호하는 염송으로 '연생이생'의 본원(本願)이었다는 것을 알 수 있다. 이후에 이 '연생이생'의 사상은 더욱 확대되고 발전하였다. 지장보살은 단명(短命)을 막아 주거나 요사(夭死)의 재난을 피할 수 있게 해 주는 '연명'의 공덕이 있는 것으로 인식되었다. 그리하여 연명지장보살의 설법이나 『연명지장경』이 나타나게 된 것이다. 연명사상은 『구사론(俱舍論)』 권3, 『아비달마발지론(阿毘達磨發智論)』 권12에도 이미 나타나 있어서, 인도에 이러한 형태의 연명사상이 있었다는 것을 알 수 있다. 이러한 부처님에 의지하고, 보살에 의지하여 연명장수하는 신앙이 중국에 전래된 이후, 도교(道敎)의 연년익수(延年益壽) 신앙과 결합되어서 적지 않은 수의 연명경전이나 속명(續命)경전이 출현하게 되었고, 또한 연명지장(延命地藏), 연명관음(延命觀音), 연명보현(延命普賢) 등 연명의 제보살이 나타나게 되었다. 그리고 연명을 위한 수행법이 만들어져서 『관념법문(觀念法門)』, 『우소불탑공덕경(右繞佛塔功德經)』 등에 반영되기도 하였다.

10) 『지장보살자비구고천복이생도량의(地藏菩薩慈悲救苦薦福利生道場儀)』

이 경전은 대장경에 수록되어 있지 않은 희귀 경전으로, 운남(雲南) 아타력

146 有新産者, 或男或女, 七日之中早與讀誦此不思議經典, 更爲念菩薩名可滿萬遍, 是新生子或男或女, 宿有殃報便得解脫, 安樂易養, 壽命增長.

교(阿吒力教)의 지장전적(地藏典籍)이다. 운남불교협회(雲南佛教協會) 조문환(趙文煥)이 청대(淸代)의 초본(抄本)을 소장하고 있으며, 조문환과 후충(侯冲) 선생이 정리하여 발간한 『장외불교문헌(藏外佛教文獻)』에 수록되어 있다.[147] 옥계(玉溪) 연광(延光)거사가 소장하고 있는 구초본(舊抄本) 『지장자비구고천복이생도량강요(地藏慈悲救苦薦福利生道場綱要)』와 『천복이생자비구고지장존경밀교(薦福利生慈悲救苦地藏尊經密教)』(卷上)와 의문(儀文)의 부분적 내용은 서로 동일하며, 이미 참교본(參校本)으로 만들어졌다. 1956년에 운남(雲南) 봉의(鳳儀)의 천동(天董)씨 종사(宗祠)에서 발견된 아타력교의 전적(典籍)에도 또한 지장보살과 관련된 중요 전적이 적지 않다. 운남도서관에 소장되어 있는 『지장과상(地藏科上)』, 『지장과의(地藏科儀)』 사본 등이 이에 속한다. 후충 선생이 제공한 목록 중에는 또한 근 · 현대의 초본(抄本)인 『지장표법사(地藏表法事)』와 일련의 시왕 관련 전적이 있다. 『명부시왕감죄발고과(冥府十王減罪拔苦科)』[가정(嘉靖) 18년 초본(抄本), 여기에 교계(教誡), 의문(儀文), 제망(提綱)과 밀주(密呪)가 있음]와 『신집명부시왕과의(新集冥府十王科儀)』가 그 간본(簡本)이다. 운남도서관에 소장되어 있는 대리(大理) 봉의(鳳儀)에서 발견된 유물 가운데 잔결본(殘缺本) 『명왕교계(冥王教誡)』, 『명왕제망(冥王提綱)』, 『명왕이시(冥王二時)』, 『명왕삼시(冥王三時)』, 『명왕사례(冥王四禮)』 등이 있다. 이러한 전적들은 모두 지장보살과 시왕 신앙 연구에 있어서 중요 자료들이다.

이 가운데 『도량의문(道場儀文)』은 여항(余杭)의 승려 석원조(釋元照)가 집록하였다.[148] 현존하는 초본(抄本)의 경전 뒤에는 "대청(大淸) 강희(康熙) 37년(1698) 무인(戊寅)년 조(造)"라는 제기(題記)가 있다. 이 경전은 운남 지역에서 명 · 청 시기에 아타력교 승려들이 상용하던 '과의(科儀)' 였으며, 지장법회를 거행할 때 사용하던 경전이었다. 경문은 모두 4권으로 나뉘어 있다. 즉, 『의문(儀文)』은 상 · 하의 두 권으로 나뉘어 있고, 『지장자비구고천복이생도량제망(地藏慈悲救苦薦福利生道場提綱) ; 제망(提綱)』과 『지장자비구고천복이생도량

147 趙文煥 · 侯冲整理, 『地藏菩薩慈悲救苦薦福利生道場儀』; 方廣錩(主編), 『藏外佛教文獻』(第六輯), 北京 宗教文化出版社, 1998, pp.217~313.

148 整理者인 余杭沙門은 宋代의 인물로 추정된다.

밀의(地藏慈悲救苦薦福利生道場密義) ; 밀교(密教)』는 각 한 권씩이 있다. 뒤의 두 부분은 옥계(玉溪) 연광(延光)거사의 소장본 내용과 상응한다. 도량법회(道場法會)는 '과의' 의 규범에 맞추어 거행되는데, 이 세 부분이 서로 보완적으로 구성되어 있어서 이를 참조하였다. 운남(雲南) 아타력교 승려들이 법회를 거행할 때에는 모두 본(本)에 맞추어 과(科)를 진행하였다. 그러나 '과의' 의 경본이 훼손된 이후에는 법회활동도 또한 '과의' 에 맞게 거행되지 못하고 있다. 이『지장도량의(地藏道場儀)』의 '의문(儀文)', '제망(提綱)' 과 '밀교(密教)' 부분은 모두 완전하게 존재하고 있어서, 이에 따라 이런 종류의 지장법회의 기본 면모에 대하여 이해할 수 있게 되었다.

의식을 거행하는 과정에 있어서 품(品)을 따라『지장보살본원경』을 노래하듯 염송하는 절차가 있다. 그 내용을 살펴보면, 이 '과의' 는『지장보살본원경』을 근본으로 하여 형성된 것이며, 법회를 할 때에는 세 부분의 내용을 서로 교차하여 사용한다. 예를 들면, '의문' 의 내용은 '제망' 에서도 찾아볼 수 있고, 밀교는 '의문' 에서 사용된 각종 다라니 주문들로 가득하다. 아타력교에서는 승려가 도량을 세우고 법회를 거행할 때에 여러 명의 승려가 법회를 주재하여야 비로소 일대(一臺)의 유가현밀법회(瑜伽顯密法會)를 완성할 수 있다. 일반적으로는 도량을 전체적으로 주관하는 주교법사(主教法師), 의문창념(儀文唱念)을 주관하는 주의법사(主儀法師), 제망을 주관하는 제망법사(提綱法師), 밀교의 주문을 주관하는 밀교법사(密教法師)가 있다. 다시 세분하면 장단법사(掌壇法師), 주경법사(主經法師), 표백법사(表白法師), 예참법사(禮懺法師), 그리고 종고법사(鐘鼓法師), 요발법사(鐃鉢法師) 등이 있다. 결론적으로 이 지장법회는 세 부분으로 되어 있으며, 세 명의 중요 법사, 즉 주교법사, 제망법사, 밀교법사가 주관하는 법회인 것이다.

지장법회를 거행하는 데 있어서 중요한 것은 망자를 위하여 복을 빌어 주는 것이고, 또한 살아 있는 사람들에게 재앙을 사라지게 하는 것이다.『지장자비구고천복이생도량제망』에서는 "이 재를 시설하는 것은 작은 것을 위함이 아니다. 온갖 복을 바라고 재앙을 피하기 위하여 하나하나 원한을 소멸시켜서 괴로움을 없애 준다."라고 한다.

이러한 재(齋) 법회에는 『본원경(本願經)』의 사상이 나타나 있으며, 의식의 성격은 예수(預修)와 추복(追福)과 관련되어 있다. 도량에서의 공덕의(功德儀)는 창제(唱題)를 행한 후에, "혹은 이를 염송하여 예수(預修)하거나, 혹은 이를 염송하여 천망(薦忘)하고, 재의 행사를 따른다."고 하고 있다.[149]

염송의 문장에서는 법회를 거행할 때, 시재주(施齋主)의 신분과 목적, 친인의 명복(冥福)을 위한 것인지, 자신의 구복(求福)을 위한 것인지를 비교적 분명하게 설명하고 있다. 이 경전의 '제망(提網)'에는 시왕이 머무는 장소가 '예수원(預修院)'과 '수생원(受生院)'이라고 언급되어 있다. 이것은 예수사상을 더욱 구체적으로 보여주는 점이기도 하다.

이 경전은 기본적으로 『지장보살본원경』에 근거하여 문장과 게송 등을 사용하고 있으며, '과의'에서는 『화엄경(華嚴經)』, 『능엄경(楞嚴經)』, 『법화경(法華經)』 등의 경전의 영향을 찾아볼 수 있다. 수주정논문의(水酒淨論文儀)에는, "팔공덕수(八功德水)가 스스로 천진(天眞)하고, 중생들의 더러운 업을 잘 씻어주며, 비로화장계(毘盧華藏界)로 유입하여 개체 가운데 인륜을 넘지 않음이 없다."라는 구절이 있다.

여기에서의 비로불(毘盧佛)은 화엄교주(華嚴教主)이며, 화엄세계는 동방연화장정토세계(東方蓮華藏淨土世界)이다. '의문(儀文)'에는, "돈교(頓教)와 화엄의 광대함과 종지(宗旨)를 하나하나 밝힘이 있다. 선재(善財)동자로부터 친히 참례(參禮)하니, 일찍이 오의(奧義)를 거양(擧揚)하였다."고 하고 있다. '밀교'에는, "가지화엄자모진언(加持華嚴字母眞言)"이라고 하여 분명하게 화엄의 내용을 표현하고 있다. 또한 "능엄자모(楞嚴字母)"와 "상불경보살(常不輕菩薩)"이 여러 번 언급되고 있는데, 상불경보살은 『법화경』의 「상불경보살품(常不輕菩薩品)」에서 비롯된 것이다. 다만 삼계교(三階教)의 신행(信行)법사가 뜻을 새롭게 부여하고 중시하여 받들고 모방한 것이다. 신행의 삼계교는 지장보살을 또

149 '預修'에서 염송하는 문단은 다음과 같다. "愍浮生之幻化, 念塵世之非堅. 思惟現生受用之因, 必前世所修之善果. 欲佈當來之福, 須凭今日之修. 是以延命緇流, 修崇善果. 伏願今日今世, 壽福德以彌隆；他日他時, 享陰功而永久."이며, '荐亡'의 문단은 "敬爲正荐當齋亡者某魂拘主宰, 魄散幽途. 俗伸薦悼以生方, 須假經功而脫化. 敬設地藏之法會, 轉持本願之眞經. 仗此功勳, 少生孝志."

한 중시하고 있다.

이 지장법회 의식을 설행하는 단(壇) 앞에 있는 교계의문(教誡儀文)에는 교계모범(教誡模范), 도량법칙(道場法則), 표양주수(表揚呪水)의 세 단락이 있다. 또한 산화(散花), 소향(燒香), 등단(登壇), 가찬(歌贊)이 있고, 다시 송경(誦經), 참회(懺悔) 등이 있다. 「본원품(本願品)」에 대하여 먼저 품의 이름을 말하고, 다음에 품을 따라 강연하고, 제목을 합창하고, 경을 외운다. 각 품의 경문을 염송한 후에 게송을 읊는다. 경을 염송한 후에 참회의식이 있는데, "호궤참회(胡跪懺悔)" 에서는 "구고지장왕보살(救苦地藏王菩薩), 실심정례(悉心頂禮), 명양교주(冥陽教主), 구고도사(救苦導師), 지장왕보살(地藏王菩薩)" 을 칭송하며, 이어서 참회사(懺悔詞)를 염출하는데, "제근죄과(諸根罪過)", "살생해명(殺生害命)", "투도죄업(偸盜罪業)", "염욕죄과(染欲罪過)", "기어죄근(綺語罪根)", "양설죄구(兩舌罪垢)", "패역죄업(悖逆罪業)", "간탐죄과(慳貪罪過)", "진에죄업(瞋恚罪業)", "우치죄업(愚痴罪業)", "삼업육근(三業六根)" 등의 죄업을 소멸하도록 참회한다. 참의(懺儀) 가운데 또한 "중혹환원소멸(中或還願消滅)", "무간옥중(無間獄中)", "아귀죄장(餓鬼罪障)", "축생도중(畜生道中)", "숙질죄근(夙疾罪根)", "원채죄근(寃債罪根)", "오역불효(五逆不孝)" 등의 죄업을 소멸하기를 원하며, 그리고 여러 종류의 죄업을 소멸토록 하는 참회사를 염출하고, 부모의 은혜를 갚는 효도의 내용을 드러내어 밝히고 있다.

결론적으로, 이러한 내용으로부터 알 수 있는 것은 시재인(施齋人)이 승려의 인도를 받는다는 것이며, 『지장보살본원경(地藏菩薩本願經)』과 참회문의 염송이 중요하다.

의문(儀文)을 살펴보면, 법사(法事)를 세 차례로 나누어 입단승좌(入壇升座)한다는 것을 알 수 있다. 『도량의문』은 상하의 두 부분으로 나뉘어 있으며, 그 아래에 두 번째, 세 번째의 입단행의(入壇行儀)가 있다. 첫 번째는 사품(四品) 『본원경』을, 두 번째는 오품(五品) 『본원경』을, 세 번째는 다시 사품 『본원경』을 강연한다. 지장법회는 며칠 동안 지속되는데, 최소한 3일에서 심지어는 7일이 걸리기도 한다.

'의문' 과 '제망' 의 '예청성현(禮請聖賢)' 에는 한 마음으로 모든 법계(法界)

의 주(主)인 청정법신(淸淨法身) 비로자나불(毘盧遮那佛), 원만보신(圓滿報身) 노사나불(盧舍那佛), 천백억 화신(化身) 석가모니불(釋迦牟尼佛) 등 수십의 불타(佛陀)에게 귀의하고, 또한 한 마음으로 대자대비의 문수사리보살, 보현왕(普賢王)보살, 관세음보살 등 수십의 보살에게 귀의하고, 또한 인다라(因陀羅) 천제(天帝), 마혜수라(摩醯首羅) 천제 등 수십의 성군(星君)을 청하며, 사천왕(四天王) 등의 제천(諸天), 천룡귀신(天龍鬼神) 대중 등에게 고(告)하고, 동옥(東獄), 서악(西岳), 강과 바다 산천 등의 제신(諸神)에게 예청(禮請)하며, 또한 수부(水府) 부상대왕(扶桑大王) 사해(四海) 용왕(龍王) 등에게 봉청(奉請)하고, 성황(城隍) 등의 예전백신(禮典百神)과 철위산(鐵圍山)의 대사(大士), 면연귀왕(面燃鬼王) 등에게 알린다. 결론적으로 이것은 대단히 복잡하고 전면적인 신불(神佛) 체계이다. 그 내용은 송대(宋代) 이래로 융성하였던 수륙대법회(水陸大法會)·무차대법회(無遮大法會)에서 봉청(奉請)하던 신귀(神鬼) 계통과 관련이 있다. 이러한 성현(聖賢)을 받들어 청하는 체계의 끝에는 또한 이 재(齋)의 시주인 집의 망령(亡靈)의 이름이 있다.

여기서 한 가지 주목해야 할 것은 이 신귀(神鬼) 계통의 시왕의 각 명호에는 매우 구체적이고 다양한 내용이 있다는 점이다. 즉, "지부(地府) 진광도조대왕(秦廣都曹大王), 초강구록대왕(初江龜錄大王), 송제명조대왕(宋帝明曹大王), 오관원림대왕(仵官元琳大王), 염라명현대왕(閻羅明賢大王), 변성학정대왕(變成鶴庭大王), 태산보휴대왕(泰山寶畦大王), 평정규원대왕(平政圭元大王), 도시자대왕(都市紫大王), 전륜배생대왕(轉輪配生大王), 생록판관(生祿判官), 조판관(趙判官), 왕판관(王判官), 하후판관(夏侯判官), 최판관(崔判官), 중장예수원(衆掌預修院), 수생원(受生院), 공덕사관(功德司官), 이십사안(二十四案), 칠십사사(七十四司), 육원상서(六院尙書), 조료(曹僚)" 등의 명호들이 나타나고 있다. 이들 가운데 진광(秦廣), 초강(初江) 등의 다섯 명의 명호에 첨가되어 있는 도조(都曹), 구록(龜錄) 등은 함의가 더 발전된 모습이다. 그 보관(輔官)인 사판관(四判官), 안사(案司), 상서(尙書), 요조(僚曹) 등, 그리고 예수원(預修院)과 수생원(受生院)은 오대(五代)·송(宋) 이래의 시왕경도(十王經圖), 석굴조상(石窟造像) 중에 표현되어 있는 것보다 더 풍부하고 완전하다. 이것은 시왕 신앙이 민간에 깊이 자리잡은 후에도 끊임없이 변화하고 발전했었다는 사실을 설명해 주고 있다.

제2장 지장보권(地藏寶卷) 및 관련 문헌

지장보살 관련 '보권(寶卷)' 을 논하기 전에 먼저 '보권' 의 정의에 대하여 간략하게 살펴보겠다. '보권' 이란 무엇일까? '보권' 은 당대(唐代) 사원(寺院) 안에서 행해지던 속강(俗講)이 발전되어 나타난 것으로, 종교와 민간 신앙을 그 내용으로 민중 사이에서 유행하던 문학 형식이다. '보권' 은 또한 많은 민간 종교, 즉 나교(羅教), 백련교(白蓮教), 홍양교(弘陽教), 문향교(聞香教) 등의 경전을 말한다. '보권' 은 일곱 자의 운문(韻文), 열 자의 운문(韻文)이 주가 되며, 그 사이에 산문(散文)이 있다. 수많은 불교 고사(故事)로 이루어져 있는데, 인과응보가 주요 내용이다.

현존하는 가장 이른 시기의 '보권' 은 『목련구모출재지옥생천보권(目連救母出齋地獄生天寶卷)』이다. 원대(元代)의 선광(宣光) 3년, 명대(明代) 홍무(洪武) 5년(1372)에 간행되었다. 과거에는 북송(北宋) 보명(普明)선사가 지은 『향산보권(香山寶卷)』이 가장 오래된 것으로 인식되어 왔으나, 실제라고 믿을 만한 증거가 부족하다. 명대(明代) 만력(萬歷) 연간(1573~1619) 전후(前後)는 '보권' 의 간행이 가장 활발했던 시기이다. 다만 명대(明代)부터 청대(清代) 도광(道光) 시기까지, '보권' 의 대다수는 민간 종교의 경전이었으며, 많은 민간 종교가 중앙의 단속과 탄압을 받음에 따라 일련의 '보권' 도 역시 금지되었다. '보권' 은 비록 그 전부가 완전히 금지당하지는 않았지만, 이러한 상황은 중화민국(中華民國) 초기까지 계속되었다. 청(清) 동치(同治) 이후의 '보권' 은 권선징악 사상을 민간에게 유포하는 것이 주류를 이루었으나, 민간 종교의 경전이 다시 유통된 것은 아니다.

'보권' 은 강절(江浙 ; 江蘇와 浙江) 일대에서 매우 성행하였는데, 현존하는 많은 '보권' 에 방언(方言)의 어휘가 발견된다. '보권' 의 완전한 형식은 24품(品)을 이루고 있다. 책자의 앞과 뒤에 백문(白文), 개경게(開經偈), 분향찬(焚香贊), 수경게(收經偈) 등이 있다. 주요 구(句)의 형식은 운문(韻文)이며, 산문(散文)이 그 사이에 있다. '보권' 에 전승되어 온 것은 당대(唐代) 속강(俗講)이 강창(講唱)과 결합된 형식이며, 그 운문(韻文)은 창송(唱頌)에 사용된다. 그러므로 '보권' 의 운문(韻文) 대다수는 주운비(駐云飛), 황앵인(黃鶯儿), 산파양(山坡羊), 안인락(雁儿落)과 방장대(傍妝臺) 등 원곡(元曲)의 곡패(曲牌)로 조성되어 있다. 세 글자씩으로 된 2개의 구(句)나 네 글자로 1구를 이룬 방자강(梆子腔), 십자난탄조(十字亂彈調) 역시 대단히 보편적이었다. 매우 쉬운 송창(頌唱)이다. 산문(散文)과 운문(韻文)은 서로 결합하여 정서적인 효과를 더하고 있다. 일반적으로 산문이 먼저 고사를 기술하고, 운문이 다시 두 번을 재연하면서, '일창삼탄(一唱三嘆)' 의 효과를 거두고 있다.

지장보살 등과 관련된 '보권' 은 장희순(張希舜) 등이 편집한 『보권초집(寶卷初集)』에 수록되어 있는데, 다음과 같다.

> 『지장보권(地藏寶卷)』, 『삼세광목권(三世光目卷)』, 『지장과문(地藏科文)』, 『지옥보권(地獄寶卷)』, 『관음유전(觀音遊殿)』, 『관음유지옥(觀音遊地獄)』, 『지옥과문(地獄科文)』, 『왕대랑유십전보권(王大娘遊十殿寶卷)』, 『습왕보참(拾王寶懺)』, 『여조강유준신옥력초전염왕경(呂祖降諭遵信玉歷鈔傳閻王經)』[『옥력보초(玉歷寶鈔)』], 『명왕보권(冥王寶卷)』, 『목련삼세보권(目連三世寶卷)』, 『유명보권(幽冥寶卷)』.

'보권' 의 조사와 수집에 있어서 최근에는 적지 않은 성과가 있었다. 복문기(濮文起)의 『민간보권(民間寶卷)』에는 더 많은 '보권' 이 수록되어 있는데, 편집되어 있는 것이 『지장왕집장유명보권(地藏王執掌幽冥寶卷)』 등을 포함해 357종류에 달한다. 대만 학자 왕견천(王見川) 등이 편집한 『명청민간종교경권문헌(明淸民間宗教經卷文獻)』(正編)은 이후에 중국의 학자 차석륜(車錫倫) 등과 함께 공동으로 속편이 간행되었다. 여기에 수록된 많은 수의 '보권' 역시 매우 중요하다.

지장보살 관련 '보권' 은 대체적으로 다섯 종류로 귀결된다. 첫째는 지장보살의 본사(本事)를 다루고 있는 것으로 『지장보권(地藏寶卷)』, 『삼세광목권(三世光目卷)』 등이 이에 속한다. 둘째는 지옥과 관련된 것으로, 유명지옥(幽冥地獄)을 편력하거나 18층 지옥의 각종 참혹한 광경이 있는 '보권' 이다. 셋째는 시왕이 주체인 지옥 관련 '보권' 과 시왕과 칠칠재(七七齋) 법사, 의식 용어가 사용된 '보권' 등이다. 넷째는 목련(目連)을 위주로 한 지옥 관련 '보권'이다. 다섯째는 추천(追荐), 재사(齋事), 참법(懺法)과 관련된 '보권'이다.

1. 보권(寶卷)

1) 『지장보권(地藏寶卷)』

『지장보권(地藏寶卷)』 갑종(甲種)

갑종(甲種) 『지장보권』은 상·하의 두 권으로 나뉘어 있으며, 광서(光緖) 신축년(辛丑年 ; 1901)에 간행되었다. 책표지에 그림이 인쇄되어 있다. 화면 중앙에 지장보살이 금예후(金猊吼)를 타고 있으며, 오불관(五佛冠)을 쓰고 승복을 입고 있다. 머리에 원광(圓光)이 있으며, 위로 들어올린 깃발에는 "유명교주지장왕보살(幽冥敎主地藏王菩薩)"이라고 쓰여 있다. 그 왼쪽에는 제자가 있고, 오른쪽에는 승려가 석장을 들고 있다. 오른쪽 앞에는 민장자(閔長者)가 있으며, 아래에는 동자가 있는데, 다섯 명이 모두 구름 위에 있다. 화면 가득 운무(雲霧)로 둘러싸여 있어서, 산봉우리를 굽어보는 듯하다.

상권(上卷)은 내용이 상당히 풍부하지만, 『지장본원경(地藏本願經)』에서 인용한 것이 비교적 많다. 김교각(金喬覺), 즉 김지장(金地藏)도 있으며, 시왕경(十王經)의 내용도 있다. 『본원경』에서 인용한 것으로, 지장보살의 화신인 바라문(婆羅門)의 성녀(聖女), 두 국왕 중의 한 명, 광목녀(光目女) 등이며, 또한 산난(産難), 십재(十齋), 시사(施舍)가 있다. 계속해서 김교각에게 민공이 땅을 희사하는 장면, 유명교주(幽冥敎主)가 되는 장면, 사문유관(四門遊觀)을 하여 생로병사를 관하는 장면, 시왕(十王)을 순시(巡視)하는 장면 및 양친을 제도하는 장면, 중원절(中元節)에 우란분회(盂蘭盆會)를 시설하는 장면이 이어져 있다. 상권의 끝에는 일매성(一梅姓)의 귀신(鬼神)이 중원절에 지극하게 재(齋)를 올려서 마침내 구원되는 고사가 있다.

하권(下卷)은 지장보살이 속세로 내려와 미치광이 승려로 화현하여, 진회(秦檜)를 교화하려고 애쓰다가 결국 그를 징벌하는 고사(故事)이다.

이 '보권' 의 염송 순서는 먼저 "나무유명교주본존사죄구고대원지장왕보살(南無幽冥教主本尊赦罪救苦大願地藏王菩薩)" 을 칭하고, 이어서 "대자대비민중생(大慈大悲愍衆生), 대희대사제유혼(大喜大捨濟幽魂), 연화상품단연좌(蓮花上品端然坐), 대중지심례자존(大衆至心禮慈尊) ……." 을 염송한다.

'보권' 은 여러 단락에서 『지장보살본원경』을 의지하고 있다. 책의 서두를 보자. 지장보살이 일찍이 대장자의 아들일 때 발원하기를, "능히 몸을 산[山], 숲[林], 냇물[川], 못[澤]과 범왕(梵王), 거사(居士), 성문(聲聞), 나한(羅漢) 등의 각종의 형태로 변화하여, 죄업으로 고통받는 중생을 제도하며, 미륵불이 출현할 때까지 남김없이 해탈을 이루게 하겠다." 라고 하였다. 이어서 지장보살이 일찍이 바라문의 여인이었을 때, 각화정자재왕여래(覺華定自在王如來)에게 기도하여 어머니를 구해 지옥을 나오는 내용, 일찍이 두 국왕의 한 명이었을 때에 중생의 고통을 영원히 제도하기를 발원(發願)하는 내용, 그리고 일찍이 광목녀(光目女)였을 때 그 어머니를 제도(濟度)하는 내용이다. 이러한 지장보살의 본생(本生) 사적(事迹)은 『본원경』으로부터 나온 것이다.

이어서 산난(産難)의 내용이 있다. 먼저 『본원경』을 인용하고 나서, 산후(産後)에 산모에게 신선한 음식을 공급하기 위해서 살생을 해서도, 친속이 술과 고기 혹은 가무를 즐겨서도 안 된다고 하고 있다. 부녀(婦女)의 생산은 피가 혼탁해져 악귀를 끌어들일 수 있고, 쉽게 지신(地神) · 하신(河神)의 침범을 받을 수 있음을 강조하고 있다.[151]

계속해서 살아 있는 사람이 십재일(十齋日)을 수행하고, 망인을 위하여 칠칠일(七七日)을 수행하는 것에 이르기까지, 모두 앞의 『본원경』 내용과 같다. 매월 십재일에는 여러 죄(罪)를 모아 그 경중(輕重)을 정한다. 만약 십재일에 불 · 보살과 여러 성현(聖賢)의 상(像) 앞에서 경전을 읽고 부처를 염송하면 여러 재난에서 벗어날 수 있다. 몸이 죽은 후 칠칠일 안에 널리 여러 가지 선행을 하고

151 生男育女要留心, 必須齋戒莫傷生, 注定日時將生産, 血光觸犯罪非輕 …… 誠誦金剛經還債, 多念彌陀保自身 …… 頭頭醒悟西方境, 念念要修淨土因. 生方處處彌陀佛, 端的處處觀世音.

악도(惡道)를 멀리하면 망자는 인도(人道)나 천도(天道)에 왕생할 수 있다.

'보권' 에서는 또한 시사(施舍)를 강조하고 있다. 만약에 아주 빈궁한 자나 병자를 만나 대자대비한 마음으로 직접 시주를 하면, 능히 1만 개의 응보(應報)를 얻을 수 있다고 한다.

김지장(金地藏)에 관한 것은 김지장본(金地藏本) 끝에 다음과 같이 상세하게 나타나 있다.

> 김지장은 섬라국(暹羅國 ; 新羅國의 오기)의 왕자였다. 당(唐) 정관(貞觀) 2년 7월 30일에 입적하였다. 출가하여 3년 동안 불법을 배우고자 스승을 구하였다. 석가불이 승려로 화현하여 가르침을 내려, 지주(池州) 청양(青陽) 구화산(九華山)으로 갔다. 그곳에서 예후(猊吼)를 강복시켰다. 민장자(閔長者)가 가사(袈裟) 하나를 덮을 만한 땅을 시주하고자 하였고, 지장이 신통력을 보여 가사로 구화산을 덮자 이러한 까닭으로 보전(寶殿)이 세워졌다. 75세에 선정(禪定)에 들어, 99세에 열반에 들었다. …… 십전염군(十殿閻君)이 와서 참배하고, 호법신지(護法神祗)가 절 문을 지켰다.

또한 김지장본에는 "태자득도원성(太子得道圓成)", "집장유명교주(執掌幽冥教主)"라는 단락이 있다. 이 내용은 태자(太子)가 깨달음을 얻어 유명교주가 되었다는 것이다. 네 문에서 선악(善惡)의 응보(應報)를 보았는데, 동문에서 늙음의 고통을 보고, 남문에서 병의 고통을 보았으며, 서문에서 죽음의 고통을 보았고, 북문에서 빈궁의 고통을 보았다. 이곳에 표현된 태자는 김지장이지만 네 문으로 출행하다가 생 · 노 · 병 · 사를 보는 내용은 바로 싯달타 태자의 고사와 같다. '보권' 에서 지장보살은 네 문으로 출행하다가 여러 상(相)을 보고는 사람의 생전의 업보(業報)라고 귀결짓는다. 네 문을 나선 후, 지장보살은 십전염군이 다스리는 곳을 찾아 순시한다.

십전염군은 바로 일반적으로 말하는 지장시왕(地藏十王)이다. 즉, 제1전

(殿) 진광(秦廣), 제2전 초강(初江), 제3전 송제(宋帝), 제4전 오관(五官), 제5전 염라(閻羅), 제6전 변성(卞城), 제7전 태산(泰山), 제8전 도시(都市), 제9전 평등(平等), 제10전 전륜(轉輪)왕이다. 이 중에 삼전은 부녀(婦女)를 징벌하는데, 단지 생산의 피가 혼탁하여 지신(地神)·하신(河身)에게 미친다는 이유에서이다. 이 부분은 대단히 특징적이다.

지장보살은 명계(冥界) 시왕의 전(殿)을 순시한 후에, 신통력을 발휘하여 몸을 바꾸고, 섬라국으로 부모를 제도하러 간다. 태자가 섬라국에 가서 부모를 만나고, 부모인 국왕과 왕후에게 고별을 하며 궁을 나서자 허공에서 한 송이 상서로운 구름이 내려왔다. 태자는 그 위에 올라 허공으로 사라졌다.

"국왕도(國王道)", "태자진시수행유도(太子眞是修行有道)" 에서는 태자가 수명이 다하여 서방(西方)으로 가는 과정을 묘사하였다. 이 단락의 문장은 『서유기(西遊記)』와 같은 종류의 소설과 대단히 유사하다.

하권(下卷)은 지장보살이 미치광이 승려로 화현하여, 충신 악비(岳飛)를 음해한 매국노 진회(秦檜)를 계도하려는 내용이다. 하지만 진회(秦檜)와 왕씨(王氏)는 교화되지 않았고, 결국에는 지장이 징벌을 내려서 이들의 혼백을 묶어버린다. '보권' 에는 진회에 관한 역사적 고사가 펼쳐져 있다. '보권' 에는 당대(唐代)로부터 내려 온 속강(俗講)의 전통이 반영되어 있으며, 역사적 고사(故事) 등을 불교의 교리(敎理)로 용해하고 재구성하여, 대중의 마음을 사로잡아 왔다.

『지장보권(地藏寶卷)』 을종(乙種)

을종 『지장보권』은 구초본(舊抄本)이다. 이 책의 내용은 다음과 같다.

> 섬라국의 왕이 아들 하나를 얻었는데, 성(姓)은 김(金)이고 이름은 본법(本法)이며 호(號)는 진오(眞悟)였다. 왕위를 계승하지 않고 수행에 뜻을 두어 3년을 스승을 찾아다녔다. 석가(釋迦)가 그에게 청양현(靑陽縣) 구화산(九華山)으로 갈 것을 권하였고, 이곳에서 수행하고 있을 때 민공(閔公)이 땅을 시주하였다. 이에 그가 가사(袈裟)로 아홉 산을 덮으니 민공이 크게 감화를 받아 땅과 금

은을 모두 시주하였고, 노반(魯班)이 내려와 사찰 세우는 것을 도왔다. 옥황대제(玉皇大帝)가 김(金) 승려가 정과(正果)를 이루었다는 것을 듣고, 금동옥녀(金童玉女)와 천사(天師)를 구화(九華)로 파견하여, 김 승려를 유명교주(幽冥敎主)로 책봉하였다. 동시에 민공 부자(父子)를 덕행선사로 책봉하고, 이어서 집에 있던 개도 역시 비린 것을 탐하지 않았다는 이유로 지청(地聽)으로 책봉하였다.

"지장왕출유사문(地藏王出遊四門)"의 내용은 다음과 같다.

지장은 동문에서 죽은 사람의 시체를 보고, 남문에서는 노인을 보며, 서문에서는 병자를 보고, 북문에서는 가난한 자를 만나보고 그 참상을 헤아리며, 모두 응보(應報)의 결과임을 알게 된다. 이후에 지장은 10전(殿)으로 가서 그곳을 살핀다. 제1전(殿)에서 선량한 남녀가 금교(金橋) 위에 있는 것을 보았고, 제2전에서는 살생(殺生)을 한 자를, 제3전에서는 패역의 불효자를, 제4전에서는 며느리를, 제5전에서는 각종의 악인을, 제6전에서는 이간질한 사람을, 제7전에서는 피가 가득한 호수 지옥을, 제8전에서는 사기꾼을 보게 되었고, 제9전에서는 다시 선인(善人)을 보게 되었는데, 부부가 곤궁함 속에서도 삿된 마음을 갖지 않고, 스스로를 독려하여 많은 선행을 하였다. 각 전에는 모두, 선악에 따른 과보(果報)가 있었다. 제10전에서 사람들은 전륜왕(轉輪王)의 표정 없는 얼굴을 마주하고 선악과 그 업보에 따라 탁생(托生)하여 나간다. 10선(善)의 과보(果報)로 어떤 것으로 잉태되는지, 10악(惡)의 과보(果報)로 어떤 것을 만나게 되는지 구체적으로 설명하고 있다. 지장보살은 10지옥을 다 둘러본 다음, 마침내 가사를 벗고 부모를 돌보러 간다. 이후에 부모와 고별하고 다시 지옥으로 돌아와 유명교주로서 공무를 관장한다.

여타의 다른 '보권' 들처럼, 이 책도 일련의 도교적 관념과 민간 전설 등이 스며들어 있다. 김지장의 생일이 7월 30일 오시(午時)라는 내용이나, 팔선(八仙)이 축하를 하러 왔다는 내용 등이 그러한 예에 속한다.

결론적으로 을종『지장보권』은 갑종『지장보권』 상권의 김지장 부분과 내용이 동일하다. 이 '보권' 은 오로지 김지장의 본생 행적에 대한 고사를 그 내용으로 하는 '단행(單行) 보권' 이라고 할 수 있다.

『삼세광목보권(三世光目寶卷)』

『삼세광목보권』(全集)에는 서두에 무자년(戊子年) 7월에 목수경(沐手敬)이 초록(抄錄)하고 진준달(陳俊達)이 소장한다는 제기(題記)가 있다. 이 시기는 청(淸) 동치(同治) 14년(1888)에 해당한다. 이 책은『지장보살본원경』에 나오는 광목녀(光目女)를 그 제목으로 하였다.『본원경』에 의거하여 만들어진 것이라는 것을 알 수 있다.『본원경』에는 네 종류의 전생 인연이 나타나 있는데,『광목보권』의 내용은 광목녀의 3세(世) 인연이다. 즉, 광목(光目)과 전(前) 2세의 상황이 기술되어 있다. 책의 서두에 이르길, "지장보살은 성(姓)이 라(羅)씨이다. 삼세에 평범한 사람으로 태어났다. 양세에 남자로서, 일세는 여자로서 7월 30일에 태어났다. 정성스러운 마음으로 수도(修道)하여 정과(正果)를 이루었으며, 유명지장신(幽冥地藏身)으로 칙봉(敕封)되었다."[151]라고 하고 있다.

제1세 보살은 나장자(羅長者)의 집에 태어난다. 나장자 부부는 신심이 돈독하였지만, 슬하에 자식이 없었다. 간절히 불천(佛天)에 기도하여 보살이 세상에 내려오게 되었다. 자라서 아홉 살이 되자 불교의 도리를 강의하며, 부모를 교화하였다.

제2세 보살은 가위국(伽衛國)에서 태어났다. 태자(太子)의 신분이었으며, 그 아버지의 이름은 규구라택(叫俱羅宅), 어머니의 이름은 열상리녀(悅常利女)였다. 나라의 많은 백성이 악업을 행하였다. 어느 날 태자가 부왕에게 옥중에 간

151 地藏菩薩姓羅人, 三世臨凡度凡人. 兩世男身一世女, 七月三十正誕辰. 虔心修道成正果, 敕封幽冥地藏身.

혀 있는 죄인을 사면하여, 개과천선하게 이끌 것을 간청하자, 부왕이 대노하여, 태자를 사형에 처하려고 하였다. 그 어머니가 나서 다방면으로 힘을 써서 이를 말렸다. 태자가 다시 말하기를, 수행을 위하여 용화회(龍華會)를 설치해 줄 것을 간청하였다. 부왕은 이를 윤허하였으며, 태자는 즉시 용화회를 수행하였다. 칠칠 49일에 깨달음을 얻었다. 여러 보살들이 내려와 임하였고, 금동옥녀(金童玉女)가 태자의 승천을 인도하였다. 그 부왕이 이를 듣고 크게 기뻐하며, 감옥의 죄인들을 모두 방면하였다. 나라의 백성들이 모두 선행에 힘쓰게 되었고, 바람과 비가 잘 조화되어 나라가 태평을 누렸다. 이 책에서는 '칠칠재(七七齋)'를 '용화회'라고 표현하고 있는데, 이 점은 매우 특징적이다.

제3세 보살은 바라문(婆羅門) 거사의 집에 태어난 광목녀(光目女)이다. 아버지의 이름은 연라선견(緣羅善見)이며, 어머니의 이름은 찰제리녀(刹帝利女)였다. 광목(光目)의 아버지는 어느 날 세상을 떠나고, 효녀는 바로 어머니에게 수행을 권하였다. 세간(世間)에서 남자는 칠보(七寶)의 몸이 되고, 여자는 오루(五漏)의 몸이 된다고 말하였다. 오래지 않아 그 어머니마저 세상을 떠나자, 아버지가 묻힌 곳에 함께 매장하였다. 효녀는 어머니를 위하여 출가하여 정과(正果)를 얻어 부모를 제도할 것을 결심하였다. 허공에서 부르는 소리를 듣고, 해변에 도착하여 그 어미를 찾았다. 귀왕(鬼王)이 답하기를, "오직 네가 경건한 마음으로 부처를 염송하며, 어미가 하늘에 오를 것을 기원하니, 너의 그 지극한 효심이 하늘을 감동시켰으며, 이제 부처의 뜻을 받들어, 너의 모친이 하늘에 오르게 되었다."고 하였다. 효녀는 일이 그렇게 되자 여러 지옥을 돌아보게 되었다. 악행을 범한 자들이 이곳에서 고통을 받고 있었다. 효녀는 차례차례 지옥을 둘러보았는데, 도산(刀山)지옥, 추장(抽腸)지옥, 철조동주(鐵吊銅柱)지옥, 화소(火燒)지옥, 확탕(鑊湯)지옥, 거해(鋸解)지옥, 시뇨(屎尿)지옥, 철응석사(鐵鷹石碴)지옥, 니경(犁耕)지옥, 동사철구(銅蛇鐵狗)지옥이 있었다. 광목 효녀는 각종 지옥을 둘러보고, 수행하여 중생을 모두 제도할 것을 발원하였다.

광목은 이로 말미암아 하늘로 올라갔다가 다시 세간으로 돌아와 일진영성(一眞靈性)을 얻어 구화산으로 나아가 수행하였다. 9년을 수행하고 있을 때, 괴수(怪獸)가 으르렁거리며 광목을 잡아먹으려고 하였다. 괴수는 광목이 진짜 동녀(童女)라는 것을 알고는, 그녀의 육신을 먹고 장생(長生)하려고 한 것이다. 이 때에 각화정여래(覺華定如來)와 연등고불(燃燈古佛)이 모두 와서 도와주었다. 고불이 명주(明珠)를 선사하였고, 위타(韋馱)가 전한 것은 괴이한 정령을 굴복시키는 제청(諦聽)이었다. 많은 사람이 그 기이함을 보고는, 모두 와서 살펴보았다. 광목은 민원외(閔員外)의 도움을 받아 편삼(偏衫)을 덮을 땅을 시주받았는데, 광목이 신통력을 발휘하여, 그 작은 편삼으로 구화산의 아홉 봉우리를 덮어버렸다. 민원외가 땅을 시주하고 보전을 세웠으며, 광목은 이로부터 유명(幽冥)을 관장하였다.

참조 : 『여래병수기(如來并受記)』, 『지부명자장유명(地府名字掌幽冥)』

보전(寶殿)에는 시왕의 조신(朝臣)과 18옥주(獄主) 등이 있다. 지장보살은 여전히 괴로워하면서, 세상의 중생들에게 살아 있을 때 선행을 하고 힘써 수행할 것을 권한다. 선한 자는 천당에 오르는 판정을 받고, 악한 자라 하여도 그 죄가 가벼우면 이에 준하여 판정한다.

'보권(寶卷)' 끝의 한 단락은 『지장보권』(上卷)의 마지막 부분과 유사하다. 여기에는 10악을 짓고서 용서받지 못한 매나귀(梅那鬼)가 등장한다. 집안사람들이 그를 구제하려고 재를 지내지만, 승려가 파계(破戒)하여 탁한 음식을 먹고 술을 마셨기 때문에 구제받지 못한다. 그러나 이 단락은 앞서 살펴본 『지장보권』보다는 내용이 복잡하다. 매나귀는 집안사람들 꿈에 나타나 집안사람들의 발심으로 제도될 수 있었지만, 승려로서 파계음주한 사실이 대왕(大王)과 자왕(慈王)에게 보고되었음을 알렸다. 이에 집안사람들이 다시 전과 같이 권청하여 매나귀는 비로소 제도된다.

『삼세광목보권』은 비록 제목에 '광목'과 '삼세'가 들어 있지만, 그 내용은 『본원경』에 의거하여 재구성된 것이다. 『본원경』에는 지장의 전생인연이 네 종류로 설해져 있다. 즉, 대장자의 아들, 바라문녀, 국왕과 광목녀의 전생이다. 이 '보권'에서는 이들을 합하여 구성하였는데, 대장자의 아들과 태자의 신분이 광목의 전생 신분이다. 계속해서 삼세의 인연이 나타나 있다. 다만 이 중에는 많은 민간 고사와 원래의 지장보권 내용이 추가되어 있다. 앞부분에는 나장자(羅長

者)의 아들이 아홉 살에 불법(佛法)을 이야기하는 고사가 있고, 계속해서 가타국(伽陀國) 태자가 백성의 구제를 간청하다가, 사형에 처해질 뻔했으나, 용화회(龍華會)를 수행하여 49일에 깨달음을 얻었으며, 여러 불 · 보살이 강림하는 내용이 이어져 있다. 이 용화회는 미륵불(彌勒佛)이 하생(下生)하는 용화삼회(龍華三會)가 아니라 칠칠재(七七齋)나 수륙참법(水陸懺法)에 더 가깝다. 광목녀 본연(本緣)의 내용도 역시 『본원경』의 앞부분과 대체적으로 유사하지만, 광목녀가 어떻게 어머니를 구하였는지가 강조되어 있지 않고, 오히려 지옥을 두루 살펴보며, 고통받는 중생을 보며 발원하는 내용이 있다.

계속해서 비교적 많은 분량이 구화산 김지장의 내용으로 구성되어 있다. 광목녀가 직접적으로 구화산 김지장으로 변해 있지만, 신라로부터 온 김교각(金喬覺)이라는 내용은 제거되어 있다. 제청(諦聽)을 강복시킨 이야기, 민원외가 한 조각 편삼과 땅을 시주하고(편삼은 실제 중국 승려의 복장인 가사(袈裟)의 일부이며, 뒤집어서 어깨를 덮는다) 보전을 세운 이야기, 매나귀에 관한 이야기는 그대로 채용되어 있다.

전체적으로, 이 책의 구성은 가타국 태자의 지옥 순례에 따라 이루어져 있다. 이것은 『관음향산보권(觀音香山寶卷)』의 영향과 그 흔적을 연상시킨다. 그리고 후반부의 구성은 『지장보권』의 각종 장면들을 생각나게 한다. 세부적인 구성과 묘사는 고대의 희곡이나 소설과 유사하다. 예를 들면 광목이 구화산에 이른 지 7년째에 괴이한 정령이 나타나 광목이 진짜 동녀라는 것을 알고 광목을 잡아먹고 불로장생하려는 내용 등이 그러한 예이다. 이것은 『서유기』의 괴물들이 당(唐) 승려를 잡아먹고 불로장생하려는 것과 내용이 유사하다. 결론적으로 '보권' 은 민간문학의 색채가 풍부하고, 다양한 형태로 용해되어 있으며, 지장본생고사의 또 다른 면모를 보여주고 있다고 할 수 있다.

『지장보살집장유명보권(地藏菩薩執掌幽冥寶卷)』

이 책은 상 · 하권으로 구성되어 있다. 책의 앞부분에 판화가 여러 폭이 있다. 지장보살이 앉아 설법을 하는 연화대 양옆에 십전명왕(十殿冥王)이 서 있다. 또한 지옥 성문이 열려 있고, 발우를 든 목련이 형틀에 묶여 있는 어머니를 구하는 장면이 있다. 이러한 일련의 장면 대부분은 모두 그 연원과 내력을 가지고 있다. 상권의 뒤에는 위타(韋馱)의 상(像)이 있고, 강희(康熙) 49년(1711) 11월의 기록이 있으며, 하권의 끝에는 강희(康熙)와 간지(干支)로 그 시기가 기록되어 있다.

『지장보살집장유명보권』의 상권은 바로 목련구모(目連救母)의 고사에서 비롯된 것이다. 목련이 어머니를 구하기 위하여 지옥에 들어가 석장(錫杖)을 떨쳐 지옥의 문을 열자 4만 8천의 생령(生靈)이 나왔고, 문 사이로 재앙이 함께 나왔다. 석가모니불이 이로 인해 지장보살에게 유명(幽冥)을 관장하게 명하여, 지옥을 다스리게 되었다. 지장보살은 유명을 관장하며, 세상의 중생을 교화하여 선행을 하도록 힘썼다. 당시 정주(定州)에 수복(修福)이라는 사람이 어머니를 위하여 겨울에 선도(仙桃)를 구하는 효행을 하여, 크게 선보(善報)를 얻게 되었다. 가흥(嘉興)에는 한 불효 악인이 있었는데, 재문(戴文)이라는 자였다. 불효하게 어머니를 돌아가시게 만들었으며, 또한 부귀한 장자(長者)에게 빚을 졌으나 오히려 장자의 집에 불까지 질렀다. 악보(惡報)를 얻어 20년의 수명이 감소되었으며, 지옥에서 고통받았다. 소로 환생하였으나 넓적다리에 전생(前生)의 이름이 새겨져 있었다. 어느 날, 그 장자의 집에 이르게 되었고, 재문의 꿈에 부인이 나타나 빚을 갚자, 집으로 돌아와서 살게 되었다. 이후에 그는 마음을 고쳐 선한 마음을 품고 선행에 힘쓰며, 부처를 염송하며 재(齋)를 지켰다. 책에는 또한 지장보살이 시왕에게 자기의 수행에 대하여 말하는 내용이 있는데, 이것은 김지장(金地藏)의 구화산(九華山)에서의 경력이다.

『지장보살집장유명보권』의 하권은 지장보살이 지옥을 떠나는 것으로부터 시작된다. 원래 수행하던 구화산으로 돌아가 선정(禪定)에 드니, 정주의 수복과 가정의 재문이 보였다. 이에 다시 한 번 순시를 하기로 결심하였다. 그리하여 수복과 어머니는 보살구결(菩薩口訣)을 얻어 피안에 태어나게 되었다. 지장보살이 다시 유명으로 가서 지옥의 중생 고혼들을 놓아 주었다. 재문과 부귀한 장자가 7월 30일에 지장노모의 생신을 축하하며, 지장노모를 위하여 금(金)으로 형상(形像)을 만들어 선물하였고, 이로 인해 보살이 장수단(長壽丹)을 주었다. 두 사람이 다음 해 7월 15일 다시 물에 등(燈)을 띄우고, 망혼(亡魂)을 초도(超度)

하였다. 마지막으로 수복과 재문 부부가 반도회(蟠桃會)로 가서 영산(靈山) 위에 이르렀다. 책에 있는 여러 인물이 모두 원래의 신세 내력을 알게 된다. 목련의 어머니는 대세지보살(大勢至菩薩)이었으며, 수복은 원래 천왕(天王) 제4존이었고, 그 어머니 성(成)씨는 원래 무진의(無盡意)보살이었으며, 부귀한 장자는 원래 급고장자(給孤長者)였고, 그 아내 백(白)씨는 원래 미련(美連)보살이었으며, 재문은 원래 오백 나한의 제일존이었고, 그 아내 엽(葉)씨는 24존 여러 천의 말존(末尊)이었다.

결론적으로, 『지장보살집장유명보권』은 삽입된 내용이 매우 풍부한 지장보살의 이야기이다. 목련의 고사, 김지장의 고사가 모두 있으며, 또한 서로 결합되어 지장의 본생(本生)을 구성하고 있다. 그러나 보다 주목해야 할 내용은, 정주의 수복과 가흥의 재문이 중심이 된 두 부류의 인물들과 각자의 선악에 대한 고사이며, 반복적으로 그 이야기를 논하여 지장보살과 유명지옥의 작위(作爲)를 널리 알리고 있다는 사실이다.

상권과 하권에 모두 있는 내용으로, 지장보살이 금으로 된 석장(錫杖)을 떨쳐서 지옥의 여러 귀혼(鬼魂)을 사면하여 놓아 준다는 구성은 지장보살이 마음에 품고 있었던 대자대비를 행동으로 옮겨 대원(大願)을 실현하는 의미를 가지고 있다. 이러한 생동감 있고, 다양한 변화를 가진 고사에는 또한 적지 않은 내용의 도교적 관념이 들어 있다. 도교에서 수련하는 내단(內丹)의 관념이 그것이다. 또한 무생노모(無生老母)라는 표현이 보이고 있는데, 지장보살이나 관음보살이 노모라 칭해지거나 혹은 석가(釋迦)를 노석가(老釋迦)라 칭하는 것 등은 '보권' 에 나타나는 다양한 이야기의 한 특징이다. '보권' 에 보이는 여러 명칭과 3언(言), 4언의 문사(文詞)는 바로 이를 위한 것이다.

2) 지옥보권(地獄寶卷)

『관음유지옥(觀音遊地獄)』

『관음유지옥』은 관음보살이 지옥을 편력하는 내용으로, 지옥의 각종 잔혹한 장면이 나타나 있으며, 악인과 악행에 대한 징계를 통하여 교화를 권장하고 있다. 그런데 여기서 관음보살은 보살의 신분이 아니라 공주(公主)의 신분이다. 또한 이 책의 끝부분에는 염왕이 빠른 난가(鸞駕)를 배치하여 세 공주를 보내고 혼을 되돌리는 내용이 실려 있다. 그러므로 이 책은 관음보살의 화현으로 묘선삼공주(妙善三公主)가 묘사되어 있는 『향산보권(香山寶卷)』에 그 연원을 두고 있다고 할 수 있다.

'보권' 에 공주가 편력하는 지옥은 실제로 협상(狹床)지옥, 발설(拔舌)지옥, 도산(刀山)지옥, 확탕(鑊湯)지옥, 노탄(爐炭)지옥, 한빙(寒冰)지옥, 해거(解鋸)지옥, 분지(糞池)지옥, 석개(石磕)지옥, 암흑(黑暗)지옥, 애마(挨磨)지옥, 추장(抽腸)지옥, 유과(油鍋)지옥, 대구(碓臼)지옥, 칭간(秤杆)지옥, 혈하(血河)지옥, 동퇴(銅槌)지옥이지만, 또 다른 한 곳에 철위성옥(鐵圍城獄)이 있다. 이 지옥은 목련존자의 어머니인 청제부인(靑提夫人)이 안치되어 있는 곳으로, 제19층 지옥이라고 부른다. 이외에 각종 형벌이 가해지는 지옥 앞에는 귀문관(鬼門關), 악구촌(惡狗村), 난하교(難河橋)가 있으며, 지옥의 뒤에는 업경대(業鏡臺), 망향대(望鄕臺), 파전산(破錢山), 왕사성(枉死城), 맹파정(孟婆亭), 박의정(剝衣亭) 등이 있는데, 그 내용이 대단히 풍부하다.

'보권' 은 처음에 먼저 선인과 악인을 구별하는 것으로 시작하고 있다. 선인은 귀문관(鬼門關)을 지나 공주(公主)의 축하와 영접을 받는다. 악인은 형벌을 받는다. 각종 지옥의 응보(應報)는 동일하지 않다. 협상(狹床)지옥은 간정(奸情)을 징계하고, 도산(刀山)지옥은 살생을 징계하며, 작게는 닭을 잡거나 청개구리에 칼을 대는 것조차도 반드시 응보를 받는다. 노탄(爐炭)지옥과 유과(油鍋)지옥은 닭과 오리 등을 훔쳐 먹거나 물고기를 잡은 자들을 징계한다. 그리고 석개(石磕)지옥은 탐관오리를 징벌하고, 분지(糞池)지옥은 사찰에 들어가지 않는 사람을 징계하고, 암흑(黑暗)지옥은 행위가 단정하지 않은 화상(和尙)과 도사(道士)를 징계하는데, 주로 재를 지낼 때 속여서 돈을 갈취하는 사람들이다. 대구(碓臼)지옥은 거역하며 불효한 자를 징계하고, 칭간(稱杆)지옥은 간악한 상인을 징계하며, 혈하(血河)지옥에는 죽은 아이를 낳은 부녀와 몸을 노출시킨 남자들을 징계한다. 공주가 편력한 곳에는 또한 업보를 비쳐 주는 업경대(業鏡臺), 망혼탕(忘魂湯)을 마시는 맹파정(孟婆亭), 끝까지 선악을 나누는 박의정(剝衣亭)이 있다. 이 '보권' 의 문장에서는 일반적으로 칠칠재 등과 관계있는 글귀는 보이지 않고, 단지 망향대(望鄕臺) 부분의 한 구절 가운데 "오칠(五七)" 이 언급되어 있고, 후면에 "삼칠(三七)" 이 언급되어 있다.[152] 시왕(十王) 종류의 경권을 참작한 것으로 보인다.

마지막으로 삼공주는 망령(亡靈)을 제도하기를 기원하며 마침내 지부명계(地府冥界)의 순례를 끝마치는데, 망혼의 죄를 짊어지고 제도하고자 하는 대임(大任)은 지장보살의 서원과 표현은 달라도 같은 것임을 알 수 있다.

『지옥보권(地獄寶卷)』

『지옥보권(地獄寶卷)』은 나교(羅敎)의 '보권' 이다. 이것은 나교의 시조(始祖)가 각종 지옥을 편력하는 것을 주요 내용으로 하고 있다. 나교는 명(明)·청(淸) 시기에 유행했던 중국 민간 종교의 중요한 한 갈래였다. '나도교(羅道敎)', '무위교(無爲敎)' 등이라고도 하는데, 교주 나청(羅淸)은 나정(羅靜), 나회(羅懷) 등으로 불렸다. 후인에 의하여 나조(羅祖)로 추존되었다. 나조는 명(明) 정통(正統) 7년(1442)에 태어나, 청년 시절에 출가하였으며, 불교 임제종(臨濟宗)을 신봉하였다. 이후에 스스로 나교를 세웠다. 나교의 교의(敎義)는 비교적 남종선(南宗禪)에 가깝다. 주요 신봉자는 하천이나 바다에서 일하는 사람들이었다.

『지옥보권』은 사본(寫本)이며 상·하의 두 권으로 나뉘어 있고, 모두 24품으로 구성되어 있다. 『지옥보권』은 먼저 지장보살의 명호를 염송하는데, "나무지장보살(南無地藏菩薩), 나무관세음보살(南無觀世音菩薩)" 과 "나무제불제조제존불보살(南無諸佛諸祖諸尊佛菩薩)" 로 시작한다. '보권' 에 묘사되어 있는 나조(羅祖)의 모습은 마치 지장보살을 보는 듯하다. 나조가 석장(錫杖)과 금의(金衣)를 얻어 18지옥을 순시하며 마지막에 여러 망령(亡靈)을 초도(超度)하는 모습이 바로 그것이다. '보권' 의 주요 내용은 『관음유지옥(觀音遊地獄)』, 『왕대랑유지옥(王大娘遊地獄)』 등과 서로 비슷하다. 각종 지옥의 모습을 보여 대중에게

152 登在冥府三七念一日, 諸般罪鬼盡超生.

악을 멀리하고 선을 좇을 것을 권장하고 있다. 이 책의 특징은 윤리적 색채가 농후하다는 것과 동시에 나조의 모습을 뛰어나게 묘사하고 있다는 것이다.

'보권' 의 앞부분을 보자. 어느 날, 무위진인(無爲眞人) 나조는 삼매선정(三昧禪定)에 들어 명부(冥府)에 가게 되었다. 그러자 영산고불(靈山古佛)이 동자로 화현하여, 나조에게 백보금의(百寶金衣)와 무명선장(無名禪杖)을 주었다. 나조는 북빙(北冰) 대아문(大衙門)에 있는 희대(戲臺)에 이르렀고, 대당(大堂) 위에 있는 동자가 그를 지장보살에게 인도하였으며, 시왕이 나조를 영접하였다.

지장보살이 중앙에 앉아 있고, 삼사(三司)와 시왕이 양쪽 옆에서 환영하였다. 나조가 지옥을 돌아보기를 원하자 지장보살이 크게 웃으며, 선부(善部)의 청동자(青童子)에게 분부하여 그를 지옥으로 데려가 순례하도록 명하였다.

이후에 나조는 귀문관(鬼門關), 암흑(黑暗)지옥, 무변(無邊)지옥, 애하(愛河)지옥을 돌아본다. 그리고 나하교(奈河橋)를 거쳐, 부부성(部部城)지옥, 철상(鐵床)지옥, 할퇴(割腿)지옥, 도산(刀山)지옥, 한빙(寒冰)지옥, 추장(抽腸)지옥, 화갱(火坑)지옥, 마연(磨研)지옥, 철즙(鐵汁)지옥, 흑니타수(黑泥剁手)지옥, 왕사성(枉死城)지옥, 척겸(剔臉)지옥, 유과(油鍋)지옥, 타란(打爛)지옥, 타쇄(打碎)지옥, 조척추근(吊脊抽筋)지옥까지 돌아본다. 7일 낮과 밤으로 긴 지옥 순례를 마친다. 여기서 다시 나조는 보현보살이 보낸 가서(家書) 일봉(一封)을 얻는데, 실제는 영산고불이 쓴 것이다. 또한 18도(道) 금패(金牌)도 받는다. 나조는 순례를 마치고 지옥을 나오면서, 이 18도 금패를 각각의 지옥에 하나씩 걸어두었다. 육자진언(六字眞言)은 육사(六司)에 붙여서, 지옥의 망령을 남김없이 제도하였다. 이 '보권' 에 나타나 있는 지옥은 단지 17종류이지만 귀문관, 부부성, 나하교 등을 더하면 더 많다.

또한 여기에는 지장보살이 노인으로 화현하여 나조를 인도하는 내용, 재를 지내는 승려에게 보시하고 술을 마시지 않는 남녀가 나하교를 건너지 않고 금교(金橋)를 건너는 내용, 나조가 선장(禪杖)과 첩문(牒文)으로 부부성을 여는 내용, 십전염군(十殿閻君)이 친히 나와 영접하고, 영산(靈山) 관음대사(觀音大士)는 나조를 위하여 상선차(上仙茶)와 선단(仙丹)을 보내는 내용이 있다. 그리고 선장(禪杖)으로 왕사성(枉死城)의 문을 열고, 유명교주인 지장왕보살과 지옥주

(地獄主)보살이 금패를 주는 내용 등이 있다.

이 책에 묘사된, 유명세계에 임하여 망령의 제도를 돕는 나조의 모습은 지장보살의 비원(悲願)에 근거한 것인데, 지장보살의 각종 특징을 나교의 원 노조(老祖)의 특징으로 표현하고 있어서 주목된다. 예를 들면, 나조가 지옥을 순례할 때에 여러 차례 나타나고 있는, "선장(禪杖)으로 지옥문을 열었다"는 문구는 귀에 익을 정도로 친숙한 지장보살의 특징인데, 이것을 나조의 특징으로 그리고 있는 것이다. 특히 마지막으로 나조가 부부성에서 백옥련지(白玉蓮池)로 변화하는 것을 보고 18지옥의 망혼들을 제도하는 장면에서는 지장보살의 대표적인 행원(行願)인 "지옥이 비지 않으면, 결코 성불하지 않겠다."라는 맹세가 나타나 있다. 이를 통해 알 수 있는 것은, 중국의 민간 신앙인 나교와 지장보살 신앙이 서로 결합되어 있으며, 민간 종교와 불교의 4대보살 신앙이 서로 융합되어 있다는 점이다. 이것은 지장보살 신앙이 민간에 널리 뿌리내린 결과라고 할 수 있다.

이 책에는 관음보살 관련 내용이 특징적으로 실려 있다. 나조는 3일 밤과 낮으로 지옥을 편력하느라 배고픔이 심하여 선장을 들 힘조차 없었다. 이때에 선장에서 홀연히 빛이 나오면서 '영산관음대사(靈山觀音大士)'가 바구니를 들고 나타나 선차(仙茶)와 선단(仙丹)을 내렸다. 이에 선사는 다시 기운을 차려 지옥 편력을 마칠 수 있었다. 이밖에도 척검(剔臉)지옥에서 징벌을 받고 있는 매춘을 하였던 망혼이 여우로 전생(轉生)하는 이야기, 타쇄(打碎)지옥에서 징벌을 받고 있는 망혼이 살아서 부녀를 속여 팔아먹은 이야기 등도 비교적 독특한 내용이라고 할 수 있다.

『왕대랑유지옥보권(王大娘遊地獄寶卷)』

『왕대랑유지옥보권』과 앞서 살펴본 두 책의 성격은 비교적 유사하지만, 이 책의 핵심은 염불(念佛)수행을 권장하는 것에 있다. 왕대랑(王大娘)이 다른 악행을 저지르지 않았는데도 불구하고 지옥에 떨어져 징벌을 받은 이유는 오직 염불수행을 하지 않았기 때문이다. 이 '보권'의 문체는 상당히 세련되고 정제되어 있다. 대다수가 7언의 운문이며, 책에 실려 있는 고사는 상숙성(常熟城) 남문(南門) 바깥에서 일어난 일이다.

명조(明朝) 정덕(正德) 연간에 살았던 왕대랑은 전생에 장과부(張寡婦)였는데, 생활이 곤궁함에도 오히려 한마음으로 귀명(歸命)하여 바르고 곧게 수행하며 늙을 때까지 후회하지 않았다고 한다. 나이가 70여 세에 이르러 몸에 병을 얻게 되었는데, 집안에는 겨우 치마 한 벌밖에 없었다. 그녀는 치마가 더러워 깨끗이 빨자 치마에서 갑자기 오색의 연화(蓮花)가 나타났다고 한다. 그 후 그녀는 생전에 선행을 한 인연으로 왕원외(王員外)의 딸로 태어나게 되었다. 왕원외는 가세가 부유하여 집에 데릴사위를 들였다. 하지만 왕대랑은 이번 생에서는 염불수행을 믿고 행하지 않았다. 관음보살이 한 승려로 화현하여 계도하고자 했으나 왕대랑은 집안일의 번잡함을 이유로 이를 물리쳤다. 1월에서 2월 27일까지의 송제(宋帝), 3월 28일의 동옥(東獄), 4월 8일의 석가(釋迦), 5월 1일의 천지(天地), 6월 19일의 관음(觀音), 7월 30일의 지장(地藏), 8월 24일의 조가(灶家), 9월 9일의 두모(斗姥), 10월 3일의 맹파(孟婆), 11월의 미타(彌陀), 12월 8일의 장재(張濟)의 여러 신(神)과 영왕(英王)의 생일을 전부 지키지 않았다.

화상이 이런 일들을 음사(陰司)에 고하자, 염왕이 왕대랑의 목숨을 거두었다. 왕대랑은 일생 동안 염불수행을 불신하여서, 소향(燒香) 염불의 공덕을 쌓지 않고 도리어 승려를 때리고 매도하였기 때문에 10전(殿)에서 징벌을 받게 되었다. 10전 중에, 제1전에서는 도산(刀山)의 징벌을, 제2전에서는 유과(油鍋)의 징벌을, 제3전에서는 한빙(寒冰)의 형벌을, 제4전에서는 발설(拔舌)의 형벌을 당하고, 제5전에서는 혈지(血池)에 들어가는 징벌을, 제6전에서는 박피추근(剝皮抽筋)의 징벌을, 제7전에서는 독사(毒蛇)의 징벌을, 제8전에서는 거해(鋸解)의 형벌을, 제9전에서는 대구(碓臼)의 형벌을, 제10전에서는 축생으로 환생할지를 판단하게 된다. 여기서 제5전의 혈지(血池)지옥의 경우만이 아이를 낳아 기르는 여자가 지신(地神)을 더럽힌다는 이유 때문에 징벌을 받는 지옥일 뿐, 그 나머지 각 전은 수행을 하지 않고 승려를 때리고 매도한 것 때문에 징벌을 받는 지옥이다.

앞서 살펴본, 두 책은 지옥을 편력하는 주된 관점이 신불(神佛)이며, 18지옥의 각종 참혹한 형벌과 선악에 따른 응보를 관찰하고 있지만, 이 책의 주된 관점은 사람이며, 십전지옥(十殿地獄)의 참혹한 징벌을 받지만, 죄명은 단지 염불수행을 하지 않았다는 것뿐이다. 이러한 죄는 기존의 각종 지옥응보(地獄應報) 관런 책에서는 비교적 가볍게 보는 죄이며, 심지어는 죄의 종류로 열거하지 않는 경우도 있다. 이로 볼 때 이 책의 목적은 대중들에게 불교를 믿게 하고 수행을 권장하는 데에 있음을 알 수 있다.

또한 이 책의 앞 부분에는, 명조(明朝) 가정(嘉靖) 연간에 척계광(戚継光)이 혼귀의 부탁을 받아 『금강경』을 염송하여 탁생(托生)하고자 하였으나, 두 글자를 잘못 염송하여 뜻을 이루지 못했는데, 다시 염송해서 올바르게 한 연후에야 전생(轉生)할 수 있었다는 내용이 있다. 이 역시 염불, 독경의 중요성을 강조하고 있는 것이다. 이 책의 마지막 구절에서 다시 강조하고 있는 것은, 책 가운데 혹시 잘못된 글자가 있더라도 마음을 한 가지로 하여 보완하라는 것이다.

그 밖에 관음보살이 승려로 화현하여 왕대랑에게 권장했던 염불의 여러 기일 중에는 지장, 관음, 석가, 미타 등 여러 불보살과 시왕 가운데 송제왕(宋帝王)을 제외하고 동악대제(東獄大帝), 천지(天地)의 신(神), 조왕야(灶王爺), 두모(斗姥) 등의 신선(神仙)의 기일이 들어가 있다. 또한 앞에서 권장한 염불일에도 역시 3월 19일 태양(太陽), 5월 28일 성황(城隍), 8월 초파일과 중양(重陽), 삼관(三官) 등의 신선의 생일이 있다. 따라서 이러한 절일(節日)에 지장, 미타, 관음, 석가의 기일이 혼동되어 있음을 알 수 있다. 이러한 특징은 이 책에 스며든 민간 신앙의 색채가 얼마나 농후한지를 잘 보여준다.

3) 시왕보권(十王寶卷)

『관음유전(觀音遊殿)』

『관음유전』은 청(淸) 광서(光緒) 23년(1897)의 초본(抄本)이다. 관음보살이 지옥 시왕의 각 전(殿)을 편력하는 것이다. 관음보살은 이곳에서도 공주의 신분으로 나타나고 있다. 이 책은 귀문관(鬼門關)에서 시작하여 순서대로 공주가 지나는 전에 대하여 기술하고 있다. 제1전(殿)에 진광왕(秦廣王)이 있으며 도산(刀山)지옥을 살펴보고, 제2전은 확탕(鑊湯)지옥이며 초강왕(楚江王)이 있다. 제3전은 송제왕(宋帝王)이 있으며 발설(拔舌)지옥을 살펴본다. 제4전은 대마

(碓磨)지옥이며 오관왕이 있다. 제5전은 철상(鐵床)지옥이며 염라왕이 있다. 제6전은 유과(油鍋)지옥이며 변성왕(變成王)이 있다. 제7전은 한빙(寒冰)지옥이며 태삼왕(泰三王)이 있다. 제8전은 한열(寒熱)지옥이며 도시왕(都市王)이 있다. 제9전은 화갱(火坑)지옥이며 평등왕(平等王)이 있다. 제10전은 전륜왕(轉輪王)이 망자의 생사여탈권을 가지고 다스린다.

공주는 각 전을 지날 때마다 지옥의 형벌과 고통을 살펴보고 크게 상심하며, 따르는 동자에게 이 지옥은 어떤 죄를 다스리는지에 대해 묻는다. 동자는 음간(陰間)에서 어떤 종류의 악행을 하면 이러한 처벌을 받는지에 대해 상세히 대답한다. 도산지옥은 소나 양을 죽였기 때문이며, 또한 털끝만큼의 착한 생각도 없고, 소향(燒香) 배불(拜佛)을 행하지 않았기 때문이다. 확탕지옥은 양간(陽間)에 있을 때 음모를 꾸며 암산(暗算)하고, 선량한 여자를 음모를 꾸며 암산(暗算)하고 해를 입히거나, 하늘과 땅에 원한을 갖거나, 바람과 비를 원망한 죄 때문이다.

십전 중에 제6전의 유과지옥의 내용이 비교적 많다. 여기서 두 종류의 곤궁한 사람에 대하여 특히 강조하고 있다. 한 종류의 사람은 비록 고통을 받고는 있지만, 어떠한 원망에 찬 말도 하지 않고, 천지(天地)나 조종(祖宗)을 원망하지 않으며, 거역하지 않고 순순히 받아들인다. 오직 자기 자신이 전생에 수행을 게을리 하여 곤궁한 고통을 받는다고 여긴다. 염라왕은 심문을 통해 이러한 종류의 사람을 살펴서 장차 좋은 응보를 얻게 한다. 다른 한 종류의 사람은 양간에서 하늘과 땅에 원한을 품거나, 바람과 비를 원망하고, 주문으로 조종(祖宗)을 욕보인다. 일하지 않고, 재물을 빌려 갚지 않으며, 어려움을 호소하며 악함을 속인다. 죽어서 유과지옥에 떨어지게 된다. 이 책은 비교적 강한 숙명관에 입각하고 있으며, 통치자의 지배논리를 옹호하는 입장을 견지하고 있다. 그 밖에도 돈과 세력을 가지고 가난한 자를 기만하고 핍박하는 자, 힘으로 미녀를 빼앗고, 강제로 논밭을 차지하는 자, 소송으로 다투는 자들도 역시 유과지옥에 떨어진다.

이 책 끝의 한 문단은 전적으로 제19층 지옥에 대한 것이다. 이 지옥은 유흉옥주(由凶獄主)가 관장한다. 관음보살의 수신동자(隨身童子)는 제19층 지옥의 경우, 공주의 마음을 더욱 아프게 할 것이라며 공주를 말리지만, 공주는 뜻을 굽히지 않고 가서 살펴보기를 원한다. 19층 아비(阿鼻)지옥은 특별히 다른 곳에 있는 것이 아니고, 바로 목련(目連)의 어머니 청제부인(靑提夫人)이 불법을 믿지 않고 삼보를 공경하지 않은 연유로 조성된 것이다. 이 지옥은 세상에서 신(神)을 속이고 신상(神像)을 없앤 자들을 가두는 곳이며, 이곳에 오면 풀려날 수가 없고, 철(鐵)이 유암(幽暗)을 둘러싸고 있어서 빛이 완전히 차단된다.

『관음유전(觀音遊殿)』과 『관음유옥(觀音遊獄)』의 두 보권은 모두 관음보살이 공주의 신분으로 지옥을 둘러보는 것이지만, 『관음유옥』은 18지옥을 편력하는 것이며, 『관음유전』은 십전염군과 이에 상응하는 지옥을 편력하는 내용이라는 차이점이 있다.

『명왕보권(冥王寶卷)』

『명왕보권』은 명부시왕(冥府十王)의 업무에 관한 것이다. 십전(十殿)의 시왕은 모두 하나의 사안을 심사하고, 선악을 판별하여 징계를 결정한다. 또한 각 왕은 모두 본지신불(本地神佛)로 안치되어 있다. 중생 감찰과 여러 불·보살의 보호를 기원하는 재일(齋日)과 관계되어 만들어진 경전으로, 그 연원이 비교적 길다고 볼 수 있다. 이 책의 첫 머리에 있는 송(頌)에 이르길, "유명교주 지장보살이 연대(蓮臺)에 앉아 발로는 1천 개의 잎을 활짝 피운 금련(金蓮)을 밟고, 명사(冥司)를 열어 돌며 망혼을 연대에 받아들여 올려 놓는다."[153]고 하고 있다.

명부의 제1전은 진광왕(秦廣王)으로, "나무정광문불(南無定光文佛)"을 염송하면 망혼이 도산지옥, 검수지옥의 재앙에서 벗어날 수 있다는 문구가 있다. 진광왕이 심문하는 사람은 섬서(陜西) 장안(長安城) 동문 밖에 있는 포도항(蒲桃巷)의 소문충(蘇文忠)의 아들 소인경(蘇仁卿)이다. 인경은 아버지를 거역하는 행위를 하고, 위세를 부려 사람을 기만하였으며, 사람을 해치고, 파계를 범하는 등 악행이 가득하여 명부에 들게 되었다. 진광왕은 선악부(善惡薄)로 이를 면밀히 살펴서 조사하고, 도산지옥으로 끌고 갈 것을 판결한다.

명부 제2전 초강대왕(楚江大王) 전(殿)에서는 봉나타(逢哪吒) 태자(太子)가 중생을 감찰한다. "약사유리광왕불(藥師琉璃光王佛)"을 염송하면 망령이 확탕

153 幽冥地藏坐蓮臺, 足踏千葉金蓮開. 開得冥司轉回路, 接引亡魂上蓮臺.

지옥에서 벗어날 수 있다. 초강왕이 심문하는 사람은 양(梁) 무제(武帝)의 왕비인 치(郗)씨다. 치씨는 먼저 이미 부처님을 믿었으며, 지공(志公)화상을 모셔 스승으로 삼았던 적이 있었다. 파계에 해당하지는 않지만, 불법과 경서를 훼방하고, 지공의 재계(齋戒)를 파괴하는 업을 지었다. 치씨는 사람 머리에 뱀의 몸을 가진 괴수가 되어 확탕지옥에 던져져서, 극한의 한서(寒暑)의 고통에 시달리게 되었다. 치씨가 무제의 꿈에 나타나 구해달라고 호소하니, 무제는 지공선사에게 그 연유를 물었다. 지공이 『양왕보참(梁王寶懺)』으로 수륙도량(水陸道場)을 열자, 치씨는 비로소 고통에서 벗어났다.

명부 제3전 송제대왕(宋帝大王) 전에서는 유혁(遊奕) 사자(使者)가 중생을 감찰한다. "현성겁천불(賢聖劫千佛)"을 염송하면 한빙지옥의 망령을 제도할 수 있다.

송제대왕이 심문하는 자는 복건성(福建省) 천주부(泉州府) 남문 밖에 있는 백양촌(白楊村) 김숙선(金夙仙)의 아들 김득보(金得寶)이다. 며느리 반(潘)씨가 부모를 거역하였다. 그 부모가 핍박을 받아 죽은 후에, 환생하여 김득보(金得寶)의 자녀로 태어났다. 김씨 부부는 응보를 받아 자녀가 온병(瘟病)에 걸렸으며 두 사람은 벼락을 맞아 죽었다. 송제대왕은 김득보를 거지로 환생시키고 반씨는 한빙지옥에 넣으라고 판결한다.

명부 제4전 오관대왕(忤官大王) 전에서는 유혁(遊奕)이 오도(五道)의 중생을 감찰한다. "아미타불"을 염송하면 망자가 경리발설(耕犁拔舌)지옥에서 벗어날 수 있다.

오관대왕이 심문하는 자는 춘강부(春江府) 화정현(華亭縣)의 악송(惡訟) 장문달(張文達)이다. 관리로 있으면서 재물을 갈취하고 인가(人家)를 훼손하였으며 사람을 죽게 만들었다. 배를 쪼개 심장을 파내고, 혀를 뽑고, 바보로 환생시키도록 판결한다.

명부 제5전 염라대왕(閻羅大王) 전에서는 사천왕(四天王)을 두어 하계(下界)의 중생들을 감찰한다. "본존지장왕보살(本尊地藏王菩薩)"을 염송하면 혈오(血汚)지옥을 면할 수 있다.

염라대왕이 심문하는 자는 절강(浙江) 항주(杭州) 용금문(涌金門) 밖의 장운

화(張雲華) 부부의 놀라 죽은 딸로서 나하교를 건너 혈하혈정(血河血井)지옥에 들여보내도록 판결한다.

명부 제6전 변성대왕(卞成大王) 전에서는 천강대장(天罡大將)이 중생을 감찰한다. 성심으로 "나무세지보살(南無勢至菩薩)"을 염송하면 망자가 석두(石斗)지옥을 면할 수 있다.

변성대왕이 심문하는 자는 상주부(常州府) 무성현(武成縣) 동문 밖에 있는 처하항(凄霞巷)의 부호(富豪) 왕사원(王士元)으로, 선(善)을 인정하지 않고, 가난한 자를 핍박하며, 탐욕을 부려서 도살(睹殺)을 일삼았다. 먼저 그를 저울에 올려 무게를 단 다음, 아비(阿鼻)지옥으로 보내서, 돌로 만든 절구에 두들겨 맞게 하였다.

명부 제7전 태산대왕(泰山大王) 전에서는 황미동자(黃眉童子)가 중생을 감찰한다. "나무관세음보살(南無觀世音菩薩)"을 염송하면, 석압(石壓)지옥의 재앙을 면할 수 있다.

태산대왕이 심문하는 자는 양주부(楊州府) 대흥현(大興縣) 장송옥(張頌玉)이다. 장송옥은 백동(白銅)으로 은을 대체하였으며, 사람을 구덩이에 묻고, 예청(芮靑) 부부를 살해하였다. 조황(灶皇)이 대왕에게 보고하자, 대왕은 장송옥의 집 전체를 불살라 버리고, 그를 석마(石磨)지옥으로 압송하였다.

명부 제8전 평등대왕(平等大王) 전에서는 악부동자(惡部童子)가 중생을 감찰한다. "나무노사나불(南無盧舍那佛)"을 염송하면 도산(刀山)지옥, 거해(鋸解)지옥에서 벗어날 수 있다.

평등대왕이 심문하는 자는 절강(浙江) 해령현(海寧縣) 백록촌(白鹿村)의 진득보(秦得寶)이다. 도적질을 직업으로 삼아서, 한혜(韓惠)가 아비를 구하기 위해 몸을 팔아 번 은자를 훔쳤다. 거해지옥에 때려서 집어넣었다.

명부 제9전 도시대왕(都市大王) 전에서는 호법(護法) 위타(韋馱)가 중생을 감찰한다. "약왕약상보살(藥王藥上菩薩)"을 염송하면, 차붕(車崩)지옥의 재앙에서 벗어날 수 있다.

도시대왕이 심문하는 자는 강음현(江陰縣) 적창(狄昌)으로 경전을 듣고 있던 푸른 뱀을 때려 죽였기에 차붕지옥에 보내라는 판결을 받는다. 적창(狄昌)이 그 아내의 꿈에 나타나서 3일 동안 재를 지키고, 승려와 도사에게 명복을 빌게 하자, 도시대왕이 글을 읽는 문인으로 환생시켰다.

명부 제10전 전륜대왕(轉輪大王) 전에서는 대범천왕(大梵天王)이 중생을 감찰한다. "나무석가모니불(南無釋迦牟尼佛)"을 염송하면 암흑철위(黑暗鐵圍)지옥을 면할 수 있다.

전륜대왕 전에는 점륜(占輪)이 있어 사람의 선악을 점친다. 안휘(安徽) 휘주(徽州)의 선량한 선비 악선(樂善)은 탁생(托生)하여 선선국(善善國)의 태자가 되었다. 그 아내 김씨도 역시 선선국에 환생하여 그와 함께하는 복을 받았다.

이 책은, "애하(愛河)는 천척(千尺)의 물결을 일으키나, 고해(苦海)는 만중(萬重)으로 물결친다. 윤회(輪廻)의 고통에서 벗어나고자 하는 자는 일심(一心)으로 미타(彌陀)를 염(念)하라."라는 문장으로 끝을 맺고 있다.

『명왕보권』의 독특한 가치는 '칠칠재(七七齋)'와 시왕의 심안(審案)에 대해 상세히 설명하고 있는 것뿐만 아니라 돈황 유서와의 연결을 보여주는 단서로서 재일(齋日)과 시왕 신앙의 밀접한 관계를 설명하고 있는 것에 있다. 이것의 형식은 칠칠(七七)을 사용하여 재를 설하고, 모든 왕의 송사(頌詞) 앞에, "삼보에 귀의하여 죄업을 사해 줄 것을 7기(期)에 걸쳐 원하라."는 글귀가 있다. 칠칠재와 십재(十齋)의 의식(儀式)을 사용하고 있는 것을 알 수 있다. 주목해야 할 것은, 이 책에서는 명부십전의 각 왕이 모두 본지불보살(本地佛菩薩)과 중생을 감찰하는 신이라는 점이다. 앞서 살펴본 것처럼, 염라대왕의 본지보살은 지장보살이며, 나머지는 다시 일일이 열거하지 않겠다.

돈황의 유서에 『지장보살십재일(地藏菩薩十齋日)』과 『대승사재일(大乘四齋日)』이 있다. 그 가운데 10개의 재일(齋日)에는 중생을 감찰하고, 하계를 순시하는 신지(神祗)와 바로 그날을 보호하는 불・보살이 있다. 본지불 보살의 명호를 염송하면 각종 재앙을 피할 수 있다. 『명왕보권』과 『십재일』, 『사재일』을 비교해 보면, 서로 유사하다는 것을 어렵지 않게 발견할 수 있다.

『시왕보권(十王寶卷)』

『시왕보권』은 『명왕보권』과 유사하다. 그 구성이 기본적으로 서로 같지만,

각각의 명왕이 심사하는 안건의 사람과 사안은 같지 않다. 더욱 흥미로운 점은, 이 책이 앞부분에서 시왕의 탄신일을 강조하고 있다는 것이다. 각 명왕은 모두 성(姓)씨와 탄신일이 있다. 예를 들면, 진광대왕(秦廣大王)의 본 성(姓)은 소(蕭)이며 2월 1일에 태어났다. 초강대왕(楚江大王)의 본 성은 조(曹)이고 3월 1일에 태어났다. 전륜대왕(轉輪大王)의 본 성은 사(史)이며 4월 7일이 생일이다. 그리고 이후에 구체적인 사안과 예시된 고사가 각 왕의 사안으로 기술되어 있다. 『명왕보권』과 비교해 보면, 그 전체적 구성이 서로 유사할 뿐만 아니라 예시된 사안과 고사의 인물들 혹은 세부 구성도 역시 많은 부분이 비슷하다. 제3전의 송제왕(宋帝王), 제4전의 오관왕(仵官王)은 기본적으로 일치하고 있고, 염라왕(閻羅王), 태산왕(泰山王), 평등왕(平等王)이 심사하는 사안도 역시 대동소이하다고 할 수 있다. 비록 인물의 명칭이나 소재지 등에 있어서는 차이가 있지만, 고사(故事)의 핵심은 대단히 비슷하다. 그러나 앞의 두 왕과, 뒤의 두 왕의 심사에 예시되어 있는 인물의 고사에는 차이가 있다. 그 대체적인 구성은 다음과 같다.

제1전 진광왕(秦廣王)이 심문하는 자는 광동(廣東) 뇌주부(雷州府) 진청(陳淸)이다. 삿된 마음을 큰 저울에 달아본 다음, 도산(刀山)지옥으로 보낸다. 진광보살(秦廣菩薩)이 자비를 베풀어 사람으로 환생하지만, 전생(前生)의 업보(業報)로 절름발이가 된다.

제2전 초강왕(楚江王)이 심문하는 자는 송강부(松江府) 화정현(華亭縣) 육가촌(陸家村)의 조용(曹鏞) 부부로, 이들은 돈을 모아 다리와 도로를 보수하였으며, 불상에도 개금을 하였다. 이들 부부가 죽자, 관음보살이 금교(金橋)에서 영접하였다. 약사유리광불(藥師琉璃光佛)이 확탕(鑊湯)지옥을 청량(淸凉)하게 변화시켰다.

제3전 송제왕(宋帝王)이 심문하는 자는 황단(煌斷) 뇌주부(雷州府)의 김덕보(金德寶)와 반(潘)씨 부부이다. 이들은 불효의 죄를 저질렀다. 그 과보로 그 부모 김보(金寶)와 주(周)씨가 김덕보와 반씨 부부의 자녀로 환생하였으나, 각각 여섯 살과 세 살의 어린 몸으로 요절하는 응보를 당하였다. 이들 패역한 부부는 벼락에 맞아 죽은 후 한빙(寒冰)지옥에 갇혔다. 현겁(賢劫) 천불(千佛)의 명호를 받든다.

제4전 오관왕(仵官王)이 심문하는 자는 송강부(松江府) 화정현(華亭縣)의 전문달(錢文達)이다. 땅을 일구지 않아 논밭이 폐허가 되었다. 사후에 검수(劍樹)지옥에 갇혔다. 아미타불(阿彌陀佛)을 받든다.

제5전 염라왕(閻羅王)이 심문하는 자는 진백만(陳百萬)으로 가짜 은(銀)을 사용하였고, 또한 여인의 옷을 오물로 더럽혔다. 혈호(血湖)지옥에서 피를 마시는 징벌을 받았다. 지장왕보살(地藏王菩薩)을 받든다.

제6전 변성왕(變成王)이 심문하는 자는 온주부(溫州府) 사행현(邪行縣)의 황금(黃金)으로 3생(生)의 선행을 하여 대부호가 되었으나 중년 이후에 변하여 고리대금을 하였다. 그 과보로 독사(毒蛇)지옥에 갇히게 되었다. 대세지보살(大勢至菩薩)을 받든다.

제7전 태산왕(泰山王)이 심문하는 자는 소흥부(紹興府) 산음현(山陰縣)의 조덕(曹德)이다. 동(銅)을 이용하여 가짜 은(銀)을 만들어 이영(李榮)을 속이고, 핍박하여 죽게 만들었다. 대옥(碓獄)에 떨어졌다. 대비관세음보살(大悲觀世音菩薩)을 받든다.

제8전 평등왕(平等王)이 심문하는 자는 상해(上海)의 진백(秦伯)으로, 한혜(韓惠)가 아비를 구하기 위해 몸을 팔아 번 은자를 훔쳤다. 그 과보로 거해(鋸解)지옥에 떨어지게 되었다. 노사나불(盧舍那佛)이 와서 제도하였고, 그 벌로 한씨 집안에 돼지치기로 살았지만, 훔친 돈 10냥을 갚게 되었다.

제9전 도시왕(都市王)이 심문하는 자는 무청현(武淸縣)의 이영(李榮)이다. 교묘한 말로 재물을 편취하고 혼란스런 말로 도발을 일삼았다. 죽어서 철상(鐵床)지옥에 갇히게 되었다. 약왕약사보살(藥王藥上菩薩)을 받든다.

제10전 전륜왕(轉輪王)이 심문하는 자는 광덕부(廣德府) 손문진(孫文進)이다. 부처의 얼굴을 하고 있지만 뱀 같은 마음을 가진 자이다. 그 지은 죄가 너무 커서 죽어서 암흑(黑暗)지옥에 떨어지게 되었다. 석가모니 부처님께서 암흑지옥을 제도할 때에, 그를 다음 생에 맹인으로 태어나게 판결하였다. 이러한 열 종류의 응보(應報)는 18지옥과 구참십보(九懺十報)으로 이야기되고 있지만, 전륜왕(轉輪王)이 관장하는 육도윤회(六道輪回)의 의미는 내포되어 있지 않다.

『시왕보권』과 『명왕보권』은 실제로 대동소이하며, 심문 내용이 비슷하다. 그런데 『시왕보권』의 전륜왕이 심문하는 손문진의 경우는 표면적으로 선량하지만, 실제는 악에 물든 자로서, 이러한 인물의 성격 설정은 대단히 창의적어서 다른 '보권' 에서는 거의 찾아보기 힘들다. 한편으로, 『지장보살십재일』 등에 나타나 있는 것처럼, 서로 관련 있는 각 명왕과 불보살의 명호, 그리고 지옥을 연결시켜 서술하는 방식은 대단히 자주 나타난다. 예를 들면, 노사나불(盧舍那佛)과 석가문불(釋迦文佛)은 지옥에 머물면서 인간이 징벌을 받고 다시 양간(陽間)으로 돌아올 수 있도록 하며, 어느 정도 전륜왕의 직책을 분담하고 있다.

이밖에도 『숭악탄신(嵩岳誕辰) - 전년성탄진향성호(全年聖誕進香聖號)』와 비교해 보면, 진광왕부터 전륜왕까지 십전명왕의 탄생일이 이미 민중의 생활에 중요한 영향을 미치고 있었으며, 진향(進香) 중에 배치되어 있었다는 것을 알 수 있다. 그러나 모든 명왕의 탄신일이 동일하지는 않다. 예를 들면, 제3전 송제왕의 탄신일은 『시왕보권』에 2월 1일로 되어 있지만, 『숭악탄신』에는 2월 8일로 되어 있다. 제4전 오관왕은 전자의 책에 1월 8일, 후자의 책에 2월 18일로 되어 있고, 제5전 염라왕의 탄신일은 전자에 3월 8일, 후자에 1월 8일로 되어 있다. 제6전 변성왕의 탄신일은 전자에 3월 7일, 후자에 3월 8일로 되어 있다.

『시왕권(十王卷)』

이것은 『관성제군시왕보권(關聖帝君十王寶卷)』 혹은 『부우제군보권(孚佑帝君寶卷)』이라 불린다. 내용은 비교적 간단하며, 시왕의 각 형옥(刑獄)을 묘사하고, 도덕적 가르침을 추가하였다. 청(淸) 말기에 상해대중서국(上海大衆書局)에서 간행되었다. 책의 앞에는 "유화제군유(遊化帝君諭)"와 "관성제군시왕권(關聖帝君十王卷)"이라는 원래의 글이 있으며, 광서(光緖) 22년(1896)의 서명이 있다.

여기에서의 지옥 내용은 불교의 원전과 부합한다. 8대지옥과 이에 부수된 각각의 16소지옥에 대한 묘사에서, 소지옥의 명칭은 매우 변화가 많으며, 구체적으로 묘사되어 있어서 공포스럽기까지 하다. 초강왕(楚江王)이 관장하는 곳은 '활대(活大)지옥' 이고, 송제왕(宋帝王)이 관장하는 곳은 '흑승(黑繩)지옥' 이며, 오관왕(五官王)이 관장하는 곳은 '합대옥(合大獄)' 이고, 염라왕(閻羅王)이 관장하는 곳은 '규환대옥(叫喚大獄)'이며, 변성왕(變成王)이 관장하는 곳은 '대규환(大叫喚)지옥'이고, 태산왕(泰山王)이 관장하는 곳은 '열뇌대옥(熱惱大獄)'이며, 평등왕이 관장하는 곳은 '대열뇌(大熱惱)지옥'이고, 도시왕(都市王)이 관장하는 곳은 '대아비(大阿鼻)지옥'이다.

8대지옥은 두 번째 왕인 초강왕부터 아홉 번째 왕인 도시왕까지 배치되어 있으며, 첫 번째인 진광왕과 열 번째인 전륜왕이 있는 곳에는 지옥이 없다. 뿐만 아니라, 일반적으로 염라왕의 처소에 업경(業鏡)이 있는데, 앞의 진광왕의 처소에 얼경(孽鏡)이 높게 걸려 있다고 언급되어 있다. 이곳에 왕사성(枉死城)이 있다. 그리고 일반적으로 오관왕의 처소에 있는 업칭(業秤)도 역시 뒤의 평등왕의 처소에 있다. 전륜왕이 주재하는 곳에는 대체적으로 혈호옥(血湖獄), 나하교(奈何橋) 등이 있으며, 그곳에 육도윤회(六道輪廻)도 역시 변화가 많다.

책의 명칭으로부터 알 수 있는 것은 도교적 색채가 농후하다는 것이다. 예를 들면, 지장보살의 아래에 성황(城隍), 조군(灶君) 토지(土地)를 두었으며, 삼관(三官)이 있어 선악을 정하고 풍도(酆都)를 건립한다. 선악을 해결하는 신으로는 일유신(日遊神), 야유신(夜遊神)이 허공을 오고가며 감찰하고, 삼시신(三尸神)이 인체 내에 머물고, 조신(灶神)이 매월 위에 보고하며, 삼관(三官)이 있어 오악(五岳)을 순시한다. 당연히 지위의 고하(高下)나 빈부(貧富)를 막론하고 선행을 하면 좋은 과보를 얻고, 악행을 하면 벌을 받는다. 이것이 이 책의 요지(要旨)이다. 책의 뒷부분에는 『남해관세음권세기(南海觀世音勸世佛)』 1편이 첨부되어 있으며, 인륜과 도덕이 강조되어 있다.

『미륵불설지장시왕보권(彌勒佛說地藏十王寶卷)』

이 책의 명칭에는 많은 존격이 나타나 있지만, 그 주요 내용은 시왕에 관한 것이다. 선동(仙童)을 미륵불로 삼아 길을 인도받는데, 진광왕, 초강왕, 송제왕, 오관왕, 염라왕, 변성왕, 태산왕, 평등왕, 도시왕, 전륜왕의 시왕(十王) 전당을 차례로 살펴본다. 이 여정에서 경의(經義)가 도도히 설파되고 있다. 상권에는 앞의 5왕이, 하권에는 뒤의 5왕이 나타나 있다. 제1전 진광왕 뒤에는 지장보살과 석가모니 관련 내용이 보이지만, 전체적으로 민간 종교적인 내용이 상당히 많으며, 원돈교(圓頓教)와 유교(儒教)의 설법 등도 있다. 또한 유(儒)·불(佛)·도(道) 삼교의 합일적 관념이 대단히 강하다. 이 책은 원돈교나 서대승교(西大乘教)에서 사용하던 것 가운데 하나일 것으로 추정된다.

시왕 방면의 '보권'으로 『십제염라보권(十帝閻羅寶卷)』이 있으며, 시왕참의(十王懺儀)에 관한 책도 역시 여러 권이 존재하고 있다.

부(附) : 『옥력보초(玉歷寶鈔)』

『여조강유준신옥력보초전염왕경(呂祖降諭遵信玉歷寶鈔傳閻王經)』

『여조강유준신옥력보초전염왕경』(以下 옥력보초전염왕경)은 판화(版畵)의 내용이 매우 풍부하며, 구도가 뛰어나고, 도법(刀法)이 숙련되어 있다. 회화적 기법은 비교적 이른 시기의 것이어서, 1920년에 상해홍문서국(上海鴻文書局)에서 발행한 권세본(勸世本), 즉 『옥력지보초권세(玉歷至寶鈔勸世)』본보다 더 빠른 것으로 추정된다. 『옥력지보초권세』의 회화적 기법은 비교적 뒤의 것인데, 중화민국 4년(1915)에 그렸다는 제기(題記)가 있다. 『옥력보초전염왕경』의 연대는 이보다 약간 빠르지만, 죄인을 징벌하는 내용 중에 "식아편(食鴉片)"이라는 문구가 있는 것으로 볼 때, 청대(淸代) 후기일 가능성이 높다. 두 경전의 도상(圖像)의 형태와 내용을 살펴보면 같은 계통의 것임을 알 수 있다.

『옥력보초전염왕경』의 명칭에는 "여조강유(呂祖降諭)"라는 문구가 있는데, 이것은 이 경전이 도교 계통에서 전해져 편입되었다는 것을 보여준다. 『옥력지보초권세』도 역시 이와 같다. 이외에 『여조보권(呂祖寶卷)』에는 도교의 조사(祖師)인 여동빈(呂洞賓) 고사가 간략하게 실려 있는데, 그중 한 단락이 여조(呂祖)가 시왕지옥을 편력하는 내용이다. 두 『옥력(玉歷)』의 도상(圖像) 부분을 순서대로 간략하게 비교하면 다음의 표와 같다.

『옥력보초전염왕경(玉歷寶鈔傳閻王經)』	『옥력지보초권세(玉歷至寶鈔勸世)』
	1. 성황(城隍)·토지(土地)
	2. 상선사(賞善司)·벌악사(罰惡司)
	3. 흑무상(黑無常)·백무상(白無常)
	4. 사찰사(査察司)·청신(靑神)
	5. 판관(判官)·귀왕(鬼王)
	6. 우두(牛頭)·마면(馬面)
	7. 일순유(日巡遊)·야순유(夜巡遊)
1. 옥황대제(玉皇大帝)	8. 영소보전(靈霄寶殿)
2. 동옥대제(東獄大帝)	9. 동옥대제(東獄大帝)
3. 인혼(引魂)·조간도(灶間圖)	10. 지장왕보살(地藏王菩薩)
4. 석자로(惜字爐)·한수지(寒水池)	11. 풍도대제(酆都大帝)
5. 일전진광왕장(一殿秦廣王蔣)·얼경대(孼鏡臺)	12. 부현경주(府縣境主)
	13. 인혼(引魂)·조간(灶間)
	14. 일전진광왕(一殿秦廣王)
6. 이전초강왕력(二殿楚江王歷)	15. 이전초강왕(二殿初江王)
7. 삼전송제왕여(三殿宋帝王余)	16. 삼전송제왕(三殿宋帝王)
8. 교수묘체로결연(橋修廟砌路結緣)·훼상다물(毁傷多物) 등	
9. 악선당(樂善堂)·세간용칭(世間用秤) 등	
10. 사전오관왕려(四殿五官王呂)·혈오지(血汚池)	17. 사전오관왕(四殿五官王)·혈오하(血汚河)
11. 오전염라왕포(五殿閻羅王包)·망향대(望鄕臺)	18. 오전삼라왕(五殿森羅王)·도산지옥(刀山地獄)·망향대(望鄕臺)
12. 화염산지옥(火炎山地獄) 등	
13. 육전변성왕필(六殿卞城王畢)·왕사성(枉死城)	19. 육전변성왕(六殿卞城王)
14. 칠전태산왕동(七殿泰山王董)	20. 칠전태산왕(七殿泰山王)·유확지옥(油鑊地獄)
15. 화도산지옥(畵刀山地獄) 등 10항목	
16. 팔전도시왕황(八殿都市王黃)	21. 팔전도시왕(八殿都市王)
17. 구전평등왕륙(九殿平等王陸)	22. 구전평등왕(九殿平等王)·차붕지옥(車崩地獄)
18. 십전전륜왕설(十殿轉輪王薛)	23. 십전전륜왕(十殿轉輪王)·맹파정(孟婆亭)
19. 윤회도(輪廻圖)	24. 윤회면목(輪廻面目)
20. 윤회도(輪廻圖)	
	25. 관음보살(觀音菩薩)
	26. 담응존자(淡凝尊者)·물미도인전옥력(勿迷道人傳玉歷)
	27. 홍문서국인옥력(鴻文書局印玉歷)

위의 도표를 통해, 『옥력지보초권세』가 『옥력보초전염왕경』에 비하여 도상이 더 많다는 것을 알 수 있다. 회화적 기법을 살펴보면, 『옥력지보초권세』는 일련의 서양 미술의 투시(透視) 구도 방법을 채용하고 있고, 원근법으로 전당(殿堂)과 관부(官府)의 모습을 현실감 있게 표현하고 있다. 그리고 『옥력보초전염왕경』에서 사용한 것은, 전통적인 중국의 고법(古法)인 평시(平視) 구도이고, 화면에 관련 내용의 설명이 비교적 많다. 『옥력보초전염왕경』과 『옥력지보초권세』의 도상적 내용과 회화적 기법에 대해서는 별도의 논의가 필요하다. 다만 여기에서는 시왕(十王)의 연기(緣起)와 직무에 대해서 비교해 보겠다.

『옥력보초전염왕경』의 구성은 간략하면서도 오묘하다. 서두의 한 단락은 서언(序言) 성격의 문장인데, 이를 살펴보면, "근년에 세상 사람들이 경박하여 옥제(玉帝)가 옥력(玉歷)을 전하여 세상 사람들을 계도하고자 하니, 이로부터 언급된 옥력경(玉歷經)의 복보(福報)를 전인(傳印)하라."고 하고 있다. 정구진언(淨口眞言) 뒤에는 도상(圖像)이 이어진다. 도상 부분 이후에는 염왕경게(閻王經偈), 동악대제회생보훈(東獄大帝回生寶訓), 성몽신종도미진벌(醒夢晨鐘渡迷津筏)이 이어진다. 이 한 단락의 문장은 악비(岳飛) 장군의 충정보국이 풍파정(風波亭)에서의 죽음으로 나타나는 내용이다. 선비 호적(胡適)은 이를 통분해하며, 천재묘(天齊廟)에 이르러 향(香)을 집어 던지며, 천도(天道)가 어디에 있느냐고 묻고, 또 염왕전(閻王殿)에 선악은 존재하지 않는다고 욕을 하며, 신상(神像)을 부수어 버렸다. 그리하여 혼(魂)이 동악부(東獄府) 청화전(靑華殿)에 돌아가서, 십전자왕(十殿慈王)을 보고, 성제(聖帝)에게 악비와 진회(秦檜), 그리고 호적의 일을 보고 하게 되었다. 성제는 호적에게 십전염군(十殿閻君)의 각 전(殿)에 가서 선악을 분명하게 살펴보고 돌아가도록 판결하였다.

『옥력보초전염왕경』에는 십전염라의 각 왕의 이름 아래에 탄신일이 있다. 이것은 재일(齋日)에 영향을 받은 것으로 보인다. 제1전 진광왕은 2월 1일, 제2전 초강왕은 3월 1일, 제3전 송제왕은 2월 8일, 제4전 오관왕은 2월 18일, 제5전 염라왕은 1월 8일, 제6전 변성왕은 3월 8일, 제7전 태산왕은 3월 27일, 제8전 도시왕은 4월 1일, 제9전 평등왕은 4월 8일, 제10전 전륜왕은 4월 17일이 탄신일이다. 그런데 도상(圖像)을 보면, 십전염군 각 왕의 정수리 부분에 있는 제명(題

名) 위에 각각 성(姓)씨가 더하여져 있는 것을 볼 수 있다. 제1전 진광왕의 성(姓)은 장(蔣)씨인데, 이것은 진광왕과 민간의 신인 장신(蔣神)과의 관계에서 비롯된 것이다. 제2전 초강왕의 성은 력(歷), 제3전 송제왕의 성은 여(余), 제4전 오관왕의 성은 려(呂), 제5전 염라왕의 성은 포(包), 제6전 변성왕의 성은 필(畢), 제7전 태산왕의 성은 동(董), 제8전 도시왕의 성은 황(黃), 제9전 평등왕의 성은 육(陸), 제10전 전륜왕의 성은 설(薛)이다.

두 옥력경의 십전염군의 직무와 직능을 살펴보면, 양자의 공통점이 보다 뚜렷하게 드러난다. 아주 개별적인 어구(語句)의 잘못된 점을 제외하고, 예를 들면, 『옥력보초전염왕경』의 제3전 송제왕의 처벌 부분에 있는 내용이 『옥력지보초권세』에는 제4전 오관왕 이름 아래의 징계 부분으로 옮겨져 있다. 전체적으로 내용이 일치하고 있으나, 『옥력지보초권세』의 내용이 조금 더 많다. 『옥력지보초권세』에 사용된 어휘의 어조(語調)도 역시 『옥력보초전염왕경』에 비하여 조금 더 현대에 가까운 시기의 특징이 드러나 있다.

전체적으로, 이들 두 옥력경을 분석해 보면, 권세본이 『염왕경』 종류의 책 내용을 증보하면서 이루어진 것임을 알 수 있다. 내용은 더욱 확대되어 있고, 회화 기법도 시대 조류에 맞게 나타나고 있다. 이들 책은 시왕류 경전의 발전 과정의 최후 단계이며, 역시 십전염라 회화 형식의 최후 면모를 반영하고 있다. 시왕 계열의 회권(繪卷)과 단폭화(單幅畵)는 만당(晩唐) 오대(五代) 이래로, 이미 적지 않은 유물이 전해지고 있다. 그중에는 일본에 전해진 것과 민간에 수륙화 계열의 회권(繪卷)으로 보존되어 온 것도 있다. 장차 이러한 분야에 대한 계통적 비교 연구가 행해진다면, 대단히 흥미로운 연구가 될 것이다.

『옥력지보초권세』가 비록 『옥력보초전염왕경』의 내용보다 풍부하지만, 두 부분의 세부 구성에 있어서는 오히려 원래 내용이 빠져 있다. 이것은 앞서 이미 지적했던 시왕의 탄생일과 시왕의 성(姓)씨 부분이다. 십전염군의 성씨는 확실히 시왕이 중국의 전통적인 관념 위에 성립되었다는 것을 보여준다. 특히 제5전 염라왕의 성씨가 포(包)라는 것은 뜻밖이며, 이것은 시왕 계통의 신앙과 민간 전통의 청천대노야(靑天大老爺) 포공(包公)의 관련성을 보여준다. 『옥력보초전염왕경』의 판화 형식의 도상은 본래 상당히 강렬한 중국 희곡 신운(神韻)을 구비하고 있으며, 또한 희곡 예술의 특징을 가지고 있다. 염라왕의 얼굴 부분은 확실히 흑면(黑面) 형식으로 새겨져 있다. 각 전의 왕에 대한 묘사는 전형적으로 속세 관청의 심판 장면을 수용하고 있다. 그러면 제5전 염라왕과 포청천(包青天)의 상관관계는 더욱 자연스러워진다. 몇몇 다른 왕의 성씨도 또한 대단히 흥미가 있으며, 역시 일정한 출전(出典)을 가지고 있다. 예를 들면, 진광왕의 장(蔣)씨 성은 바로 장신(蔣神)과 관계가 있다고 볼 수 있다. 장신은 원래 동한(東漢) 말기의 장자문(蔣子文)이며, 사후에 사직(社稷)의 신으로 추존되었다. 이것은 민간 귀신 신앙에 속하며 또한 도교와도 여러 방면에서 관련이 있다. 이외에, 『역대신선통감(歷代神仙通鑒)』에 보이는 이러한 종류의 중국적 신선의 족보 가운데 역시 시왕의 성(姓)씨가 있다. 그 성씨는 초(肖)·조(曹)·염(廉)·황(黃)·한(韓)·왕(王)·필(畢)·천(千)·설(薛)씨이다. 이러한 성씨 중 일부는 중국의 역사, 희곡의 고사와 관련을 가지고 있다. 척담패어(摭談稗語)에 있어서, 10여 명의 사람이 살아서는 신하의 신분이었지만 죽어서는 명부의 주인이 되었다. 널리 민간에 알려진 사람으로 한금호(韓擒虎), 구준(寇准), 범중암(范仲淹) 그리고 포승(包拯 ; 즉, 包公)이 있다. 나머지 몇몇은 근거를 찾을 수 없다. 시왕의 생일은 대부분이 특징이 없어서 초일(初一), 혹 17, 18, 20 혹은 27 등인데, 단지 평등대왕의 생일만이 4월 초팔(初八)로, 석가모니의 탄신일과 같다.

이밖에도 『옥력보초전염왕경』 등에서 석자지(惜字紙 ; 기원을 적은 종이)를 공경하는 사유의 단서도 역시 비교적 특징이 있다. 화면의 그림 위에는 석자로(惜字爐)가 있어서 종이를 태우게 되어 있는데, 석자로에는 "석자지를 공경하면 후대에 부귀하게 된다"는 내용이 새겨져 있다. 전 권(卷)의 끝맺음 부분에는 칭명염불(稱名念佛) 시에, 먼저 부처님의 명호를 염송하는데, "나무소재연수석자불(南無消灾延壽惜字佛)", "나무소재연수석곡불(南無消灾延壽惜谷佛)"을 염송하고, 추후에 약사(藥師)·석가(釋迦)·관음(觀音)을 염송하고, 다시 "나무능인지장왕보살(南無能仁地藏王菩薩)", "나무십전시왕보살(南無十殿十王菩薩)", "나무대세지보살(南無大勢至菩薩)", "나무청정대해중보살(南無清淨大海衆菩薩)" 등을 염송한다. 여기서의 석자(惜字), 석속(惜谷)의 표현과 내용은 이 '보권'의 특징을 반영하고 있으며, 이어져 있는 시왕의 탄신일과 성씨는 『옥력보초전염왕경』의 독창적인 가치를 잘 설명해 주고 있다.

두 책의 내용 중에 염라왕이 직능을 맡게 되는 과정에 대한 묘사도 역시 대단히 흥미롭다. 책에서 칭송하기를, 염라왕은 원래 제1전을 담당하였는데, 마음이 너무 자애롭고 부드러워서 여러 차례 귀혼(鬼魂)의 호소에 마음이 동하여 환양(還陽)하게 놓아 주었다. 이런 이유로 다시 조정을 받아 제5전을 담당하게 되었다는 것이다. 『옥력보초전염왕경』에서 설명하기를, 염라왕이 조정을 받아 제5전을 담당하게 되었을 때, 혼백(魂魄)이 이미 온 지 오칠(五七) 35일을 경과하여 그 시신이 모두 부패하였다고 한다. "선도강심보루지(船到江心補漏遲)"라는 문구에 숨어 있는 뜻은 염왕이 혼백을 환양(還陽)하게 놓아주려 했으나 시체가 이미 손상되어 용이하지 않았다는 뜻이다. 이것은 유명세계에 대한 일반적인 관념과는 다른 흥미 있는 예이다. 그러므로 여기서 특히 강조하고 있는 "철면염라(鐵面閻羅)"의 자애로운 마음은 주목해야 할 부분이다.

『옥력지보초권세』에서 이와 같은 내용을 몇 가지 살펴보자. 첫 번째는 염왕이 굴사(屈死)한 귀신을 위하여 눈[雪]을 내리게 해서 놓아준 것이다. 두 번째는 지장보살의 대자대비를 더욱 강조하고 있는 것이다. 즉, 각 전의 귀혼(鬼魂)이 제5전에 압송되어 왔을 때 지장왕보살이 자비심을 발하여 죄과를 감하거나 면하도록 타일렀고, 염라왕이 심문하고 집행할 때에는 함께 각 안(案)을 살펴보는 모습이 나타나고 있다. 역대로 삼라철면(森羅鐵面)으로 전해져 온 염라왕이 자애롭고 번민하는 모습으로 나타나고 있는데, 이것은 아마도 지장보살과 같은 전각을 관장하고 있는 연유에서 비롯된 것이 아닐까 추측해 본다.

마지막으로 지적하고 싶은 것은 두 옥력경 보권의 윤회도(輪廻圖) 부분인데, 모두 완전한 형태의 육도나 오도 윤회의 도상은 가지고 있지 않다는 점이다. 즉, 천도(天道), 인도(人道), 수라도(修羅道), 아귀도(餓鬼道), 지옥도(地獄道), 축생도(畜生道)를 완전하게 구비하고 있지 않다. 그리고 인간 세계의 고관(高官)을 최상등(最上等)으로 하고, 아래에 태(胎), 난(卵), 습(濕), 화(化)의 4생(生)을 열거하고 있다. 실제로 "공(公), 후(候), 장(將), 상(相)"을 환생의 최상도(最上道)로 여겼으며, 기타는 축(畜), 수(禽), 충(虫) 등이다. 이를 가지고 윤회전도(輪廻轉度)의 생령(生靈)을 구성하였으며, 『옥력보초전염왕경』의 마지막인 전륜왕 부분에서는 사람을 10등급으로 나누어 파악하고 있다. 즉, 상일등(上一等)은 수행인(修行人)이며, 몸이 불국(佛國)으로 돌아간다. 제2등은 선행을 한 자이며, 복연(福祿)이 계속되는 것과 같다. 제3등은 공덕을 쌓은 자이며, 관리가 된다. 제4등은 양심이 바른 자이며, 금은(金銀)이 풍부하여 부귀하게 된다. 제5등은 열심히 살았던 사람이며, 재능과 능력을 갖는다. 제6등은 예술인이며, 명리(名利)를 얻는다. 제7등은 농상(農桑)에 종사한 자이며, 평민 백성이다. 제8등은 승(僧)・도(道)의 무리이며, 방외(方外)를 유행(遊行)한다. 제9등은 장애를 가진 자이며, 귀머거리나 벙어리가 된다. 제10등은 불법을 어지럽힌 자이며, 추운 날 굶주리며 문전걸식하게 된다. 사농공상(士農工商)의 순서대로 배열된 이 10개의 서열은 전면적이지 않다. 승려가 제8열에 위치하고 있다는 것은 확실히 의외의 일이지만, 당시의 세속적 계층 관념을 반영하고 있다고 볼 수 있다.

4) 목련보권(目連寶卷)

『유명보권(幽冥寶卷)』

『유명보권』의 상세한 제목은 "신속목련승구모유명보권(新續目連僧救母幽冥寶卷)"이다. 또한 제목이 "서강월(西江月)"인 문장 일수(一首)가 있다. 제목 아래에는 "'목련승구모'의 뒷이야기는 완성되지 않았다[目連僧救母後續未著完]."라는 문구와 여량공(呂良公)이 썼다는 주해가 있다. 이로부터 책을 초록(抄錄)한 사람이 여량공이라는 것을 알 수 있다.

이 책은 제목으로 보면 "목련구모(目連救母)"에 관한 것이지만, 책 앞부분의 양(梁) 무제(武帝)의 이야기에서 시작하여 책의 끝부분에 이르기까지 목련에 대한 언급이 없다. 책을 초록한 이가 제목 아래에 "뒷이야기는 완성되지 않았다"는 특별한 주해를 달고 있는 것이 이러한 이유에서이다.

앞부분의 내용은 양 무제가 어지(御旨)를 내려 널리 불법을 펴고, 경내에 사묘암당(寺廟庵堂)을 보수하고, 곤궁으로 고통받거나 의지할 데가 없는 사람들을 줄이기 위하여 노력한 내용으로 채워져 있다. 이렇게 국풍(國風)을 일신하였으나, 마왕(魔王)이 노인의 모습으로 화현하여 온갖 감언이설로 양 무제를 현혹시켜 원래의 체제로 돌아갔다. 이에 달마가 양 무제를 제도하려고 하였으나, 인연이 닿지 않아 이루지 못하였다. 신광(神光)법사가 경전을 강설하면서, 불법을 듣더라도 천당에 오르고, 지옥에 떨어지는 것을 피할 수 있다고 하자, 달마대사는 이 설법을 불신하며, 이를 그림의 떡에 비유하였다. 신광이 노여워하며 염주를 한 번 휘두르자, 달마의 이빨을 쳐서 부러뜨렸다. 달마는 3년의 큰 가뭄을 두려워하며 이빨을 뱃속에 삼켰다. 그러자 10염주가 십전염군으로 화하여, 신광의 면전에 나타났다. 신광은 시왕이 달마의 신통력이라는 것을 알고, 웅이산(熊耳山)으로 좇아가 불법을 청하였다. 수년이 지나도 얻지 못하자, 지니고 있던 계도(戒刀)로 팔을 잘라 버렸고, 마침내 달마가 전하는 법(法)을 얻게 되었다.

양 무제는 전생(前生)에 나무꾼이었으며, 비를 피해 사당에 들어갔다가, 부처를 위해 비를 막아 주었고, 이러한 복보(福報)로 후생(後生)에서 제왕이 되었다. 또한 나무꾼 시절에 여러 원숭이들을 굶어죽게 했던 업인에 대한 과보로 뒤에 후경(侯景)에 의하여 굶어죽었던 것이라고 한다. 양(梁) 원제(元帝)가 왕위를 계승하고 집정할 때에, 충신열사의 자식이 그 공을 세습하는 것을 승인하였다. 책은 이 부분에서 전인후과(前因後果)를 상세히 설명하고 있다.

또한 책은 당시 왕사성(王舍城)에 있던 부가장(傅家莊)의 부천두(傅天斗)에 대하여 상세히 기술하고 있다. 부천두는 원래 장사지부(長沙知府)였으며, 후경이 양(梁)을 어지럽힐 때, 후경을 위하여 양곡을 운반하던 병사들에게 끌려가 죽음을 당했다. 그 아들 부숭(傅崇)이 그 조카 이륜(李倫)을 용서하고 장사지부를 승계하게 하였다. 이륜은 원래 간교한 소인배로 부숭과 함께 부임한 후에, 부숭의 청정에 불만을 가지고, 문공(門公) 소자연(蕭自然)과 결탁하여 민중을 핍박하고 축재하였다. 이러한 악행이 상천(上天)을 진노하게 하여, 하늘이 우레를 쳐서 소자연을 죽이고, 벼락이 이륜을 혼절시켰다. 이때에 고향에도 역시 흉보가 전해졌다. 부숭의 어머니가 마음에 병이 들어, 부숭과 이륜 등은 고향으로 돌아갔다.

부숭이 효를 다하고 있을 때, 마을에 재앙이 있어서 부숭 부부가 선행을 하고자 빈민을 구휼하고 승려를 모셨다. 구휼하는 일을 이륜이 맡았다. 이륜은 양곡을 빌려 주면서 이자를 받지 않는다고 했으나, 2개의 저울을 사용했다. 먼저 소두(小斗) 저울로 나눠주고, 다음 해에 대두(大斗) 저울로 거두어들였다. 그리하여 재차 상제(上帝)의 노여움을 사게 되었다. 파패이성(破敗二星)과 화성(火星)을 파견하여 그 집에 내려가게 하였다. 파패이성이 부가(傅家)에 탁생(托生)하니, 이름을 금과은과(金果銀果)라 하였다. 장성한 후에 이륜을 따라 음주가무에 도박을 배우니, 부숭이 이를 알고 마음 아파하며 그를 가르쳤다. 이때에 천성교(天星橋)가 무너졌기 때문에, 부숭이 다시 선을 행하여 혼자의 힘으로 수선하였다. 상창(上蒼)이 감동하여 파패이성을 회수하였다. 그리고는 활무상(活無常)과 화성이 모두 이륜을 따르게 하였다. 이륜은 이로 인해 병에 걸렸으며, 죽은 후에 다시 불태워졌다.

부숭 부부는 또한 슬하에 아들 하나를 두었다. 유만균(劉萬鈞)의 딸과 어려서 정혼을 하고, 장성한 후에 혼인을 하였다. 이 책은 여기까지 기술되어 있다.

『목련보권』의 구성은 대단히 복잡하다. '목련희(目連戲)' 도 역시 다를 바 없다. 천극(川劇)인 '목련희' 는 48본(本)이 있어서 연속해서 무려 2개월이라는 긴 시간 동안 공연이 이루어진다.

5)『지장보권』에 대하여

'보권' 들 중에 지장보살과 관련된 것을 살펴보자.

관음보살이 주제인 『향산보권(香山寶卷)』은 『관세음보살본행경간집(觀世音菩薩本行經簡集)』이라고도 한다. 제기에는 북송(北宋) 숭령(崇寧) 2년(1103) 보명(普明)선사가 느끼고 본 바를 집성하였다고 기록되어 있다. 현재의 연구와 고증에 의하면, '보권' 은 그렇게 이른 시기에 형성되지 않았다. 그러므로 실제는 단지 그 이름만을 빌린 것으로 보인다. 비록 『향산보권』이 명(明)·청(淸) 시기에 형성되었을 것으로 추정되지만, 여기에 수록된 묘선공주(妙善公主)의 이야기는 아주 이른 시기에 형성되었던 고사이다.

하남(河南) 보풍(寶豊)의 향산사(香山寺)는 북송(北宋)의 채경(蔡京)이 쓴 『대비관음보살득도증과사화비(大悲觀音菩薩得道證果史話碑)』에도 보이고 있으며, 원대(元代) 조맹부(趙孟頫)의 처 관도승(管道升)이 편찬한 『관세음보살전략(觀世音菩薩傳略)』에는 관세음보살의 화신인 묘선공주의 고사가 매우 완전한 형태로 구성되어 있다. 그 내용은 묘선공주가 아버지의 명을 따르지 않고 일심(一心)으로 출가(出家)를 원하다가 죽음에 처하게 되고, 공주의 혼은 지옥을 편력하게 된다.

묘선공주는 깃발을 들고 기다리고 있는 선부(善部) 청동자(青童子)의 영접을 받아 귀문관(鬼門關)을 건너, 아비철위(阿鼻鐵圍) 지옥을 둘러본다. 왕사성(枉死城)을 둘러볼 때 백작사(白雀寺) 여승들의 원한에 찬 통곡을 대하고는 너무도 가슴 아파한다. 묘선공주가 출가할 때 묘장왕(妙莊王)이 공주를 돌아오게 하려고 백작사를 불태워 버려, 많은 비구니들이 죽음을 당했기 때문이다. 그리하여 공주는 모든 비구니들이 구원되기를 발원한다.[154] 공주가 발원하자 홀연 밝은 빛이 동굴을 환하게 비추고 백 가지 음악이 엄숙하게 울려 퍼졌다. 풍도계(酆都界) 안은 홍백연화(紅白蓮花)로 가득하였고, 염왕전 위에 오색의 상서로운 빛이 나타났다. 이때에 지장보살이 마니보주를 들고 자리에 앉아 있다가 지옥이 파괴되는 것을 관조하였다. 지장보살이 공주의 발원을 듣자마자, 이를 이미 이루어지게 한 것이다. 즉, 비구니들을 정토로 속히 돌려보내도록 조치한 것이다.

다시 공주는 동자를 따라 앞으로 나아갔다.

묘선공주는 나하교에 이르러 동자의 인도를 받았다. 옥수(玉手)를 난간에 기대고, 자애로운 눈으로 다리 아래의 남녀 죄인들을 살펴보고, 천천만만(千千萬萬) 번을 거듭 발원하여 말하기를, "귀신의 죄수들이 모두 제도되어 보리(菩提)를 증득케 하소서."라고 하였다. 공주가 발원하자, 홀연히 오색의 연화가 다리 아래에 가득 피어났다. 죄인들이 이것을 보고 합장하며 환희하였다. 구원받아 피안으로 가게 되었고, 공주에게 감사의 예를 올리며 떠나갔다. 계속해서 공주

---

154 發弘願已卽感應, 紅白蓮花開滿城. 地藏菩薩開口問, 善哉公主爲何因. 公主禮拜時便答, 低頭合掌告慈尊. 多感我師親降赴, 惟都界內現金身. 惟願尼僧離地獄, 逍遙快樂往天庭.

가 유명에 앉아 죄인들을 남김없이 구한 내용이 실려 있다. 마침내 공주는 염라왕에 의해 다시 이 세상으로 돌아온다.

필자가 한 가지 강조하고 싶은 것은, 『향산보권(香山寶卷)』의 '묘선공주혼유지부(妙善公玉魂遊地府)' 라는 한 단락의 문장이다. '보권' 중에 소위 『관음유옥(觀音遊獄)』과 『관음유전(觀音遊殿)』이 모두 이로부터 유래한 것이라는 것을 어렵지 않게 알 수 있다. 바로 이 한 단락이 유전되고 격변하면서 소설적 구성으로 발전되어 갔고, 마침내 두 종류의 새로운 '보권' 으로 형성된 것이다. 첫 번째는 공주가 18지옥을 편력하면서 살펴본, 각종 장면을 증보한 형태이고, 두 번째는 공주가 시왕의 전옥(殿獄)을 편력하며 살펴본, 각종 장면을 확충한 형태이다. 여기서 관음보살의 중생제도, 심지어는 귀신까지 제도하고자 하는 정신을 간과해서는 안 될 것이다. 실제로 공주가 지부를 편력하는 한 단락의 구성 속에서, 이미 공주는 지장 정신의 화신으로 표현되고 있다. "귀신의 죄수들이 모두 제도되어 보리(菩提)를 증득케 하소서." 라는 구절은 완전히 지장보살의 비원(悲願)이 관음보살로 그 주체만 변화되어 있는 것이다.

묘선공주라는 신분은 바로 지장보살의 행위와 정신을 형상화한 것이다. 『향산보권』은 중국에 가장 큰 영향을 미친 관음보살 고사로서, 젖 먹는 아이도 숙지하고 있을 정도로 민간에 널리 유포되었다. 또한 이 고사에서, 지옥을 관장하는 지장보살의 행위나 지장보살의 비민(悲愍) 정신이 관음보살의 행원(行願)으로 바뀌어 널리 지옥을 제도하고 있음을 쉽게 알 수 있다. "중생을 제도해 마침내[衆生度盡] 그들이 보리를 증득하고[方證菩提] 지옥이 다 비워질 때까지[地獄不空] 결정코 부처가 되지 않으리라[誓不成佛]." 라는 지장보살의 서원이, 여기에서는 "귀신의 죄수들이 모두 제도되어 보리(菩提)를 증득케 하소서[度盡鬼囚, 方證菩提]." 의 행지(行止)로 바뀌어 표현되고 있다.

『낙양교보권(洛陽橋寶卷)』

『낙양교보권』은 내용이 풍부하고 구성이 복잡한, 유명한 '보권' 중에 하나이다. 여기에는 관음보살이 어떻게 장원채(狀元蔡)를 도와 낙양교(洛陽橋)를 건설했는지가 실려 있다. 소위 낙양교는 음양계(陰陽界)에 위치하고 있으며, 공양인이 탁생(托生)을 기원하며 건너는 다리이다. 또한 신선과 인간이 연관된 각종 고사의 무대이다. 이 책에 따르면 낙양교는 노반(魯班) 등이 만든 것이며, 조성된 교동(橋洞 ; 교각 사이의 아치형 공간)은 모두 72개이고, 각 교동은 모두 정교하게 조각되어 있다. 교동은 두 번에 걸쳐서 이루어졌고, 뒤의 36개는 모두 관음보살의 힘에 의지하기 위해 금은(金銀)으로 조성된 것이며, 제51번째 교동부터는 지부(地府)의 제보살 등의 신명(神明)을 위해 이루어진 것이다.

제51 교동은 지부 염라군(閻羅君)을 위해 조성한 것이다. 천당과 지옥이 조각되어 있으며, 선악의 몸이 매우 분명하게 표시된다.

제52 교동에는 건곤(乾坤)·일월(日月)·성(星)이 조각되어 있다. 왼쪽에는 태양이 천자(天子)로 되어 있으며, 오른쪽에는 월부(月府) 태음성(太陰星)이 있다.

제53 교동에는 아미타불이 윗면에 있으며, 미륵불이 세족산문(洗足山門)에 앉아 있고, 양 측면에 두 장군이 있다.

제54 교동에는 관음대사(觀音大士)가 다리 근처에 앉아 있다. 왼쪽에서는 분향과 염불이 이루어지고 있으며, 오른쪽에서는 여신도가 관음보살에게 절을 하고 있다.

제57 교동에는 지장보살이 조각되어 있다. 왼쪽에는 아난(阿難)이 석장(錫杖)을 들고 있으며, 오른쪽에는 지옥철위성(地獄鐵圍城)이 있다.

제58 교동은 여러 지옥의 고통스러운 장면들을 묘사하고 있다. 화차(火車)·철상(鐵床)·동철주(銅鐵柱)·유과(油鍋)·거해(鋸解)·악구촌(惡狗村) 지옥 등이다.

제59 교동에는 혈호(血湖)지옥에서 고통받는 모습이 있는데, 많은 소녀들이 피의 호수 속에서 산발한 채로 머리채를 끌리고 있다. 그 모습이 사람들을 놀라게 한다.

제60 교동에는 2개의 도산(刀山)지옥문이 있다. 악인들이 칼산 위에서 피를 뿌리며 고통스러워하고 있다.

제61 교동에는 천상계의 신명(神明)이 조각되어 있다. 동악대제(東嶽大帝) 및 현성(賢聖), 성황, 토지신 등이 밤에 유람하는 장면이다.

위의 교동에 나타나는 도상들은 수륙도량(水陸道場)의 수륙화(水陸畵)와 매우 유사하다. 가히 중국인의 민속 신앙의 대전(大全)으로, 중국인의 의식 속에 깊이 자리하고 있는 신앙 형태를 잘 반영하고 있다고 할 수 있다.

『선재용녀(善才龍女)』

『선재용녀』는 신도 주홍원(周洪源)이 간행한 것이다. 이것은 관음보살의 협시인 선재동자와 선재용녀가 관련된 고사이다. 지장보살에 대해서는 아주 미미 언급하고 있으며, 부분적으로는 비유법을 사용하고 있다. 또한 여기에는 한 노인의 은원(恩怨)에 얽힌 과보(果報) 고사가 실려 있다. 이 노인은 스스로 천상의 금우성관 (金牛星官) 대력왕(大力王)으로 세상에 내려왔음을 밝히고 있는데, 그는 세간의 중생이 10악(惡)을 행하여 사면받지 못할 것을 알고 있었다. 그는 당년(當年)에 본래 세상에 내려오는 것이 허락되지 않았다. 지장왕이 중생을 구도하기를 발원하여, 동토(東土)의 중생이 손으로 논과 밭을 일구느라 경작에 어려움을 겪으며, 열 손가락이 피로 물드는 것을 보고, 금우(金牛)에게 하계로 내려가 중생을 돕도록 권하였다. 금우는 남천문(南天門)에 도달하여 중생에게 악기(惡氣)가 충천하는 것을 보고, 은혜를 장차 원수로 갚을 것을 알았다. 지장왕보살의 원력이 크고 깊어서 그에게 서원하기를, "반드시 은혜는 은혜의 과보를 가져올 것이다. 만약 은혜가 없으면 장차 원한의 과보도 없으리라. 내가 중생을 돌보지 않으면 두 눈이 땅에 떨어질 것이니, 빨리 하계(下界)하여 도우라." 고 하였기에, 금우는 거역하지 못하고 지장보살이 말한 천문(天門)으로 내려오게 된 것이다. 중생들이 금우의 힘이 대단히 큰 것을 보고, 코를 뚫고 줄을 끼어 쟁기를 끌게 하였다. 조금만 게으름을 피워도 청색의 채찍으로 사정없이 내려치고, 한 입에 풀을 먹어도 욕을 하였다. 그리고는 움직이지 못하자 소를 죽여서 가죽을 벗겨 힘줄을 빼고 고기를 먹었다. 지장왕보살이 차마 동토의 중생들의 악(惡)을 볼 수가 없었으며, 앞서의 서원 때문에 두 눈이 땅으로 떨어졌다. 결국, 중생들의 밭이 황폐하게 변하고 소들에 의해 짓밟히게 되니, 정말로 가련하고 슬픈 일이 아닐 수 없다.

지장왕보살의 눈알이 땅에 떨어지고, 소가 힘들게 밭을 가는 등의 내용은 매우 풍부한 상상력이 발휘된 민간 문학의 범주에 속한다. 민간 문학인의 해학과 진솔한 태도, 빼어난 역량을 잘 보여주고 있다. 이것은 한편으로, 지장왕보살에 대한 조롱과 해학까지도 내포하고 있지만, 지장보살의 마지막 모습은 결국 그 서원이 넓고 깊으며, 자비심이 대단히 크다는 것을 잘 보여준다.

2. 문헌에 기록된 지장신앙

1) 필기문집(筆記文集)

중국의 필기(筆記)와 전기소설(傳奇小說) 그리고 각종 문집(文集)에는 감응(感應)과 지옥명부(地獄冥府)의 응보(應報)와 관련된 작품들이 상당히 많다. 이러한 종류의 고사는 중국문학의 발전에 있어서 대단히 중요한 위치를 차지하고 있다. 위진(魏晋) 시기의 지괴(志怪)에서 발전되기 시작하여 당대(唐代)의 각종 전기(傳奇), 송대(宋代)의 필기(筆記)에 이르기까지 불교의 지옥과 명보(冥報)의 관념은 그러한 작품들 속에서 대단히 중요한 제재가 되어 왔다. 그러므로 북조(北朝)에서 당(唐)·송(宋)까지, 지옥명부의 응보와 지장보살의 고사를 빼놓고서는 중국 문학사를 이야기할 수 없는 위치에 있다고 할 수 있다. 이 가운데 일련의 필기와 소설 작품은 전문적으로 지옥과 인과응보만을 그 내용으로 다루고 있기도 하다.

노신(魯迅) 선생은 일찍이 중국의 고대소설에 대해 계통적 연구를 진행하여, 『중국소설사략(中國小說史略)』에서, 중국 소설에 불교가 끼친 영향을 지적하였다. 예를 들면, 소승불교(小乘佛教)가 중국에 들어와 점차로 유포되면서, 중국 고유의 무속 풍조뿐만 아니라 신선의 여러 관념과 서로 보완되어 왔고, 진대(晋代)부터 수대(隋代)까지 '귀신지괴소설(鬼神志怪小說)'이 특히 많았으며, 당대(唐代)의 전기(傳奇)는 본래 "지괴(志怪)로부터 나왔다."라고 할 정도이다. 비록 이미 귀신에 대한 전기를 넘어, 인과(因果)를 밝히려는 의도를 가지고는 있지만, 여전히 '권선징악'의 의미가 있다. 노신은 또한 전문적으로 '석씨보교(釋氏輔教)의 서(書)'에 대해 논술하였는데, 『고소설구침(古小說鉤沉)』의 서언에서 그는 '유험명증(幽驗冥征)'의 고사가 중국 소설의 유래 가운데 하나라고 지적하고 있다.

진대(晋代) 간보(干寶)의 『수신기(搜神記)』는 비교적 빠른 시기의 지괴소설이다. 여기에는 불교의 내용이 있으며, 또한 유교, 도교와 무속의 내용도 포함되어 있다. 서언에 의하면, 그 종지(宗旨)는 "신도(神道)가 거짓이 아님을 밝힘" 에 있다. 도잠(陶潛)의 서명(署名)이 있는 『수신후기(搜神後記)』의 내용과 형식도 역시 유사하다. 이 고사의 대부분이 신변(神變)과 망령(亡靈)에 대한 고사이며, 두 세계, 즉 인간계와 귀신의 유계(幽界)에 대하여 광범위하게 묘사하고 있다.

이러한 종류의 책과 함께, 전적으로 불교의 감응 고사만을 모은 책들이 나타났다. '석씨보교의 서' 의 종류 가운데 시기적으로 가장 이른 것이 관음보살과 관계 있는 감응고사이다. 진대(晋代) 사부증(謝敷曾)이 지은 『광세음응험기(光世音應驗記)』는 '부원(傅緩)·경손은(經孫恩)의 난(亂)' 이 일어난 시기에 산실(散失)되었다고 전해진다. 후에 부원의 아들 부량(傅亮)이 7개의 조목을 기억해서 기록하였고, 다시 나중에 남조(南朝) 송(宋) 시기에 장연(張演)이 10개의 조목을 찾아서 기록하여 『속광세음응험기(續光世音應驗記)』를 만들었다. 이러한 세 종류의 책은 중국에서 유실된 지 이미 오래이다. 다행히 일본의 사묘인 교토[京都] 율구청련원(栗口青蓮院)에서 가마쿠라[鎌倉] 시기의 고(古)사본이 발견되어, 현재 이 책의 전모를 파악할 수 있게 되었다.

명보(冥報)에 관한 것을 전문적인 내용으로 하는 고소설문집(古小說文集)도 나타나고 있다. 남제(南齊)의 경릉왕(竟陵王) 소자량(蕭子良)이 지은 『선험기(宣驗記)』, 왕염(王琰)이 저술한 『명상기(冥祥記)』에서부터, 당대(唐代) 이부상서(吏部尙書) 당림(唐臨)이 지은 『명보기(冥報記)』, 당(唐)의 대부(戴孚)가 저술한 『광이기(廣異記)』에 이르기까지, 모두 이러한 종류의 고사를 모아서 엮은, 유명한 명보고사집(冥報故事集)이다.

당시의 필자들은 소설을 쓴다는 마음과 태도로 글을 쓰지 않았는데, 유명(幽冥) 세계의 일을 모두 사실로 보았다.

> 육조인(六朝人)이 모두 소설을 쓴다고 여기지 않았으며, 그들은 귀신의 일과 인간사를 구분하지 않았다. 모두 사실로 간주했다.

위와 같은 설명적인 글은 각종 고사에 광범위하게 보이고 있다. 어떤 조목의 끝에는 종종 고사의 기원(起源), 어떤 사람의 친력(親歷), 어떤 사람의 부연설명이 실려 있기도 한데, 이에 그치지 않고, 이러한 작품 가운데 대단히 많은 사람과 일들이 모두 작가와 동시대의 일이며, 그들이 묘사하고 기록한 목적이 결코 소설 창작이 아니라는 것을 강조하고 있다.

당림의 『명보기』는 고종(高宗) 영휘(永徵) 4년(643)에 간행되었다. 이 책의 현존본(現存本)은 주로 일본 고산사(高山寺)의 고사본(古寫本)에 근거한 것이다. 당림은 어사대부(御史大夫), 이부상서(吏部尙書)와 병부상서(兵部尙書)를 지낸 고관이었다. 사서(史書)에는 그가 "성품이 관대하고 인자하였다."고 기록되어 있다.

당림의 외조부(外祖父)가 바로 고영(高穎)이다. 그 역시 불교를 깊이 믿었던 고관으로, 수(隋) 개황(開皇) 시기에 좌부사제국공(左仆射齊國公)을 맡았다. 중국불교사에 있어서 삼계교(三階敎)를 창립한 신행(信行)선사가 이 고영의 지지와 후원을 얻어서 경사(京師)에 올라와 종파를 창립하였다. 삼계교의 주요 사묘인 진적사(眞寂寺)는 원래 고영이 살던 집이었다. 그러므로 『명보기』에는 서두에 신행선사에 관한 내용이 있다. 신행선사가 어머니를 위하여 관세음보살에게 왕생을 얻도록 기도하였다는 내용과 부처님께서 화현하여 신행의 머리를 쓰다듬으며 수기(授記)를 하셨다는 내용 등이 기재되어 있다. 당림은 앞부분에서 명확하게 이르길, "석씨(釋氏)의 가르침은 인과(因果)가 아닌 것이 없다."라고 말하고 있다. 즉, "선악을 명확하게 밝히고 권계(勸戒)함"을 목적으로 하는 것이다. 또한 그 앞에 추가로 서술되어 있는 것은, 진(晋)의 이름 높은 선비 사부(謝敷), 송(宋)의 상서령(尙書令) 부량(傅亮), 태자중서사인(太子中書舍人) 장연(張演), 사도급사중랑(司徒給事中郎) 육고(陸杲)가 기록한 『관세음영험기(觀世音應驗記)』이다.

왕염(王琰)의 『명상기(冥祥記)』와 유의경(劉義慶)의 『유명록(幽明錄)』, 안지추(顔之推)의 『집령기(集靈記)』, 『원혼지(冤魂志)』[즉 『환원기(還冤記)』], 또한 후백(侯白)의 『정이기(旌異記)』 등은 현재 전하지 않는 문학 작품이지만, 모두 노신의 『중국소설사략』에서 볼 수 있다. 경전의 내용을 드러내고, 영험이 참다운 것임을 밝혔다는 평가를 받고 있다. 유의경은 당시에 불교신앙 작가로 유명했다. 그의 작품 가운데 조태귀(趙泰魂)가 지옥을 유람한 고사는 중국 소설 가운데 최초로 유명(幽冥)세계에 대해 완전히 정비된 묘사를 한 것이다.

이 고사는 왕염의 『명상기』에서도 볼 수 있다. 이것은 천여 자(字)에 달하는 장편이며, 비록 전설적인 색채가 있기는 하지만, 비교적 세밀한 묘사와 복잡한 구성을 가지고 있다. 『수신기(搜神記)』의 단순한 서술에 비하면 대단히 진일보한 작품이라 할 수 있다. 명계(冥界)의 묘사에 형옥이나 관부 등이 나오는데, 이것은 모두 인간 사회의 조직이다. 그리고 지옥을 순례하거나, 죽어서 다시 태어나는 것, 윤회(輪廻), 제도(濟度), 전생(轉生) 등의 구성은 불교적 관념을 표출한 것이다. 왕염은 경성세가(京城世家) 출신으로, 청년기에 독실한 불교신자였으며, 보시와 선행을 즐겨하였다. 말년에 남조(南朝) 양(梁)의 관리가 되었다. 그가 스스로 쓴 서문을 보자. 그는 유년기에 일찍이 고승 현법(賢法)대사와 교류하며 계(戒)를 받았고, 관음보살금상(觀音菩薩金像)을 얻었다고 한다. 경건한 마음으로 공양하였고, 금상(金像)이 두 번이나 영험을 보였다고 한다. 그리하여 그는, "스스로의 경험에 따라서 기록하여 책을 만들었다."고 기록하고 있다. 그의 저작은 『관세음영험기(觀世音應驗記)』의 영향을 받았으며 일맥상통하고 있다는 것을 알 수 있다.

또한 『명상기』에는 적지 않은 수의 관음보살 고사가 있다. 고사의 유형을 살펴보면 수행전기(修行傳記)와 존숭성물(尊崇聖物)의 유형이 있으며, 더욱 주목해야 할 것은 음조지부(陰曹地府)의 내용이다. 이러한 고사는 대부분이 유사한 구성을 가지고 있다. 즉, 중병에 걸려 위급할 때에 혼(魂)이 지부(地府)에 이르러 염라왕의 면전에서 심사를 받는데, 선인(善因)이 있거나 혹은 생사부(生死簿)에 정한 양계(陽界)의 수명이 다하지 않으면 환양(還陽)할 수 있다. 때때로 지부를 순례하며, 각종의 광경과 징벌 등을 보고, 환양 후에 집안 사람들과 친우 등을 교육하며, 더욱 더 많은 선사(善事)를 행한다. 중국에서 지부음조(地府陰曹)를 순례하는 고사는 그 연원이 유장하다는 것을 어렵지 않게 알 수 있다. 또한 이러한 종류의 고사는 계속되어 근대의 '보권'에까지 이어지고 있으며, 근대의 소설, 희곡, 민간문학에서도 대단히 많이 표현되어 있다. 이러한 세계관과 생사 관념은 이미 중국인의 혈맥에 용해되어, 중국인의 정신생활의 중요한 부분을 이루고 있다는 것을 알 수 있다.

북제(北齊)의 안지추(顔之推)는 유(儒)·불(佛)에 모두 능통하였으며, 이 모두를 하나의 이치로 보았다. 그는 유명한 『안씨가훈(顔氏家訓)』에서 이르길, "삼세의 일을 믿고 증득했으며, …… 내외(불교와 유교)의 양교를 하나로 하였다."라고 하였다. 그리하여 경사(經史)를 인용하여 응보(應報)를 밝히고자 『원혼지(冤魂志)』를 찬술하였다.

당림의 『명보기』의 문장은 그 풍격이 간결하고, 의고적으로 육조(六朝) 소설에 가깝다고 할 수 있다. 내용이 상세하며, 편장(篇章)은 비교적 길다. 그러므로 소설의 변천사에 있어서 과도기의 중요한 연결 고리에 위치하고 있다고 평가할 수 있다. 『당휴인천(唐眭仁倩)』은 문장이 길며, 묘사가 매우 세밀하다. 여기서 한 가지 흥미로운 것은 귀관(鬼官)이다. 휴인천(眭仁倩)은 천신(天神), 명계(冥界)의 관직, 계급 등에 대해 말하기를, "도자(道者), 천제(天帝)는 육도(六道)를 모두 다스리며, 이른바 천조(天曹)라고 한다. 염라왕(閻羅王)은 인간의 천자(天子)와 같은 위치이며, 태산부군(太山府君)은 상서령록(尙書令錄), 오도신(五道神)은 여러 부(部)의 상서(尙書)와 같다. 마치 우리의 대주부(大洲部)와 같다. 모든 인간사를 천조가 받아 염라왕에게 말하기를, '모(某)월 모(某)일에 모(某) 갑(甲)이 하소연하며 말하였으니, 마땅히 낱낱이 밝히고 다스려 그릇되지 않게 하라.' 라고 하면, 염라왕이 공손히 그것을 받아 봉행하니, 인간세계의 어지(御旨)를 받드는 것과 같다 ……."라고 하고 있다. 이에 따르면 명계는 확실히 인간세계와 유사하며, 사회 조직과 법률 질서를 모두 갖추고 있다는 것을 알 수 있다. 당시 사람들의 눈에는 염라왕과 태산부군, 오도대신이 명계의 주신(主神)이며, 그들과 천조가 함께 인간 이외의 질서를 구성하고 있다. 그러나 이러한 구성 가운데 지장보살의 교주로서의 지위는 보이지 않는다.

『명보기』는 또한 여러 편의 지옥을 편력하는 구성으로 이루어져 있다. 예를 들면, 「대업객승(大業客僧)」, 「수손보(隋孫寶)」, 「손회총(孫回璞)」, 「당정사변(唐鄭師辨)」, 「당이산룡(唐李山龍)」 등이 이에 속한다. 이 가운데 일련의 작품들은 천당과 대립하는 측면에서 지옥을 묘사한 유희적인 부분이 있다. 또한 일련의 명보(冥報)에 등장하는 인물들은 실제의 역사적인 인물인데, 북위(北魏) 최호(崔浩), 양(梁) 원제(元帝), 주(周) 무제(武帝) 등이 그들이다. 여기서 강조되는 것은 이들이 불법(佛法)을 멸하였기 때문에 받는 응보이다.

『명보습유(冥報拾遺)』는 낭여령(郎余令)이 지었다. 낭여령은 일찍이 저작좌랑(著作佐郎)을 맡았으며, 재주가 있었고, 뛰어난 그림으로도 유명했다. 당시에 비서성(秘書省) 내에 있는 낙성석(落星石), 설직(薛稷)이 그린 학(鶴), 가지장(賀知章)의 초서(草書), 낭여령이 그린 봉황(鳳)을 일컬어, 세인들이 '사절(四絶)' 이라고 하였다. 『명보습유』의 간행은 『명보기』와 시기적으로 그렇게 멀지 않은데, 대략 고종(高宗) 용삭년(龍朔年)에 쓰였다. 이 책도 대부분이 지옥 편력과 환양부활(還陽復活)의 고사로 이루어져 있다. 예를 들면, 「당왕회지(唐王懷智)」, 「당임의방(唐任義方)」, 「당방산개(唐方山開)」, 「당유마아(唐劉摩兒)」 등등이 이에 속한다.

일본의 『대일본속장경(大日本續藏經)』에 수록되어 있는 『명보기집서(冥報紀輯書)』 7권은 좌목헌덕(佐木憲德)이 편집한 것으로 모두 7권으로 이루어져 있다. 고사가 68조(條)로 『명보기』의 53조에 비해 많고, 각 조 아래에 주해를 달아 『법원주림(法苑珠林)』, 『감통요약록(感通要略錄)』, 『태평광기(太平廣記)』 등의 출처를 밝혀 놓고 있다.

송대(宋代) 이방(李昉) 등의 『태평광기』는 이러한 종류의 고사를 모아 증보한 것이다. 한(漢) 이래의 야사소설을 모았기 때문에 감응(感應), 서응(瑞應), 원보(冤報)의 고사가 대단히 풍부하다. 여러 권으로 이루어져 있다. 송대(宋代) 홍매(洪邁)가 증보한 『이견지(夷堅志)』에도 역시 이러한 종류의 고사가 적지 않다. 청대(淸代)에는 또한 육수명(陸壽名)이 집록한 『속태평광기(續太平廣記)』가 있다. 그리고 『요재지이(聊齋志異)』도 역시 이러한 계열의 저서이다.

이들 고사 속에 녹아 있는 관념과 사상은 불교적 영향이 대단히 크다. 불교의 저작인 『법원주림(法苑珠林)』, 『집신주삼보감통록(集神洲三寶感通錄)』 등은 중국의 고승이 찬술한 것인데, 불교적 사상과 관념이 더욱 직접적으로 나타난 것으로, 필기문집소설 종류의 연원으로 불린다. 양현지(楊衒之)의 『낙양가람기(洛陽伽藍記)』는 비록 사묘(寺廟)에 대해 소개하는 것이 주요 내용이지만, 여기에도 여러 가지 일화나 전설 등이 대단히 풍부하다. 숭진사(崇眞寺) 등의 조목(條目)에도 염라왕과 지옥의 고사가 있다. 단성식(段成式)의 『유양잡조(酉陽雜

俎)』에는 불교의 고사 등이 적지 않게 실려 있다.

2) 감응고사(感應故事)

지장보살의 감응고사(感應故事)로 유명한 것은 송대(宋代)에 상근(常謹)이 집록한 『지장보살영험기(地藏菩薩靈驗記)』와 일본의 승려 실예(實睿)와 양관(良觀)이 편집한 『지장보살삼국영험기(地藏菩薩三國靈驗記)』를 꼽을 수 있다. 이들은 앞에서 이미 대체적으로 살펴보았다. 그리고 비교적 근대에 간행된 것으로 거사(居士) 이원정(李圓淨)이 편집한 『지장보살영험기』가 있다. 또한 인광(印光)대사와 승려 덕삼(德森)이 중화민국 시기에 편집한 『구화산지(九華山志)』 중에 「영응문(靈應門)」이 있다. 이것은 기록으로 남아 있는 고사와 그 당시에 인구에 회자되며 기록되지 않았던 고사의 두 부분으로 나뉘어 있다. 기록으로 남아 있는 20여 개의 조목(條目)이 실려 있다. "김지장기탑(金地藏起塔)", "영유신광기(岭有神光紀)"로부터 시작하여, "금릉쇄사록(金陵瑣事錄)"과 "인왕단육(人王旦六)"의 고사로 끝을 마치고 있고, 사람과 물건 등에 대한 것을 구분하여 기술하고 있다. 기록되지 않은 상태로 회자되던 고사는 9개의 조목으로 실려 있다.

제3장 민간신앙과 습합된 지장신앙

지장보살과 민속 신앙은 서로 밀접한 관계에 있다. 민간 생활의 여러 방면에 깊이 뿌리내려서 일상에 지대한 영향을 미치고 있다. 특히 장례 풍습은 지장신앙을 알지 않고서는 이를 이해하기 힘들 정도로 불가분의 관계에 있다. 이것은 『지장보살십재일(地藏菩薩十齋日)』을 살펴보면 보다 분명한데, 지장신앙이 장례의식의 재일(齋日) 행사와 얼마나 밀접한 관계에 있는지 잘 보여주고 있다. 여기에서는 재일의 기원에서부터 민간의 재일 행사, 누칠재(累七齋), 중원절(中元節) 등과 지장신앙의 관계에 대해 가능한 한 깊이 살펴보겠다.

1. 재일(齋日)의 의미와 민간신앙

지장신앙이 민중의 생활과 민속에 끼친 영향 등을 살펴보기 위해서는 민중과 관련된 다양한 불교행사 등에 대해 먼저 알아보는 것이 필요하다. '지장보살과 시왕도' 그리고 대족(大足)석굴에 조각되어 있는 '지장보살과 시왕, 지옥변상도(地獄變相圖)' 등은 모두 재일(齋日)과 깊은 연관이 있다. 돈황의 유서(遺書) 가운데 『지장보살십재일』이 중시되는 것은 '지장보살' 의 이름으로 여러 가지 '재일' 을 귀결시키고 있기 때문이다. 비록 그 분량이 많지 않고 내용 또한 많은 것을 담고 있지 않지만 지장신앙을 이해하는 데 있어서, 그리고 불교의 영향을 받은 민간의 습속을 이해하는 데 있어서 소홀히 다룰 수 없는 매우 중요한 경전이다. 먼저 재일(齋日)의 기원과 발전 등에 대하여 검토해 보겠다.

불교에 있어서 '재(齋)' 라고 하는 이 한 글자는 용례가 대단히 풍부할 뿐만 아니라 그 함축된 의미 역시 매우 다양하다. 그런데 이것은 불교에 한정되어 있지 않다. 도교(道教) 역시 재(齋)를 말하고 있으며, 이슬람교 등의 종교에서도 역시 재월(齋月) 등을 가지고 있다. 이슬람교에 있어서 가장 성대하고 중요한 절일(節日)이 바로 라마단[封齋月] 이후에 시작되는 재절(齋節)이다. '재' 가 종교에 있어서는 보편적이고 중요한 기본 구성이라는 것을 알 수가 있다. 그렇다면 '재' 가 가지고 있는 의미를 어떻게 볼 것인가?

'재' 의 고유한 의미는, 옛사람들이 제사(祭祀)에 앞서 혹은 전례(典禮)를 거행하기 전에 몸과 마음을 청결하게 하는 것을 엄숙하고 공손하게 표현하여 '재(齋)' 라고 하였다. 예를 들면, 『여씨춘추(呂氏春秋)』「맹춘기(孟春紀)」 가운데 "천자내재(天子乃齋)" 라는 구절이 있는데, 이것의 의미가 바로 몸과 마음을 맑고 깨끗하게 하는 것이다. 몸과 마음을 청결하게 하기 위해서는 반드시 '삼가고[戒]', 지켜야 할 것들이 있다. 그래서 '재(齋)' 와 '계(戒)' 는 불가분의 관계에 있는 것이다. 제사에 앞서 몸을 깨끗이 씻고 의복을 새로 살피며 음주를 하지 않고 비린내가 나는 음식을 먹지 않는데, 이런 행위를 바로 '재계(齋戒)' 라고 한다. 『논어(論語)』에는 "재에는 반드시 음식을 피하고, 일상적인 거주를 바꾸어야 하며[齋必變食, 居必遷座]" 라는 구절이 있다. 또한 고대 한문에서는 '재(齋)' 와 '제(齊)' 는 함께 사용되었다. 『예기(禮記)』「곡례(曲禮)」(上)에서, "제계하여 귀신에게 고함[齊戒以告鬼神]" 은 바로 "재계하여 기신에게 제사함[齋戒以祀神鬼]" 과 같은 의미이다. 『맹자(孟子)』「이루(離婁)」(下)에, "비록 악인이라도 목욕재계하면 상제를 섬길 수 있다[雖有惡人, 齋戒沐浴, 則可以祀上帝]." 라는 문구가 있는데, 이것은 몸과 마음을 청결하게 하고 제사를 지내면 악한 것에서 벗어날 수가 있다는 뜻이다. 『역경(易經)』「계사(繫辭)」 주(註)에서는 "마음을 씻는 것을 '재' 라 하고 우환을 막는 것을 '계' 라 한다[洗心曰齋, 防患曰戒]." 고 하고 있다. 옛 경전에서 '제(齊)' 와 '재(齋)' 는 함께 통용되고 있으며, 그 뜻은 "하나의 뜻을 가지런히 함[齊一意志]" 이다. 『예기』「제례(祭禮)」에는 "안에서 치제(致齊)하고 밖에서 산제(散齊)한다. 재하는 날에는 그 거처를 생각하고, 그 웃는 말을 생각하며, 그 뜻을 생각하고, 그 즐겨하던 바를 생각하며, 그 좋아하던 바를 생각한다." [155]라는 구절이 있다. 이러한 예를 통해 분명하게 알 수 있는 것은, 유가(儒家)에서는 재시(齋時)에 "정성을 다해 집중하고, 하나의 뜻을 가지런히 함[虔誠專注, 齊一意志]" 을 대단히 중시하고 있다는 것이다. 이러한 유가적 사고와 재계(齋戒)에 있어서 참회와 청정함을 강조하는 불교적 사고는 서로 부합한다고 할 수 있다.

불교에 있어서 '재' 라는 글자에 담겨 있는 가장 근본적인 의미는 '과오불식

155 致齊於內, 散齊於外. 齋之日, 思其居處, 思其笑語, 思其志意, 思其所樂, 思其所嗜.

(過午不食)' 이다. 이것은 바로 하루 중에 정오가 지나면 이후에는 먹지 않는다는 뜻이다. 『석씨요람(釋氏要覽)』에 이르기를, "불교에서 정오가 지나면 먹지 않는 것을 일컬어 '재' 라고 한다."[156]라 하고 있다. 만약에 정오가 지나 다시 먹는다면 이를 '비시식(非時食)' 이라 한다. '재계(齋戒)' 의 좁은 의미는 정오가 지나면 먹을 것을 찾지 않는 것을 뜻하거나 혹은 '팔관재계(八關齋戒)' 를 의미하며, 넓은 의미로는 몸과 마음을 청결하게 하고 나태해지는 것을 두려워하고 삼가하는 뜻으로 사용된다. '재(齋)' 의 범어(梵語)는 'uposadha', 빨리어(巴利語)는 'uposatha' 이다. 음역(音譯)으로 '오보사타(烏甫沙他)', '포살타바(布薩陀婆)' 라 하는데, 줄여서 '포살(布薩)' 이라 한다. 이것은 원래 고대 인도의 제법(祭法)이며, 베다 시대 이래로 계속 사용되었다. 대략 15일마다 한 번씩, 신월제(新月祭)와 만월제(滿月祭) 전의 하루는 제를 봉행할 준비를 하였는데, 이를 '포살' 이라 하였다. 포살 당일에 제주(祭主)는 단식을 하고 청정한 계법(戒法)을 지키며, 또한 대중들은 자신의 과오를 참회하고 청정한 몸과 마음을 갖는다. 불타시대에 이르러 니건자(尼揵子) 등의 외도(外道)에서도 이 법을 사용하여, 일정한 한 곳에 모여 단식 등의 4계를 지키는 새로운 풍조를 형성하였다. 이에 불타 역시 승단 내에서 이를 채택하는 것을 윤허하였다.

이로부터 고대 인도와 불교에서 '재' 의 본래 뜻은 몸과 마음의 청정함을 구하는 것이며, 중국 고대의 '재' 와 대단히 유사하다는 것을 알 수 있다. '재' 와 '계' 가 서로 연결되어 점진적으로, 특히 '오전이 지나면 먹지 않음[過午不食]' 을 지칭하게 되었다. 이 법을 굳게 지키는 것을 '지재(持齋)' 라 하고, '지재' 기간에 먹는 음식, 혹은 법회 때 공양하는 음식을 '재식(齋食)' 이라 한다. 이로부터 그 의미가 확장되어, 음식을 공양하는 승려를 '재식' 이라 부른다. 원시불교와 부파불교 시기에는 오전에 먹는 것을 '재식(齋食)' 혹은 '중식(中食)' 이라 칭하였다. 대승불교가 유행하던 시기에, 중국에서는 자비심을 강조하고 살생과 육식을 금하는 것을 중시하였는데, 이런 까닭으로 '채소만 먹음[素食]' 이 '재(齋)' 가 되었다. 실제로 엄격하게 말한다면, '재계(齋戒)' 의 본래 의미가 채소만

156 佛教以過中不食名齋.

먹는 것에 있는 것도 아니고, 계율에서 '재계'의 본래 의미 역시 채소만을 먹는 것에 있지 않다. 다만 긴 역사의 흐름 속에서 불교의 발전과 더불어 확대된 승려와 신도층이 모두 채식을 생활화하게 됨으로써 '끽재(喫齋)', '지재', 혹은 '끽재반(喫齋飯)'으로 불리게 되었다.

도교에도 '재계'에 관한 설명이 있다. 『태상허황천존사십구장경(太上虛皇天尊四十九章經)』에 의하면, "재계는 도의 근본이며, 법의 나루터와 교량이다[齋戒者, 道之根本, 法之津梁]."라고 하고 있어서, '재계'가 대단히 중시되고 있는 것을 볼 수 있다. 재계는 몸과 마음을 다스리는 법이다. 탐진치애(貪嗔痴愛)의 얽매임에서 벗어나게 하고, 음·살·도·망(淫殺盜妄)의 유혹을 다스릴 수 있게 한다.

이슬람교에도 역시 '재계'가 있다. 이것은 아라비아어인 '사움(Sawm)'의 의역인데, 이슬람교의 '5공(功)' 중에 하나이다. 중국의 무슬림은 일반적으로는 이를 '재공(齋功)'이라 한다. 원래의 의미는 고대인도와 중국의 유교, 불교가 모두 대동소이하다. 다만 이슬람교의 재계는 1년에 한 달 동안 거행된다. 이슬람교의 교력(教歷)에 따르면, 1년 가운데 아홉 번째 달이다. 즉, 헤지라력(曆)의 '라마단' 혹은 '라마단월'이다. 무슬림은 재월(齋月)에 매일 일출부터 일몰까지 음식과 방사(房事) 등을 모두 금한다. 『코란』의 규정에 따르면 병든 자, 여행 중에 있는 자를 제외하는데, 이들도 기간을 연기하거나 혹은 재물을 내어서 동참한다. 전 무슬림이 모두 이 달에는 재계가 요구된다. 이슬람교에는 또 다른 재계가 있다. '성행제(聖行齋)', '부공재(副功齋)' 등이 이에 속하는데, 재 기간에는 늘 청결함을 유지해야 하며, 재 이전에는 '파재(把齋)'의 심원(心願)을 말로 밝혀야 한다. 이슬람교 재월의 기원도 역시 유대인의 1월 10일('아슈라' 재일)의 재계와 관련이 있다.

세계의 많은 종교와 민족이 모두 유사한 내용의 '재계'를 가지고 있다는 것을 알 수 있다. 또한 재계는 심신을 청결하게 하는 것이며, 단식 수계 등을 그 기본 내용으로 하는 것으로, 역시 많은 민족과 국가의 초창기에 이미 형성되었다는 것을 알 수 있다.

여기서 특히 중국불교의 발전에 있어서 재계와 신도들의 관계, 재계와 불교

미술의 관계, 재계와 불교의 불 · 보살 신앙과의 관계에 대해 주목할 필요가 있다. 이를 살펴보면, 하나의 새로운 관점을 만나게 되는데, 바로 지장보살 신앙이다. 이러한 일련의 문제가 보다 분명해진다.

2. 팔관재계(八關齋戒)와 각종 재일(齋日)

앞서 살펴본 것처럼, 재계는 종교에 따라 그 구체적 표현 역시 다르게 나타나고 있다.

도교에서는 '재법(齋法)' 이라 칭하며, 구체적으로 두 가지 형태가 있다.

『운급칠참(雲笈七懺)』에서는 재법에 세 종류가 있음을 설하고 있다. 첫째는 공재(供齋)로서 덕을 쌓고 베푸는 것이다. 둘째는 절식재(節食齋)로서 화목을 이루고 수명을 길게 해준다. 셋째는 심재(心齋)로서 마음을 확 트이게 하여 욕심을 제거하고, 정신에 온갖 더러움을 씻어내어 그 지혜로써 사려를 끊는 것을 증장시킨다.

『현문대람(玄門大覽)』은 아홉 가지 종류로 구분하고 있다. 첫째가 조식(粗食), 둘째가 소식(疏食), 셋째가 절식(節食), 넷째가 복정(服精), 다섯째가 복아(服牙), 여섯째가 복광(服光), 일곱째가 복기(服氣), 여덟째가 복원기(復元氣), 아홉째가 태식(胎食)이다.

불교의 재계에는 출가한 승려들이 지켜야 할 재계와 재가자들이 지켜야 할 재계가 있다. 승단(僧團)의 재계는 승려의 계율을 운용하였다. 출가승려는 일반적으로 보름에 한 번씩 참회 의식인 '포살(布薩)' 을 행한다. 이것은 지금도 여전히 준수되어 오고 있다. 돈황(敦煌)의 유서(遺書) 가운데 '포살문(布薩文)'[157]이 다수 남아 있어, 당시의 '포살의계(布薩儀戒)' 와 계단(戒壇) 상황을 추측해 볼 수 있다.

157 姜伯勤, 「敦煌戒壇與大乘佛教 · 二大乘菩薩戒與布薩文」, 『敦煌藝術宗教與禮樂文明』(中國社會科學出版社, 1996)에 '布薩文' 들이 수록되어 있다. 이들 포살문은 승가와 속가에서 모두 大乘菩薩戒를 수지할 수 있음을 밝히고 있다.

또한 재가자들이 행하는 중요 재계인 '팔관재계(八關齋戒)'를 비롯해 각종 재일(齋日)이 있다. 여기서 '팔관재계'는 재가자(在家者)들이 준수해야 하는 여덟 가지 중요 계율로서, '성팔지재(聖八支齋)', '팔관재(八關齋)', '팔계(八戒)', '재일(齋日)', 혹은 '정진일(精進日)'이라고도 한다. '팔(八)'은 여덟 가지의 계(戒), '관(關)'은 '닫는다[閉]'는 뜻을 가지고 있다. 여덟 가지 '재계'를 지킨다는 것은 곧 몸[身]과 입[口]과 뜻[意]으로 짓는 악행을 막고, 악도(惡道)로 들어가는 문을 닫는 것이다.

'팔관재계'는 범문(梵文)과 빨리문에 모두 그 출전(出典)이 있다. 이에 따르면, '팔관재계'는 원래 부처가 재가의 우바이와 우바새가 잠시 동안의 출가 공부를 할 때를 위해 만든 것이다. 수지자는 하루 낮, 하루 밤 동안 집을 떠나 승단과 함께 생활한다. 이러한 것은 길게는 거사를 선근(善根)으로 양성하고, 짧게는 승가의 구성원으로 머무르게 하는 것이기에, 또한 '장양율의(長養律儀)', '근주율의(近住律儀)'라고 하기도 한다. 다만 이러한 계율이 중국에 전해질 때에 승단과 함께하는 생활은 강조되지 않고, 오직 여덟 가지 재계를 준수하는 것만이 강조되어 지금까지 전해 내려온 것으로 보인다. 예를 들면 진대(晋代) 치초(郗超)의 『봉법요(奉法要)』 등에는 재일에 "물고기와 고기를 요리하지 않으며, 먹지 않는다."[158]라고 기록되어 있다. 중국의 불교도는 여덟 가지 재계를 지키는 것을 강조하고, 심신을 삼가고 공손히 하며, 행위를 반성하며, 선한 일을 행함을 강조하고 있음을 알 수 있다.

여덟 가지 재계의 구체적 내용은 여러 경전마다 조금씩 차이가 있지만 주로 다음과 같이 이루어져 있다.

1. 생명을 죽이지 않음[不殺生]. 혹은 생명을 죽이는 것을 여읨[離殺生].
2. 도둑질 하지 않음[不偸盜]. 혹은 주지 않는 것을 취함을 여읨[離不與取].

158 『廣弘明集』 卷13.

3. 음행을 하지 않음[不淫]. 혹은 범행(梵行)이 아닌 것을 여읨[離非梵行].
4. 허망한 말을 하지 않음[不妄語]. 혹은 허망한 말을 여읨[離虛妄語].
5. 술을 마시지 않음[不飮酒]. 혹은 모든 술 마심을 여읨[離飮諸酒].
6. 꽃 등으로 몸을 장식하지 않거나 노래와 춤을 보고 듣지 않음[不以華蔓飾身, 不歌舞觀聽]. 혹은 향 등을 바르거나 노래와 춤을 보고 들음을 여읨[離涂飾香蔓及歌舞觀聽].
7. 높고 넓은 화려한 자리에 앉거나 눕지 않음[不坐臥高廣華麗床座]. 혹은 높고 넓으며 장식이 잘되어 있는 침상이나 자리에서 자거나 앉음을 여읨[離眠坐高廣嚴麗床座].
8. 때가 아닐 때 먹지 않음[不非食時]. 혹은 먹을 때가 아닐 때 먹음을 여읨[離食非時食].

위에서 여덟 번째 항목이 바로 '지재(持齋)' 인 '정오가 지나면 먹지 않음[過午不食]' 이다. 앞의 일곱 가지 항목에 이 '지재' 를 더하여 팔계(八戒)가 된다. 혹자는 이 팔계 가운데 '지재' 가 가장 중요한 것이라고 주장하기도 한다. 적지 않은 경전이 '팔관재계' 에 대하여 다루고 있으며, 또한 '팔관재계' 만을 전문적으로 강론한 경전도 있다. 유송(劉宋) 저거경성(沮渠京聲)이 번역한 『팔관재계경(八關齋戒經)』과 실역본(失譯本)인 『우바이타사가경(優婆夷墮舍迦經)』이 이에 속한다. 이들 두 경전은 한 텍스트의 서로 다른 번역본으로, 모두 『대정장』 제1권에 수록되어 있다. 『우바이타사가경』에서 부처님께서는 타사가(墮舍迦) 등에게 매월 육재일에 팔계재(八戒齋)의 법을 수지할 것과 그 공덕에 대하여 설하셨다. 저거경성의 역본 내용은 매우 간략하다. 이 두 종류의 경전을 통해 알 수 있는 것은, '팔관재계' 가 매월 여섯 번 행해진다는 것이다. 즉 매월 8일, 14일, 15일, 23일, 29일, 30일[중국의 음력에 의하면 윤달에는 28일과 29일]이다.

그런데 불교경전에서는 재일(齋日)이 가장 많이 논의되고 있으며, 재월(齋月) 또한 논의가 분분하다. 이를 정리해 보면, 대략 삼재일(三齋日), 사재일(四

齋日), 육재일(六齋日), 구재일(九齋日), 십재일(十齋日)과 삼장재월(三長齋月)이 있는데, 이 중에 사재일, 육재일, 삼장재월이 주로 논의되고 있다. 이를 살펴보면 다음과 같다.

삼재일(三齋日)

매월 8일, 14일, 15일이다. 또한 8일을 1일로 설하는 것도 있다.

사재일(四齋日)

『사분율(四分律)』 권58에 보인다. 매월 1일[朔], 8일[上弦], 15일[望], 23일[下弦]. 차고 기우는 달의 변화에 따라 재일을 지키는 의미가 있다.

육재일(六齋日)

여러 가지 설이 있다. 하나는 매월 8일, 14일, 15일, 23일, 29일, 30일이고, 또 다른 하나는 백월(白月)의 8일, 14일, 15일, 흑월(黑月)의 23일, 29일, 30일이다. 이러한 육재일의 규정은 『중아함경(中阿含經)』 권10의 『대천목나림경(大天木奈林經)』, 『증일아함경(增一阿含經)』 권16 등의 경전에 나타나고 있다. 또한 『대지도론(大智度論)』 권13에는 1일, 14일, 15일, 16일, 23일, 29일을 육재일로 설하고 있다.

구재일(九齋日)

위의 육재일에 삼장재월의 3개를 더한 것으로 합하여 구재일이라 한다.

십재일(十齋日)

사재일에 육재일을 더한 것이다. 그런데 앞서 살펴본 사재일과 육재일은 중복되는 것이 있어서 열흘이 되지 않는다. 이에 따라 십재일에는 다른 것이 추가된다. 즉 매월 1일, 8일, 14일, 15일, 18일, 23일, 24일, 28일, 29일, 30일이다.

삼장재월(三長齋月) : 매년의 정월, 5월, 9월이다.

경전은 재일의 내력에 대하여 설하고 있는데, 두 종류로 정리할 수 있다. 먼저 한 가지를 살펴보자. 이날에 사천왕(四天王)과 제석천(帝釋天)이 세상에 내려와 인간의 선악을 살피고, 명계(冥界)의 업경(業鏡)이 이때 남주(南州)를 비춘다. 그동안의 선악의 행위가 업경에 남김없이 다 드러난다. 그러므로 인간은 선복(善福)을 닦아 반드시 계(戒)를 지켜야 한다. 경전은 삼장재월(三長齋月)에 대해서도 설하고 있다. 정월에는 천제석(天帝釋)이 대보경(大寶鏡)으로 남섬부주(南贍部洲)를 비추어 인간의 선악을 살핀다. 이때에 북쪽의 비사문천왕(毘沙門天王)이 사주(四州)를 순찰하는데, 정월에는 남주(南州)에서 역시 업경에 비치는 인간의 선악을 관찰한다. 그러므로 남주인(南州人)들은 마땅히 정월에는 소식(素食)을 하고 계를 지키며 선(善)을 닦는다. 5월과 9월이 되면 천제석과 비사문천왕이 차례로 서주(西州), 북주(北州), 동주(東州)를 순시한 후에 다시 남주에 이르는데, 남주인들은 매년 삼장재월을 지킨다.

『사천왕경(四天王經)』도 역시 천왕 등이 세상에 내려와 선악 등의 일을 살핀다고 명확하게 설하고 있다. 이날에 재를 지키고 계를 따르면 복덕을 얻을 수 있고, 수명이 늘며 선신(善神)의 수호를 받는데, 계를 더 잘 지키고, 많이 지킬 수록 역시 더 많은 복을 얻을 수 있다고 한다. 사등(四等) · 오계(五戒) · 육재(六齋)는 작은 불을 끄는 큰물과 같은 것이다. 세상 사람들이 만약 각종의 악행을 저지르면 사천왕은 제석천과 여러 하늘에 아뢰고 묻는데, 모두 좋아하지 않는다. 사람들이 마음을 깨끗하게 하고 재를 엄숙히 하며 여러 가지 선행을 한다 해도 제석천과 사천왕은 여전히 즐거워하지 않는다. 그러나 세상의 일기가 순조로울 뿐만 아니라 사람들이 복보(福報)를 받을 수 있다. 『사천왕경』은 남조(南朝) 송량주(宋凉州)의 승려 지엄(智嚴)과 보운(寶雲)이 공동으로 번역한 경전이다. 여기서의 재는 육재일(六齋日)이다.

또 다른 한 가지를 살펴보자. 이날은 악귀가 득세하는 날이며, 모든 죄악이 모이는 날이다. 고대 인도인들은 이날에 귀신이 기회를 보아 사람을 상하게 한다고 믿었는데, 이런 연유로 목욕을 하고 단식을 하는 풍조가 성행하였다. 이러한 풍조가 불교에도 흘러들어 반드시 재계를 지켜 복을 닦게 되었다. 『법원주림(法苑珠林)』 권18에서는 『천지본기경(天地本起經)』 등의 경전을 인용하고 있는데, 고대 인도에서 어떻게 귀신이 나타나 득세하고, 기회를 엿보아 사람을 상하게 하였는지를 상세하게 설하고 있다. 또한 『천지본기경』은 모든 재일의 기원에 대하여 명료하게 설하고 있다.[159]

이를 통해, 육재일 혹은 십재일에 귀신이 득세하여 몰래 사람을 상하게 하는 원인은 마혜수라(摩醯首羅)를 우두머리로 하는 팔귀왕(八鬼王)의 아비가 나쁜 법으로 인해 몸을 찢어 피를 나게 하는 불 속에서 자식을 구하는 것에 있음을 알 수 있다. 따라서 모든 귀왕이 출생하는 원인과 이러한 날짜에 악법을 씻고 자식을 구하는 것은 관계가 있으며, 그래서 모든 귀신이 이러한 날짜에는 득세를 하는 것이다. 흥미로운 것은 이 구절의 경문에서 설하고 있는 귀신이 득세하는 날이다. 주요한 것은 6일이며, 역시 10일도 있다. 6일 가운데 마혜수라는 귀신의 우두머리이므로 6일 가운데 4일을 차지한다. 즉, 8일, 14일, 23일, 29일이다. 나머지 일곱의 귀왕이 1일과 16일 이틀을 차지한다. 또한 2일, 15일, 17일, 30일은 더욱 범위가 큰 일체의 귀신에게 속한다. 이러한 형식의 6일에 다시 4일을 더하여 10일을 구성한다. 이렇게 규정되어 있는 날짜는 비록 상술한 육재일과 약간의 차이는 있지만, 이것은 고대 인도에 있어서의 아주 오래된 설임이 분명하고, 그러므로 재일의 기원에 관한 가장 오래된 근거가 된다.

『지장보살본원경』의 「여래찬탄품(如來贊歎品)」에서도 역시 말하기를, "이 10일에 모든 죄가 모여들어 경중이 정해진다. 사바세계 중생은 무슨 행동을 하든, 무슨 생각을 하든 간에 다 업이 되고 다 죄가 된다. 하물며 제멋대로 죽이거나 해치고 훔치고 음행을 저지르고 거짓말을 하는 등 백천 가지 죄상이 있음에

159 佛告釋提桓因, 云何妄語, 若持一日戒, 功德福報必得如我. 是爲實說. 所在之處, 有持此戒者, 惡鬼遠之. 住處安穩. 是故於六齋日持齋受戒, 得神增多. 問曰 : 何故諸惡鬼神等輩, 於此六齋日惱害衆生. 答曰 : 天地本起經曰說, 劫初成時, 有異梵天王子, 是摩醯首羅等鬼神父. 修其梵志, 苦行滿, 天上十二歲. 於此六日每割肉血, 以著火中. 過十二歲已, 天王來下語, 天子言汝求何願, 答我求有子. 天王言供養仙人法, 以燒香甘果等, 汝云何以肉血著火中, 如罪惡法. 汝破善法, 樂爲惡事, 令汝生惡子, 啖肉飮血. 說是時火中有八大鬼出身, 黑如墨, 發黃眼赤. 有大光明摩醯首羅神等從此八鬼生. 以是故, 摩醯首羅等神於此六日惱害衆生. 諸鬼之中摩醯首羅最大, 第一一月之中皆有日分. 摩醯首羅一月有四日分, 謂八日、十四日、卄三日、卄九日. 余神一月二日分. 謂月一日、十六日. 其月二日、十七日、十五日、三十日屬一切神. 又提謂經云, 提謂長者白佛言, 世尊, 歲三齋皆有所因, 何以正用正月五月九月、六日齋用八日、十四日、十五日、卄三日、卄九日、三十日.

160 此十日諸罪結集, 定其輕重, 而娑婆世界的衆生, 擧止動念無非是業, 無非是罪. 何况又恣情殺害、竊盜、邪淫、妄語、有百千罪狀.

랴."[160]라고 한다. 만약 이러한 십재일에 모든 부처와 성현(聖賢)의 상(像) 앞에서 이 경전을 한번 읽으면, 능히 복(福)의 응보(應報)를 얻고 영원히 악의 길에서 벗어날 수가 있다.

불교에 있어서 이러한 두 가지 설, 즉 귀신이 득세하여 기회를 엿보아 사람을 상하게 한다는 설과 천제석(天帝釋)이 세상에 내려와 사람의 선악을 살핀다는 설이 서로 결합되고 융합되어 불교의 수재지계일(修齋持戒日)을 형성하게 된 것이다. 이에 따라 불교의 계율에서는 특별히 재가 신도들이 지켜야 할 팔관재계(八關齋戒) 날짜의 규정을 두게 되었는데, 이 중에서도 육재일과 십재일, 그리고 삼장재월이 주가 되었다. 이외에도 더 많은 재일이 생겨났다. 이러한 종류의 재일은 해외의 여러 나라에도 전해졌으며, 동시에 도교나 민간종교에서까지 그 영향을 미쳤다.

앞서 살펴본 『지장보살본원경』에 이미 십재일과 이와 관련된 기복적인 내용이 나타나 있고, 고대 문헌인 『지장보살십재일(地藏菩薩十齋日)』, 『대승사재일(大乘四齋日)』과 같은 사본(寫本)에서도 역시 이러한 점이 나타나 있다는 것을 주목할 필요가 있다. 재일에 특정한 부처나 보살의 명호를 염송하면, 지옥의 앙화를 피할 수 있다는 내용이 그것이다. 돈황의 사본에서 많은 수의 이러한 문헌을 찾아볼 수 있지만, 더욱 중요한 것은 대족(大足) 보정산(寶頂山)의 '지장시왕지옥변(地藏十王地獄變)'에 새겨진 문장이 '지장보살십재일'과 기본적으로 일치하고 있다는 것이다. 이것은 명백하게 종교, 예술과 민속의 관계를 보여주고 있고, 또한 지장신앙과 재일의 습속, 그리고 문서와 조상(造像) 작품의 밀접하고 불가분한 관계를 잘 설명해 주고 있으며, 이를 통해 지장보살 신앙과 불교예술의 저변에 대해 더욱 깊게 인식할 수 있게 해준다.

160 此十日諸罪結集, 定其輕重, 而娑婆世界的衆生, 擧止動念無非是業, 無非是罪. 何況又恣情殺害、竊盜、邪淫、妄語、有百千罪狀.

3. 누칠재(累七齋)와 중원절(中元節)

1) 칠칠재(七七齋)

위에서 이미 팔관재계(八關齋戒)와 각종 재일(齋日)에 대해서 살펴보았는데, 또 다른 재일에 대해서도 살펴볼 필요가 있다. 즉, 장례 풍습에 속하는 누칠재(累七齋)이다.

『남해기귀내법전(南海寄歸內法傳)』 가운데 재의 설행(設行)과 공양에 관한 내용이 있다. 그중에 '수재궤칙(受齋軌則)' 은 다음과 같다.

> 인도와 남해 여러 나라에서 승려를 청하는 법을 논해 보자. 그 형식을 간략히 밝히자면, 인도에서는 시주가 청할 승려를 미리 찾아가서 예배하고 재일이 되면 때가 왔음을 알린다. …… 시주 집의 음식을 차리는 장소에는 반드시 그 땅에다 소똥을 깨끗하게 바른다.[161]

여기에서의 재일은 단지 승려에게 공양하는, 승려에게 음식을 베푸는 날임을 알 수 있다. 남쪽으로 전해진 불교의 공승법회(供僧法會)는 이 재일의 영향을 받은 것이다.

누칠재(累七齋)는 승려가 아닌, 망자를 위하여 공양하는 재이다. 누칠(累七)은 사람이 죽은 후 49일 동안 친속이 7일마다 재를 드리는 법도로, 망자를 공양하고 추도하는 것이다. 일곱 번에 걸쳐 진행되기 때문에 또한 '누칠재' 라고 부르게 되었다. 이 재일도 많은 칭호를 가지고 있는데, 칠칠기(七七忌), 칠칠재(七七齋), 칠칠일(七七日), 재칠일(齋七日) 등으로 불린다. 불교에서는 사람의 목숨

161 凡論西方赴請之法, 幷南海諸國, 略顯其儀. 西方乃施主預前禮拜請僧. 齋日來白時至. …… 其施主家設食之處, 地必牛糞淨塗 …….

이 다한 후에도 수보(受報)의 기간에 몸을 인식할 수 있다고 여기는데, 이것을 중음신(中陰身) 혹은 중유신(中有身)이라 한다. 이러한 단계는 중음(中陰) 혹은 중유(中有)라고 부른다. 중음신의 수명은 단지 7일뿐이며, 7일이 지나 죽고 다시 생을 얻는데, 생의 연(緣)을 얻지 못하면, 칠칠일에 이르기까지 전전하며, 이후에는 반드시 생의 인연을 얻어 그 과보를 받는다. 세속에서는 일반적으로 이 기간 내에 망령(亡靈)이 혼란스럽고 어리석어서 오르고 내림을 결정할 수 없기 때문에 친족들이 마땅히 복을 빌어 주어야 망자가 좋은 곳에 태어날 수 있다고 본다.

누칠재는 중국에서 오랜 기간 동안 유행하였으며, 민간에 깊이 뿌리 내렸다. 이미 고대에서 근대까지의 장례 풍습을 형성하고 있고, 중국인의 생활의 일부분이 되었다. 누칠이 발전하여 100일, 1년, 3년이 더해지게 된 것이다. 돈황본『염라왕수기경(閻羅王授記經)』은 바로 십재(十齋)의 장례 풍습을 증명하고 있는 경전이다. 또한 돈황 사본 중의 백화시문(白話詩文)들도 이러한 풍습의 사실성과 생동성을 잘 반영해 주고 있다.

P.3211호의 오언(五言) 백화시(白話詩)들을 살펴보면 다음과 같다.

一.
칠칠재 한다는 말 들은 적 있으니
귀신이 와서 먹도록 잠시 베푸네.
생시에 먹던 성찬 영영 이별하고
술이며 밥이며 종적도 없구나.

一.
종전에 해주던 님의 요리
만나기 어려워 다시 돌아왔노라.
부처님 한 분 조성할 뜻 품고서
백 명에게 공양할 재를 차린다.

一.

무정한 님은 개가(改嫁)를 했고
재산은 배로 불어나려 한다 하네.
나는 아까워 써보지도 못했던 것
죽은 뒤에 남의 재물 되었다네.[162]

또한 몇몇의 사본에 십재를 언급한 것이 있다. S.0778호 가운데 〈왕범지(王梵志)의 시(詩)〉를 살펴보면 다음과 같다.

一.

급히 재산 팔아서
예수재를 차렸더니 …….

一.

백일재를 차렸는데,
온 식구가 너를 잊었구나.
재물이 남의 재산 되는 건
예부터 늘 있어 온 일이라네.[163]

P.2718호의 〈왕범지의 시〉에도 십재에 관한 내용이 있다.

하루 종일 예참을 하고
날이 저물면 널리 향을 사른다.
십재를 하나도 빼먹지 말고
힘 있거든 삼장(三長 ; 三長齋月)을 잘 지켜라.[164]

162 承聞七七齋, 暫施鬼來吃. 永別生時盤, 酒食無踪迹. …… 向前任料理, 難見却回來. 有意造一佛, 爲設百人齋. 無情任改嫁, 資産聽將陪. 吾在惜不用, 死後他人財.

163 急手賣財産, 與設逆修齋. …… 設却百日齋, 渾家忘却你. 錢財他人用, 古來尋常事.

이 시왕재(十王齋)는 장례 풍습의 십재에 속한다. 사람이 죽은 날 이후에 일곱 번의 7일을 치르는데, 여기에 100일, 1년과 3년을 치르는 것이 더해졌다. 이러한 종류의 재일과 앞에서 살펴본 거사(居士)가 준수해야 하는 팔관재계의 십재일은 그 성격이 다르다. 뿐만 아니라 십재일을 지키는 것은 1개월 내의 10개의 재일이며, 기간의 정도 또한 커다란 차이가 있다.

십재일은 대체적으로 육재일로부터 발전되어 왔으며, 시왕재는 칠칠재가 발전되어 이루어진 것이다. 다른 재의 대부분은 중국 고유의 풍습 가운데 이미 있었던 것들이다. 한대(漢代)의 궁정에서는 100일 동안 장례지내는 관례가 있었으며, 또한 1년을 '소상기(小祥忌)', 3년을 '대상기(大祥忌)' 라고 하였다. 이러한 종류의 기일은 유가(儒家)의 고대 문헌인 『예기』에 이미 나타나고 있다. 그러므로 장례 풍습의 십재일은 유가의 것을 흡수하고 수용하였다고 할 수 있다.

이러한 두 종류는 그 성격이 다르지만 모두 재일이며, 또한 십재일이다. 두 십재일 사이는 대응 관계일까? 아니면 선후 관계일까? 재가자들이 계율을 준수하는 측면이 발전하여 십재일이 되고, 이렇게 형성된 십재일은 민중의 생활에 깊이 뿌리내리게 되었으며, 한 바탕의 격렬한 소용돌이를 거쳐 장례 풍습의 하나로서 '십재' 가 된 것이다. 『염라수기경』의 "시왕재재일하(十王在齋日下)"라는 구절에서 볼 수 있듯, 시왕이 재일에 세상에 내려와 순시한다는 것은, 재일에 계를 지켜야 한다는 관념이 장례 습속으로서의 재일에 영향을 주었을 때 비로소 가능한 것이다.

누칠과 시왕재의 풍습에는 승려를 청하여 복을 비는데, 초청받은 승려는 100인, 1천인, 심지어는 1만인에 달하기도 한다. 이에 따라 백승재(百僧齋), 천승재(千僧齋), 만인재(萬人齋)라고 부른다. 남북조(南北朝) 이래 이러한 풍습은 이미 궁정에서 크게 유행하였다. 예를 들면 북위(北魏) 시절에 숭불(崇佛)로 유명한 영태후(靈太后) 호씨(胡氏)의 아비 호국진(胡國珍)이 죽었을 때, 천승재 · 만인재가 있었다. 『위서(魏書)』「호국진전(胡國珍傳)」은 호국진이 비록 나이가 많았지만, 불법을 바르게 숭상하였다고 기록하고 있다. 호국진이 죽은 원인 또

164 六時常禮儀, 日暮廣燒香. 十齋莫使闕, 有力殺三長.

한 늙은 몸으로 무리하게 불탄절 행사에 참석하였다가 그 피로가 누적되어 병을 얻은 것이라고 한다.

> 신구 원년(518) 4월 7일, 건립된 불상 앞에서 창합문까지 4~5리를 걸었다. 8일, 다시 서서 불상을 보다가 저녁에 앉으려 하였으나 피로가 심하고 열이 높아서 앓아눕게 되었다. 영태후가 친히 모시면서 약을 드렸으나 12일에 죽었다.[165]

4월 8일 불탄절에는 장엄하고 웅장한 행상의식(行像儀式)이 거행되는데, 하루 전날에 각 사찰에서 창합문(閶闔門)에 불상을 보낸다. 이러한 풍습은 『낙양가람기(洛陽伽藍記)』의 기록과 일치한다.

호국진과 관련하여, 『위서』에는 또한 다음과 같이 기록이 보인다. "조서를 내리기를, '죽은 지 칠칠일(七七日)에 이르면 천승재를 베풀고 재에 7인을 출가시키며, 백일에 만인재를 베풀어 27인을 출가시켜라.' 라고 하였다."[166] 이를 통해 누칠재가 거행될 때의 웅장함과 성대함을 알 수가 있다.

『북사(北史)』「왕원척전(王元戚傳)」에도 역시 다음과 같은 내용이 있다.

"백일 동안 글을 올리며, 원척은 집의 재산이 다하도록 사백인재(四百人齋)를 베풀었다."[167] 『북제서(北齊書)』「손령휘전(孫靈暉傳)」(天統中, 南陽王綽死)에는, "남양왕 도(綽)가 죽은 후, 매 칠일 및 백일에 이르도록 손령휘는 남양왕을 위하여 승려를 청해 도량을 베풀어 경전을 염송하고 도를 행하였다."[168]라는 기록이 보인다.

이러한 풍조는 당대(唐代)에 이르러 더욱 더 성행하게 되어, 당대 내내 많은 논란과 비판을 불러 왔다. 이고(李翺)는 『거불재설(去佛齋說)』 서문에서 다음과 같이 말하고 있다.

---

165 神龜元年四月七日, 步從所建佛像, 發第至閶闔門四五里. 八日, 又立觀像, 晚乃肯坐. 勞熱增甚, 因遂寢疾. 靈太后親侍藥膳. 十二日薨.

166 又詔自薨至七七, 皆爲設千僧齋, 齋令七人出家, 百日設萬人齋, 二七人出家.

167 獻文百日, 元戚自竭家財, 設四百人齋.

168 綽死後, 每至七日及百日終, 靈暉爲綽請僧設道, 轉經行道.

> 이에 온현령(溫縣令) 양집(楊集)이 『상의(喪儀)』를 찬술하였다. 그 한편에서 이르기를, "칠칠재에 불교 사찰에서 사자(死者)에게 의복을 보내어 복을 빌어주는 것이다."라고 하였는데, 이고는 이 일이 예를 손상하는 것으로 보기에 이를 논하는 것이다.[169]

남송(南宋) 시절의 유문표(兪文豹)는 『취검녹외집(吹劍錄外集)』에서 다음과 같이 말하고 있다.

> 온공(溫公)이 말하기를, "세속에서는 불교를 신앙하여 첫 칠일로부터 칠칠일, 백일, 소상(小祥), 대상(大祥)에 반드시 공덕도량을 베푸는데, 바로 죄를 멸하여 천상에 태어나도록 기원하는 것으로, 그렇지 않으면 지옥에 들어가 부셔지고 태워지며 갈아지는 괴로움을 받는다. 죽음이란 형체는 썩어지나 영혼[神]은 떠도는 것이니, 비록 부셔지고 태워지며 갈아지지만 또한 앎을 얻을 수 있다."라고 하였다.[170]

위의 기록들은 여러 측면에서 누칠재가 성행하였음을 잘 보여준다.

명대(明代) 전예형(田藝蘅)은 또한 칠칠일과 인간의 혼백설(魂魄說)을 서로 결합시켰는데, 『춘우일향(春雨逸響)』에서 이르길, "사람이 태어날 때는 칠일이 일납(一臘)이 되고, 일납이 지나면 하나의 '백(魄)'이 갖추어진다. 칠칠 사십구일이 지나야 비로소 일곱의 '백'이 온전해진다. 사람이 처음 죽었을 때는 칠일이 일기(一忌)가 되며, 칠칠 사십구일이 지나야 비로소 일곱의 '백'이 흩어진다."라고 하였다.

청대(清代) 전영(錢泳)의 『이완총화(履園叢話)』에는 사후 7일에 혼(魂)을 부르는 방법이 나타나 있다. 청대 초기의 사학자인 만사동(萬斯同)의 『군경잡설

169 故溫縣令楊集撰喪儀 其一篇云 七七齋, 以其日送死者衣服於佛寺. 以申追福 翺以此事傷禮 故論之.

170 溫公曰 : 世俗信浮屠, 以初七日至七七日, 百日、小祥、大祥、必作功德道場, 則滅罪生天, 否則入地獄. 受到舂燒磨之苦. 夫死則形朽而神飄, 雖舂燒磨又安得知.

(群經雜說)』에서는 이에 대해 다음과 같이 평하고 있다.

> 한(漢) 명제(明帝) 시절, 영수릉(營壽陵)이 상소에서 이르길, "백일이 지나도록 추모하고, 네 계절에 제사를 베푼다[過百日惟, 四時設奠]."라고 한 것을 알고 있다. 이것이 사서(史書)에 기록되어 있는 최초의 백일설(百日說)이다. 또한 불법이 처음 들어오던 시기에 한 명제가 불법을 받아들였다고 하지만 이것을 그대로 받아들이기는 어렵다. 불법이 들어오던 시기에는 백일장의 풍습이 없었다.

만사동은 또한 이르기를, "『개원례(開元禮)』 「졸곡편(卒哭篇)」의 주(註)에 이르길, '옛날에는 졸곡(卒哭 ; 3개월 후에 지내는 제사)을 행했지만, 지금은 백일을 행한다[古之祔在卒哭, 今之百日也].' 는 두 구절이 당대(唐代)에 백일장의 근거로 사용하던 것이다. 또한 이습지(李習之 ; 즉, 李翺)의 『거불재설』을 살펴보면, 불가의 칠칠일의 설을 깊게 비판하고 있으므로, 바로 당대(唐代)의 사람들이 참으로 칠칠・백일을 치상(治喪)의 예절로 많이 사용하였음을 알 수 있다." 라고 하였다.

이를 통해, 당대 이래로 칠칠・백일의 장례 풍습이 유행하였다는 것을 알 수 있다. 앞서 살펴본 돈황의 백화시에도 이에 대한 찬탄이 나타나 있다. 돈황본 『염라왕수기경』은 비록 의위경(疑僞經)이지만, 오히려 십재의 근거가 되는 주요 경전이라고 할 수 있다. 경전에서는 다음과 같이 설하고 있다.

> 만약 사람이 죽게 되면, 첫 번째 칠일로부터 따져서 칠칠일, 백일, 일년, 삼년 모두 시왕의 이름을 청해야 한다. 칠일마다 한 왕이 내려와 시찰을 하므로 반드시 재를 올려야 한다. 경에서 예시한 대로 첫 번째 칠재에는 진광왕이 내려오고, 두 번째 칠재에는 송제왕이 내려오며, 세 번째 칠재에는 초강왕이 내려오고 …… 백일재에는 평정왕이, 일년재에는 도시왕이, 삼년재에는 오도전륜왕

이 내려온다.[171]

본래, '하(下)' 자는 마땅히 위에서 아래로 내려갈 때 쓰는 말이다. 염라대왕을 위시한 명계의 모든 왕들은 원래 하계에 있다고 하는데, 어찌하여 다시 '하'를 말하고 있을까? 〈시왕경도(十王經圖)〉 도상(圖像)에 나타나는 시왕은 모두 전당에서 명계 심판의 권한을 행사하고 있는 모습이며, 하계를 순시하는 모습이 아니다. 다만 『사천왕경』과 『지장보살십재일』을 통해 보면, 모일(某日)에 모신(某神)이 내려오고[下], 선악동자가 내려오고[下], 찰명사자가 내려오고[下], 사천왕이 내려와[下] 순시하며 인간의 선악을 살핀다고 하는 것은 자연스럽게 설명된다. 가장 중요한 것은 십재일 중에 염라왕이 내려오는[下] 것이며, 또한 오도장군도 내려온다[下]는 것이다. 이것은 '수계십재일(守戒十齋日)'과 '상속십재일(喪俗十齋日)' 사이의 관계를 명확하게 보여주고 있다. 틀림없이 상속십재일이 수계십재일의 영향을 받아 훈습된 결과일 것이다. 비록 10여 개의 『지장보살십재일』이 하나같이 경문의 간행 연대가 불명확하고 그 기록도 끊어져 있지만, 대체적으로 10세기의 것으로 추정된다. 『염라왕수기경』과 비슷한 시기에 간행된 것으로 보인다. 재일의 기원은 유구하여 『사천왕경』에 나타나는 육재일은 남북조(南北朝) 초기에 이미 유행하였으며, '천신이 내려와 순시하는 것[天神下視]'도 형태를 갖추어 가고 있었다. 다시 말하면, 장례 풍습 십재일의 내용이 수계십재일의 영향과 훈습을 받은 것이다.

흥미로운 점은 『염라왕수기경』은 장례 풍습만을 중시하고 있지 않다. 여기서의 재는 망인의 복을 기원하고, 나아가 살아 있는 사람이 미리 예비하여 스스로가 사후에 지옥에 드는 것을 방지하고, 정토에 태어날 수 있게 한다. 그러므로 '예수생칠재(預修生七齋 ; 逆修生七齋)'라고 한다.

경전에서는 다음과 같이 설하고 있다.

171 若是新死, 依從一七計, 乃至七七、百日、一年、三年, 幷須請此十王名字, 每七有一王下檢察, 必須作齋. 如經中所列, 第一七齋, 秦廣王下, 第二七齋, 宋帝王下, 第三七齋, 初江王下, …… 百日齋, 平正王下, 一年齋, 都市王下, 三年齋, 五道轉輪王下.

> (S.3147) 매월 15일, 30일 두 번씩 예수생칠재를 닦는 선남자, 선녀인, 비구, 비구니, 우바새, 우바이가 있다면 …….[172]

자신이 미리 대비하여 수행하는 재일은 매월 15일, 30일이다. 여기서 한 가지 주목해야 할 것은 이러한 날짜는 계율에 따라 준수해야 하는 십재일의 날짜와 서로 중복된다는 것이며, 그 가운데서도 가장 중요한 날짜라는 것이다. 이것은 망인을 위한 수행으로 칠칠・백일을 준수하도록 가르친다.

> (S.3147) 만약 사람이 죽게 되면, 죽고 나서 첫 번째 칠일로부터 따져서 칠칠일, 백일, 일년, 삼년 모두 시왕의 이름을 청해야 한다. 칠일마다 한 왕이 내려와 시찰을 하므로 반드시 재를 올려야 한다. 공덕의 유무를 천조(天曹)나 지부(地府)에 알리고, 삼보께 공양하며 시왕에게 재를 차려 기도하면 죽은 자의 이름을 부르고 문서를 받는데, 문서상에는 육조관(六曹官)이 있다. 선악동자가 천조나 지부의 명관 등에게 아뢰고 명부에 기재해 두었다가 죽은 몸이 당도하는 날 즐거운 곳에 배속되는데, 중음(中陰) 상태로 49일을 머물지 않는다. 몸이 죽은 뒤에 육친이나 권속 남녀가 구명을 해주려는 경우, 시왕 중에 하나라도 재를 빼먹으면 그 왕 하나 때문에 죽은 자가 계속 고통을 받으면서 새로 태어나지 못한 채로 일겁(一劫)이 지체될 수도 있다. 그러므로 그대에게 이 재를 꼭 지내기를 권한다.[173]

경전에서는 또한 망인을 위하여 재를 행하면, 그 공덕 역시 살아 있는 사람이 많이 얻을 수 있다고 강조하고 있고, 이를 통해 살아 있는 사람으로 하여금

---

172 若有善男子、善女人、比丘、比丘尼、優婆塞、優婆夷, 預修生七齋, 每月二時, 十五日, 卅日.

173 (S.3147) 若是新死, 從死依一七計至七七、百日、一年、三年幷須請此十王名字, 每七有一王下檢察, 必須作齋, 功德有無, 卽報天曹地府, 供養三寶. 祈設十王, 唱名納狀, 狀上六曹官. 善惡童子, 奏上天曹地府冥官等, 記在名案. 身到日時, 當使配合快樂之處, 不住中陰四十九日. 身死已後, 若侍男女六親眷屬追救命, 過十王若闕一齋, 乘在一王, 幷新死亡人, 留連受苦, 不得出生, 遲滯一劫. 是故勸汝. 作此齋事.

재를 행하는 것이 얼마나 중요한지를 거듭 강조하고 있다.

> (S.3147) 재일이 되었는데, 재물이 없고 일이 급하면, 재를 차려 부처를 청하고 승려를 맞아 건복(建福)하는 일을 하지 말아야 한다. 재 지내는 당일에 두 소반의 음식을 내어 지전(紙錢)을 사르고 먹도록 청하게 되면, 죽은 사람이 시왕의 한 왕에게 귀속되어 어두운 세계의 업보와 굶주리는 고통을 면하게 된다. 만일 생일에 이 재를 지낸다면 이를 '예수생칠재' 라고 하며, 칠분의 공덕을 다 얻을 수 있다. 만일 죽은 뒤에 육친의 남녀와 권속이 그를 위해 재를 지내주면 칠분의 공덕 중에 망자가 칠분의 일을 얻고, 나머지 칠분의 육은 산 사람들이 가져간다. 이는 스스로 심고 스스로 얻는 것이지 남이 주는 것과는 무관하다.[174]

이러한 예수(預修)의 풍습이 담긴, 당시 돈황의 몇몇 사본들은 농사짓는 소를 위한 것이었다. 초당(初唐)의 왕범지의 시, 오언백화시와 경문의 강론 중에도 적지 않게 반영되어 있다. 예수의 풍습은 이후에 유행하지 않았고, 남아서 전해지는 것은 망인을 위한 칠칠 · 백일의 풍습뿐이다. 명대(明代)에는 칠칠 · 백일의 풍습이 궁정대례(宮庭大禮)에 들어갔다.『명회전(明會典)』「대상례(大喪禮)」 가운데 황태자(皇太子)가 죽으면, '백일 동안 제사한 후에 마침[祭祀止停百日]', 황태후(皇太后)의 상(喪)은 '일년의 제사를 백일처럼 함[一年祭如百日]', 황비(皇妃)의 상은 '칠칠 · 백일, 일주년, 이주년, 매번 제사할 때마다 처음과 같게 함[七七百日 周年 二周年 每次祭祀與初喪同]', 친왕(親王)의 상은 '칠칠 · 백일 후에 운구함[七七百日遷柩]', 공주(公主)의 상은 '칠칠 · 백일 후에 어제를 탈상함[七七百日除服御祭]' 등으로 규정하고 있다.

174 (S.3147) 如至齋日到, 無財物及有事忙, 不得作齋請佛, 延僧建福. 應其齋日, 下食兩盤, 紙錢喂飼, 新亡之人, 并歸在一王. 得免冥間業報饑餓之苦, 若是在生之日作此齋者, 名爲預修生七齋, 七分功德, 盡皆得之, 若亡歿已後, 男女六親, 眷屬爲作齋者, 七分功德, 亡者唯得一分, 六分生人將去, 自種自得, 非關他人與之.

칠칠 · 백일의 장례 풍습은 민간에 유전된 지 장구하고, 이미 민간의 풍습이 되었다. 중국의 서북지역이나 동남지역은 물론이고, 거의 모든 지역에서 이러한 장례 풍습이 존재하고 있으며, 근 · 현대까지 남아 전해지고 있다. 이러한 풍습 중에 관중(關中) 농동(隴東)과 같은 서북지역은, 칠칠일에 효자(孝子 ; 아들)가 분묘에 청영패(請靈牌)를 올리고 귀가하며, 전전(奠典) 앞에 음식을 올리고 지전(紙錢)과 향을 태운다. 일반적으로, 두칠(頭七 ; 처음의 7일)과 100일, 1년, 3년을 비교적 중하게 여긴다. 3년에 부유한 가정에서는 승려와 도사를 모아서 도량을 베푼다.

남방에서 보통 '주칠(做七)' 이라고 부르는 것이 있는데, 영혼이 머무는 49일 후에 장례를 치르고, 무덤을 만드는 풍습이다. 구체적으로 행하는 법은 너무도 많아서 세세한 부분에 차이가 있다. 광주 지역의 제오칠일(第五七日)은 시집간 여인을 돌아오게 하는 것이 필요하다. 만약에 시집을 간 여인이 없다면, 시집을 간 조카딸, 혹은 조카 손녀를 돌아오게 한다. 두칠(頭七), 삼칠(三七)과 칠칠(七七)은 '대칠(大七)' 이라고 하며, '주칠(走七)' 의 풍습이 있다. 즉, 모일(某日)에 시집간 여인과 며느리들이 한 사람마다 하나의 등을 들고, 규정된 의식에 맞추어 달리는데, 가장 빨리 집으로 돌아오는 자가 이기는 것이며, 망령의 도움을 얻을 수 있다고 한다. 항주(杭州)의 외곽 지역에서는 제오칠일(第五七日)에 죽은 자의 사위가 이를 주관한다. 그리고 영파(寧波)와 임안(臨安) 지역에서는 제육칠일(第六七日)에 사위가 한다. 오칠일의 전야에 대단히 많은 지방에 '망향대(望鄕臺)' 를 만드는 풍습이 있다. 전해 오는 말로는 사자가 이 시간이 되면 주위를 두루 살피고 자기가 이미 죽은 몸이라는 것을 깨닫고는, 그늘 사이에서 망향대에 올라 친우를 바라본다고 한다. 소주(蘇州), 곤산(昆山) 상숙(常熟), 무석(無錫) 등의 지역에서는 오칠일(五七日)의 오경(五更) 밤에 술과 나물을 준비해서 제삿상을 차리고, 망자의 이름을 부르는데, 이것을 '잡오경(喊五更)' 과 '오경야반(五更夜飯)' 이라고 칭한다. 칠(七)이 되어 무덤을 지을 때, 화상은 불경을 염송한다. 이때에 흰 천으로 황하(黃河)의 형상을 만듬 다음, 손으로 불상을 들어 황하 위에 옮기고, 아울러 성왕준(聖王逡 ; 길흉을 점치는 도구, 조개껍질처럼 생긴 같은 대나무 조각)을 땅에 던진다. 성왕준이 엎어지는지를 살피는데, 이것은 부처님이 망자가 황하를 건너는 것을 허락하느냐 여부를 보는 것이다. 망자의 자손이 때에 맞추어 땅에 엎드려 지전을 불사르고 온정을 구한다. 칠칠일은 '단칠(斷七)' 이라 부르기도 한다. 단칠일(斷七日)에 화상과 도사를 청하여 도량을 짓는 것을 '보태평(保太平)' 이라 한다. 이때에 중요한 점은 이미 사자를 위한 초도(超度)에서 살아 있는 사람을 위한 기도로 바뀐다는 점이다. 단칠일에 집을 깨끗이 한 후, 장례의식은 기본적으로 종결된다.[175]

2) 우란분절(盂蘭盆節) · 중원절(中元節)

중국에서 망인을 추모하는 장례풍속과 관계 있는 활동 가운데, 음력 7월 15일의 중원절도 역시 대단히 중요한 위치를 차지하고 있다. 중원(中元)은 본래 도교(道教)의 명칭이다. 도교에는 삼원일(三元日)이 있는데, 정월 15일이 상원일(上元日)이고, 7월 15일이 중원일(中元日), 10월 15일이 하원일(下元日)이다. 이것은 천(天) · 지(地) · 수(水)의 삼관(三官)이 공적과 과오를 조사하는 기간으로 분별한 것이다. 삼관신앙(三官信仰)은 동진(東漢)의 오두미도(五斗米道)에서 나왔으며, 남북조(南北朝) 시기에 삼원재(三元齋)가 정립되었다. 이것은 후에 삼원일과 민간의 신정경하(新正慶賀), 제조(祭祖), 제고(祭孤) 등의 풍습과 결합하여 중요한 민속명절이 되었다.

중원일의 가장 빠른 기원은 7월에 조상에게 제사를 올리고, 추수를 알리던 민간 풍습에 의지하고 있다. 또한 이것은 도교에서 지관(地官)이 죄를 사하는 진(辰)이며, 불교에 있어서는 해제일(解制日)과 우란분절에 해당된다. 중원일은 조상에 대한 제사와 귀혼(鬼魂)에 대한 제사가 중심이 되는 큰 민속명절이다. 그래서 이를 속칭 '귀절(鬼節)' 이라고 한다. '해제' 는 고대 인도의 불교제도에서 비롯된 것으로, 매년 4월 15일에 결제(結制) '좌하(坐夏)' 를 시작하여 사찰에서

175 高國藩, 『中國民俗探微』, 河海大學出版社, 1989 ; 鄭小江(主編), 『中國死亡文化大觀』, 百花洲 文藝出版社, 1995 ; 杜頭城, 『敦煌本佛說十王經研究校錄』, 甘肅 教育出版社 참조.

3개월의 수행을 하고, 7월 15일에 이르러 '해제' 하여야 절에서 자유롭게 나갈 수 있었다. '우란(盂蘭)' 혹은 '우란분(盂蘭盆)' 은 범어(梵語)의 음역(音譯)으로, 그 뜻은 본래 '거꾸로 매달려 있는 이를 구하는 것[救倒懸]', '거꾸로 매달려 있는 이를 풀어 주는 것[解倒懸]' 이다. 학자들 중에는 '우란' 의 두 글자만 범어의 음역으로 보는 이도 있고, '우란분' 의 세 글자가 모두 범어의 음역이라고 보는 이도 있다.

결론적으로 『우란분경(盂蘭盆經)』이라는 경전의 이름은 '거꾸로 매달려 있는 이를 구하는 그릇[救倒懸之器]' 이라는 뜻을 내포하고 있다.[176] 여기서의 그릇은 실제로 먹을 것을 담는 그릇이다. 그러므로 살아 있는 이에게 공양하고[營盆供養], 죽은 이에게 시식하는[設盆施食] 의미이다. 우란분회(盂蘭盆會)를 개최하는 것은, 결국 살아서 악을 범하고 죽어서 아귀도에 떨어져 고통받는 자를 구원하기 위한 것으로, 모름지기 그 친족은 해제일에 소재(素齋)를 차려서 부처에게 공양하고 승려에게 먹을 것을 대접하여 망자를 아귀로부터 벗어나게 해야 한다. 우란분절은 목련구모(目連救母)의 고사에서 비롯되었다. 목련의 망모(亡母)가 아귀로 살면서 먹을 것을 얻지 못하자 석가모니 부처님께서 목련에게 말씀하시기를, "네가 비록 나한의 몸을 얻었지만, 너의 어미를 구하지는 못했느니라. 모름지기 7월 15일에 백미반식(百味飯食)을 그릇에 가득 쌓아두고 시방(十方)의 대덕승(大德僧)을 공양하고, 또한 널리 우란분회를 만들어 천하의 아귀가 모두 배불리 먹도록 하면, 능히 네 어미도 구할 수 있으리라."라고 하셨다. 『우란분경』에서 『목련구모변문(目連救母變文)』, 『대목건련명간구모변문(大目乾連冥間救母變文)』이 나오고, 또한 『목련구모보권(目連救母寶卷)』, 『목련삼세보권(目連三世寶卷)』이 나왔으며, 다시 송대(宋代)에 이르러 『목련구모(目連救母)』의 잡극, 명대(明代)의 『목련구모권선희문(目連救母勸善戲文)』, 청대(淸代)에 궁정대희(宮庭大戲)인 『권선금과(勸善金科)』 등의 다양한 형태로 나타나고 있다. 이러한 과정들 속에서 '목련구모' 의 고사는 더욱 더 민간화・통속화되었고, 민

176 盂蘭盆의 譯名에는 두 가지 說이 있다. 周叔迦의 『法苑談叢』 盂蘭盆會條(中國佛教協會, 法音文庫, 1990 再版)을 참조.

중의 생활에 깊이 파고들어 민간 풍습의 중요한 내용이 되었다.

우란분재(盂蘭盆齋)는 고대 인도에는 없었고, 남조(南朝) 초기에 형성되었다. 남조 양종름(梁宗懍)의 『형초세시기(荊楚歲時記)』에서, "7월 15일이 되면 승려와 도사, 속인이 그릇에 음식을 담아 부처를 공양하고, 또한 "깃발과 꽃, 춤과 노래 · 과일 등을 공양하였다."라는 글을 볼 수 있다. 우란분재는 양(梁) 무제(武帝)에 이르러 공식적으로 시작되었다. 의초(義楚)의 『석씨육첩(釋氏六帖)』 권22, 권45에는, 양 무제 대동(大同) 4년(538) 동태사(同泰寺)에서 우란분재를 시설하였다는 기록이 있다. 이것이 이후에는 '매년 7월 15일의 송분공양(送盆供養)' 이 되었다.

당대(唐代)에도 우란분재는 여전히 성행하였고, 조정에서는 이를 매우 중시하였다. 『법원주림(法苑珠林)』 권62에는, 당(唐) 고종(高宗)이 황실의 송분(送盆) 의식(儀式)을 세워 국가의 큰 사찰, 즉 장안(長安)의 서명사(西明寺), 자은사(慈恩寺) 등과 같은 사찰에 매년 송분(送盆)하고, 각종 재물과 그릇, 악공(樂工) 등을 바쳤다고 기록되어 있다. 측천무후(則天武后) 시기에는 궁정의 우란분재 법회의 규모가 전에 없이 대규모로 진행되었다. 불교의 우란분재가 마침내 황실의 '송효대전(頌孝大典)' 으로 성립된 것이다. 당 전성기에 우란분재는 더욱 성행하여, 내도량(內道場)에서 그릇을 조성하고 또한 7위(位)의 선제신좌(先帝神座)를 설치하였다. 당 후기에는 우란분재가 이미 민간에 보급되어 『태평광기(太平廣記)』 권34에 영남(嶺南) 번우(番禺) 지방에서는 중원일(中元日)에 "사찰에 진기한 것들을 설치하였으며, 개원사(開元寺)에는 다양한 유희들이 모여들었다."라고 기록하고 있다. 일본 승려 원인(圓仁)은 『입당구법순례행기(入唐求法巡禮行記)』에서 장안의 모든 사찰에서 거행하는 우란분절의 광경에 대하여 상세히 묘사하고 있다.

송대(宋代)의 우란분절은 민간에 더욱 널리 보급되었지만 화려한 장엄은 줄어들고 그 대신 망자를 위한 행사가 늘어났다. 북송(北宋) 맹원로(孟元老)는 『동경몽화록(東京夢華錄)』 「중원절(中元節)」에서 당시의 광경에 대해 말하기를, "『존승(尊勝)』과 『목련경(目連經)』을 찍어서 팔았다. 또 죽간을 세 갈래로 쪼개서 석 자나 다섯 자쯤 되는 높이에 움푹한 등을 달고 그것을 '우란분' 이라 부르며, 그 위에 옷이나 명전을 걸어놓고 불살랐다. 구사(構肆 ; 宋元代의 藝人들이 각종 기예를 펼쳐 보이던 장소)의 악극인들이 칠석이 지나고부터 '목련구모(目連救母)' 라는 연극을 상연하였는데, 15일이 되면 관람하는 자가 배로 늘었다."[177]라고 하고 있다. '목련구모' 의 희극이 이미 중원절까지 연속으로 7일간 공연할 정도가 되었고, 이와 같은 행사들이 중원절의 분위기를 고조시켰다는 것을 알 수 있다. 맹원로는 또한 중원절에 여전히 조상에게 제사를 드리는 풍습이 있었다고 하며, 다음과 같이 기록하고 있다.

> 중원절 하루 전날에 연엽채(楝葉菜 ; 참죽나무)를 사고, 제사를 지낼 때는 속옷을 탁자 위에 깐다. 또한 마곡소아(麻谷巢兒)를 사서 탁자의 다리를 묶고, 바로 선조에게 추계(秋禊)의 뜻을 고한다.[178]

중원절에 거행되는 우란분회에서 승려는 불경을 염송하고 시식(施食)하며, 시주(施主)에게 금생의 부모와 7세(世)의 부모가 모두 고액(苦厄)으로부터 벗어났다고 선언한다. 동시에 고혼(孤魂)과 야귀(野鬼)에게 시식(施食)하는 '재고(齋孤)' 가 거행되는데, 『동경몽화록』에서는 다시 중원일에 대하여 말하기를, "대회를 열고 전산(錢山)을 태워서 전사한 군사들에게 제사 지내고 고혼들을 위한 도량을 베푼다."[179]라고 하고 있다. 명대(明代)에 또한 중원일에 성황당(城隍堂)으로 나가 노닐고, 민간의 고독한 영혼을 위하여 여단(厲壇)에 재를 지내는 것이 성행하였다. 이날의 행사 가운데 또한 어두운 명하(冥河)를 비추기 위하여 연등(蓮燈)을 물에 띄우는 것과 '송한의(送寒衣)' 라고 부르는 종이 옷[紙衣]과 종이 돈[紙錢]을 태우는 것들이 있다. 청대(淸代) 북경에서 우란분절의 융성함에 대하여 『제경세시기승(帝京歲時紀勝)』 「중원(中元)」은 다음과 같이 기록하고 있다.

177 印賣『尊勝』、『目連經』. 又以竹竿斫成三脚, 高三、五尺, 上織燈窩之狀, 謂之盂蘭盆, 掛搭衣服、冥錢在上, 焚之. 構肆樂人自過七夕, 便搬目連救母雜劇, 直至十五日止, 觀者倍增.

178 卽買楝葉, 享祀時鋪襯桌面 ; 又買麻谷巢兒, 亦是系在桌子脚上, 乃告祖先秋禊之意.

179 設大會, 焚錢山, 祭軍陣亡歿, 設孤魂之道場.

암자나 도관이나 사찰에서 우란회를 여는 날은 목련이라는 승려가 어머니를 구한 날이라 전해진다. 거리에는 높은 대에 귀왕의 붕좌(棚座 ; 초파일이나 중원일 등 불교행사 때 가설하는 의자)를 설치하고 경문을 읽으면서 아귀[放焰口 : 입에서 불을 뿜는다는 뜻]에게 베풀고 고혼들을 제도한다. 비단과 종이로 나무판에 풀로 붙여 칠팔십 자 길이가 되는 법선(法船)을 만들어 물가에 가서 태우고 하등(河燈 ; 연등을 물에 띄워 幽冥을 밝히는 것)을 켜는데, 자비의 배를 띄워 중생을 널리 건진다는 의미이다. 이때의 의례는 청명일과 같다. [귀왕의 붕좌를] 메고 함께 성황상(城隍像)이 있는 곳까지 순행을 나가 여귀(厲鬼)에게 제사를 지낸다. …… 도성 안의 아이들도 이날 저녁에는 작대기에 연등을 매달아 그 안에 촛불을 밝혀 들고 다니는데 그 빛이 석등에서 투사되어 나오는 빛처럼 형형하다. 쑥을 묶어 향기가 나는 등 수백 개를 켜서 반짝반짝 빛나게 한다. 오이 껍데기에 새기거나 연밥 속을 긁어내어도 모두 등이 될 수 있으며, 각각 특색을 지니고 있다.[180]

중원절에 대하여 종합하여 말하면, 이것은 여러 가지 종류의 풍습을 지닌 절일(節日)이며, 또한 조상과 귀신에게 제사를 드리는 것이 주가 되고 있어서, 유명교주인 지장보살과 대단히 깊이 연관되어 있다는 것이다. 『지장보살본원경』에 나타나는 지장보살의 평생의 발자취와 목련구모의 고사는 서로 매우 닮아 있다. 지장보살과 목련은 모두 지옥을 두루 편력하였으며, 또한 모두 지옥에서 어머니를 구해내려고 하였다. 바로 이러한 점들 때문에 어떤 사람들은 지장보살과 목련을 동일시하기도 한다. 명대(明代)의 『삼교원류수신대전(三教源流搜神大全)』에서는 목련을 지장보살의 전신(前身)으로 설명하기도 한다. 또한 지장보살

180 庵觀寺廟, 設盂蘭會, 傳爲目連僧救母日也. 街巷搭高臺′鬼王棚座, 看演經文, 施放焰口. 以濟孤魂. 錦紙札糊法船, 長至七八十尺者, 臨池焚化. 点燃河燈, 謂以慈船普渡, 如清明儀. 舁請都城隍像出巡, 祭厲鬼. …… 都中小兒亦於是夕執長柄荷葉, 燃燭於內, 青光熒熒, 如磷火然. 又以青蒿縛香燼數百, 燃爲星星燈. 鏤瓜皮, 掏蓮蓬, 俱可爲燈. 各具一質.

이 7월 30일에 태어났다고 말하고 있다. 실제로 지장보살의 탄생 등과 관련된 것은 구화산(九華山)의 김지장(金地藏)으로부터 비롯된 것이다. 신라(新羅) 김지장이 구화산에서 여름의 끝 무렵에 열반에 들었고, 이에 따라 7월 30일이 김지장의 수진일(壽辰日)이 되었지만, 이후에 민간에서는 변화되어 지장보살의 탄생일, 성도일, 기진일(忌辰日) 등으로 여기게 되었다. 이날에는 웅장하고 장엄한 제사를 거행하는데, 이날을 지장회(地藏會) 혹은 지장절(地藏節)이라 부른다. 이러한 제사는 의식이 동일하고 여러 지역에서 나타나고 있는데, 구화산 지장도량의 제사가 가장 장엄하고 웅장하다.

온주(溫州) 지역에는 지장보살을 위해 밤을 지키는 풍습이 있다. 『절강풍속간지(浙江風俗簡志)』「온주편(溫州篇)」에서는 이에 대해, “온주성의 내복성(來福城) 밖에 지장왕전이 있다. 원근 100리 이내의 노부인들이 정성껏 향을 사르고, 땅과 이슬을 좌석으로 삼아 밤을 지키는데, 이것을 속칭 ‘좌야(坐夜)’라고 한다.”라고 기록하고 있다. 또한 『청가록(淸嘉錄)』에서는 소주(蘇州) 일대의 이날 풍습에 대해 다음과 같이 기록하고 있다.

> 그믐날, 지장왕의 생일을 맞아 사람들은 개원사 지장전에 모여들어서 원을 말하고 향을 사른다. 부녀자들에게는 치마를 벗는 습속이 있는데, 치마는 가벼운 종이로 만든다. 한 번 출산한 자는 치마를 한 번 벗는다. 그렇게 하면 다음 생에 태어날 때 산고를 면한다. 또한 육신등(肉身燈 ; 쇠갈고리로 피부를 집어 갈고리에 등잔을 걸어두고 등잔에 기름을 부어 불을 켜는 것)을 켜서 어머니 은혜에 보답한다. 대나무 그릇에 지전을 담아 절의 창고에 바쳐서 다음 생의 밑천으로 삼는다. 이를 ‘기고(寄庫)’라 한다. 날이 저물면 집집마다 뜰과 계단에 촛불을 켜는데, 이를 지장등(地藏燈)이라 한다.[181]

181 晦日爲地藏王生日, 駢集於開元寺之殿, 酬願燒香. 婦女有脫裙之俗, 裙以輕紙爲之, 謂生産一次者, 脫裙一次, 則他生可以免産厄. 点肉身燈, 爲報娘恩. 以紙錠碗納寺庫, 爲他生資. 謂之寄庫. 昏時, 比戶点燭庭階, 謂之地藏燈.

북경의 지장절 또한 매우 번화하였다. 『제경세시기승(帝京歲時紀勝)』「지장회(地藏會)」에 이르길, "경도(京都)의 사찰이나 묘에서 사람들이 예참과 송경을 하고, 법선(法船)을 만드는데, 법선에다가는 지장왕불과 십지염군(十地閻君)의 초상화를 설치하고 밤이 깊어지면 아귀에게 보시하고 법선을 불사른다. 거리에는 길 가장자리에 향불과 연등을 연이어 켜놓는데, 그 빛이 대낮과 같다."[182]라고 하고 있다.

구화산의 지장절은 조산(朝山)의 습속이 있다. 구화산에 조배(朝拜)할 때에는 안휘(安徽), 강서(江西), 절강(浙江), 강소(江蘇), 호북(湖北), 하남(河南) 등 수천 리 밖에 거주하고 있는 신도들이 구화산으로 와서 향을 바치며, 지장탑을 지키고, 지장등을 밝히며, 지장향(地藏香)을 사르고, 방생(放生)과 방등(放燈) 행사에 참여한다.

앞서 살펴본 것을 종합해 보면, 음력 7월 15일에 조상과 귀신에 대한 제사를 중심으로 다양한 행사가 펼쳐져 이를 '귀절(鬼節)'이라 부르기도 한다. 우란분회는 중원절에 있어서 대단히 독특한 위치를 지니고 있다. 기록에 의하면, 양 무제가 처음으로 우란분재를 시작하고 만들었다. 당대(唐代)에는 우란분회가 성행하여 분공불승(盆供佛僧) 하였으며, 송대(宋代)에는 망자의 복을 비는 것이 중시되었다. 북송(北宋) 시기에는 7월 7일에 목련극(目連劇)이 시작되어 7월 15일까지 연속해서 공연되었다. 절일(節日)에는 불경을 염송하는 법회, 방염구(放焰口), 수륙법회와 소향(燒香), 점등(点燈) 등의 다양한 의식과 행사가 펼쳐진다. 7월 30일이 지장보살의 성도일로 변화되었고, 지장절이 되었다. 각지에는 모두 독특한 풍속이 있지만, 더욱 특별한 것은 구화산 지장도량에서 볼 수 있는 대단히 규모가 큰 조산(朝山) 법회라고 하겠다.

182 都門寺廟, 禮懺誦經, 亦札糊法船. 中設地藏王佛及十地閻君繪像, 更盡時施放焰口焚化. 街巷遍燃香火蓮燈於路傍, 光明如晝.

4. 명계시왕(冥界十王)의 기원 문제

소승불교의 아함경전(阿含經典)에서 염라왕과 삼천사(三天使), 사천사(四天使), 오천사(五天使)의 심판 내용을 볼 수 있는데, 이후 중국에서는 시왕의 심판으로 나타나고 있다. 만당(晩唐)과 오대(五代) 시기에 형성된 시왕 심판의 내용은 의위경(疑僞經)에 근거한 것이다. 즉, 중국 승려가 자체적으로 찬술한 경전에 근거한 것이다.

시왕은 그 내력과 기원이 불명확하지만 중국적 특징이 농후하며, 특히 민간신앙 및 도교와 밀접한 관련이 있는 것으로 인식되고 있다. 마쯔모토 에이이치(松本榮一)는 이것이 마니교(摩尼教)의 지부신앙(地府信仰)과 관련이 있음을 지적하고 있다. 예를 들면, 남송(南宋)의 지반(志磐)이 『불조통기(佛祖統紀)』에서 이르길, "시왕의 이름을 티베트의 전기(傳記)에서 고증할 수 있는데, 여섯 명이 이에 해당된다. 즉, 염라(閻羅), 오관(五官), 평등(平等), 태산(泰山), 초강(初江), 진광(秦廣)이다."라고 하고 있다. 다만 이 가운데 염라왕은 불교의 경전과 문헌에서 비롯된 것으로 의심할 바가 없다. 또한 평등왕은 염라왕으로 염라왕의 의역(意譯)이며, 마니교의 경전과 문헌에서도 역시 나타나고 있다. 태산왕은 중국의 유구한 민간신앙 가운데 태산부군(泰山府君)과 관련이 있다. 그런데 아직까지는 시왕의 이름과 관련된 내력을 모두 조사하기는 어려운 실정이다.

시왕 심판의 형식은 중국 옛 관부의 재판과 매우 유사하다. 시왕경 변상도는 이를 시왕심판도(十王審判圖)로 잘 반영하여 표현하고 있다. 그러나 이러한 회화의 기원과 형성 과정은 비교적 복잡하기 때문에 명확하게 설명하기 어려운 점이 있다. 따라서 초기의 시왕과 관련된, 명문이 있는 석각조상(石刻造像)의 비명(碑銘), 석굴조상(石窟造像)의 천각(淺刻) 그리고 나문(儺文) 등에서 발견된 약간의 단서를 통해 시왕심판도의 기원과 형성을 일부나마 살펴보고자 한다.

1) 비상각회(碑像刻繪)

섬서(陝西)의 석각조상비명(石刻造像碑銘) 중에는 북위(北魏) 말기 태창(太昌) 원년(532)에 도독 번노자(樊奴子)가 조성한 것이 있다. 모봉지(毛鳳枝)의 『관중석각문자신편(關中石刻文字新編)』[183]에 비명이 수록되어 있다. 이 비상(碑像)은 원래 섬서 부평현(富平縣)에서 출토되었는데, 높이가 4척, 너비가 1척 4촌이다. 비양(碑陽)·비음(碑陰)과 측면의 위쪽은 불감이, 아래쪽은 천각(淺刻)과 공양인의 제명(題名)이 있다. 발원문[184]은 비의 측면 아래쪽에 있으며, 미륵신앙이 뚜렷하게 나타나 있다. 제명에는 또한 번(樊)의 7세 선조의 이름과 죽은 형, 죽은 조카의 관직이 있는데, 중요한 것은 그 오른쪽 비음(碑陰)의 도상 기록이다.[185] 비음의 위쪽에는 번노자 등의 관직과 칭명(稱名)이 있다.[186] 이들 기록은 대단히 놀라운 것이지만, 애석하게도 지금은 이 상의 소재를 알 수 없다. 이 비상(碑像)은 관중(關中) 지역에 소재하고 있었다. 관중 지역은 북위 시기에도 여전히 정치의 중심이 아니었으며, 오래지 않아 장안(長安)에 도읍을 정하고 건국한 서위(西魏)의 땅이 되었다.

비록 유물은 전하고 있지 않지만, 북위 말기인 6세기에 염라왕과 오도대신의 심판 도상이 이와 같은 것이라면, 시왕심판도는 이 시기에 상당히 완비되어 있었다고 할 수 있다. 비(碑)에 새겨진 도상 중에는, 염라왕이 양을 도살한 사람에게 목숨으로 배상하라는 판결을 내리는 장면이 있다. 또한 오도대신, 즉 이후의 오도전륜왕은 무인의 형상에 병기를 잡고 육도윤회를 관장하고 있어서 이미 그 정형을 갖추고 있다. 지옥시왕도(地獄十王圖)의 가장 빠른 소재는 염라왕과

183 『石刻史料新編』 第22册 ; 毛鳳枝, 『關中石刻文字新編』, 臺北 新文豊出版公司.

184 大魏太昌元年, 歲次知壬子六月癸亥朔七日庚午, 樊奴子體解四非元識幽旨心洪慈善自竭家珍敬崇石像一區 …… 七世先亡上生兜率面奉慈尊食 聽大乘悟無生忍及三界衆生三會初興願登〇聞果報成佛.

185 此是閻羅王治〇神座之前畵二羊作跪訴狀, 又畵一人縛於架格上, 一人持刀屠割之. 題字云, 此是屠仁, 今常羊命. 又畵一人縛於柱上, 題字云此是〇道大神〇罪人. 又畵二人裸身荷長枷. 題字云此人是盜, 今〇此人加頭部. 又畵一神人坐胡床上, 上手執長戈, 前畵六道輪回像. 又此碑畵像儀杖中有乘槖 駝者負弓矢者而前導者, 益當時儀制如此, 其散盖則多作曲柄云.

186 宣威將軍騎都慰梁泉縣伯彰縣令驤威將軍奉朝請都督樊奴子亡兄風前統軍躬故增北地太守亡兄寶幡兵軍主一心.

오도대신이라는 것을 알 수가 있다. 심판 장면도 역시 이 시기에 그 형태를 갖추고 있다. 이후의 시왕도는 단지 명왕들만이 늘어난 것이다.

남북조 시기의 육도와 지옥의 도상 또한 조각에서 볼 수 있다. 이러한 도상은 독립된 형태로 표현된 것이 아니라 조각된 상의 표면에 선으로 새겨지거나 부조 형태로 나타나고 있다. 특히 이러한 도상은 노사나법계인(盧舍那法界人)상에서 보이고 있어서 주목된다. 일본의 마쯔모토 에이이치(松本榮一), 요시무라 레이(吉村怜) 등은 이것을 전문적으로 연구하였다. 노사나법계인 상에 대한 기록은 옛 승전(僧傳)이나 금석(金石) 관련 문헌에 적지 않게 나타나고 있다. 예를 들면, 『고승전(高僧傳)』의 석승전(釋僧銓), 『낙양가람기(洛陽伽藍記)』의 숭진사(崇眞寺), 영명사(永明寺) 조(條), 『금석췌편(金石萃編)』의 「도월출조상기(道月出造像記)」, 『도재장석기(陶齋藏石記)』의 북제(北齊) 무평(武平) 6년의 「○시생조상기(○市生造像記)」 등이 이에 해당된다. 당(唐) 개요(開耀) 원년(682)의 연원소(燕元紹) 등의 조상기는 부가적으로 아미타상을 새긴 것이다. 돈황과 신강의 석굴 벽화와 목판회도(木板繪圖)에도 이러한 종류의 도상이 있다.

또한 부분적으로 석굴 벽화와 견본(絹本) 회화에도 지옥 혹은 육도윤회의 도상이 나타나고 있다. 예를 들면, 돈황의 북주(北周) 428굴 왼쪽 벽의 불 입상 대의에는 육도도상(六道圖像)이 그려져 있다. 하남(河南) 활현(滑縣) 고한사(高寒寺)에 있는 북제(北齊) 시기 석조상의 몸 위에도 육도도상이 새겨져 있다. 하남(河南) 안양(安陽) 보산사(寶山寺)의 대주성굴(大住聖窟)에 있는 노사나불상(盧舍那佛像)의 대의 위에는 천인(天人), 인간과 아귀 등이 새겨져 있다.

미국 워싱턴의 프리어미술관에 소장되어 있는 수대(隋代)의 석조 불상 대의에는 얕은 선으로 여러 층의 도상이 새겨져 있는데, 여기에 지옥의 장면과 여섯 신왕(神王)이 있다. 신왕의 아래 면에는 염라왕의 심판 장면과 탁자가 있다. 옥졸이 형구를 차고 있는 죄인을 압송하고 있으며, 죄인은 벌거벗은 채 형벌을 기다리고 있다. 그 옆에는 한 명의 왕이 있는데(오도전륜왕일 것이다), 위에는 화개(華蓋)가 있고, 옆에는 두 명의 관리가 보좌하고 있다. 그 앞에는 다섯 줄로 늘어선 인물들이 있는데, 네 줄은 위로 올라가고, 한 줄은 내려가고 있다. 윤회를 나타내는 것이다. 아래 면에는 7개의 방이 지옥의 징벌을 표시하고 있다. 검수

(劍樹), 포락(炮烙), 화상(火床), 확탕(鑊湯), 독사(毒蛇) 등을 볼 수 있다. 또한 소머리의 옥졸이 죄인들을 감시하며 압송하고 있다. 이 도상은 명부심판의 장면을 보여주는, 대단히 드문 예이다. 여기에서 순서대로 있는 신왕[풍신왕(風神王), 화신왕(火神王), 수신왕(樹神王), 어신왕(魚神王)]과 지옥심판 장면은 서로 관계가 있으며, 역시 흔히 볼 수 없는 희귀한 도상들이다. 일반적으로, 신왕은 다른 계열의 상에 속한다. 북조 석굴과 조각상들 중에 신왕은 무려 열점에 이르지만, 신왕과 염라왕이 함께 있는 도상은 거의 볼 수 없다. 그러므로 이러한 도상적 구성은 깊이 연구해 볼 만한 가치가 있다.

이외에도 당대(唐代)의 것으로, 정관(貞觀) 13년(639)에 제사원(齊士員)이 헌릉(獻陵)에 조성한 조각상[187]이 있다. 재사원은 원래 무장으로, 후에 당 고조(高祖) 시기에 헌릉(獻陵)을 지키는 관원이 되었다. 그는 능 뒤에 불전(佛殿)을 만들고 돌 위에 『금강경』과 『관세음경(觀世音經)』을 새겨 넣었다. 또한 선각(線刻) 수법으로 염라왕의 심판 장면 그리고 탁자를 비롯한 각종 기물들을 상세히 표현하였다. 화면에는 염라왕이 화개 아래에 앉아 있고, 왕 앞에는 관원이 보고를 하고 있으며, 옥졸들은 형구를 차고 있는 죄인들을 압송하고, 주변에는 여러 명의 승려가 모여 있다. 더욱 생동감 있는 표현은 한 무리의 짐승과 가축이 먼 곳에서 달려와 이제 막 염라왕의 앞에 이른 것이다. 이 중에는 돼지, 개, 닭, 소, 사슴과 쥐 등이 있고, 어떤 짐승은 배꼽과 목에 형구를 차고 있다.

전체적으로, 화면에 적지 않은 문구가 새겨져 있는데, 앞의 도상의 위쪽에 다음과 같은 문구가 있다.

> 불상을 두드리거나 경전의 글자를 훼손하는 이는 다음 생에 항상 지옥에 떨어져서 다시는 사람의 몸을 회복하지 못하고 항상 재앙이 미치는 과보를 만나게 된다.[188]

187 이 圖像의 탁본은 北京大學圖書館에 있다. 이것의 拓片은 아직 공개되지 않았지만, 도상의 상태는 필자가 조사할 수 있었다.

188 若有人敲打佛像, 破滅經字, 願來世恒墮地獄, 世世不復人身, 常興値災窮之報.

이어서 앞의 도상 아래에도 도상이 있는데, 도상 옆의 제(題)에는 명률삼조(冥律三條)가 다음과 같이 새겨져 있다.[189]

> 첫째 조목 : 염라왕이 좌우의 동자를 보내서 계율을 깨고 훼손한 도속(道俗)을 기록하여 장사(長史)에게 보내 자세히 검토하게 한 다음 죄 지은 만큼 받게 한다.[190]
> 두 번째 조목 : 염라왕의 처분을 받들어 …… 알고도 고의로 범한 자나 계율을 어기고 계를 파한 자와 금수 등은 지은 죄가 매우 크다. 무수한 생명을 살해하고, 술 마시고 고기 먹고, 음행을 저지르고 욕정을 즐기며, 보통 사람들을 괴롭히고 죄와 복에 대해 거짓말을 하는, 이와 같은 무리들은 백성을 현혹시킨다. 지옥 안에 어떤 인연으로 이와 같은 사람들이 보이지 않겠는가.[191]
> 세 번째 조목 : 염라왕이 장사(長史)를 파견하여 자세히 조사하는데, 다섯씩 조를 짜서 만약 죄를 지은 사람을 감추면, 동일한 죄를 묻게 한다. 장사가 감독하여 죄인을 형틀에 매고 18층 지옥으로 보내서 형벌을 마치게 한다. 그 후에 다시 아비대지옥을 더한다. 염라왕이 장사에게 가르쳐 말하기를, "다만 삼교를 숭상하고, 충효에 정성을 다하고, 수행에 정진하고, …… 괴로움을 감내하며 부과된 죄과만을 받는 이러한 무리는 속박하지 않는다."라고 하였다.[192]

여기에 기록된 명문은 대단히 특징적이다. 염라왕이 동자를 보내고, 장사(長

189 葉昌熾(撰) · 柯昌泗(評), 『語石語石異同評』, 中華書局, 1994, p.311.

190 王教遣左右童子, 錄破戒虧律道俗, 送付長史, 令子細勘, 當得罪者將過.

191 奉閻羅王處分, 比○大○雜人知而故犯, 違律破戒及禽獸等, 造罪極多. 煞害無數, 飲酒食宍, 貪淫嗜欲, 劇於凡人, 妄說罪福, 誑惑百姓, 如此輩流. 地獄內何因不見此等之人.

192 閻羅王教遣長史仔細括訪, 五五相保, 使得罪人, 如有隱藏, 亦與同罪. 仰長史括獲送枷, 送入十八層地獄受罪訖. 然後更付阿鼻大地獄. 王教語長史, 但有尊崇三教, 忠孝竭誠, 及精進練行 …… 乘苦勤, 祗承課役. 如此之徒, 不在括限.

史)가 승(僧) · 속(俗)을 상세하게 감찰하여서, 보갑제도(保甲制度)의 오오상보(五五相保)처럼 확실하게 점검하고 조사하여 물샐 틈이 없다. 계와 율을 어긴 승 · 속에 대해서는 그에 맞는 처분을 하는데, 18층 지옥에 그치지 않고 다시 아비대지옥(阿鼻大地獄)으로 보낸다. 삼교를 숭앙하고, 마음을 다해 정진한 자는 속박하지 아니한다.

이러한 세 가지 조목의 내용은 확실히 염라왕 심판의 성격이 드러나 있고, 이러한 것은 여러 경전에서 재일(齋日)의 기원에 대하여 말하고 있는 것, 즉 사천왕과 천사(天使)가 이 세상에 내려와 선악을 감찰한다는 내용과 관련이 있다. 그리고 『지장보살십재일』 부류의 재일경궤(齋日經軌)에 서술되어 있는 내용, 즉 천신이 세상에 내려와 선악을 조사하고, 부처와 보살을 염송하는 자는 죄를 면제해 준다는 것과 서로 통하는 바가 있다. 또한 염라왕이 동자를 보내, 장사(長史)로 하여금 죄를 조사하고 허물을 묻는 내용은 시왕경도(十王經圖)에서 시왕이 전당에서 심판을 하고 있는 장면과 같다. 이들 조목의 내용은 명계 심판의 구성이 구체적으로 중국화 되어가는 과정을 보여주는 의미 있는 것이라 할 수 있다.

돈황 석굴에 있는 북위(北魏) 시기의 248굴, 당대(唐代)의 제31굴 남쪽 벽에 있는 노사나불상(盧舍那佛像)은 모두 노사나법계인상(盧舍那法界人像)이며, 돈황의 오대(五代) 시기 제152굴의 벽화에 있는 일월등명불(日月燈明佛)의 대의(大衣) 위에는 수미산이 있고, 대영박물관에 소장되어 있는 당대(唐代) 말기의 견본(絹本) 불화에는 일월등명불(日月燈明佛)의 대의 위에 육도(六道)의 아수라, 지옥 등의 장면이 있다.[193] 신강(新疆) 고목토라(庫木吐喇) 석굴 제9굴의 바깥쪽 용도(甬道)의 벽화에는 잔상(殘像)이 있는데, 이 상의 가사 위에 육도 등의 도상이 있다. 이 상은 노사나불이나 혹은 지장으로 추정된다.

더욱 흥미로운 것은 용문석굴에 있는, 당 고종 시기에 위태비(韋太妃)가 조성한 경선사(敬善寺) 동굴 입구 양쪽의 하후씨(夏侯氏)와 두법력(杜法力)의 상

193 吉村怜, 「盧舍那法界人中像的硏究」, 『中國佛敎圖像的硏究』, 東方書店, 1983. 여기서 열거한 敦煌482窟은 428窟의 착오이다. 松本榮一의 『敦煌畵の硏究』(1985 再板本) 참조.

(像)이다. 동굴의 입구 북쪽 벽에는 소좌상(小座像)이 여섯 줄로 배열되어 있는데, 각 줄마다 8구의 상이 배치되어 있다. 맨 아래에 있는 두 상은 모두 선정인(禪定印)을 맺고 있으며, 양손은 소매 속에 감추고 있다. 아랫부분에 명문이 있다.[194]

동굴 입구의 남쪽에는 다섯 층으로 불상이 새겨져 있는데, 이를 위에서 아래로 살펴보면 다음과 같다.

A. 1구의 불상이 있다. 설법인(說法印)에 결가부좌하고 있는데, 발이 드러나 있지 않다. 대좌는 속요수미좌(束腰須彌座)이다. 아래쪽의 명문에는, "두법력(杜法力)」 위태산(爲太山)」 부군조(府君造)」 상일구(像一區)"라고 기록되어 있다.

B. 1구의 불상이 있다. 결가부좌하여 오른쪽 발을 드러내고 있으며, 오른손은 오른쪽 무릎 위에 올려져 있고, 왼손은 손바닥이 위로 펴진 상태로 배 앞쪽에 있다. 대좌는 방요수미좌(方腰須彌座)이다. 명문에는, "두법력(杜法力)」 위염라(爲閻羅)」 대왕조(大王造)」 상일구(像一區)」 급칠대선(及七代先)」 망병배업(亡幷倍業)」 조(造)"라고 기록되어 있다.

C. 감실 내에는 삼신불(三身佛)이 있다. 모두 결가부좌하고 있으며, 대좌는 모두 원형속요수미좌(圓形束腰須彌座)이다. 삼신불의 가운데 불상은 양손을 무릎 위에 올려놓고 있고, 양쪽의 두 불상은 양손으로 배 앞에서 발우를 들고 있다. 아래쪽의 명문에는, "두법력(杜法力)」 위오도(爲五道)」 장군급(將軍及)」 부인태(夫人太)」 산부군(山府君)」 녹사경(錄事敬)」 조일구(造一區)"라고 기록되어 있다.

D. 현존하는 것은 5구의 소좌불(小坐佛)이며 나란히 배열되어 있다. 양쪽 끝에는 각각 1구의 흔적이 남아 있다. 모두 선정인을 맺

194 垂拱二年五月十」 五日, 夏侯」 爲合家大小, 造」 業道像五十」 區, 願一切含生」 離苦解脫」 祁擧兒郭」 娘子成.

고 있으며, 손은 소매에 감추어져 있다. 대좌는 앙련좌(仰蓮座)이다. 아래쪽의 명문에는, "두법(杜法)」 력위(力爲)」 천조지부(天曹地府)」 각조(各造)」 오구(五區)」 우두(牛頭)」 옥졸(獄卒)」 각일구(各一區)"라고 기록되어 있다.

E. 현존하는 것은 7구의 소좌불이며 나란히 배열되어 있다. 서쪽 끝에 1구의 흔적이 남아 있어서 모두 8구였음을 알 수 있다. 그 형태는 앞의 소불상과 비슷하다. 아래쪽의 명문에는, "두법력(杜法力)」 위아수(爲阿修)」 라왕급건(羅王及乾)」 달바왕(達婆王)」 남두북(南斗北)」 진각이(辰各二)」 구(區)"라고 기록되어 있다.[195]

이러한 상들은 경선사(敬善寺) 동굴 입구의 양쪽에 위치하고 있다. 경선사의 본사는 대략 당(唐) 고종(高宗) 인덕(麟德) 2년(665) 전후에 착공하기 시작했다. 하후씨(夏侯氏)와 두법력(杜法力)이 조성한 상은 동굴의 입구 쪽에 있는데, 조성 시기는 이보다 조금 늦다. 입구 북쪽의 하후씨 상은 명확하게 그 조성 연대가 당 수공(垂拱) 2년(686)이라고 명문에 기록되어 있다. 당시에는 측천무후(則天武后)가 집정을 하였으나 '주(周)'라고 칭하지 않았을 때이다. 두법력이 조성한 상은 한 가지 주목할 점이 있는데, 명문의 염라대왕, 태산부군, 오도장군의 명칭과 실제 조각상이 같지 않다는 점이다. 또한 여기에 조각되어 있는 많은 불상은, 단지 복을 빌고 죄를 멸하기 위한 목적에서 조성된 것이다. 이러한 점은 조각의 성격을 이해하는 중요 기준이 된다.

앞서 살펴본, 북조(北朝)와 당대(唐代) 조각상이 명계신앙 등과 관계가 있다는 것은 의심의 여지가 없다. 뿐만 아니라 재일수계(齋日守戒)와 지옥신앙이 발전되어 가면서 나타나는 염라왕 등의 신의 명호가 북위(北魏)와 당초(唐初) 시기에는 더욱 풍부해졌지만, 시왕경도(十王經圖)에 비해서는 적게 나타난다고 할 수 있다. 바로 여기에 명계시왕(冥界十王)의 발전과정에 대한 단서의 고리가 있는 것이다. 앞에서 살펴본, 북위(北魏)의 번노자(樊奴子)가 조성한 비상(碑像)

195 閻文儒 · 常青, 『龍門石窟研究』 第四章 敬善寺區, 書目文獻出版社, 1995.

중에는 염라왕과 오도대신이 있고, 재사원(齊士員)이 조성한 상에는 염라왕, 동자, 장사(長史) 등이 있다. 두법력이 조성한 상에는 염라대왕, 태산부군, 오도장군, 녹사(錄事), 천조지부(天曹地府), 우두옥졸(牛頭獄卒), 아수라(阿修羅), 건달바(乾達婆)와 성진(星辰) 등이 있어서 도상이 매우 풍부함을 알 수 있다.

만당(晩唐) 오대(五代)의 시왕경도에서 송(宋), 원(元), 명(明), 청(淸)의 수륙도회(水陸圖繪)에 이르기까지, 전 시기에 걸쳐서 명계시왕 신앙을 중심으로 발전되어 온 도상과 민간의 풍부한 신지(神祗) 도상이 나타나고 있다. 그러나 명계시왕의 도상은 초기에 있어서 기원의 정황만이 있을 뿐이며, 또한 어떻게 민간신앙과 깊이 결합되었는지에 대해서는 진지한 탐색이 요구된다.

2) 나희문사(儺戲文詞)

돈황유서(敦煌遺書)의 나희문 가운데 명계시왕과 관련된 단서를 찾아볼 수 있다. '고로풍속[古老風俗 ; 연말 풍습에 사용되는 귀신을 쫓는 문헌. 즉, 구나가(驅儺歌), 혹은 구나문(驅儺文)]에 관계된 일련의 문헌이 있다. 이러한 나문(儺文)들 중에는 불교에서 잡귀를 쫓는 의식에 사용하였던 것들도 있다.[196] 예를 들면, P.3270(DX1094)의 『구나아랑위(驅儺兒郞偉)』 1편에는 다음과 같은 내용이 있다.

> 세모(歲暮)에는 역귀[儺]를 쫓아버리고, 옛것을 보내어 새로운 것을 맞는다. 만약 구년(舊年)의 재난을 말하고 바로 천원(川原)으로 달려 나가면, 상서(尙書)가 묵은 해의 악귀(惡鬼)를 진압하고 아홉 곳에서 금단(金壇)을 결성하여 경신(敬信)한다. 이때에 제천(諸天)들이 왕 앞에 강림하여 내려온다.[197]

---

196 李正宇, 「敦煌儺散論」, 『敦煌研究』(第2期), 1993 ; 黃征 · 吳偉(編校), 『敦煌願文集』, 岳麓書社, 1995 ; 艾麗白, 『敦煌寫本中的 '大儺' 儀禮』 ; 文見 · 謝和耐等, 『法國學者敦煌學論文選萃』, 中華書局, 1993.

197 驅儺歲暮, 送故迎新. 若說舊年災難, 直遞走出川(原). 總緣尙書敬信, 九處結會金壇. 輿(以)鎭舊歲惡鬼, 諸天降下王前.

이 문구 가운데 '경신(敬信)', '결단(結壇)', '제천(諸天)' 등은 모두 불교용어이며, 속세의 용어와는 다르다. 돈황연구원(敦煌研究院)의 이정우(李正宇) 선생은 이를 불교 구나대(驅儺隊)의 창사(唱詞)로 추측하고 있다. 뒤의 『구나아랑위』 2편에서 명확하게 "청불구처결단(請佛九處結壇)"이라고 하는 것이 이를 뒷받침해 주는데, 그 내용은 다음과 같다.

> 커다란 역귀를 쫓는 법을 천하와 더불어 전하노라. 세모(歲暮)에 오도(五道)를 쫓아 부르고, 기린을 창과 쇳덩이로 고정하여서 나란히 집 가운데 바로 세우니, 천병(天兵)이 우리를 도와 단(壇)을 차리는구나. 떠돌아다니는 귀신을 붙잡아 홀로 위엄과 권위를 희롱하지 못하게 하였도다. 우리 상서(尙書)는 하늘에서 내린 자식으로, 지금은 이처럼 어리나 …….[198]

> 세 명의 두렵고 성스러운 부령(部領)이 죄인들을 쇠사슬로 채워 유연(幽燕)으로 압송하니, 이들은 사주(沙州)에 머무는 것이 허락되지 않고, 천원(川原)을 어지럽히는 것도 허락되지 않는다. 우리 상서(尙書)는 삼보를 공경하여, 위엄스런 광명이 끝없이 뻗어나가, 팔방에서 모두 와서 꿇어 엎드리니, 오랑캐들도 궁전 앞에서 춤을 춘다. 또한 악귀가 경계에 드는 것을 두려워하여 부처님께 아홉 곳에서 결단(結壇)하여 받들어 청한다. 상서의 신심(信心)이 끊어지지 않음이 이와 같아서, 천년 만년토록 명을 받든다.[199]

위에서, "상서(尙書)는 삼보를 공경하여, …… 아홉 곳에서 결단(結壇)하여 받들어 청한다"라는 문구가 불교적 함의를 갖고 있음에는 의심의 여지가 없다.

---

198 驅儺儺之法, 天下共傳. 歲暮追呼五道. 点校旗嶙(麒麟)戈鋋. 排比直於中館, 天兵助我撒擅(壇). 捉取浮游浪鬼, 不教尹(伊)獨弄威權. 我尙書天降之子, 如今正是小(少)年, …….

199 三危聖者部領, 枷鎖遞送幽燕. 不許沙州亭(停)宿, 亦不許惱亂川原. 我尙書敬重三寶, 威光熾盛無邊. 八方總來跪伏, 獫狁道(蹈)舞殿前. 恐怕惡鬼入界, 請佛九處結壇. 如此信心不絶, 受命千年萬年.

'천사(天使)' 와 '오도(五道)' 도 역시 불교와 관련이 있다. P.4976호 『구나아랑위』에는 불교적 내용이 더욱 분명하고 많이 나타나는데, 다음과 같다.

> 지난해에 처음으로 현율(玄律)을 보내니, 새로운 절기와 청양(青陽)을 맞아 취했도다. …… 매년 선심이 끊이지 않아 결단(結壇)하여 팔방에서 부처님을 청하였고, 스님 대중에게 『금광명경(金光明經)』이라는 오묘한 경전을 전하니, 대비(大悲)가 친히 중앙에 보였다. 이와 같이 공양이 끊이지 않아 제천(諸天)이 아랑(阿郎)을 돕고 보호하였도다. 다음에 지금의 황제가 되셨으니, 십도(十道)들이 귀화하여 무강(無疆)하구나! 천공주(天公主)의 선심이 끊이지 않아 모든 절에서 부처님의 대의를 만들었도다. 지금에야 탕천(宕泉)에 굴을 만드니, 수명연장의 감통(感通)을 얻었다. 이와 같이 삼보를 믿고 공경하니, 모든 부처님들이 멀리에서 오셔서 외호하여 조력하시구나. 무릇 인심을 평등하게 행하여 수명이 겁(劫)의 돌과 같이 연장되니, …… 오늘 밤 역귀를 몰아낸 이후에 곧바로 천 가지 만 가지 상서로움을 얻을 것이니라.[200]

그리고 P.2058호의 뒷면에 있는 『구나아랑위』 2편의 내용은 다음과 같다.

> 마치 천지가 개벽함이 황제 헌원(軒轅)이 있어 명사육도(冥司六道)를 눌러 조복하고 아울러 첩조(帖照)를 지키는 것과 같도다. 오도대신(五道大神)이 방망이를 들고 태산부군(太山府君)을 몰아내고, 떠돌아다니는 귀신을 찾아, "어찌 사람과 하늘을 번거로이 해치는가!" 라고 따져 묻는구나! …… 이미 앞에는 한 무리의

200 舊年初送玄律, 迎取新節青陽. …… 每歲善心不絶, 結壇唱佛八方. 緇衆轉金光明妙典, 大悲親見中央. 如斯供養不絶, 諸天助護阿郎. 次爲當今帝主, 十道歸化無疆. 天公主善心不絶, 諸寺造佛衣裳. 現今宕泉造窟, 感得壽命延長. 如斯信敬三寶, 諸佛助獲遐方. 夫人心行平等, 壽同劫石延長 …… 今夜驅儺以後, 直得千祥萬祥.

> 죄인들이 염라왕 곁을 지났으며, 우두(牛頭)가 심장을 빼고 혀를 뽑고, 옥졸이 철차(鐵叉)로 몸을 도려내어, 아비(阿鼻)지옥으로 쫓아내니, 이들은 인간 세상에 다시 올 인(因)이 없도다. 역귀를 쫓아냄이 허망한 것이 아니니, 믿지 않는 사람은 밝은 현인에게 물어 취하라. 올해 이후로는 어른과 아이가 편안히 살고 편안히 잘 것이다.[201]

P.2055호의 뒷면에도 역시 『구나아랑위』가 있다.

> 오도장군(五道將軍)이 친히 이르니, 호랑이가 10만의 곰을 거느린 듯하다. 또한 구리머리에 쇠이마를 하고 있으며, 온 몸에 표범의 가죽을 뒤집어쓰고 있다. 그 칙사(勅使)는 주사(朱砂)로 몸을 붉게 물들이고 있으니, 모두 이르길, "바로 종규(鐘馗)이다."라고 한다. 떠돌아다니는 귀신을 붙잡아 장차 세 가지 액난에서 벗어나게 한다.[202]

이 책자의 두 단락의 글귀에는 염라왕, 오도대신, 태산부군이 있고, 또한 소머리 형상의 옥졸이 죄인의 무리를 압송하고 있으며, 명사(冥司), 육도 등이 있어서 명계 심판의 성격이 분명하게 드러나 있다. 이 구나대(驅儺隊) 가사는 오도장군이 스스로 무리를 통솔하는 장군이라는 것을 보여주고 있고, 세속대신(世俗大神) 종규(鐘馗 ; 역귀나 마귀를 쫓는 신)는 반대로 그 칙사에 의해 통솔되고 있다.

돈황 구나대 가운데 중요한 것은 종규가 세속의 구나대를 통솔하는데, 불교와 오교(祆教)의 무리가 있고, 오교의 무리는 안성대오(安城大祆)를 따르는 무리

201 若說開天辟地, 自有皇(黃)帝軒轅. 押伏名(冥)司六道, 并交(教)守帖照. 五道大神執杵, 驅見太山府君. 尋勘浮游浪鬼, 如何惱害人天! …… 已前都爲一隊, 領過閻羅王邊. 牛頭鉆心拔舌, 獄卒鐵叉來剜. 驅入阿鼻地獄, 無因得到人間. 不是驅儺虛妄, 不信者問取明賢. 自從今年以後, 長幼安居安眠.

202 五道將軍親至, 虎(步)領十萬熊羆. 又領銅頭鐵額, 魂(渾)身總着豹皮. 敕使朱砂染赤, 咸(喊)稱寶 '我是鐘馗'. 捉取浮游浪鬼, 稍卽將出三危.

이다. 돈황 구나대는 관군과 구별되어, 민간의 여러 지대(支隊)로 이루어져 있고, 매 지대에는 매년 모두 새롭게 엮은 창사(唱詞)가 있으며, 또한 복색과 차림이 가지각색으로 구별된다. 가히 구나대에서 염라대왕, 태산부군, 오도장군이 주가 되어 역귀 쫓는 장면을 공연하는 것이 상상이 된다. 이를 통해 송구영신하는 것이다. 그 성격은 현대의 길거리 공연과 유사한 점이 있고, 희극적 요소가 풍부한 문예 연출이라 할 수 있다. 이로부터 민간과 민속에 깊이 뿌리 내린, 대단히 생동적인 불교 신앙과 명계 신앙의 한 단면을 볼 수 있다.

이 일련의 『구나아랑위』는 간행 시기가 여전히 불확실하다. 다만 나희(儺戲) 활동은 틀림없이 그 이전부터 지속되어 왔을 것이다. 구나(驅儺) 문헌에 나타나는 염라대왕, 태산부군, 오도장군, 혹은 대신(大神)에 대한 표현법으로 볼 때, 돈황의 『염라수기경(閻羅授記經)』으로부터 나왔을 수도 있다. 왜냐하면 이러한 신들과 우두 · 옥졸 등의 형상과 명칭이 모두 이 경전에서 나오고 있기 때문이다. 그런데 『염라수기경』이 돈황에 나타난 것은 만당(晩唐) 시기이며, 중요 문헌은 오대(五代) 시기의 것들이다. 뿐만 아니라 경전의 앞부분에 성도(成都) 대성자사(大聖慈寺)를 명기하고 있다. 앞에서 이것의 일련의 조상(造像)과 명문 그리고 용문(龍門) 두법력(杜法力)이 조성한 상들까지 대조해 보았는데, 염라대왕과 명계 신앙의 전통은 그것보다 앞서 있으며, 또한 점차적으로 발전해 왔다는 것을 알 수 있다. 두법력 조상과 돈황의 나희 창사(唱詞)에는 시왕 가운데 가장 중요한 염라대왕, 태산부군, 오도장군이 모두 나오고 있다. 이것은 결코 우연한 것이 아니다. 시왕신앙의 형성과 발전 과정의 중요 연결고리로 판단된다.

『시왕경도(十王經圖)』의 명부 심판 장면과 당시 사회의 심판 장면은 대단히 유사하다. 형구를 찬 죄인, 벌을 받는 장면, 대관(大官)과 옥졸[輔吏] 등의 모습을 통해 우리는 오대(五代) 전후의 사회 현실을 볼 수 있다. 돈황의 나희 창사의 텍스트를 통해서, 명계 심판의 광경이 당시의 사회생활을 예술의 형식으로 구현하고 있고, 이러한 장면은 시왕경도 속에서 무수히 구성되어 있으며, 생동감 있게 당시의 생활상을 잘 조명하고 있다는 것을 알 수 있다. 이것은 단순한 가정일 수도 있지만, 북조(北朝)에서 당대(唐代)까지의 산발적인 단서들을 종합해 보면, 『시왕경도』의 출현이 우연적이거나 돌발적인 것이 아니라는 것을 긍정할 수 있게 된다. 이러한 것들이 문장이나 그림으로 나타나기 전에, 이미 하나의 견실한 발전과정이 이루어지고 있었고, 이것은 이후에 『시왕경도』와 『시왕도축(十王圖軸)』의 발전과 영향의 확대를 가져오는 주춧돌 역할을 했다고 볼 수 있다.

『지장보살십재일』은 돈황 사본 가운데 지장신앙과 관계가 있는 대단히 중요한 경전이다. 『지장보살십재일』에 관하여, 프랑스의 학자 미셸 소미에 선생은 상당히 깊고 세밀한 연구를 하였다.[203] 『지장보살십재일』과 지장시왕지옥상(地藏十王地獄像) 사이에는 이미 연관관계가 있는데, 이들을 연결하는 교차점이 바로 대족(大足) 보정(寶頂)의 제20호 마애전각(摩崖鐫刻)이다. 여기서의 시왕상은 『염라수기경』의 경찬(經讚)과 동일하고, 시왕상 아래의 십지옥 장면은 『십재일(十齋日)』의 문구, 찬문과 같다. 경전과 도상표현의 이러한 밀접한 관계는 이보다 더 이른 시기에도 이미 형성되어 있었다.

기존의 연구조사에서 알 수 있듯이, 돈황 판화에는 일종의 지장보살 판화뿐만 아니라 약사불(藥師佛)과 아미타불 등의 판화도 있다. 특히 대영박물관에 소장되어 있는 S.256호 약사불 판화에 재일(齋日)의 명확한 날짜가 기록되어 있다. 즉, 7월 8일, 14일, 15일, 23일, 29일과 30일이다. 이것은 마치 거사 신도들이 준수하는 육재일(六齋日)과 같다. 그러므로 전체적으로 돈황의 지장보살 판화는 재일을 위하여 인쇄되고, 그 문구는 재일에 염송하고 기복하는 부처나 보살의 명호와 관련이 있을 가능성이 크다. 이것은 종교미술과 재일의 연관관계를 보여주고 있으며, 또한 간접적으로 지장십재일과 지장보살과 시왕, 그리고 지옥 등의 도상과의 관계를 잘 설명해 주고 있다.[204]

『지장보살십재일』의 돈황사본(敦煌寫本)은 15본 정도이다. 스타인과 펠리오 소장본 중에 11본이 있다. 또한 산(散)1291호, 북경도서관(北京圖書館)의 『돈황석실사본상목속편총목(敦煌石室寫本詳目續編總目)』의 112호, 상해박물관 소장의 48(41379), 펠리오 소장의 Pt.941호가 있다. 만약 대족 보정산의 제29호 마애 석각본(石刻本)과 『대명삼장법교(大明三藏法教)』 권42에 기재되어 있

203 蘇遠鳴(Michel Soymié), 『敦煌寫本中的地藏十齋日』 ; 프랑스 謝和耐等(著) · 耿升(譯), 『法國學者敦煌學論文選萃』, 中華書局, 1993.

204 侯綿郎, 『敦煌寫本中的印沙佛儀軌』 ; 上同, 『法國學者敦煌學論文選萃』.

는 것을 고려한다면 그 수는 더욱 많아진다. 이러한 사본들 사이에는 비교적 아주 작은 차이만 있을 뿐이다. 어떤 것은 12월 예불명(禮佛名) 등을 내용으로 하지만, 그 기본 구성은 일치하고 있다. 즉, 어떤 날 어떤 신(神)이 세상에 내려와 인간의 선악을 순찰하고, 어떤 불(佛) 혹은 어떤 보살의 명호를 염송하면, 어떤 지옥에 떨어지는 것을 면할 수 있다는 것이다. 지재(持齋)를 하면 죄를 면하게 된다. 여기서 신, 불, 보살의 명호에 미세한 차이가 있다.

만약 이러한 지장시왕의 내용이 보권(寶卷)에 나타나는 것과 같다면, 지장십재일 또한 세상에 유행한 이후의 보권 형식이 있을 것이다. 백련교(白蓮教)의 중요 지파인 황천도(黃天道)의 『중희조언보권(衆喜粗言寶卷)』에는 위의 지장십재일 내용이 나타나 있다. 이 책은 청(清) 도광(道光) 30년(1850)에 간행되었다. 이외에 일종의 불교 주어(呪語)와 원문(願文)을 묶어 만든 『길상전집(吉祥全集)』에도 십재일의 내용이 있다. 근대에는 『태산동악시왕보권(泰山東岳十王寶卷)』 속에 역시 유사한 십불명호표(十佛名號表)가 있다. 12세기에 일본의 여인들이 사용하던 일종의 작은 백과서(百科書)인 『염중초(帘中抄)』에서 이와 유사한 내용의 십재일을 찾아볼 수 있다. 14세기에 간행된 『습개초(拾芥抄)』에도 비슷한 내용의 재일과 십계(十戒)의 규정이 있다.

『지장보살십재일』의 연대를 단정하는 것은 어려운 일이다. 돈황본의 이러한 일련의 문헌 가운데, S.4175호와 S.5892호만이 제기(題記)에 간지(干支)로 연대가 기록되어 있다. 이들은 삼계사(三界寺) 승려가 기록한 것으로 모두 '갑술년(甲戌年)'으로 쓰여 있다. 삼계사는 돈황의 중요 사찰 가운데 하나이다. 사찰의 건립 연대는 불명확하다. 만약 삼계사의 창건을 만당(晩唐) 대화(大和) 연간(828~835)으로 본다면, 3개의 갑술년, 즉 만당 대중(大中) 8년(854), 오대(五代) 후량(後梁) 건화(乾化) 4년(914)과 북송(北宋) 개보(開寶) 7년(974) 중에 하나일 것이다. 여기서 오대(五代), 즉 10세기 초일 가능성이 비교적 크지만, 다른 가능성도 완전히 배제할 수는 없다.

『지장보살십재일』에서 재일에 내려오는 십불 혹은 보살의 명호를 『시왕경(十王經)』의 시왕과 간략하게 대비해 보면, 재일불(齋日佛) 가운데 18일에 세상에 내려오는 왕은 다섯 번째 염라왕이고, 시왕 중에도 역시 다섯 번째의 위치이다. 24일에 내려오는 왕은 재일불 가운데 일곱 번째인 태산부군이고, 시왕 중에도 역시 일곱 번째에 있다. 육재일(六齋日)과 비교해 보면, 육재일의 세 번째는 재일의 중간에 있는 특별한 위치이고, 십재일의 다섯 번째에 해당하는 위치이므로, 즉 제18일에 염송하는 부처 혹은 보살의 명호는 특별히 중요하다. 십재일 가운데 이 날짜에 염송하는 보살은 관세음보살과 지장보살이다. 비교적 많은 사본에서 표시하고 있는 것이 관세음보살이다.

다만 S.2565호와 P.3809호의 제기에는 지장보살이 나타나 있다. 이 두 권의 책자에 있는 지장보살과 염라왕은 서로 대응하고 있으며, 『시왕경도(十王經圖)』에 그려져 있는 장면 역시 일치하고 있다. 이밖에 다른 『십재일』 텍스트에는 30일에 내려오는 신 가운데 '천조지부(天曹地府)' 의 이름이 있는 것이 있는데, S.2567호와 P.3795호가 이에 해당된다. 용문(龍門) 두법력(杜法力)의 조각상 중에 역시 '천조지부' 의 상이 있으나 직접적인 관련은 없다. 하지만 이러한 형태로 서로 공통점이 있는 것이어서 주목된다.

돈황의 십재일 사본 가운데 표제가 있는 6개의 텍스트 중 4개는 모두 제기에 『지장보살십재일』이라고 쓰여 있다[이 중에 2개의 제기는 『지장보살경십재일(地藏菩薩經十齋日)』이라고 하여, '경전' 이 부가되어 있다]. 그러므로 이 2개의 텍스트도 『지장보살십재일』이라고 추정할 수 있다. 그러면 지장보살은 십재일불(十齋日佛) 가운데 그 위치가 결코 평범하지 않고, 십재일불도 지장신앙에서 동등한 중요 위치에 있다고 할 수 있는데, 이 점은 앞으로 더욱 연구되어야 할 것이다.

5. 도교와 관련된 재일(齋日)

지장보살과 각종 민간신앙 그리고 민속풍습과 관련이 있는 것 가운데 대단히 많은 부분이 도교(道敎)와 관계가 있다. 도교는 중국 고유의 종교로서, 불교와 때론 반목하고 때론 융합하면서 발전되어 왔다. 도교는 불교가 중국에 들어오기 전에 이미 형태가 완비되어 있던 종교이지만, 그 발전과정에 있어서 불교에 영향을 받은 것은 일일이 열거할 수 없을 정도로 많다. 또한 불교와 도교는 민속풍습과도 동질화되는 과정을 거쳤다. 이러한 측면에서 도교와 관련된 재일(齋日) 등에 대해 살펴보겠다.

도교의 재일에도 역시 삼재일(三齋日), 오재일(五齋日), 십재일(十齋日)이 있다. 삼재일은 일반적으로 삼원일(三元日)을 가리킨다. 오재일은 '왕모출순일(王母出巡日)' 을 말한다. 십재일은 위에서 살펴보았던 『지장보살십재일』 종류의 불교 십재일과 비교적 밀접한 관계가 있다. 도교의 십재일도 매월 반드시 수재(修齋)하고, 배참(拜懺)해야 하는 10개의 날짜가 있다. 도교의 중요 전적인 『운급칠참(云笈七懺)』 권37에 십재일이 열거되어 있으며, 또한 각 기일에 내려오는 신(神)의 명호가 나란히 기록되어 있다.

1일. 북두(北斗)가 내려옴.

8일. 북두사곡군(北斗司谷君)이 내려옴.

14일. 태일사자(太一使者)가 내려옴.

15일. 천제(天帝)가 삼관(三官)을 데리고 내려옴.

18일. 천일(天一)이 내려옴.

23일. 태일팔신사자(太一八神使者)가 내려옴.

24일. 북진(北辰)이 내려옴.

28일. 하태일(下太一)이 내려옴.

29일. 중태일(中太一)이 내려옴.

30일. 상태일(上太一)이 내려옴.

하 · 중 · 상태일이 내려오는 날에는 천(天) · 지(地) · 수(水), 삼궁(三宮)의 모든 존신(尊神)들이 함께 내려와 천하를 두루 돌아다니며 사람들의 선악을 살핀다.

도교의 전적인 『천황지도태청옥책(天皇至道太淸玉冊)』 권7에도 역시 십직재일(十直齋日)이 기재되어 있다. 이 가운데 재일에 신(神)의 명호를 염송하여 화를 피하고 복을 구하는 것이 있다. 이러한 풍속은 전해지는 바에 의하면, 주백양(周伯陽)의 아비가 파빈아력왕(羆賓阿力王)에게 받았다고 하지만, 꾸며진 이야기일 것이다. 실상은 불교의 영향을 받아 성립되었을 가능성이 대단히 크다. 십직재일의 내용은 다음과 같다.

> 초1일.
> 무량태화천존(無量太華天尊)을 염(念)하고 생명을 죽인 것을 참회하여, 거꾸로 매달려 난도질당해 죽는 과보를 면하라.
> 초8일.
> 현상옥신천존(玄上玉宸天尊)을 염하고 도리에 따르지 않고 사사로움에 치우친 것을 참회하여, 쇠망치와 철봉으로 맞는 과보를 면하라.
> 14일.
> 도선상성천존(度仙上聖天尊)을 염하고 사람들에게 손해를 끼쳐 자신의 이익을 챙긴 것을 참회하여, 철상(鐵床)에서 찢기고 동주(銅柱)에 매달리는 과보를 면하라.
> 15일.
> 옥보황천상존(玉寶皇天上尊)을 염하고 자신의 강함을 믿고 약한 자를 능멸한 것을 참회하여, 비오듯 쏟아지는 창과 칼을 맞는 과보를 면하라.

18일.

호생도명천존(好生度命天尊)을 염하고 스스로의 마음을 속인 것을 참회하여, 창자가 뚫어지고 혀가 갈리는 과보를 면하라.

23일.

염현진만복천존(念玄眞萬福天尊)을 염하고 앞에서는 아첨하고 뒤에서는 헐뜯는 것을 참회하여, 불을 삼키고 재를 먹는 과보를 면하라.

24일.

태영허황천존(太靈虛皇天尊)을 염하고 미혹함에 빠진 것을 참회하여, 확탕지옥과 노탄지옥에 빠지는 과보를 면하라.

28일.

태묘지극천존(太妙至極天尊)을 염하고 일부러 착하지 않은 일을 한 것을 참회하여, 얼음구덩이에 빠지는 과보를 면하라.

29일.

진황동신천존(眞皇洞神天尊)을 염하고 실수로 남에게 상해를 입힌 것을 참회하여, 화염에 빠지는 과보를 면하라.

30일.

옥허명황천존(玉虛明皇天尊)을 염하고 삼계에 원보(冤報)를 짓게 된 것을 참회하여, 추위와 굶주림에 빠지는 과보를 면하라.

이상으로 위의 두 도교의 재일(齋日)을 합해 보면, 불교의 『지장보살십재일』에 나타나는 것과 일치하는 것을 발견할 수 있다. 즉 어떤 날, 어떤 신(神)이 세상에 내려오며 어떤 신의 명호를 염송하고 죄를 뉘우치면, 어떤 재앙을 피할 수 있는 것이다.

『운급칠참(云笈七懺)』은 북송(北宋) 시기의 『참성서(懺成書)』로 유명한 도사 장군방(張君房)이 편집한 것이다. 장군방은 천희(天禧) 3년(1019)에 『대송천궁보장(大宋天宮寶藏)』 4천여 권을 편찬하고, 다시 그 정수를 취해 『운급칠참』을 편집하여 진종(眞宗) 황제에게 바쳤는데, 황제가 밤을 새워가며 읽었다고 한다. 그에게는 송대(宋代) 이전의 대단히 많은 도교 전적(典籍)이 있었다고 한다. 월십재(月十齋)의 재계(齋戒) 기록은 당대(唐代)에 이루어진 것으로, 여기에는 15개의 작은 절(節)이 있으며, 월십재 안에 있는 여러 종류의 재계의 규칙과 형식을 포괄하여 서술하고 있다.

『천황지도태청옥책』은 명대(明代) 남극하령(南極遐齡) 노인 주권(朱權)이 찬술한 것으로, 주권은 명(明) 태조(太祖)의 열일곱 번째 아들로 정치적인 화를 피해 공문(空門 ; 도교)에 들었다. 『천황지도태청옥책』은 명대 도교의 교의와 교리를 기술하고, 백과(百科) 등을 규제한 사전(事典)이다. 전체 책의 내용이 풍부하고 조리가 명철하여, 역대 이래로 높은 평가를 받고 있다.

제4장 지장신앙의 다양한 측면

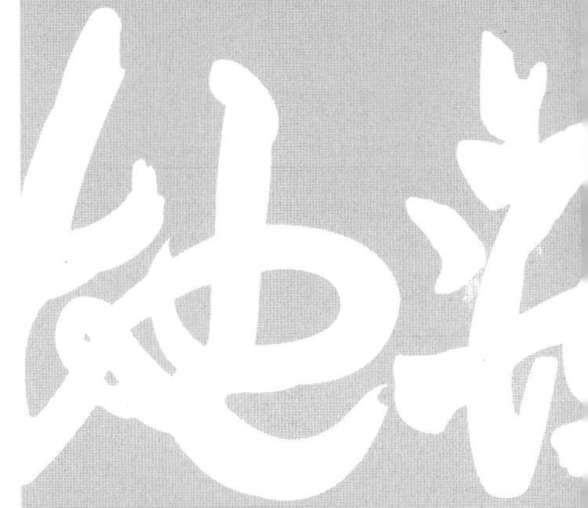

지장보살 신앙은 중국불교에 있어서 4대보살 신앙의 하나이다. 4대보살 신앙은 민중신앙이라는 측면에서 그 의미를 찾을 수 있으며, 비교적 늦은 시기에 형성되었다. 중국불교는 남북조(南北朝) 시대로부터 많은 학파를 형성하기 시작하여, 수(隋)·당(唐)에 이르러 8대 종파(宗派)로 정비되었다. 이러한 과정 속에서 불교 교학은 눈부신 발전을 거듭하며 불교사(佛教史)에 깊이 각인되어, 면면히 이어져 오고 있다. 이후의 많은 변화와 발전은 모두 이러한 기반 위에서 이루어진 것이다.

지장보살 신앙의 발전과정을 살펴보면, 이 신앙은 각 종파와 그물처럼 서로 얽히며 깊은 관계를 맺고 있다. 지장신앙과 정토종(淨土宗), 화엄종(華嚴宗), 밀교(密宗), 삼계교(三階教) 등과의 관계가 이에 해당된다. 특히 정토신앙과 깊은 관련을 가지고 있는, 지옥명부(地獄冥府)와 천당정토(天堂淨土)는 본래 하나의 상대적인 관념으로 서로 보완하며 형성되어 온 관계이다. 지장보살과 각 종파의 관계 혹은 결합에 대해 이해하는 것은 지장신앙뿐만 아니라 중국불교사의 본체를 이해할 수 있는 장점이 있다.

1. 정토교와의 관계

지장보살 신앙은 불교에 있어서 대승보살 신앙의 중요한 부분에 속하며, 4대보살, 4대도량의 하나로 나타나고 있다. 다만 지장신앙은 각 종파와 모두 밀접한 관계를 맺고 있다. 이러한 관계 속에서도 정토종(淨土宗)과의 관계는 매우 특별하다고 할 수 있다. 여러 측면에서 이를 살펴볼 수 있는데, 예를 들면 현존하는 보살 조각상의 도상 구성을 보더라도 지장보살과 관음보살의 구성이 가장 많고 중요하다고 할 수 있다. 지장보살과 아미타불 정토의 조각상 또한 적지 않다. 그리고 지장시왕지옥(地藏十王地獄) 도상의 근거가 되는 소의경전 중 하나라고 할 수 있는, 돈황본『염라왕수기경(閻羅王授記經)』을 세밀하게 관찰해 보면 정토신앙과의 상관관계를 발견할 수 있다. 더욱이 이 경전과 정토오회(淨土五會)의 염송(念誦) 사이에는 필연적 관계가 있다. 지장보살 신앙과 정토종에 대해 살펴보면 다음과 같다.

1) 관음보살과 정토상(淨土像)

조각상에서 관음보살과 지장보살의 도상 구성은 매우 일반적이라 할 수 있다. 유명한 것으로, 사천(四川)의 대족(大足) 북산(北山)의 불만(佛湾)과 자중(資中)의 서암(西岩) 등의 석굴에 있는 조각상을 들 수 있다. 불만의 감실 조각상 가운데 지장보살상이 있는 감실은 모두 32개이고, 관음보살과 지장보살의 도상 구성으로 이루어진 감실은 15개에 이른다. 만약 약사정토(藥師淨土) · 화엄삼성(華嚴三聖) · 지장보살과 시왕의 구성에 나타나는 관음보살과 지장보살까지 더한다면 이미 과반수를 넘기는 비율이 된다. 그런데 이것은 아미타정토(阿彌陀淨土)의 관음보살과 지장보살의 구성을 포함시키지 않은 것이어서 그 비율을 가늠하기가 쉽지 않다. 관음보살과 지장보살의 구성을 제외하고도 아미타불을 위주로 한 관음보살과 지장보살, 혹은 아미타정토, 동방약사정토(東方藥師淨土) 등에서도 지장보살상이 적지 않게 나타나고 있다. 또한 자중 중룡산(重龍山)에는 관음보살과 지장보살로 구성된 감실이 28개가 있다. 독존의 지장 조각상은 겨우 8개의 감실에 불과하여서, 관음보살과 지장보살의 구성이 차지하는 비율이 얼마나 큰지 알 수 있다. 자중 서애(西崖)에도 역시 많은 수의 감실에 지장보살과 관음보살의 상이 있다. 가히 지장보살상이나 벽화가 있는 주요 석굴은 모두 관음보살과 지장보살 등의 도상 구성을 이루고 있다고 말할 수 있다.

2) 정토오회법문(淨土五會法門)

돈황 장경동(藏經洞)의 경권화(經卷畵)가 세상에 모습을 드러내기 전에도 상당히 많은 시왕도 경권화가 존재하고 있었다. 특히 일본의 사찰에는 이러한 형식의 경권화가 매우 많이 남아 있다. 고야산(高野山) 성수사(聖壽寺)에는 한 권의 『염라왕수기경』 도회본(圖繪本)이 보존되어 있다. 이러한 것은 남송(南宋) 시기에 명주[明州 ; 지금의 절강성(浙江省) 영파(寧波)]의 육가화방(陸家畵坊)에서 제작되었는데, 일본 사찰에 적지 않은 모방본이 전하고 있다. 수륙(水陸) 계통에도 역시 지장시왕을 주제로 한 견화(絹畵)와 벽화가 남아 있다. 다만 시왕계열의 것은 비교적 이른 시기에 그 면모를 드러냈으나 분명하지 않다.

돈황 장경동에서 경권화 형식의 『염라왕수기경』이 세상에 모습을 드러낸 이래로, 시왕신앙(十王信仰)의 초기 형성 과정을 보다 분명하게 설명할 수 있게 되었다. 이 '의위경전(疑僞經典)'과 권경화가 형성된 시기는 오대(五代) 전후이다. 그런데 이 경전의 명칭은 대단히 많아서, 경전의 명칭을 전부 기록하거나 간략하게 기록하거나 혹은 경전의 앞쪽에 제목이 있거나 혹은 경전의 뒤쪽에 제목이 있는 등, 10여 개에 이르는 경전의 명칭이 분명하지 않으므로, 이를 먼저 간략하게나마 살펴볼 필요가 있다.

『불설 염라왕수기령사중송종예수생칠재공덕왕생정토경(佛說閻羅王授記令四衆送終逆修生七齋功德往生淨土經)』〈S.5544〉

『불설 염라왕수기사중예수생칠재왕생정토경(佛說閻羅王授記四衆逆修生七齋往生淨土經)』〈P.3961, S.3147, 일본 서도(書道)박물관 소장본〉

『불설 염라왕수기사중예수생칠왕생정토경(佛說閻羅王授記四衆預修生七往生淨土經)』〈P.2003, P.2870〉

『불설 염라왕수기권수칠재공덕경(佛說閻羅王授記勸修七齋功德經)』〈북경도서관 함(咸)75, 복(服)37, 자(字)45, 자(字)66, 열(列)26, 망(罔)44〉

『불설 염라수기권수생칠재공덕경(佛說閻羅受記勸修生七齋功德經)』〈S.4890〉

『불설 염라왕수기사중예수(佛說閻羅王授記四衆逆修)』〈S.2489〉

『불설 염라왕수기경(佛說閻羅王授記經)』〈산(散)0535, 산(散)0799, 산(散)1215〉

제목이 경전 뒤에 있는 것은 다음과 같다.

『불설시왕경(佛說十王經)』〈S.3961, P.2870, P.2003, 일본 구보총(久保總)미술관 소장본〉
『염라왕수기경(閻羅王授記經)』〈S.3147, S.2815, S.4530, S.6230, 북경도서관 열(列)26〉
『불설염라왕경(佛說閻羅王經)』〈S.4805〉
『불설염라왕수기경(佛說閻羅王授記經)』〈S.5544, 북경도서관 강(岡)44〉
『염라왕경(閻羅王經)』〈S.2489, 북경도서관 자(字)45〉

위에서 어렵지 않게 확인할 수 있는 사실은, 갖추어진 명칭에는 모두 '왕생정토경(往生淨土經)' 이 들어가 있다는 것이다. 이것은 이 경전이 정토신앙과 관련이 있다는 것을 상당히 분명하게 제시해 주고 있다. 경전 뒤에 붙은 제목을 간략하게 부르는 형식은 대략 두 가지 형태로 나누어 볼 수 있다. 하나는 '염라왕수기' 계열인데, 여기에 약간의 차이는 있다. 다른 하나는, '불설시왕경' 이다. 권경화의 뒷부분은 모두 '불설시왕경' 이다.

그런데 경전의 명칭에만 정토종과의 관련성이 반영되어 있는 것이 아니라 경전의 제목 앞부분에 있는 경수어(經首語)에도 이것이 반영되어 있다. 예를 들면 다음과 같다.

삼가 『염라왕예수생칠왕생정토경(閻羅王預修生七往生淨土經)』을 계청(啓請)합니다. 오회(五會)의 계경(啓經)으로 아미타불을 찬탄하여 염송할 수 있는 인연이 있기를 경건히 서원합니다. 성도부(成都府) 대성자사(大聖慈寺) 사문 장천(藏川)이 씀.[205]
『불설염라왕수기사중예수생칠왕생정토경(佛說閻羅王授記四衆

205 謹啓諷 閻羅王預修生七往生淨土經 誓勸有緣 以五會啓經 入贊念阿彌陀佛 成都府大聖慈寺沙門藏川述

預修生七往生淨土經)』〈P.2003, P.2870, P.3761, 일본 구보총(久保總)미술관 소장 / 『동문원회권(董文員繪卷)』, 일본 고야산(高野山) 성수원본(聖壽院本)〉

여기서 주목해야 할 것은, "오회의 계경으로 아미타불을 찬탄하여 염송한다"는 구절이다. 아미타불을 염송하는 것은 자연스럽게 정토신앙과 관계가 되는데, 이 문구의 의미는 무엇일까? 원래 '정토오회염송법문(淨土五會念誦法門)' 은 정토신앙에 있어서 대단히 중요한 법문 가운데 하나로, 정토신앙의 유포과정에 대단히 중요한 역할을 하였다.

'정토오회염불법문' 은 중당(中唐) 시대의 고승 법조(法照)가 만들었으며, 법조는 정토종의 조사(祖師)로 추존되었다. 정토종의 조사에 대한 설명은 후세에 이루어진 것으로 송대(宋代)에 만들어졌다. 사명종효(四明宗曉 : 1151~1214)는 진(晋) 시기의 여산(廬山) 혜원(慧遠)을 백련결사(白蓮結社)의 시조로 하고 선도(善導)·법조(法照)·소강(少康)·종이(宗頤)의 다섯 명으로 법통을 세웠다. 이로부터 본다면 법조는 3조가 된다. 나중에 사명지반(四明志磐)은 이러한 법통을 수정하여 혜원(慧遠)·선도(善導)·승원(承遠)·법조(法照)·소강(少康)·연수(延壽)를 백련결사의 7조(祖)로 다시 세웠는데, 이에 따르면 법조는 4조가 된다. 정토종의 조사는 의발(衣鉢)을 전승하는 사제관계가 아니라 정토법문(淨土法門)을 널리 드높인 이를 중시하는 전승 관계였기 때문에 이처럼 서로 다른 계통이 세워질 수 있었다.

'승원' 은 미타(彌陀)화상을 말하는데, 일찍이 형산(衡山)의 교도들에게 미타를 염(念)하는 것을 전하고 가르쳐서 법조의 스승이 될 수 있었다. 법조의 생몰(生沒) 연대는 기록되어 있지 않다. 어린 시절 여산(廬山)에 와서 먼저 염불삼매(念佛三昧)를 수행하고 서방도량(西方道場)을 결성하였다고 한다. 당(唐) 대력(大歷) 2년에서 4년(767~769)에 형주(衡州)에 이르러 호동사(湖東寺) 고루대(高樓臺)에서 오회염불도량(五會念佛道場)을 만들었다. 그는 염불에 음운(音韻)을 이용하여 정토법문을 펼쳤는데, 서산(西山) 병주(幷州) 및 수도인 장안(長安)과 황실에서까지 법회가 거행될 정도였다. 이러한 종류의 수행법문(修行法

門)은 중당(中唐)으로부터 만당(晩唐), 오대(五代)를 거쳐 송초(宋初)에 이르기까지 북방의 수많은 지역에서 유전되었다. 대력(大歷) 연간에 병주에서 편찬된 『정토오회염불송경관행의(淨土五會念佛誦經觀行儀)』 3권과 정원(貞元) 연간 장안에서 편찬된 『정토오회염불약법사의찬(淨土五會念佛略法事儀贊)』 1권은 정토오회찬문(淨土五會贊文)의 중요 문헌자료로 보존되어 남아 있다. 승원과 법조는 모두 많은 제자를 두었음에도 불구하고 계승되지는 못했다. 이 오회찬문도 역시 망실된 지 이미 오래이며, 일본에 전해진 것이 겨우 남아 있을 뿐이다. 다만 돈황의 장경동(藏經洞) 유서(遺書)에 많은 정토오회찬문이 있어 20세기 이래로 많은 학자들이 중시해서 연구하고 있으며, 근래에는 돈황연구원(敦煌研究院)의 장선당(張先堂) 선생이 정토찬문(淨土贊文)과 불교문학이라는 주제를 가지고 전문적인 연구를 하고 있다.[206]

앞서 살펴본 문헌자료들 가운데 권수어(卷首語)에 '정토오회(淨土五會)'가 언급되어 있는 『염라왕수기경』에서 중요한 것은 경권화(經卷畵)의 존재이다. 이것은 또한 경전과 찬(贊)은 있으나 경권화가 없는 P.3691호를 포함하고 있다. 『염라왕수기경』은 두 종류로 나눌 수 있는데, 도찬(圖贊)과 경문(經文)이 있는 것과 경문과 게송(偈頌)만이 있는 것이다. 결론적으로 이러한 권수어(卷首語)에는 모두 찬문(贊文)이 있다. 이로부터 이것이 경찬(經贊)의 기원을 대단히 분명하게 반영하고 있음을 알 수 있다.

찬문은 오래전부터 있었던 중국의 전통적인 운문 형식이다. 불교가 중국에 들어온 이후에 두 종류의 운문 형식, 즉 중송(重頌)과 게송으로부터 점점 불교의 찬문이 다듬어져 갔다. 중송의 음역(音譯)인 기야(祇夜 : Geye)는 중선경문(重宣經文)의 긴 행의 운문이며, 게(偈)는 약칭으로, 음은 가타(伽陀 : Gatha)이며, 뜻은 풍송(諷誦), 혹은 고기송(孤起誦)이다. 이것은 서사(敍事), 언정(言情), 설리(說理), 찬불(贊佛)의 운문(韻文)이다. 이러한 게(偈)와 중국 고유의 운문 형식이 결합하여 불교의 찬문을 형성하였다. 동진(東晋) 시대 지도림(支道林)이 지은 『석가문불찬(釋迦文佛贊)』, 『아미타불상찬(阿彌陀佛像贊)』 등과 남조(南朝)

206 張先堂, 「敦煌本唐代淨土五會贊文與佛教文學」, 『敦煌研究』(第4期), 1996.

의 송(宋) 시기에 사령운(謝靈運)이 지은 『불찬(佛贊)』, 『보살찬(菩薩贊)』 등이 이러한 예에 속한다. 수(隋) · 당(唐) 시대에 불교 찬문은 크게 발전하였다. 내용은 더욱 풍부해지고 형식은 점차 다양해졌으며, 문체 역시 4언(言), 5언(言)에서 7언(言), 잡언(雜言) 등에 이르기까지 다양해졌다. 돈황 문헌에도 이것이 적지 않게 남아 있다.

법조의 『오회정토찬문(五會淨土贊文)』은 당시 승려들의 찬문을 대대적으로 수집하여 편찬한 것인데, 법조 자신도 적지 않은 찬문을 지었다. 이를 통해 정토종의 각종 법사(法事), 예찬(禮贊), 의궤(儀軌) 등의 토대가 구축되기 시작하였으며, 이후에 더욱 정비되는 기반이 되었다.

『오회정토찬문』은 다섯 종류의 음성으로 염불을 하는 법문으로, 신도들이 모여 선율을 갖추고 염송한다는 특징이 있다. 성조(聲調)에 고저(高低)의 변화를 주며, 음악에서 천천히 시작하여 빠르게 연주하는 것처럼 특정 구절을 염송하는 형식의 수행법문이다. 예를 들면, 아미타불의 명호를 염송할 때에 제1회는 평성(平聲)으로 느리게 염송하고, 제2회는 상성(上聲)으로 느리게 염송하며, 제3회는 느리지도 빠르지도 않게 염송하고, 제4회는 점점 빠르게 염송하고, 제5회는 '아미타불' 네 글자를 빠르게 되풀이하여 염송하는 것이다.

이러한 '오회(五會)'의 함의는 남송(南宋) 시기에 이르러서 쇠퇴하였으며, 지반(志磐)의 『불조통기(佛祖統記)』 권26 · 28에서 이미 "마땅히 5일을 1회로 할 뿐이다[當是五日爲一會耳]."라는 주해가 달려 있다. 현대 불교학자들도 여전히 이러한 잘못된 해석을 하고 있다.[207] 돈황본 『정토오회법사의궤(淨土五會法事儀軌)』와 찬문의 사본(寫本) 연대를 살펴보면, 돈황의 『염라수기생칠경(閻羅授記生七經)』의 연대와 대체적으로 일치하거나 약간 앞선 것으로 보인다. 장선당(張先堂) 선생의 통계에 의하면, 이 종류의 사본 64개 가운데 7개는 연대가 기록되어 있는데, 만당(晩唐) 함통(咸通) 연간의 사본 2개, 오대(五代) 후한(後漢) 건우(乾右) 연간의 사본 1개, 후주(後周) 현덕(顯德) 연간의 사본 1개, 오대(五代)에서 북송(北宋) 초기까지의 사본 1개, 북송(北宋) 개보(開寶) 연간의 사본 1

207 앞의 주 참조.

개, 태평흥국(太平興國) 연간의 사본 1개가 있다. 만당(晩唐)에서 오대(五代), 북송(北宋) 초기의 100여 년 동안 정토오회법사 의궤와 찬문은 돈황 지역에서 광범위하게 유행되었다. 그러므로 시대가 대체적으로 『염라수기생칠경』과 일치하고 있고, 정토오회가 들어 있는 권수어도 역시 이상할 것이 없다. 이것은 『시왕도(十王圖)』에 있는 찬어(贊語)의 유래를 설명해 주고 있다. 바로 정토오회 찬문에서 비롯된 것이다. 뿐만 아니라, 여기서 정토오회 의궤와 찬문 가운데 지옥의 내용과 관련이 있는 것을 적지 않게 발견할 수 있다. 예를 들면, 『정토오회염불송경관행의(淨土五會念佛誦經觀行儀)』(卷中)에 다음과 같은 것이 있다.

반주찬(般舟贊)

사람의 태장(胎藏)을 받았던 괴로움을 기억하소서(원왕생).
네 뱀[四大]과 육적(六賊 ; 六根)이 서로 경쟁하며 재촉합니다(무량락).

수라아도(修羅餓道)에서 받았던 괴로움을 기억하소서(원왕생).
굶주림에 투쟁했던 고난을 헤아립니다(무량락).

지옥의 오랜 시간의 괴로움을 기억하소서(원왕생).
업풍(業風)이 흘러가 언제 돌아올지 알 수 없습니다(무량락).

혹은 도산(刀山) 위에 있었으며, 검의 나무에 매달려 있었고(원왕생)
피부골육이 변하여 재가 되었습니다(무량락).

혹은 확탕(鑊湯)과 노탄(爐炭)의 불 속에 있었고(원왕생)
맹렬한 화염의 파도를 탔으며, 극한 벼락을 맞았습니다(무량락).

옛날에 어떤 인연으로 이 괴로움을 받는가를 물었지요(원왕생).
물고기를 탐하고 고기를 즐겼던 업에 따른 것입니다(무량락).

구리를 녹인 것을 입안에 흘려 넣고 검게 타들어가는 괴로움은
(원왕생)
음주와 망어(妄語)로 그 재앙을 받은 것입니다(무량락).

혹은 철상(鐵床)에 눕혀지고 구리기둥에 매달렸는데(원왕생)
모두 사음(邪淫)과 전도(顚倒)됨에서 온 것입니다(무량락).

혹은 아비(阿鼻)대지옥에 떨어져(원왕생)
겁을 지나는 오랜 시간 동안 눈을 못 떴었습니다(무량락).

위의 불과 아래의 불이 교차해 지나면서(원왕생)
칼 바퀴와 쇠절구가 저절로 날아옵니다(무량락).

구리로 된 개가 심장을 물어뜯고 피를 마시며(원왕생)
철로 된 새가 눈을 쪼고 목을 쪼아 젖힙니다(무량락).[208]

이러한 종류의 찬문에는 정토와 지옥을 대비시키고 있는 많은 운구(韻句)가 있다. 또한 '정토오회찬문' 은 통속적인 언어에 직접적인 묘사를 하고 있어 염송하기 쉬울 뿐만 아니라 전적(典籍)에 의지하지 않아서, 약간은 민간의 일상적인 언어의 특징을 가지고 있다. 이러한 점은 모두 『염라왕수기경』에 반영되어 있는

208 憶受人中胎藏苦(願往生), 四蛇六賊競相催(無量樂). 憶受修羅餓道苦(願往生), 饑虛鬪諍苦難裁(無量樂). 憶受地獄長時苦(願往生), 業風吹去不知回(無量樂). 或上刀山攀劍樹(願往生), 皮膚骨肉變成灰(無量樂). 或入鑊湯爐炭火(願往生), 騰波猛焰劇天雷(無量樂). 借問何緣受此苦(願往生), 貪魚愛肉業相隨(無量樂). 溶銅灌口黎耕苦(願往生), 飮酒妄語受其災(無量樂). 或臥鐵床抱銅柱(願往生), 總爲邪淫顚倒來(無量樂). 或墮阿鼻大地獄(願往生), 經劫長年眼不開(無量樂). 上火下火通交過(原往生), 刀輪鐵杵自飛來(無量樂). 銅狗齧心幷喫血(願往生), 鐵鳥啄眼復穿頸(無量樂).

특징과 같다. '정토오회찬문'에는 또한 오대산(五臺山)의 문수보살 신앙과 선종(禪宗)과의 관련성이 나타나 있으며, 정토와 대립하는 측면으로서의 지옥도 정토신앙의 구성에 상당한 비중을 차지하고 있다.

『염라왕수기경』에 있는 '정토오회염송(淨土五會念誦)'의 제명(題名)과 시왕도(十王圖)를 살펴보면, 찬문에 근거하여 제작된 것이라는 것을 알 수 있다. '정토오회염송'이 음률을 가진 문학예술로 발전되면서 정토법문의 확대 발전을 가져왔으며, 또한 『염라왕수기경』으로 인하여 발전된 회화 영역과 방법도 정토법문의 확대 발전을 가져왔다는 것을 알 수가 있다. 이러한 점은 당시의 불교와 사회 문화에 대한 인식에 확실히 새로운 지평을 열어주고 있다.

학자들 중에는 변문(變文), 경강문(講經文) 형태의 문학작품과 이후의 시찬(詩贊) 종류의 문학작품의 관련성을 제시하고 있다. 『염라왕수기경』의 도(圖)·문(文)은 나란히 발전하였으며, 찬문의 산문과 운문 사이의 형식, 변문, 강경문과 송대(宋代)의 도찬(圖贊)은 밀접한 관계가 있다. 시왕도의 형식은 확실히 관계된 변문을 그대로 옮긴 듯하다. P.4524호 『항마변문(降魔變文)』은 바로 노도차두성변(勞度叉斗聖變)의 풍부한 내용을 문자로 표현한 것이다. 남송(南宋)의 『불국선사문수지남도찬(佛國禪師文殊指南圖贊)』은 선재동자가 53명의 선지식에게 법을 구하는 장면을 묘사하고 있는 전형적인 남송의 각본도찬(刻本圖贊)이다. 『염라왕수기경』은 확실히 변문과 도찬과 관계가 있지만, 이런 종류의 도찬은 시왕도와 변문의 영향을 받아 이루어지고 있다.

돈황 문헌에서는, 시기적으로 불교의 찬문이 가장 앞서고, 이어서 강경문, 변문, 경회(經繪)의 순서로 정비되면서 도찬(圖贊)에 이르고 있다. 중국의 고유한 운체찬문(韻體贊文)과 경전의 중송(重頌)과 게(偈)가 서로 결합하여 불교 찬문이 형성되었고, 여기에는 당연히 정토오회찬문이 포함되어 있다. 이러한 종류의 음악성이 상당히 강한 찬문이 발전하면서 변문, 강경문 등의 발전을 이끌었고, 다른 방면에도 역시 자극을 주어 경회(經繪)나 도(圖)와 변문, 도와 찬(贊)을 갖춘 문학작품의 발전을 가져 왔다. 이러한 발전의 큰 줄기에 대해서 마땅히 진지한 연구가 있어야 할 것이다. 필자의 견해에 혹시 놓치고 있는 부분이 있다면, 독자의 가르침을 바란다. 보전되어 남아 있는 당대(唐代)의 찬문 가운데 지장보살상의 찬과 관련 있는 것이 있다. 『문원영화(文苑英華)』에는 다음과 같은 기록이 있다.

> 『지장보살찬병서(地藏菩薩贊并序)』(권781)
> 황상(皇上)의 인(仁)은 성스러움이요 신령한 것이며, 공(功)이 모두 갖추어져 있도다. 성의(聖儀)가 빛나며, 밝은 복이 오리니, 다하지 않음이 없도다.[209]

> 목원(穆員)의 『수지장보살찬병서(綉地藏菩薩贊并序)』(권782)
> 오직 내가 밝은 복을 받들고 따르는 것은 바로 지극한 성현(聖玄)이 감통한 것이도다. 빛나는 대사(大士)의 원력과 함께 다섯 빛깔 오채의 모습이 구족되어 있으며, 한 마음에 열 줄기의 성령(聖靈)이 모여 유명(幽冥)을 떨치니, 부처님과 흡사하구나.[210]

이 2개의 찬문 서언에서 말하고 있는 것은, "보살은 큰 자비심으로써 큰 서원을 운용하고, 대도(大道)를 널리 펴며, 큰 괴로움을 벗어나게 해준다. 천한 삼계에서 대인을 보니, 마치 포용하지 않음이 없는 것과 같다. 그러므로 지장이라고 부른다."[211]라는 것이다. 뿐만 아니라 2개의 찬은 비단 조각에 그려진 상이 모두 망인을 위해 만든 것이며, 그 가운데 하나는 망자가 죽은 지 1년이 되는 '소상(小詳)'의 기일(忌日)을 위해 만든 것이라고 설명하고 있어, 역시 칠칠재(七七齋)와 지장보살 신앙이 민중 속에 얼마나 깊이 뿌리내리고 있었는지를 실증해 주고 있다.

결론적으로 '정토오회염불의궤찬문'의 상황과 『염라왕수기경』의 권수(卷首)에 있는 제어(題語)는 시왕도와 정토오회염불의 연원관계를 증명하고 있다.

---

209 皇矣上仁. 乃聖乃神. 厥功備兮. 有女伊棘, 孝思罔極. 厥成至兮, 聖儀彰之. 景福將之, 無有旣兮.

210 惟我素履景福崇, 嗟爾至聖玄感通. 有赫大士願力同, 五彩萬鏤相好備. 一心十指聖靈萃, 振幽冥兮如仿佛.

211 菩薩以大慈、運大願、弘大道、濟大苦. 卑三界之間利見大人, 如大地之無不持載, 故號爲地藏.

권수어(卷首語)의 '풍송(諷誦)' 은 본래 '게(偈)' 라는 뜻을 내포하고 있다. 경권화(經卷畵)의 도상(圖像) 또한 찬에 의거하여 그려진 것이다. 지옥신앙과 명계심판은 정토와 선명하게 대비되면서 정토신앙의 유포에 대단히 중요한 역할을 하였다. 일본으로 전해진 시왕도 경권화도 역시 정토종과 관계가 있다는 것을 알 수 있다. 일본 헤이안(平安) 시대 초기에 융성했던 천태종, 진언종의 밀교는 귀족적인 숨결이 농후하였다. 헤이안 시대 후기부터 가마쿠라(鎌倉) 시대에 이르러 발흥한 정토신앙은 민중을 중심으로 전개되었으며, 일본으로 전해진 시왕도(十王圖)는 근본적으로 정토교 포교 활동의 일환이었다고 말할 수 있다.[212]

그리고 마지막으로, 송초(宋初) 이후로 선종, 천태종, 율종 등에서 활동하던 고승과 학자들이 모두 정토를 널리 펴고자 했다는 점에 주목할 필요가 있다. 이러한 고승들 가운데 대다수는 지장법문(地藏法門)을 역시 대단히 중시하였다. 예를 들면 명대(明代)의 4대 고승인 운서주굉(雲棲袾宏), 감산덕청(憨山德清), 영봉지욱(靈峰智旭), 자백진가(紫柏眞可)가 모두 지장법문을 상당히 중시하였고, 주굉과 지욱선사는 더더욱 그러하였다. 주굉은 정토종의 8대 조사로 불리고 있으며, 일찍이 지장경전의 서문을 짓고 널리 알리고자 노력하였다. 지욱은 지장보살을 지극히 중시하여 일찍이 구화산에 머무르면서 많은 찬술을 하였고, 일생을 지장보살을 받들면서 지장참의(地藏懺儀)를 하였고 지장진언(地藏眞言)을 받들어 지녔다. 스스로를 '지장보살의 외로운 신하[地藏孤臣]' 라고 불렀다. 근대 정토종의 태두인 고승 인광(印光)법사는 지장경전을 보급하고 유포하는 데 전력을 다했으며, 수만 권의 책을 발간하였다. 그는 또한 『구화산지(九華山志)』를 새롭게 정비하는 일을 주도하였으며, 지장도량의 명성을 크게 떨쳤다.

212 앞에서 인용한, 石守謙 先生의 논문 第五節.

2. 『화엄경(華嚴經)』과 관련된 조상(造像)

지장보살 및 지옥과 육도(六道) 등과 관련된 경전 그리고 그 도상들 중에는 화엄종(華嚴宗)과 맥락을 같이하는 것들도 있다. 예를 들면, '각림보살게(覺林菩薩偈)'를 들 수 있는데, 경전과 관련된 도상에, '노사나법계인중상(盧舍那法界人中像)'의 흔적이 보이고 있다. 또한 『대방광화엄십악품경(大方廣華嚴十惡品經)』[『화선경(華鮮經)』]과 『화엄경게(華嚴經偈)』 등도 이에 속한다. 여기서 '각림보살게'는 『화엄경』으로부터 나왔으며, 진역(晋譯) 60권과 당역(唐譯) 80권에 모두 이 게송이 있다. 비록 구역(舊譯) 가운데 여래림보살(如來林菩薩)의 입에서 나온 게송도 있지만, 이후의 신역(新譯)에는 모두 각림보살(覺林菩薩)에 의해 송출된 것이다.

그런데 산동(山東)의 북제(北齊) 시기에 조성된 각경비(刻經碑)는 "화엄경게(華嚴經偈)"라는 제목이 있는데, 그 짧고 간략한 내용은 오히려 돈황본 『대방광화엄십악품경(大方廣華嚴十惡品經)』과 일치하고 있으며, 또한 대족석굴에 있는 『화선경』과 동일하다. 그렇다면 '화엄경게'는 분명히 『화엄경게』로부터 나온 위작이다. 왜냐하면 그것은 근본적으로 『화엄경』에 있는 게송이 아니라 중국에서 찬술된 것으로 보이기 때문이다. 흥미로운 점은 화엄이면서도 지장보살과 지옥 장면의 다양한 내용들이 보이고 있다는 점이다.

'각림보살게'는 『화엄경』의 제4회분에 있고, 부처님께서 야마천궁(夜摩天宮)에서 사품경(四品經)을 설하시는 중에 무량한 보살이 이 천궁에서 게송을 설하고, 그 가운데 각림보살이 설하고 있는데, 마지막 구절은 다음과 같다.

> 만약 삼세불(三世佛)의 일을 깨달아 알고자 한다면, 마땅히 법계의 성품을 따라 모든 것이 마음에서 만들어짐을 알라.[213]

213 若人欲了知, 三世佛陀事, 應從法界性, 一切從心造.

『화엄경감응기(華嚴經感應記)』에서 박진(薄塵)율사가 인용하였고, 『화엄수소연의초(華嚴隨疏演義鈔)』에서는 『찬영기(簒靈記)』의 왕명간(王明干)의 일을 인용하고 있다. 모두 같은 구성으로 곽신량(郭神亮) 혹은 왕명간이 죄 때문에 병을 얻어 명계(冥界)에 지옥에 들어가 심판을 받기 전에 한 승려, 즉 지장보살로부터 게송을 받아서 암송하여 지옥에 들어가는 것을 면하고 그 소리를 들은 자들이 모두 구원되었다는 것이다. 또한 영명연수(永明延壽)의 『종경록(宗鏡錄)』과 요대(遼代) 비탁(非濁)의 『삼보감응요약록(三寶感應要略錄)』에서도 모두 이 일을 기재하고 있다. 『종경록』에서 인용하고 있는 것은 『화엄연의(華嚴演義)』이고, 여기서 강조하고 있는 것은 화엄의 소(疏)에 있는 한 문구의 미묘함이다. 바로 이 게송 하나의 공능이 능히 지옥을 부순다는 것으로, 지옥은 바로 마음이 만든 것이고, 마음에 요달(了達)하여 부처를 만들면 지옥은 바로 텅빌 것이라는 것이다.

앞의 '시왕과 지옥상의 근원' 부분에서 이미 '노사나법계인중상(盧舍那法界人中像)' 에 대하여 언급하였다. '노사나법계인중상' 은 『화엄경』의 관념과 사상에 의거하여 만들어졌다. 노사나불(盧舍那佛)은 본래 화엄교주(華嚴教主)의 호칭이며, 법신불(法身佛) · 보신불(報身佛) · 응신불(應身佛) 가운데 보신불을 말한다. 법신불이 비로자나여래(毘盧遮那如來)이며, 보신불이 노사나여래(盧舍那如來), 응신불이 석가모니여래(釋迦牟尼如來)이다. '법신' 은 진여본체(眞如本體)이며, 따라서 모든 곳에 두루 미친다. '노사나' 의 뜻은 '정만(淨滿)' 이다. 그 안에 지혜의 광명으로 참다운 법계를 비춤으로써 '자보신(自報身)' 이 되는 것이고, 밖으로는 신광(身光)이 대기(大機)에 조응(照應)하니 '타보신(他報身)' 이 되는 것이다.[214] 노사나불은 지혜의 빛이 가득하여 두루 비친다는 뜻이다. '노사나법계인중상' 은 부처의 몸 위에 천계(天界), 인간과 지옥 등의 형상을 새겨서 법계(法界)를 구현하고자 하는 관념을 표현하고 있기 때문에 명칭이 '법계인중상' 이 되었다. 『육십화엄경(六十華嚴經)』은 다음과 같이 설하고 있다.

214 『妙法蓮花經』文句(轉引), 『佛光大辭典』, p.557.

다함이 없는 평등한 법계는 참으로 여래신(如來身)이 충만해 있도다. 불신(佛身)이 모든 법계에 충만하여 일체중생 앞에 두루 드러낸다.[215]

현재 발견된 법계인중상은 대략 신강 지역, 돈황과 중원(中原) 지역에서 볼 수 있고, 형식 역시 석조 조각상, 석굴 벽화, 견본(絹本) 불화 등이 있다. 신강 지역의 노사나법계인중상은 화전(和田) 지역에서 발견된 목판채화(木板彩畵)이다. 시기는 6세기 정도이며, 합정(哈定 ; Harting)의 덕막극(德莫克 ; Domako)에서 출토되었다. 형상은 입불(立佛)이며 양쪽 어깨에 일월륜(日月輪)이, 가슴에는 좌불(坐佛)이, 앞쪽의 팔에는 금강저(金剛杵)가, 뒤쪽의 팔에는 범협(梵夾)이 그려져 있다. 신체의 나머지 부분에는 3각형과 원으로 무늬 등을 장식하였다. 또한 배성(拜城) 키질(克孜爾 ; Kizil) 석굴 제13호 벽화의 잔편과 언기(焉耆) 초이고극(肖爾庫克) 사찰의 유적에서 발견된 벽화가 있다. 키질 벽화는 독일의 민속박물관에 소장되어 있다. 도상을 살펴보면, 입불(立佛)의 가슴 앞에는 궁전(宮殿)과 세 줄의 좌불(坐佛)이 있고, 양 무릎과 사지의 원(圓) 안에는 각종 신분의 인물이 그려져 있다. 왼쪽 어깨 부분에는 해가 뜨는 하늘이 그려져 있고, 양쪽 넓적다리에는 소리 지르며 달려가고 있는 아귀가 그려져 있다. 언기사(焉耆寺) 유적에 있는 상(像)은 어깨 윗부분이 훼손되어 있고, 가슴에 이층의 궁전(宮殿)이 있고, 그 안에 여러 부처가 그려져 있다. 양쪽 무릎 위에 각각 하나의 원륜도안(圓輪圖案)이 있다. 이 2개의 상은 8세기의 작품이며, 그중에 천도(天道)의 형상이 비교적 두드러진다.

돈황 막고굴의 도상(圖像)은 벽화와 출토된 견본 불화에서 찾아볼 수 있다. 즉, 북주(北周) 시기의 428호 굴 남쪽 벽에 입불상(立佛像)이 있으며, 중당(中唐) 시기의 제1호 굴 오른쪽 벽에는 좌불상(坐佛像)이 있고, 북송 시기의 152호 굴에는 『보은경(報恩經)』 변상도가 있다. 또한 대영박물관에 소장되어 있는 『보은경』 변상도는 견본 불화이다. 여기의 일련의 상에는 모두 수미산이 그려져 있

215 無盡平等妙法界, 悉皆充滿如來身. 佛身充滿諸法界, 普現一切衆生前.

다. 북주(北周) 시기의 제428호 굴에 있는 불상의 몸에는 비교적 작은 수미산이 그려져 있고, 주위에 육도(六道)의 도상이 있다. 산 위에는 궁전이 있고, 양쪽 어깨에 있는 구름 위의 좌불(坐佛)이 천도(天道)를 나타내고 있다. 산 앞에는 아수라가 손으로 해와 달을 떠받들고 있다. 산 아래에는 순서대로 인도(人道)를 대표하는 인물 여러 명이 있다. 많은 산 가운데에 작은 집이 있는데, 그 아래에 축생도를 의미하는 새, 짐승이 그려져 있다. 다시 그 아래의 도산(刀山)에는 날뛰고 있는 인물의 형상이 있는데, 지옥도를 표현한 것이다. 중당(中唐) 시기의 제31호 굴의 좌불상에는 바다 가운데에 수미산이 있으며, 주위에 철위산(鐵圍山)이 둘러싸고 있다. 위에는 천도를 대표하는 좌불이 있다. 양쪽 소매에 사람, 아수라, 축생, 아귀와 지옥의 형상이 있다. 북송(北宋) 시기의 제152호 굴의 상은 양쪽 어깨에 일월륜(日月輪)이 있고, 산의 좌우(左右)에는 4개의 팔을 가진 아수라와 확탕(鑊湯) 형태의 지옥이 있다. 대영박물관 소장의 견본 불화에는 두 어깨에 일월륜이 있는 상이 있는데, 수미산 옆의 형상은 모호하여 분명하지 않다.

중원(中原) 지역에는 하남(河南) 활현(滑縣) 고한사(高寒寺)의 법계상(法界像), 미국 워싱턴 프리어미술관에 소장되어 있는 북주(北周) 시기의 상과 수대(隋代) 시기의 상이 있다. 운강대불(云岡大佛)의 가사(袈裟) 위에는 작은 화불(化佛)이 가득 채워져 있다. 고한사(高寒寺) 등의 상에 있는 것은 천룡팔부(天龍八部)로 추정되며, 이밖에도 금동불상 중에 역시 이러한 종류의 형상이 있다. 프랑스 파리 기메박물관에 소장되어 있는 상과 북경 고궁박물관(古宮博物館)에 소장되어 있는 상[216]이 이에 속한다.

앞서 살펴본 것 외에도 금석저작(金石著作)에 기재되어 있는 것 중에서도 이러한 종류의 형상을 찾아볼 수 있다. 예를 들면 북제(北齊) 천보(天保) 10년에 승려 도월(道月)이 조성한 노사나법계인중상 등을 들 수 있다. 제명(題銘)과 조형(造型)을 살펴보면, 법계인중상(法界人中像)이 있고, 또한 법계상(法界像) 혹은 인중상(人中像)이라는 제명이 있으며, 일련의 형상들은 일월등명불(日月燈明佛)로 추정된다. 결론적으로 이러한 형상들 가운데 육도윤회의 형상이 있으

216 앞의 吉村의 論文에서 언급한 기메미술관 소장 像. 李靜杰, 『中國金銅佛』, 宗教文化出版社, 1996, 圖 142 참조.

며, 지옥도경이 있다. 불상의 조형 형태는 기본적으로 『화엄경』에 의거하여 만들어진 것이다. 그러므로 지옥육도(地獄六道) 도상(圖像)과 『화엄경』이 매우 긴밀한 관계에 있다는 것을 잘 보여주고 있다.

『대방광화엄십악품경(大方廣華嚴十惡品經)』은 대단히 유명한 의위경(疑僞經)의 하나이다. 이와 다른 이름의 경전이 산동의 조상 간경비(刊經碑)에 새겨져 있다. 돈황 유서(遺書)인 이 경전은 사천의 대족 보정(寶頂) 제20호 굴의 지장시왕지옥변마애거각(地藏十王地獄變摩崖巨刻) 위에 조성된 지옥변상이 기본적으로 의거하고 있는 경전들 중 하나이다. 비록 이 경전이 의위경으로 정식 화엄경전은 아니지만, 이 경전의 여러 개의 명칭, 즉 산동 간경비의 『화엄경게(華嚴經偈)』, 돈황의 유서 가운데 『대방광화엄십악품경』, 보정의 석각에 있는 『화선경(華鮮經)』이 모두 '화엄(華嚴)'과 밀접한 관계를 가지고 있다. 그러므로 화엄경 혹은 화엄 종파와 어느 정도 관계에 있는 것이 틀림없고, 이러한 내용에 대하여 검토하지 않을 수 없다.

이 경전이 가장 빠르게 세상에 모습을 보인 것은 산동 거야(巨野) 소서영(小徐營) 석불사(石佛寺)의 간경비를 통해서이다. 비에 새겨져 있는 기록에 의하면, 이것은 북제(北齊) 하청(河清) 3년(564)에 조성되었다. 근년에 『문물(文物)』이라는 정기 간행물에 주건군(周建軍)과 서해연(徐海燕)이 이 비에 있는 문장과 비양(碑陽)의 탁본(拓本)을 소개하였다.[217] 그 비양에는 한 단락의 경문이 새겨져 있고, 비음(碑陰)에는 발원문과 상을 조성한 시주(施主)의 제명(題名)이 새겨져 있다. 내용이 상당히 풍부하고, 비액(碑額)에는 또한 반리룡이 새겨져 있고 감실에 삼존불상이 있다. 비양의 문자는 온전하게 보존되어 있는데, 필법이 매우 출중하다. 비음의 문자는 상당히 많이 훼손되어 있지만, 『팔경실금석보정(八瓊室金石補正)』에 이미 상당히 온전하고 분명하게 기록을 해 놓았다.

비양에는 경문(經文) 8행이 새겨져 있고, 각 행에는 25개의 글자가 있는데, 오직 여덟 번째 행에 한 글자가 더 있어서 26자이며, 모두 합해서 201개의 글자가 있다. 글자는 예서체(隸書體)로 새겨져 있다. 글자의 지름은 10에서 11cm이

217 周建軍・徐海燕, 「山東巨野石佛寺北齊刊經造像碑」, 『文物』(第3期), 1997.

다. 그 문장은 다음과 같다.

> 가섭보살이 무릎을 꿇고 합장한 다음 공경히 부처님께 말씀드렸다. "세존이시여. 오직 원하옵건대, 저를 위하여 설하여 주십시오. 재(齋)를 깬 자는 어느 지옥에 떨어지나이까? ……"[218]

이 비양의 아래에는 '화엄경게(華嚴經偈)' 라는 네 글자의 제명이 있다. 이 경전의 제목을 새긴 것이다. 경문(經文)의 내용은 돈황 유서의 『대방광십악품경』과 기본적으로 일치하고 있기 때문에 동일 경전이라고 단정할 수 있다. 간경비에는 비록 경문의 한 단락만이 새겨져 있지만, 비에는 명확하게 북조(北朝) 시기의 연대를 밝힌 제기가 있다. 돈황 유서보다 그 연대가 빠르며, 문자 역시 돈황 유서와 미세한 차이가 있지만, 이 경전의 기원과 발전에 대해 설득력 있는 자료를 제공하고 있고, 문자의 교감(校勘)에도 중요한 역할을 하고 있다.

돈황본 『대방광화엄십악품경』은 모두 9개의 책자가 존재하고 있다. 일본 『대정장』 제85권의 고일의위(古逸疑僞)에 있는 N.2875호는 유서의 S.1320를 선용한 것이며, 다만 앞부분이 완전하지 않아서 경전의 전모를 반영하고 있지는 못하다. 다행히 근년에 서소강(徐紹强)선생이 이 경전의 사본을 정리하여 『장외불교문헌(藏外佛教文獻)』 제1집에 편집하여 간행하였다.[219] 이들 사본 가운데 가장 온전한 북도장(北圖藏 ; 북경도서관 소장) 76호〈천자문내(千字文柰) 59호〉를 저본으로 하였고, 북도(北圖) 77호〈홍(洪) 47호〉, 북도 78〈개(芥) 48호〉, 북도 79호〈하(河)48호〉, S.1320호, S.6790호, S.5612호를 참고하여 정리하였다. 아장맹(俄藏孟) 1098호, 이성탁(李盛鐸) 소장본 등은 공개하지 않고 있어 참고하지 못하였다. 정리본은 분명하게 이 경전의 전모를 반영하고 있다. 이 간경비의 짧은 한 단락의 경문과 정리본을 비교해 보면 여전히 차이가 있다는 것을 발견할 수 있다. 일련의 견사(遣詞)나 조구(造句)에 있어서 차이가 있을 뿐만 아니

218 迦葉菩薩白佛長跪合掌曲躬恭敬而白佛言 : 世尊唯願如來爲我解說破齋者墮何地獄 …….
219 方廣錩(主編), 『藏外佛教文獻』(第一輯), 宗教文化出版社, 1995.

라 간경비에 보이는, "…… 재를 받는 자라면 또한 이와 같다[若受齋者亦復如是]."라는 구절에 연결되는 다음과 같은 내용이 정리본에는 보이지 않는다는 점이다.

> 닭고기를 먹는 사람은 마땅히 지옥에 떨어질 것이니, 세 사람이 곱절의 반을 함께 갚아 서로를 지옥에 들게 할 것이다.[220]

또한 간경비는 앞의 경문 다음에 바로 이어지는 구절이 "가섭보살이 부처님께 말씀드리기를, 모두 마땅히 …… 에 떨어질 것입니다[迦葉菩薩白佛言：世尊如此衆事, 皆當墮……]."라는 내용이다. 이 구절의 내용은 돈황본에 없는 것으로 보인다. 그러므로 이 간경비와 돈황 유서의 문장은 구성상의 차이가 있지만, 다만 몇 글자의 차이가 있을 뿐이다.

『대방광화엄십악품경』과 도(圖)와 문(文)을 모두 갖추고 있는 대족의 남송 시기의 마애조각상을 서로 비교해 보는 것은 대단히 흥미로운 일이다. 보정산의 마애 조각상에는 양계녀(養鷄女)와 관련된 석각이 있는데, 여기에 "닭고기를 먹는 자는 마땅히 지옥에 떨어질 것이다[食鷄肉者, 當墮地獄]."라는 경문이 보인다. 대족의 이 경문에 대해서는 근래에 진명광(陳明光), 등지금(鄧之金) 선생이 상세하게 감록(勘錄)을 하여, 기존의 불확실한 부분을 교정하였다.[221] 대족의 『화선경(華鮮經)』 안에 있는 이 단락의 경문은 다음과 같다.

> 『대장경』에 이르길, "부처님께서 가섭에게 말씀하시기를, '일체 중생들 중에 닭을 키우는 자는 지옥에 들어간다.' 라고 하시자, 가섭이 여쭙기를, '무슨 까닭으로 지옥에 들어갑니까?' 라고 하자, 부처님께서 가섭존자에게 말씀하시기를, 'OOO」 O삼백OOO OO」 백오십OOOOO백오십의 닭이 스스로 짓기를OO」 백삼

220 食鷄肉者, 當墮地獄；三人共償倍半, 相迎入地獄.

221 陳明光・鄧之金, 「四川大足縣寶頂山大佛灣 '地藏與十王 地獄變' 銘文勘查報造」(校勘)・『四川摩崖造像大方廣華嚴十惡品變』(錄文, 打印本).

> 십, 이런 까닭으로 ○○」 지옥에서 일체중생○」 마음에 대비(大悲)를 일으켜○○」 죄가 있는 자가 만약 고기를○」 이런 까닭으로 주인은 지옥에 들어간다.'」라고 하셨다. 가섭보살이 부처님께 말씀드리기를, '실로 성스러운 가르침입니다. 실로 성스러운 가르침입니다. 이와 같이 여러 가지 일이 모두 마땅히 …….[222]

이 단락의 닭을 키우는 자가 지옥에 든다는 경문의 구절을 살펴보면, 최초의 북제(北齊) 시기에는 이 경문에 근본적으로 이러한 내용이 없었을 가능성이 농후하다. 그러다가 돈황의 유서(遺書)에 와서 이 내용이 추가되고, 대족석굴의 경문에 새겨진 것으로 보인다. 이러한 점은 경문에 있어서 한 구절의 세부 구성이 어떻게 변화되어 가는지를 잘 보여주는 실례여서 대단히 흥미롭다.

이 경전의 가장 이른 판본이 수대(隋代)의 『법경록(法經錄)』에 이미 나타나고 있으므로, 그 제작 시기는 남북조(南北朝) 시기라고 판단할 수 있다. 이 경전은 역대의 대장경에 기재되어 있지 않고, 『법경록』 이후의 『인수록(仁壽錄)』 권4, 『내전록(內典錄)』 권10, 『대주록(大周錄)』 권15, 『개원록(開元錄)』 권18에 수록되어 있는데, 모두 의위경으로 알려져 있다. 돈황본 가운데 이 경전은 간행연대 등을 증명할 만한 것이 없는데, 일반적으로 알려지기는 대략 당대(唐代)의 사본(寫本)으로 추정되고 있다. 대족의 남송 시기 석각본(石刻本), 돈황의 당대(唐代) 사본, 산동(山東)의 북제(北齊) 시기 석각본(石刻本) 등에서 알 수 있는 것처럼, 이 경전 내용의 변천과정은 이미 분명하게 나타나 있다. 더욱이 북제 시기의 간경비의 발견은 이 경전의 기원에 대한 연구에 대단히 중요한 단서를 제공해 주고 있다.

이 경전에 반영되어 있는 기본적 사상을 살펴보면, 육식과 음주의 죄악을 논하고, 육식과 음주, 파재(破齋)·파계破戒)를 금하고 있다. 또한 금주단육(禁酒

222 大藏經云佛告迦葉」 一切衆生養鷄者入」 於地獄迦葉白佛言」 養鷄者何故入其地」 獄佛造迦葉○○○」 ○三百○○○○○」 百五十○○○○○百五十鷄自作○○」 百三十是故主○○」 於地獄一切衆生○」 鷄者心生大慈○○」 有罪者若爲利肉所○」 是故主人入於地獄」 迦葉菩薩白佛言實」 如聖教實如聖教如」 此衆事皆當有告 …….

斷肉)의 계를 어긴 자가 받아야 하는 지옥의 과보에 대하여 설하고 있다. 간경비의 주요 요지는 파재인(破齋人)이 어떠한 징벌을 받고, 어떠한 종류의 지옥에 떨어지는가 하는 내용에 집중되어 있다. 이미 살펴보았던 것처럼, 재(齋)의 본래 의미는 '정오가 지나면 먹지 않는 것[過午不食]'이며, 재를 소식(素食)으로 보고 금주단육 하는 개념은 중국에서 발생한 것이며, 이것은 불교가 중국에 전래된 이후에 생긴 중요한 습속 가운데 하나이다. 이 부분의 변화에 있어서 양(梁) 무제(武帝)가 대단히 중요한 역할을 하였다. 『광홍명집(廣弘明集)』 등의 저작 가운데 남아 있는 문헌을 살펴보면, 단주금육의 관념과 관계있는 여러 건의 문헌을 볼 수 있다. 예를 들면 『광홍명집』 「자제편(慈濟篇)」 권26에 있는 양 무제의 〈단살절종묘희생소(斷殺絶宗廟犧牲詔)〉, 〈단주육문(斷酒肉文)〉과 북제 안지추(顔之推)의 〈단살가훈(斷殺家訓)〉 등이 이에 속한다. 양 무제의 〈단주육문〉의 내용은 다음과 같다.

> 무릇, 출가한 사람이 외도와 다른 까닭은 바로 인(因)을 믿고 인과(因果)를 믿고 경전에 밝힌 것을 믿은 것이니, 이는 부처님께서 말씀하신 것이다. 경전에 설하기를, 10악을 행한 자는 악보를 받고, 10선을 행한 자는 선보를 받는다고 하였다. 이것이 경전 가르침의 큰 뜻이다. 이와 같이 만약 출가한 사람이 술 마시기를 좋아하고 고기를 탐하며 물고기를 먹으면, 이는 외도와 똑같이 행동하게 되어 다시는…… 어찌 출가한 승려가 살아 있는 것을 탐하고 좋아한다 하리오. 승려는 백의(白衣) 오계(五戒)를 받고 망령된 말을 하지 말아야 할 것이니, 어찌 스스로 뒤집어 술을 마시고 서약과 칠중계(七衆戒), 팔계재(八戒齋), 오편칠취(五篇七聚) 등을 위반하겠는가…….[223]

223 凡出家人所以異於外道者, 正以信因、信因果、信經所明是佛所說. 經言行十惡者受於惡報, 行十善者受於善報. 此是經教大意. 如是若出家人猶嗜飮酒啖肉、食魚肉、是則爲行同於外道而復不及 …… 云何出家僧尼猶生耽嗜, 僧尼授白衣五戒, 令不妄語, 云何飜自飮酒違負約誓、七衆戒八戒齋、五篇七聚 …….

이 글은 여러 곳에서 『열반경(涅槃經)』을 인용하고 있고, 식육(食肉)의 중생이 짓는 죄와 그에 따르는 응보에 대하여 다음과 같이 강조하고 있다.

> 여러 대덕 승려들은 마땅히 알아야 한다. 먹을 것을 탐하는 중생은 마행(魔行)이요, 먹을 것을 탐하는 중생은 지옥종(地獄種)이요, 먹을 것을 탐하는 중생은 공포인(恐怖因)이요, 먹을 것을 탐하는 중생은 단명인(斷命因)이니, …… 먹을 것을 탐하는 중생은 상지옥(想地獄)이요, 먹을 것을 탐하는 중생은 흑승지옥(黑繩地獄)이요, 먹을 것을 탐하는 중생은 중합지옥(衆合地獄)이니, …… 먹을 것을 탐하는 중생은 팔한팔열(八寒八熱)의 지옥인(地獄因)이니 곧 팔만사천격자(八萬四千鬲子)의 지옥인이요, 곧 말할 수 없는 격자의 지옥이니, 먹을 것을 탐하는 중생으로 인하여 모든 아귀인(餓鬼因)에 이르게 되니, 이에 먹을 것을 탐하는 중생은 모든 축생인(畜生因)에 이르게 된다 …….[224]

글에는 마지막에 단육(斷肉) 관념의 근거가 되는 경전으로 『열반경』, 『앙굴마라경(央掘魔羅經)』 등을 열거하고 있다. 총체적으로 살펴보면, 양 무제는 불교의 단주금육과 소식(素食)에 중요한 역할을 하여 후대에 큰 영향을 끼쳤으며, 이 종류의 경전들이 이를 근원으로 하고 있다는 것을 알 수 있다.

다만 구체적인 『화엄십악품(華嚴十惡品)』의 계통에 대해 살펴보면, 가장 이른 것이 하청(河淸) 3년(564)의 간경비인데, 북제(北齊) 무성제(武成帝)의 재위 기간에 조성된 것이다. 고대의 많은 자료들이 역사의 소용돌이 속에 산일되었음에도 불구하고 이 간경비가 보존되어 남아 있는 것은 대단히 고무적인 일이다. 이것은 이 시기의 불교사에 좀 더 풍부한 자료를 제공하고 있다. 북제 무성제의 고담(高湛) 시기에 산동 거야 석불사에 『화엄경게(華嚴經偈)』라는 제명을 가진

---

224 諸大德僧尼當知, 啖食衆生者是魔行、啖食衆生是地獄種、啖食衆生是恐怖因、啖食衆生是斷命因 …… 啖食衆生是想地獄、啖食衆生是黑繩地獄、啖食衆生是衆合地獄 …… 啖食衆生是八寒八熱地獄因、乃是八萬四千鬲子地獄因、乃是不可說不可說鬲子地獄、因啖食衆生乃至是一切餓鬼因、乃啖食衆生乃至是一切畜生因 …….

경전을 새긴 것은 북제의 불교 융성과 관계가 있으며, 남조(南朝)의 사적(事迹)을 통해서는 해석이 불가능하다. 사실상 『광홍명집(廣弘明集)』, 『속고승전(續高僧傳)』과 『북제서(北齊書)』 등의 정사(正史)에 기재되어 있는 것을 살펴보면, 북제에 불교가 크게 융성하였고, 단주금육 등의 사상이 유행하였으며, 심지어 화엄재회(華嚴齋會)에 대한 기록도 있는 것을 볼 수 있다. 그러므로 이 간경비가 북제에 나타난 것은 우연이 아니고, 그 관념과 사상의 기반이 이미 전부 구비되어 있었다고 말할 수 있다. 더욱이 이 간경비의 비음(碑陰)에 시주(施主)의 결재사(結齋社)와 경전의 목록이 새겨져 있는 것에서 이 비의 성격이 공덕을 쌓기 위한 것이라는 것을 알 수 있다.

이에 필자는 이 의위경 출현의 기반을 북조(北朝)의 융성 지역이었던 북방 지역이라고 생각한다. 관련 사료(史料)들을 살펴보자. 동위(東魏)와 비교해 보면, 북제(北齊)의 불교는 '중흥(中興)'의 명예를 얻었다. 그 발전은 결코 일반적인 것이 아니었다. 도선(道宣)이 일찍이 말하기를, "제나라가 융성하여 석교(불교)가 중흥하니, 도읍 아래에 큰 절이 대략 4천이었고, 승려로 머물고 있는 이들이 8만이었다."[225]라고 하였다. 문선제(文宣帝) 고양(高洋)은 재물을 아끼지 않고 사찰을 세워 불사를 일으켰다. "국가의 재산[國儲]을 셋으로 나누었으니, 국용(國用), 자용(自用) 및 삼보(三寶)이다."[226], "문선제 때에 세워진 절이 하나가 아니니, 칙서를 내려 덕망 있는 이를 그곳에 거처하게 하였고, 자질 있는 자에게 나라에서 봉록을 주어 그 재목을 대단히 존중하였다."[227] 불법을 널리 알리는 데 있어서도 문선제는 역시 힘을 아끼지 않았다. 그는 "법을 존중함이 달랐으며, 몸소 범본(梵本)에 예배하였다."[228] 범승(梵僧) 나련제려야사(那連提黎耶舍)를 청하여 천평사(天平寺)에서 불경을 번역하도록 하였다. 문선제는 불경의 강론과 설법에 대해서도 대단히 중시하여, "제나라 천보(天寶) 연간에 문선황제가 강석(講席)을 널리 홍포하였고",[229] 따라서 "개설한 강석이 200여 속이 되었으며, 항

225 屬高齊之盛, 釋教中興, 都下大寺, 略計四千. 見住僧尼, 僅將八萬.(『續高僧傳』「釋靖嵩」)

226 國儲爲三分, 謂國用, 自用及三寶.

227 文宣之世, 立寺非一, 勅如德望并處其中, 國俸所資, 隆重相架.

228 重法殊異, 躬禮梵本.

229 齊天保中, 文宣皇帝盛弘講席.

상 듣는 청중이 1만 명이 넘었다. 그러므로 나라 안의 영웅호걸들이 모두 수도로 돌아왔다."[230]고 한다. 그는 또한 선법(禪法)을 널리 일으키는 것에도 힘을 쏟아 천보(天保) 3년에 칙령을 내려, 모든 주(州)에 따로 선사(禪寺)를 두고, 뛰어난 선사(禪師)로 하여금 가르치게 하였다. 문선제는 고승을 극진히 예우하여 법상(法上)을 현소대통(玄昭大統)으로 봉하고, 심지어 머리카락을 땅에 깔아 법상에게 밟게 하였으며, 국사 승조(僧稠), 천축승 나련제려야사, 승달(僧達) 등에 대해서도 모두 "수승한 예를 지극히 보이고, 치우치고 다른 것을 항상 평등하게 대하였다[極見殊禮, 偏異恒倫]."[231]고 한다.

이로부터 알 수 있는 것은 북제(北齊)의 건국 초기에 이미 불교 발전의 기반이 정비되어 있었다는 것이다. 이 『화엄경게(華嚴經偈)』에 있어서도, 더욱 직접적이고 중요한 것은 문선제가 단주육(斷酒肉)을 권장하고 재를 설치하는 등, 불교를 통치의 철학으로 삼았다는 점이다. 비록 불교사(佛教史)에 있어서 소식(素食)의 전통이 양 무제로부터 창시되었다고 통상적으로 인식되고 있지만, 북조 시기의 북제의 계살중재(戒殺重齋)의 정책 역시 남조(南朝)에서는 찾아보기 힘든 것이다. 예를 들면 『속고승전(續高僧傳)』에 다음과 내용이 있다.

> (고양) 천보 2년에 또 조서를 내려 말하기를, …… 여러 새들과 상처받은 생물들은 마땅히 산림에 놓아주고, 곧 이곳에 태황태후경영보탑(太皇太后經營寶塔)을 만들고 응사조(鷹師曹)를 폐하여 보덕사(報德寺)로 삼아라 ……."[232], "또 다스리는 국토 내에서 술과 고기 먹는 것을 금하고, 새와 짐승을 놓아주며, 물고기를 잡고, 짐승을 도살하는 것을 널리 나라에서 하지 못하게 하였다. 그해 3월 6일에 백성들에게 재계를 권하고, 공과 사에서 훈채(葷菜)를

---

230 講席相距二百有餘, 在常聽常過一萬. 故寓內英杰, 咸歸厥邦.

231 『續高僧傳』 卷二 「那連提黎耶舍傳」, 卷六 「釋眞玉傳」, 卷八 「釋法上傳」, 卷十 「釋靖嵩傳」, 卷十六 「釋僧稠傳」, 「釋僧達傳」.

232 (高洋)天保二年又下詔曰 …… 諸鷙鳥傷生之類, 宜放於山林, 卽於此地爲太皇太後經營寶塔, 廢鷹師曹爲報德寺 …….

다 없앴다.[233]

문선제가 이와 같이 불교를 중흥시킨 것이 정사(正史)에 반영되지 않을 수 없었던 것이다. 『북제서(北齊書)』의 본기(本紀)에는, "(천보 7년 5월) 그 달에 황제는 자비로써 고기 먹는 것을 끊고 드디어 다시는 먹지 않았다."[234]라는 기록이 보이는데, 여기서 "자비로써 고기 먹는 것을 끊음[以食肉爲斷慈]"은 바로 『열반경』에 있는 구절이다. 이는 양 무제의 사상과 일맥상통하는 부분이 있다. "(천보 8년) 여름 4월 경오에 조서를 내려서 게, 조개, 대합들을 채취하는 것을 모두 끊게 하고, 오직 물고기 잡는 것만을 허용하였다. 을유(乙酉)에 조서를 내려 공과 사에서 매를 함께 금지시켰다."[235], "(천보 9년) 봄 2월 을축(乙丑)에 조서를 내려 겨울 1월에 들에 불을 피우는 것을 제한하여, 이 시기에 불을 피워 곤충과 초목을 손상시키는 것을 할 수 없게 하였다."[236], "(천보 10년) 2월 병술에 황제가 감로사(甘露寺)에서 참선에 들어 깊이 관하며, 오직 군국의 대사만을 아뢰게 하였다."[237]고 한다.[238]

북제의 건국 시기에 다져진 '계살단육(戒殺斷肉)'과 '입재(立齋)'의 철학은 확실히 파재(破齋)·파계(破戒)에 대한 징벌로 지옥에 떨어져서 각종의 고통을 받는 내용으로 이루어진 『화엄경게』가 만들어지기에 충분한 분위기를 형성하고 있었다. 뒤이어 집권한 무성제(武成帝)와 같은 황제도 역시 사서(史書)의 기록에 의하면, 여전히 불교를 존중하고 숭상하였다. 『북제서(北齊書)』「무성본기(武成本紀)」를 보면, 하청(河淸) 2년 5월 임오(壬午), 조서를 내려 성(城) 남쪽의 쌍당(雙堂)을 윤위(閏位)의 원(苑)으로 삼고, 다시 대총지사(大總持寺)을 세웠다. 가을 8월 신축(辛丑), 조서를 내려 삼대궁(三臺宮)을 대흥성사(大興聖寺)로 삼았다.

233 又能率土之內禁斷酒肉, 放舍鷹犬, 畛魚屠殺普國不行. 年三月六、勸民齋戒, 公私葷菜悉滅除之.
234 (天保七年五月)是月, 帝以肉爲斷慈, 遂不復食.
235 (天保八年)夏四月庚午, 詔諸取蟹、蜆、蛤之類悉聽停斷, 唯聽捕魚. 乙酉, 詔公私鷹鷂俱亦禁絶.
236 (天保九年)春二月乙丑, 詔限冬一月燎野, 不得它時行火, 損昆蟲草木.
237 (天保十年)二月丙戌, 帝於甘露寺禪居深觀, 唯軍國大事政奏聞.
238 『續高僧傳』卷十五 綜論.

남북조 시기, 양 무제 등의 단살제육(斷殺除肉), 소식계재(素食戒齋)의 사상적 영향 아래에 북제 안지추(顔之推)는 『단살가훈(斷殺家訓)』을 저술하였는데, 그중에는 응보의 내용이 있다. 화엄재회(華嚴齋會)는 남조(南朝)의 재경릉(齊竟陵) 문선왕(文宣王) 소자량(蕭子良)이 창시하였다. 그는 일찍이 화엄재회를 주관하고, 친히 기록하여 『화엄재기(華嚴齋記)』 1권을 만들었으며, 이것은 후대에 커다란 영향을 미쳤다. 이후 화엄재회는 점차로 민간에 유포되었다. 북제의 '계살단육' 의 정책이 양 무제의 영향을 받았는지의 여부는 단언할 수 없다. 사서(史書)의 승전(僧傳) 기록을 살펴보아도 그 흔적을 찾기 힘들다.

그리고 남제의 문선왕 소자량이 만든 화엄재회가 민간에 유포되는 과정에서 양자강을 넘어 유포되었는지의 여부도 확실한 단서를 찾을 수 없지만, 그 가능성을 완전히 배제할 수는 없다. 왜냐하면 북제 하청 연간의 『화엄경게』 비(碑)에는 비음(碑陰)에 바로 12승려의 지도 아래에 민중들이 '재회의 결사[齋社]' 를 결성하였음이 새겨져 있기 때문이다. 그런데 일부 학자들은 화엄재회를 만들고 『화엄재기』를 저술한 소자량을, 즉 남제의 문선왕을 북제 문선제 고양(高洋)으로 오인하는데, 이는 완전한 오해이다.[239] 어쨌든 북제의 초기에 제왕이 만든 법령과 규칙 아래, 단육계주의 사상은 이미 거대한 풍조를 이루고 있었다. 즉 북조 말기의 고제(高齊) 정권의 숭불 정책, 소자량이 창도한 화엄재회, 양 무제가 추진한 소식(素食)은 모두 대단히 유사한 점이 있다. 그래서 수년 후에, 민중이 재회의 결사를 결성하고, 그러므로 이러한 시대적 배경 아래에 파계 · 파재의 죄업과 형벌을 내용으로 하는 경문이 만들어지는 것은 자연스러운 일이라 할 수 있다.

필자는 이 경전의 기원과 북제에서 시행되었던 '단주제육' 의 법령과 화엄재회 그리고 참법(懺法)이 대단히 밀접한 관계를 가지고 있다고 추측하고 있다. 또한 이 경전이 의위경으로 만들어진 이후에 사라지지 않고 돈황 사본(寫本)으로 남아 전해지고, 사천 대족에 마애석각으로 도(圖)와 문(文)이 새겨졌다는 점에서 민간에 유포된 의위경의 강한 생명력을 느낄 수 있다.

239 丁明夷, 「安陽靈泉寺與小南海石窟造像題材考—與北朝佛教史的補正」, 『文物』(第4期), 文物出版社, 1989, p.16.

3. 삼계교(三階敎)의 송념(誦念)

삼계교는 수대(隋代)에 신행(信行)법사가 창립하였다. 중국의 불교 종파 가운데 삼계교는 비교적 작은 지파에 불과하지만, 오히려 대단히 특색 있는 종파이다. 삼계교와 지장신앙의 관계는 일반적이라고 할 수 없다. 삼계교는 불교에 있어서 비정통적인 종파로 인식되고 있다. 삼계교는 불교의 여러 종파 가운데 유일하게 이단(異端)의 교파로 구별되고, 다른 종파의 배척과 공격을 받아 전승이 끊기게 되었다. 삼계교는 6세기 말엽에 발흥하여, 7세기를 거쳐 8세기에 발전하였다. 그 300여 년 동안 조정과 다른 종파로부터 무수한 공격과 배척을 받았고, 당(唐) 말엽 이후에는 교세가 눈에 띄게 약해졌다. 삼계교의 전적(典籍)도 전승이 끊어졌는데, 돈황의 장경동에서 적지 않은 수의 삼계교의 사경(寫經)이 발견되었다. 이 사경을 통하여 삼계교 전적의 기본적 면모를 살펴볼 수 있다.

신행(信行 ; 540~594)은 속성(俗姓)이 왕(王)이며, 위군(魏郡 : 지금의 河南省 安陽) 사람이다. 17세에 상주(相州 : 지금의 河北) 법장사(法藏寺)에서 출가하였다. 수계(受戒) 후에 널리 경론을 연구하며 특히 수행을 중시하여 일반적인 견해와 다른 사상을 가지게 되었다. 그는 불교는 마땅히 시의에 빠르게 대응해야 하며, 제도(濟度)를 실행함에 탁상공론에 빠져서는 안 된다는 인식을 가지고 있었고, 말법(末法)의 시대에는 거듭 수행에 힘써야 함을 주장하였다. 신행은 본래 구족계(具足戒)를 받은 정식 승려였지만, 승려의 생활 방식이 보살행에 도움이 되지 않고 그의 불법 사상을 실천하는 데 불리하다고 생각하여, 법장사에서 구족계를 버렸다.

신행은 계를 버린 후에, 대승의 이타(利他)의 정신을 마음에 품고 사미의 신분으로 사찰에서 스스로 노역을 하였다[親執勞役]. 승속의 신도들을 위하여 노역을 하며 피곤한 생활을 겪으면서도 의복과 음식을 아껴 가난하고 불쌍한 사람들을 구제하니, 주변의 많은 사찰의 승려들에게서 질책을 받았다. 신행은 그가 창안한 새로운 주장을 서술하고 강론하였다. 신행이 창안한 종파를 삼계교, 혹은 삼계종(三階宗), 삼계불법(三階佛法)이라고 부르는데, 이것은 그가 불법을 세 단계로 나누어 파악하고, 말법관(末法觀)에 의거하여 삼계(三階)의 설을 창안하였기 때문이다. 그는 불멸도(佛滅度) 후의 초기 500년이 정법시기(正法時期)이고, 두 번째 500년은 상법시기(像法時期)이며, 천 년 이후는 말법시대라고 인식하였다. 시대에 따라서 불법을 세 단계로 나누어 보고 있는 것이다. 정법시대의 사람은 일승(一乘 ; 大乘)의 근기를 가지고 있고, 상법시대의 사람은 삼승(三乘 ; 小乘)의 근기를 가지고 있으며, 말법시대의 사람은 세간의 보편적인 근기를 가지고 있다는 것이, 사람의 근기에 대한 신행의 인식이다. 그리고 세계, 즉 장소에 의거하여 정토(淨土)와 예토(穢土)로 나누고 있다. 첫 번째 단계의 대승인은 정토에 있고, 두 번째의 소승인(小乘人)과 세 번째의 세간의 사람들이 있는 곳이 예토라는 것이다. 첫 번째 단계와 두 번째 단계의 불법에는 다소의 차별이 있고, 이를 '별법(別法)' 이라 한다. 세 번째 단계의 시대에 있어서는 대승, 소승을 불문하고, 반드시 보경보신(普敬普信)을 하여야 하는데, 이것을 '보법(普法)' 이라 한다. 신행은 이 보법이 말법시대의 중생이 구원받을 수 있는 유일한 법문(法門)이라 선언하였다. 당시의 많은 사람이 그에 의해 감화되어, 그를 스승으로 삼고 존중하였다.

삼계교는 시(時) · 지(地) · 인(人)을 세 단계로 구분하고, 이것에 의하여 종파를 세웠다. 그 교리는 사람의 근기를 나누어 인식하고 있는데, 첫 번째 단계의 정법시대의 일승(一乘)은 가장 유리한 근기로서, 지계정견(持戒正見), 계견(戒見 ; 행위와 견식)이 모두 굳세다. 두 번째 상법시대의 삼승(三乘)은 유리한 근기로 정견을 이루고 계가 흐려졌지만, 견(見)이 파괴된 것은 아니다. 이상의 두 단계는 모두 정견을 이룬 사람들이다. 세 번째 말법시대는 계와 견이 모두 파괴되고 전도된 세간 중생의 근기이다.

삼계교는 중생의 근기가 다르다고 보기 때문에 필연적으로 사람에 맞추어 설법을 하였다. 만약에 하위의 근기를 가진 사람이 상위의 법을 수행하는 것은 근기에 불합리하게 된다. 그러므로 삼계교의 교의(教義)는 근기에 따라 보법(普法)을 설하는 것을 중시한다. 이 세계의 사람은 말법시대의 예토에 살고 있기 때문에 편견(偏見 ; 공 혹은 유에 치우친 견해) 혹은 사견(邪見)에 지배되고 있어서, 이들이 첫 번째, 두 번째 단계의 별법(別法)을 받는 것은, 즉 일불(一佛)과 일경(一經)을 믿는 것은 다른 부처, 다른 경전을 따르는 것이 된다. 신행은 말법시대에는 별법을 수행할 것이 아니고 당연히 보편에 해당하는 일체불(一切佛), 일체법(一切法), 일체승(一切僧)에 귀의하고, 일체의 악을 끊고, 일체의 선을 수행해야 한다고 주장하였다. 이에 삼계교는 독존 미타일불(彌陀一佛)과『법화경』을 중시하는 종파와 가장 첨예하게 대립하게 된다. 이후 정토종에서는 삼계교를 가장 격렬하게 비판하고 공격하게 된다.

첫 번째와 두 번째 단계는 '별불(別佛)' · '별법(別法)' 이고, 세 번째 단계가 '보불(普佛)' · '보법(普法)' 이기에 약칭하여 '보법' 이라고 한다. 보법의 실제 뜻은 법을 대소로 나누지 않으며, 사람을 범인과 성인으로 구별하지 않고 보신보경(普信普敬)하는 것이다. 이 법을 높이지 않고 다른 법을 배척하므로 '보(普)' 라고 하였다. 삼계교의 신도들은 길에서 걷거나 뛰다가도 사람을 만나면 남녀를 불문하고 모두 예배를 한다. 이것은『법화경』의 '상불경보살(常不輕菩薩)' 을 모방한 것이다. 바로 이 점은 삼계교 교단이 대단히 빠르게 많은 대중들로부터 지지를 얻게 된 요인이다. 삼계교는 인욕고행(忍辱苦行)과 보시(布施)를 강조하며, 정토종이 제창한 염불삼매(念佛三昧)를 반대하였으며, 아미타불을 염송하는 것이 아니라 오히려 지장보살을 염송할 것을 강조하였다. 또한 일체의 불상(佛像)은 니감(泥龕)에 불과하므로 존경할 필요가 없다고 보았다. 일체 중생이야말로 진실한 부처이므로 존중받아야 하는 것이다.

삼계교가 주장하는 귀의불(歸依佛)에는 다섯 종류가 있다. 즉, 진신불(眞身佛), 응신불(應身佛), 형상불(形象佛), 사마불(邪魔佛 ; 外道의 여러 신, 佛菩薩應變身), 보진보정불(普眞普正佛)이다. '보진보정불' 에는 다시 네 가지 종류가 있다. 즉, 여래장불(如來藏佛), 불성불(佛性佛), 당래불(當來佛), 불상불(佛想佛)이다. 이것이 소위 '보법사불(普法四佛)' 이다.

삼계교의 교의에 따라 살펴보면, 일체의 미망이 현실 중생의 모습이지만 본래 성불의 가능성을 가지고 있다. 즉, 여래장 혹은 불성이라는 측면에서 보면, 모두가 부처인 것이다. 그러므로 이러한 일체의 중생이 곧 '여래장불' 혹은 '불성불' 이며, 그 가능성이 계발되고 실현되면 부처가 되는 것이다. 또한 그래서 일체의 중생은 모두 '당래불' 이며, 일체 중생이 모두 불상(佛想)을 행하므로 일체

중생은 모두 '불상불'이다. 세계의 중생이 부처 아닌 자가 없기 때문에 사불(四佛)은 실은 일불(一佛)인 것이다. 이것이 바로 '보불(普佛)' 사상이다. 보불사상은 중생을 두루 존중하는 것과 부처를 존중하는 것을 하나로 보았다. 이것이 '보법' 사상의 기반이다. 중생을 두루 존중하는 동시에 악에 대해서 인식할 것을 말하고 있는데, 즉 중생을 여래장불로 보고 존중하지만, 말법시대의 중생은 공견(空見)이나 사견(邪見)을 가지고 있다는 것이다. 그러므로 한편으로는 타인을 두루 존중하며, 한편으로는 자신의 악을 인식할 것을 촉구한다. 당림(唐臨)은 『명보기(冥報記)』에서 말하기를, "신행은 경률에 의거하여, 『삼계불법』 4권을 기록하니, 그 요지는 널리 공경하고 악을 인식하여 본래 불성을 관하고, 병이 나면 약을 받을 것을 사람들에게 권하는 것이다."[240]라고 하였다. 그러나 이러한 종지(宗旨)는 당시의 불교계의 일반적인 사상과는 대단히 차이가 있고 동떨어진 사상이었기 때문에 불교계와 세간에 수용되기 힘들었다.

다만 삼계교는 당시 도(道)·속(俗)의 일부 인사들에게 상당한 지지를 얻었다. 좌부사(左仆射 ; 승상벼슬) 고영(高穎 ; 541~607) 같은 이는 신행의 명성을 듣고, 수(隋) 문제(文帝)에게 청하여 그를 수도로 올라오게 하여, 진적사(眞寂寺)를 거처로 삼게 하였고, 신행을 주지로 임명하였다. 신행은 이곳에서 한편으로 포교에 힘쓰며, 한편으로는 저술을 하였다. 신행과 그 교단은 수 시절에 모두 5개의 절이 있었는데, 진적사(眞寂寺 ; 후에 化度寺로 개명), 광명사(光明寺), 자문사(慈門寺), 혜일사(慧日寺), 홍선사(弘善寺)이다. 이후에 많은 사찰에 삼계교의 승려가 사찰에 머물렀다. 고영은 수대의 명신으로, 진(陳)나라를 평정한 공으로 제국공(齊國公)의 작위까지 올랐다. 그는 수나라의 재상의 신분이면서 신행을 받들고, 집을 보시하여 삼계교의 사찰로 만들었다. 만약 고영의 지지가 없었다면 삼계교의 당년의 성세도 없었을 것이라고 할 수 있다. 또한 삼계교가 창도한 무진장(無盡藏 ; 보시로 재물을 모아서 세 부분으로 나누되, 하나는 전국의 사찰과 탑을 수리하는 데 사용하고, 다른 하나는 천하의 빈민과 병든 자를 위하여 사용하고, 마지막으로 하나는 자유롭게 사용함)은 사회 공익사업의 의미를

240 『三階佛法』(四卷). 其大旨勸人普敬認惡, 本觀佛性, 當病授藥.

가지고 있어서, 무주(武周) 시기에 비록 두 차례 삼계교를 금지시켰지만, 무진장은 오히려 의미 있게 추진되었다. 신룡(神龍) 2년(706)의 〈신행흥교비(信行興教碑)〉는 신행에 대한 찬탄이 아낌없이 나타나 있다[조명성(趙明誠), 『금석록(金石錄)』 권3]. 당시의 승속이 그에 대하여 가히 얼마나 깊은 존경을 보냈는지를 알 수 있다. 삼계교는 『칠계불명(七階佛名)』을 일상의 예참의식(禮懺儀式)으로 하였는데, 후세의 승려 만과(晩課) 등에 의하여 계승되었다. 당대(唐代)에 『명보기(冥報記)』를 저술한 당림(唐臨)은 고영의 외손자였다. 『명보기』의 첫 번째는 신행에 대한 이야기이며, 두 번째는 신행의 주요 제자인 혜여(慧如)에 관한 것으로 삼계교에 대한 깊은 믿음을 느낄 수 있다.

삼계교 경전의 대부분은 기존의 경문을 취합하여 만든 것이다. 『삼계불법(三階佛法)』은 『대반열반경(大般涅槃經)』, 『대방광십륜경(大方廣十輪經)』, 『대집경(大集經)』 등의 경문에서 발췌하여 엮은 것이라고 할 수 있다. 삼계교의 전적으로 또한 『삼계불법밀기(三階佛法密記)』, 『대근기행법(對根起行法)』, 『무진장법략설(無盡藏法略說)』 등의 적지 않은 책이 있다.

삼계교의 주요 전적은 『대방광지장십륜경』을 인용하고 있는 것이 대단히 많다. 현장의 뛰어난 제자이며 삼계교의 승려였던 신방(神昉)도 역시 『십륜경초(十輪經鈔)』를 저술한 바가 있다. 삼계교는 지장보살의 명호를 염송할 것을 주장하고 있고, 또한 『대방광지장십륜경』의 지장보살에 관한 내용을 대량으로 인용하여 경전을 만든 측면을 고려해 본다면, 지장보살신앙과 대단히 밀접한 관계를 형성하고 있다는 것을 알 수 있다. 용문석굴 등에서 발견된 지장보살상이 삼계교와 어떤 관계에 있는지를 설명한다는 것은 대단히 어려운 문제이다. 일부 학자들은 이러한 조각상의 등장을 삼계교가 민간에 깊이 침투한 시대상황을 반영하고 있다고 주장한다.[241] 어떤 측면에 있어서, 삼계교는 확실히 지장보살 신앙을 중시한 면이 있지만, 또한 불보살(佛菩薩)에 예배하는 것을 반대하고, 불보살의 조상을 니상(泥像)이라고 인식하며 존중하지 않고, 중생이야말로 불성을 구유한 진실한 부처라고 보았다. 그러므로 삼계교가 지장보살상과 직접적인 관

241 溫玉成, 「龍門石窟雙窯」, 『考古學報』(第1期), 1988.

계를 가지고 있었는지의 여부는 현재로서는 확실히 증명하기가 곤란하다. 다만 지장보살의 형상은 이러한 신앙심을 가진 민중들에 의하여 조성되었을 가능성은 있다. 이러한 문제는 추후에 다시 검토가 이루어져야 할 것이다.

삼계교는 지장보살을 염송하는 것을 강조하고 있다.『시소범자유가법경경(示所犯者瑜伽法鏡經)』은 당대의 삼계교의 학승인 사리(師利)가 편찬한 것으로, 이 경의 제2품「지장보살찬법신관행(地藏菩薩歎法身觀行品)」은 오로지 지장보살에 대한 게송으로 이루어져 있다. 이것은 삼계교 전적 가운데 지장보살과의 관계를 보여주는 한 단면이지만, 그 기본적인 내용은 불공(不空)이 번역한『백천송대집경지장보살청문법신찬(百千頌大集經地藏菩薩請問法身贊)』을 다시 편집하여 만든 것으로, 어느 정도 내용의 첨삭이 이루어져 있다. 이 경전은 신행 이후의 당대(唐代)에, 삼계교가 민중을 교화하며 발전해 나가는 상황을 반영하고 있지만, 삼계교의 지장보살이 어떠한 의미를 내포하고 있으며, 지장보살상이 어떻게 숭앙되었는지를 설명하는 것은 불가능하다. 근래에 섬서(陝西) 순화현(淳化縣)에서 발견된 당대(唐代)의 석굴에는『십륜경(十輪經)』을 포함하여 많은 삼계교의 경전이 새겨져 있다. 이것은 삼계교의 면모를 알 수 있는 상당히 중요한 발견이며,[242] 대단히 깊은 연구가 요구된다. 이 석굴의 높이는 7.5m, 넓이는 9m, 깊이는 5m이다. 뒤쪽의 벽에는 반원에 석가모니의 좌상이 조각되어 있다. 문화대혁명 기간에 부처의 머리 부분이 훼손되었으며, 양쪽 옆에는 원래 협시가 있었으나 지금은 존재하지 않는다. 석굴의 동쪽 벽에,『불설대방광십륜경(佛說大方廣十輪經)』「서품(序品)」제1에서 제5까지 새겨져 있다. 또한 '신행선사의 찬(撰)' 이라는 제기가 있는『명제경중대근시심발보리심법(明諸經中對根時深發菩提心法)』,『명제대승수다라내세간출세간양계인발보리심동이법(明諸大乘修多羅內世間出世間兩階人發菩提心同異法)』과『대집월장분경략(大集月藏分經略)』이 각기 한 권씩 새겨져 있다. 서쪽 벽에 새겨져 있는 경전 가운데『칠계불명경(七階佛名經)』,『여래시교승군왕경(如來示教勝軍王經)』과『법화경』,『금강경』이 있다.

242 姚生民,「淳化唐代刻經石窟」,『中國文物報』, 1997年 2月.

필자가 이를 비교 분석해 본 결과, 이들 경전 가운데 『명제경중대근시심발보리심법』과 『명제대승수다라내세간출세간양계인발보리심동이법』은 이 석굴에서만 찾아볼 수 있는 경전이었다. 일본의 야부키 게이키(矢吹慶輝)가 편집한 삼계교의 잔존 경전에는 단지 목록 중에 경전의 명칭만 수록되어 있다. 즉, 이 두 경전의 명칭은 삼계교 경전의 목록에는 열거되어 있지만, 이 석굴에 새겨져 있는 경전의 내용을 다른 곳에서는 찾아볼 수가 없다.[243]

이 석굴에 있는 불상 광배의 왼쪽과 서쪽 벽의 경문에는 송대(宋代)에 새겨진, "대관술자(大觀戊子)", "정화갑오(政和甲午)"라는 기년명이 있다. 즉, 석굴의 경문은 북송 대관(大觀) 2년(1108)과 정화(政和) 4년(1114)에 조성된 것이다. 원래 알려진 대로, 이것이 상을 조성하고 경전을 새기면서 만든 기록인지, 혹은 후세 사람들이 새긴 것인지 알 수는 없지만, 만약 송대에 새겨진 것이라면, 삼계교가 만당(晩唐) 이후에 거의 사라졌다는 사료(史料)와 부합되지 않으며, 오히려 당대(唐代)에 조성되었을 가능성이 대단히 크다. 진실이 무엇이든, 이것은 삼계교의 기원과 발전 그리고 경전에 대한 대단히 중요한 발견으로, 삼계교 연구에 있어서 중대한 가치가 있다.

삼계교의 교법(敎法)은 민간의 비밀교에도 역시 어느 정도 영향을 미쳤는데, 그 교의가 명 · 청 시대의 민간 비밀교의 '삼기말겁(三期末劫)' 중에 나타나고 있다.[244] 필자는 삼계교의 정황을 처음 파악하면서, 삼계교와 지장보살의 관계가 일부의 학자들이 말하는 것처럼 그렇게 긴밀한 관계였을까 하는 의구심을 가지고 있다. 왜냐하면 삼계교 승려들이 지장보살을 염송하는 것을 강조하고는 있지만, 삼계교의 승려 역시 불상을 만들고 탑을 세우는 일에 대해서는 반대하고 있으며, 이 점은 삼계교 승려들의 활동에 있어서 대단히 중요한 특징이기 때문이다. 경전이 새겨진 이 석굴을 살펴보더라도 역시 지장보살상의 인적(印迹)은 찾을 수가 없다. 삼계교와 지장보살상의 관계를 명확하게 직접적으로 보여주는 것은 쉽게 찾아볼 수 없다. 삼계교의 승려들이 지장보살을 염송하고, 지장보

243 李盛鐸의 『敦煌遺書散錄』에 『發菩提心法一卷』 一本이 있다. 그러나 이 경전은 일찍이 일본으로 넘어가 개인이 소장하고 있으므로 자세한 사정을 알 수 없다.

244 濮文起, 『中國民間秘密宗敎』, 浙江 人民出版社, 1991, p.12.

살을 숭앙하며, 지장경전을 중시하였다는 것은 지장보살상의 측면에서 파악할 수 있는 것과는 다른 차원의 문제이다.

역자 후기

"내가 지옥에 가지 않으면 누가 지옥에 갈 것인가!", "중생이 모두 구원받아 지옥이 텅 비지 않는다면, 결코 성불하지 않겠다!", "중생이 모두 제도된 후에 보리(菩提)를 증득하겠다!"는 구절들은 모두 『지장보살본원경(地藏菩薩本願經)』에 보이는 지장보살의 대원(大願)을 여실하게 보여주는 내용이다. 특히 근대 중국불교를 이끈 인순(印順)법사는 이 경전을 다시 편찬한 서문에서 지장보살에 대하여 "가히 험난한 길을 이끄는 스승이요, 어두운 거리를 비추는 지혜의 등불[慧炬]이며, 빈궁한 자의 보장(寶藏)이며, 흉년을 넘길 수 있는 곡식과 같다고 말할 수 있다. 일체의 미혹한 중생들로 하여금 속히 깨달음을 얻을 수 있게 한다."라고 설하고 있다.

이러한 지장보살에 대한 신앙이 중국에서 본격적으로 일어난 계기는 바로 당대(唐代) 구화산(九華山)의 김지장 스님의 수행과 교화라고 하겠다. 특이한 것은 역사적으로 실존하는 인물로부터 지장신앙이 일어났다는 것이고, 더욱 우리에게 친근하게 다가오는 것은 그가 바로 신라 왕자 출신인 김교각 스님이라는 점이다. 더구나 김지장 스님의 행화가 널리 알려지자 신라로부터 수많은 스님들이 도래해 함께 수행을 했다고 하니 보다 깊은 감회가 있다.

본 『지장』 I · II권은 바로 중국의 지장신앙에 대한 종합적인 연구서이다. 원저자인 장총(張總) 선생은 중국에서 지장신앙에 대한 유명한 연구자로서 다양한 소의경전과 주석서, 보권, 민간신앙 자료, 돈황 사본 및 김지장 스님의 구화도량을 비롯한 중국 전역의 사적들을 집대성하고 있다. 그에 따라 원 텍스트인 『지장신앙연구』는 중국에서도 지장신앙 연구의 대표작으로 손꼽히는 책이다. 저자가 한국어판 서문에서도 언급한 바와 같이, 역자가 번역을 한다는 소식을 접하고 전반적으로 텍스트를 보완 · 수정해 주었으며, 풍부한 지장보살 관련 도판 사진들을 첨부해 주어 더욱 그 가치를 높였다.

번역을 맡으며 마침 구화산의 지장도량을 탐방할 기회를 얻었다. 김지장 스님의 사적을 직접 답사했을 때 느꼈던 감회는 역자에게 바쁜 일정에서도 번역에 더욱 매진하게 하는 힘이 되었다. 번역 과정에서 적지 않은 분들의 도움을 받았다. 우선, 본 『지장신앙연구』 한국어판 번역의 계기를 제공해 주신 한중불교문화교류협회 회장인 영담 스님께 깊은 감사의 마음을 올린다. 또한 역자에게 번역을 맡겨준 동국대학교출판부의 김윤길 부장님과 김혜경 선생, 번역을 추천해 준 불교문화연구원의 조기룡 박사에게 이 지면을 빌려 깊은 감사를 표한다. 그리고 무엇보다도 성문출판사 강영철 선생의 도움이 없었다면 본 책의 출간은 상당히 힘들었을 것이다. 그것은 역자가 미술사학과 관련된 영역에는 문외한이라 강 선생이 감수와 전체적인 문장의 교열, 사진 편집 등을 맡아 주었기에 깊은 감사의 마음을 보낸다. 그리고 밀교 부분에 있어서 도움을 준 정성준, 이정수 두 선생, 또한 바쁜 와중에 인용문 번역을 도와준 이인혜 선생 등과 그 외에 여러 가지 편의를 봐준 불교문화연구원 원장인 박인성 교수님, 늘 함께하는 불교문화연구원의 모든 동료들에게도 마음 깊이 감사를 보낸다.

역자에게 『지장』 I · II권의 출간은 또 다른 의미를 가진다. 폐암으로 몇 년간 고통받으시다가 얼마 전에 결국 세상을 떠나신 아버님의 영전에 본 역서를 올릴 수 있게 되었기 때문이다. 여러 가지 사정으로 효도다운 효도 한번 못했는데…… 그래도 마지막 임종을 모실 수 있었고, 사십구재를 마치기 전에 본 책이 출간되어 마지막으로 조그마한 효도를 할 수 있게 되었음은 바로 지장보살님의 가피가 아닐까 싶다.

2009년 8월

동국대 불교문화연구원 연구실에서

김진무